SUITE ÉCOSSAISE

UN ACTE D'AMOUR

James MEEK

UN ACTE D'AMOUR

Traduit de l'anglais (Écosse)
par David Fauquemberg

Éditions Métailié
20, rue des Grands Augustins, 75006 Paris
www.editions-metailie.com
2013

Traduit avec le concours du Scottish Arts Council

Scottish
Arts Council

Titre original : *The People's act of love*
1re publication : Canongate Books Ltd., Édimbourg
© James Meek, 2005
Traduction française © Éditions Métailié, Paris, 2007
ISBN : 978-2-86424-934-4
ISSN : 1281-5667

James MEEK est né à Londres en 1962 et a grandi à Dundee. Journaliste, grand reporter depuis 1985, il a vécu en Russie de 1991 à 1999. Il vit actuellement à Londres et collabore au Guardian, *à la* London Review of Books *et à* Granta. *En 2004, ses reportages sur l'Irak et Guantanamo ont reçu de grands prix internationaux. Il est l'auteur de quatre romans et de recueils de nouvelles.*

*"Occupé qu'il était à changer le monde,
l'homme a oublié de se changer lui-même."*

Andreï Platonov,
La Pépinière de l'homme nouveau

À l'âge de douze ans, bien des années avant qu'il ne surprenne dans le cartable d'une fille l'odeur puissante de la dynamite, mêlée aux senteurs des livres de cours et de l'eau de Cologne, Kyrill Ivanovich Samarin exigea de son oncle le droit de changer de nom. Il ne voulait plus être un Ivanovich. L'Ivan du patronyme, son père, était mort quand il avait deux ans, peu après sa mère. Depuis ce jour, il était élevé par son oncle, Pavel : alors, pourquoi ne pas s'appeler Kyrill Pavlovich ? Quand son oncle lui rétorqua qu'il ne pouvait rien y changer, que c'était dans l'ordre des choses, que les pères défunts avaient des droits et qu'on leur devait le respect, le garçon sombra dans un silence courroucé, pinça les lèvres et regarda ailleurs, respirant bruyamment par le nez. Son oncle avait appris à reconnaître ces symptômes. Ils apparaissaient plusieurs fois l'an, quand l'un des amis du garçon le laissait tomber, quand on lui demandait d'éteindre sa lampe de chevet et de dormir, ou quand il s'interposait pour empêcher son oncle de corriger un domestique.

Ce qui survint ce jour-là n'avait rien de familier. Le garçon regarda fixement son tuteur, se fendit d'un large sourire puis éclata de rire. Ses yeux brun sombre plantés dans ceux de son oncle et ce rire – pas encore un rire d'homme car sa voix n'avait pas mué, mais plus vraiment celui d'un enfant –, tout cela était fort troublant. "Oncle Pavel, reprit le garçon. Voudrais-tu bien désormais m'appeler Samarin et rien d'autre, jusqu'au jour où je serai libre de choisir mes noms ?"

C'est ainsi que depuis le jour de ses douze ans, en famille, on ne prononça plus que son patronyme, comme s'il vivait à la caserne. L'oncle adorait son neveu. Il le gâtait à la moindre occasion, même s'il n'était pas facile de satisfaire Samarin.

L'oncle de Samarin n'avait pas eu d'enfant et il était si timide en présence des femmes qu'on n'aurait su dire s'il appréciait leur compagnie. D'un rang modeste, il avait bâti une immense fortune. C'était un architecte entrepreneur, un de ces individus bénis des dieux dont le savoir-faire concret n'offre aucune prise à la suffisance, à la corruption ni à la bêtise des puissants qui patronnent leurs activités. Et au fil du temps, les gens de Raduga, la ville des bords de la Volga où vivaient Samarin et son oncle, avaient fini par ne plus considérer son neveu comme un malheureux orphelin. On l'appelait *schastlivchik,* le chanceux.

L'excellente réputation dont jouissait l'oncle de Samarin aux yeux de l'aristocratie conservatrice tenait également à son peu d'intérêt pour la politique. Aucun cercle libéral ne tenait salon chez lui, il n'était pas abonné aux journaux de Saint-Pétersbourg et refusait de rejoindre les rangs des associations réformistes, malgré leurs sollicitations continuelles. Il lui était bien arrivé, par le passé, de soutenir une cause. Au cours du fol été 1874, bien avant la naissance de Samarin, il était de ces étudiants partis battre la campagne en bons missionnaires, pour encourager les paysans à la rébellion. Les paysans ne comprenaient pas un traître mot de ce qu'on leur racontait et, pensant que les étudiants se payaient leur tête, ils les renvoyèrent chez eux, d'abord du bout des lèvres puis, finalement, par la force. L'oncle de Samarin échappa de peu à l'exil sibérien. Son amour-propre ne se remit jamais de cette humiliation. Chaque mois, il écrivait une longue lettre à une femme qu'il avait connue alors, exilée en Finlande. Quand il ne restait plus qu'à la poster, il la brûlait.

Samarin tenait de son oncle dans le domaine de la politique, mais aussi dans ses rapports avec les femmes.

À la fin de sa scolarité, il mena des études d'ingénieur à l'université locale, sans jamais participer aux nombreux débats, groupes de discussion et autres cercles marxistes semi-clandestins, très prisés des étudiants radicaux. Il n'aimait pas non plus s'afficher ni partir en manœuvres aux côtés des militants antisémites qui traînaient sur les marches de l'université et s'extasiaient devant les caricatures de juifs au nez crochu et buveurs de sang popularisées par les almanachs des colporteurs. Il lisait beaucoup ; son oncle lui procurait tous les livres qu'il désirait, dans plusieurs langues. Il fréquentait les soirées dansantes et, adolescent, passa la majeure partie de ses étés à Saint-Pétersbourg. Lorsqu'un ami l'interrogea sur les étiquettes en allemand, en français et en anglais accrochées à ses malles, il répondit avec un sourire qu'il était moins onéreux d'acheter ces étiquettes que de voyager à l'étranger. Il avait une foule d'amis, ou plutôt, bon nombre d'étudiants le considéraient comme un ami même si, à bien y penser, la plupart d'entre eux auraient pu compter sur les doigts d'une main les heures passées en sa compagnie. Les femmes l'appréciaient parce qu'il dansait bien, ne cherchait pas à se soûler au plus vite dès qu'il y avait à boire et écoutait avec un réel intérêt ce qu'elles lui disaient. Il avait l'art de consacrer toute son attention à une femme, et à elle seule, ce qui la comblait d'aise sur le moment, et lui laissait ensuite l'impression que ce temps passé ensemble, aussi bref fût-il – et il l'était généralement –, était un temps précieux que Samarin aurait pu, aurait dû consacrer à de plus nobles tâches. Le fait que personne ne sache au juste de quelles tâches il pouvait bien s'agir ne faisait que renforcer cette impression. En outre, il s'habillait avec élégance, hériterait un jour d'un vaste patrimoine, et il était intelligent. Tout, en lui, suggérait le souci de ne jamais dévoiler les mille richesses de sa personnalité, par égard pour ceux qui, dans son entourage, étaient bien moins lotis que lui : sa vivacité d'esprit, sa force, son physique. Il était grand, un peu austère, avec d'épais cheveux bruns mi-longs et des yeux qui passaient brusquement d'un détachement serein à une attention extrême.

On prêtait une oreille distraite à ceux qui parlaient d'autres Samarin, pas parce qu'on les soupçonnait de jalousie, mais parce que leurs insinuations semblaient par trop étranges. Ces insinuations recevaient le même traitement que les entrefilets des journaux rapportant des faits divers troublants advenus dans quelque ville de province semblable à Raduga, mais jamais à Raduga même : on les lisait avec intérêt mais sans trop y croire, et on se gardait bien d'en tirer la moindre conclusion. Il y avait notamment celui qui avait vu Samarin, à quinze ans, en train de se promener avec son oncle. C'était, prétendait-il, le neveu qui parlait en faisant de grands gestes, comme s'il était en train d'expliquer quelque chose, tandis que l'oncle grisonnant l'écoutait en silence, approbateur, les mains derrière le dos, dans une attitude qui ressemblait fort à du respect.

Les campagnes étaient alors en proie à une grande agitation. Les paysans incendiaient des manoirs, furieux des indemnités qu'il leur fallait encore verser aux propriétaires terriens, en échange du simple privilège d'avoir été affranchis du servage quarante ans plus tôt. L'oncle de Samarin était chargé de superviser la reconstruction des manoirs. Accompagné de Samarin, il rendait visite aux représentants de cette petite noblesse en train de s'éteindre. Un témoin affirmait, mais c'était sa parole contre toutes les autres, qu'il avait surpris une conversation entre l'oncle et le neveu le jour où ils avaient rencontré une famille noble des plus modestes, qui avait tout perdu dans l'incendie. Et les deux compères en riaient ouvertement. "J'ai d'abord entendu rire le garçon, puis l'oncle s'y est mis à son tour !" Voilà ce qu'affirmait le témoin.

En 1910, à l'âge de vingt et un ans, Samarin rencontra Yekaterina Mikhailovna Orlova, que tout le monde appelait Katya. Elle étudiait dans la même classe que lui et se trouvait être la fille du recteur de l'université. Ils faisaient de longues promenades. Dans les soirées, ils discutaient en aparté, dansaient ensemble. Au début du printemps, le père de Katya exigea que cette relation cesse immédiatement. Samarin, expliqua-t-il, l'avait humilié devant tous les étudiants de dernière année, à l'occasion de son allocution annuelle. Alors qu'Orlov invitait les étudiants à mesurer la chance qu'ils avaient d'être jeunes au moment où la Russie était en passe de se transformer en une démocratie prospère et éclairée, Samarin était parti d'un grand éclat de rire. "Pas un ricanement, non, ni un gloussement, insistait Orlov. Un beuglement, un rugissement, tel un fauve égaré sur nos terres académiques."

Orlov profita des vacances pour emmener sa fille dans la maison de campagne d'un des riches parrains de l'université. Samarin apprit qu'un étudiant devait rendre visite à Katya pour lui lire ses poèmes. Samarin prévint l'étudiant qu'elle préférait les hommes vêtus de couleurs claires. Or, peu après que les deux hommes se furent engagés sur la route de campagne menant à la maison, Samarin à bicyclette et l'autre à cheval, eut lieu un bien étrange accident. Le cheval, réputé docile, désarçonna le poète à l'endroit exact où la route traversait une mare de boue, profonde et détrempée. Le costume blanc de l'étudiant et son imperméable anglais d'un impeccable beige dégoulinaient d'une fange nauséabonde et il s'était foulé la cheville. Samarin l'aida à se remettre en selle et le poète rebroussa chemin. Samarin offrit d'aller lui-même délivrer ses vers. Puis il rejoindrait leur auteur pour le raccompagner, en parfait chaperon, jusqu'à la ville. Le poète accepta. Ils se séparèrent.

À un kilomètre de la maison de campagne, Samarin posa pied à terre et marcha, poussant la bicyclette d'une main et tenant les poèmes de l'autre. C'étaient des vers fortement inspirés des poèmes de jeunesse d'Alexander Blok. "Lune", "ténèbres", "amour" et "sang", ces mots revenaient très souvent. Chaque fois qu'il terminait un poème, Samarin s'arrêtait, déchirait la feuille en huit carrés parfaits et jetait le tout dans le fossé qui courait au bord de la route. En l'absence de vent, les bouts de papier se dispersèrent à la surface des eaux de débâcle.

Un gardien était posté près du portail. Pour lui, tous les étudiants avaient la même tête : quand Samarin se présenta comme le poète, il ne lui vint même pas à l'idée que le jeune homme pût mentir. Samarin demanda si Katya pouvait le rejoindre près du pavillon, au bord de l'étang, et le gardien alla chercher la jeune fille. Samarin poussa sa bicyclette jusqu'au pavillon, un édifice en bois pourri et affaissé qu'une mousse d'un vert resplendissant s'était accaparé. Il posa son vélo contre un arbre et s'assit au sec dans un recoin des escaliers. Il fuma quelques cigarettes, observa un escargot qui s'évertuait à gravir le bout de sa botte, plongea la main dans un massif d'orties jusqu'à sentir la brûlure sur sa peau. Le soleil fit son apparition. Katya traversa l'herbe haute et humide. Elle portait un long manteau brun et un chapeau à large bord. Apercevant Samarin, elle sourit. Elle se baissa pour cueillir quelque chose. Elle vint s'asseoir à côté de Samarin, un bouquet de perce-neiges à la main. Samarin lui conta les mésaventures du poète.

— Je ne suis pas censée vous voir, dit Katya.

— Il m'a confié ses poèmes, répondit Samarin. Je les ai perdus. Ils n'étaient pas bons. Mais j'ai là un texte que j'aimerais vous lire. Voulez-vous une cigarette ?

Katya secoua la tête :

— Vous vous êtes mis à la poésie ?

— Ce n'est pas moi qui l'ai écrit, fit Samarin, tirant de la poche intérieure de sa veste un petit livre plié en deux. Et ce n'est pas de la poésie. J'ai pensé que ça vous intéresserait. J'ai entendu dire que vous vouliez devenir terroriste.

Katya se pencha en avant et partit d'un rire franc.

— Kyrill Ivanovich ! Ce que vous pouvez dire comme bêtises ! (Elle avait des petites dents d'une absolue perfection.) Jamais à court de plaisanteries.

— Terroriste. Que vous inspire ce mot ? Parce qu'il va falloir vous y habituer. Terroriste.

— Soyez sérieux ! Soyez sérieux. Vous ai-je jamais parlé de politique ? Vous savez mieux que personne quelle créature insouciante je fais. Terreur, rien que le mot me déplaît. À moins que vous ne pensiez au jour où nous avons fait exploser des feux d'artifices dans le dos des pauvres gens qui pêchaient sur la glace, le soir du nouvel an. J'ai perdu le goût de ce genre d'idioties. Je suis une jeune femme bien élevée, à présent. La mode, voilà un bon sujet de conversation ! Il vous plaît, mon manteau ? Papa l'a acheté pour moi à Pétersbourg. Il est joli, non ? Bon. Assez. (Katya posa les fleurs sur la marche, près de Samarin. Les tiges étaient broyées là où elle avait serré le poing.) Pas étonnant que Papa ne veuille plus que nous nous voyions, si c'est pour vous moquer de moi. Mais, lisez, allez.

Samarin ouvrit le livre et lut. Il lut longuement. D'abord, Katya le regarda avec l'étonnement que l'on devine sur le visage des gens à qui l'on dit tout haut des mots qui correspondent aux plus secrètes de leurs pensées. Ou bien encore, avec la stupéfaction d'une femme à laquelle l'homme qui la courtise fait des avances obscènes sans qu'elle s'y attende. Mais au bout d'un moment, Katya plissa ses grands yeux bleus et la dernière touche de rouge s'effaça de son visage pâle et lisse. Elle se détourna de Samarin, ôta son chapeau, repoussa les fines mèches blondes qui étincelaient sur son front, lui prit une cigarette et se mit à fumer, appuyée sur son avant-bras.

— "La nature des révolutionnaires véritables ne laisse aucune place au romantisme, à la sensiblerie, à l'extase ni à l'enthousiasme", lisait Samarin. "Elle ne s'accommode pas davantage de la haine ni de la vengeance personnelle. La passion révolutionnaire, qui devient chez eux un état d'esprit quotidien, doit être à chaque instant associée à une attitude froidement calculatrice. Partout et quelles que soient les circonstances, ils ne doivent agir en fonction de leurs penchants individuels, mais selon ce que prescrit l'intérêt général de la révolution." Écoutez ce passage, Katya : "Si un camarade est en difficulté, les révolutionnaires qui envisagent de lui porter secours ne doivent pas écouter leurs sentiments personnels, mais penser avant tout au bien de la cause révolutionnaire. Par conséquent, il leur faut soupeser d'une main l'utilité de leur camarade et, de l'autre, l'énergie révolutionnaire que coûterait inévitablement une telle opération. Ils privilégieront celle de ces deux considérations qui a le plus de poids."

— Qu'est-ce que j'ai à voir avec ce drôle de texte ? demanda Katya.

— On raconte qu'ils vont vous confier un engin et une cible.

— Mêlez-vous de ce qui vous regarde.

— Ne faites pas ça. Je suis persuadé que leur but est de vous sacrifier, pour vous inscrire au registre des pertes bon marché.

Katya lâcha un rire bref et clair.

— Poursuivez votre lecture.

Samarin reprit :

— "Le révolutionnaire s'inscrit dans le monde de l'État…"

Expirant la fumée de sa cigarette, les yeux dans le vague, Katya le coupa net.

— "Le révolutionnaire s'inscrit dans le monde de l'État, des classes et de la soi-disant 'culture', et s'il s'inscrit dans ce monde, c'est seulement parce qu'il croit en sa destruction rapide et définitive", récita-t-elle. "Il n'est pas révolutionnaire s'il ressent de la pitié pour quoi que ce soit dans ce monde. Il devra être capable de ne reculer devant l'annihilation d'aucune situation, d'aucune relation, d'aucun individu appartenant à ce monde. Tout et tous doivent lui être également odieux, sans distinction. Et tant pis s'il possède dans ce monde une famille, des amis, des êtres aimés : il n'est pas révolutionnaire s'il retient sa main." Voilà. Et maintenant, si vous êtes de la police, sortez votre sifflet.

— Je ne suis pas de la police, répondit Samarin. Il referma l'opuscule et le tapota sur son genou. J'aurais tout aussi bien pu le perdre avec la poésie, n'est-ce pas ? Vous connaissez par cœur le catéchisme du parfait révolutionnaire. Félicitations.

Il baissa légèrement la tête et sa bouche se tordit en un sourire qui refusa de prendre. Ce fut une grimace. Katya jeta son mégot dans les mauvaises herbes et se pencha pour saisir l'expression de doute sur son visage, une expression qui ne lui était pas familière. Samarin détourna légèrement la tête, Katya se pencha un peu plus, il lui tourna le dos, elle accompagna son mouvement. Le souffle de Katya se posa un instant sur la joue de Samarin, qui se redressa et regarda autour de lui. Katya fit un petit bruit de gorge, mélange de dédain, d'amusement et de surprise. Elle posa la main sur son épaule et il se tourna vers elle, la regarda dans les yeux, presque à bout portant. Si près que chacun pouvait distinguer chez l'autre les filaments de l'iris et le noir hublot des pupilles, et se demandait ce que cherchaient à exprimer ces filaments et ces pupilles.

— C'est curieux, dit Katya. J'ai l'impression de vous voir pour la première fois tel que vous êtes vraiment.

Sa voix était celle de l'intimité. Pas un chuchotement, non, mais un murmure paresseux, sans effort, un ronronnement fêlé. Samarin esquissa du doigt l'invisible sur les lèvres de la jeune fille.

— Pourquoi est-ce si insupportable ? demanda Samarin.

— Quoi ?

— De regarder la partie regardante de celui qui vous regarde ?

— Si cela vous est insupportable, pourquoi le supporter ?

— C'est juste, dit Samarin. Il posa ses lèvres sur les siennes. Leurs yeux se fermèrent et ils s'enlacèrent. Leurs mains se promenaient juste comme il faut dans le dos l'un de l'autre tandis qu'ils s'embrassaient avec une avidité croissante, marquée. Ils étaient au bord de la violence, des morsures et du sang, quand ils entendirent quelqu'un appeler. Katya repoussa Samarin et ils restèrent assis à s'observer, le souffle lourd et la mine sombre, tels deux mangeurs d'opium dans les vapeurs d'un flacon de laudanum qu'ils auraient renversé par terre en se disputant.

— Il faut que vous partiez, dit Katya. Du regard, elle désigna le livre. Là. Dedans. Avez-vous lu l'article 21 du chapitre 2 ?

Samarin feuilleta quelques pages, mais avant qu'il ne trouve l'article, Katya se mit à réciter, marquant de courtes pauses pour avaler de grandes bouffées d'air :

— "La sixième catégorie, d'une importance capitale, est celle des femmes. On peut la diviser en trois groupes principaux. D'abord, ces femmes frivoles, écervelées et insipides que nous utiliserons éventuellement comme les troisième et quatrième catégories d'hommes. Ensuite, les femmes qui s'illustrent par leur passion, leur talent et leur dévouement, sans être néanmoins des nôtres parce qu'elles n'ont pas encore accédé à la compréhension révolutionnaire véritable, concrète et étrangère aux passions : on se servira d'elles comme des hommes de la cinquième catégorie. Enfin, il y a les femmes qui sont des nôtres à part entière, c'est-à-dire qu'elles ont été totalement initiées et qu'elles adhèrent sans réserve à notre programme. Il faut considérer ces femmes comme le plus précieux des trésors. Nous ne pouvons nous passer de leur concours."

Samarin ne revit Katya que des mois plus tard. Un matin, il vint l'attendre à la gare. L'université ne disposait que d'une maigre bibliothèque et, de temps à autre, les autorités envoyaient de Penza un train aménagé, avec des étagères de livres et des pupitres, qui permettait aux étudiants de consulter des ouvrages spécialisés. Samarin disposait chez lui de tous les livres dont il avait besoin, mais dans l'étouffante chaleur de mai, quand la bibliothèque ambulante arriva, il était là, dehors. Katya apparut dans une robe blanche, la tête découverte, un grand cartable aux trois quarts vide à la main. Sa peau claire était brûlée par le soleil. Elle paraissait plus mince, plus anxieuse, et avait la tête de quelqu'un qui a mal dormi. Un vent brûlant sifflait dans les rangées de peupliers, autour de la gare. Samarin héla Katya. Sans se retourner, elle monta dans le wagon-bibliothèque.

Samarin s'assit sur le quai de la gare, sans quitter le wagon des yeux. Les peupliers mugissaient dans la brise. Quelque chose brûlait en ville, une fumée noire s'élevait au-dessus des toits. Le vent était si fort et si chaud que l'orage semblait imminent, mais le ciel était encore dégagé, à part cette fumée. Assis sur son banc, Samarin observait les allées et venues des étudiants. Le banc était à l'ombre du toit de la gare, à l'abri du vent, mais les planches du toit se mirent à trembler. Les étudiants avançaient à travers des nuages de poussière, les yeux fermés ; les femmes retroussaient d'une main leur jupe, et de l'autre protégeaient leur chapeau. Samarin sentit l'odeur de l'incendie. Les nuages commençaient à s'amonceler. Épais, ils s'ébrouaient devant ses yeux. Il n'y avait plus personne sur le quai. L'air empestait la poussière, la fumée et l'ozone. Tout s'assombrit. Le ciel était un plafond bas. Le dernier étudiant se rua hors du wagon. Samarin se leva, l'appela. L'étudiant fit le tour du wagon en courant, puis traversa les rails avant de s'élancer à travers champs, col relevé. Sans s'arrêter, il jeta un bref regard à Samarin par-dessus son épaule. L'étudiant vit sur son visage un message du futur. Un signe qu'il espérait ne plus jamais revoir. Tout ce qu'il voulait, c'était regarder une dernière fois Samarin dans les yeux, pour pouvoir dire plus tard : "J'ai vu Samarin ce jour-là."

Katya n'était pas ressortie. Samarin monta dans le wagon. La salle de lecture était déserte et les bureaux vides, à l'exception d'un exemplaire des *Principes de base de la vapeur* que Katya avait consulté et des notes qu'elle avait prises. Elle avait composé un poème :

*Elle aimait comme les suicidés aiment le sol vers lequel ils
tombent
Le sol les arrête, et en les embrassant abrège leur souffrance,
Mais elle tombait et tombait encore, elle s'élançait,
Heurtait le sol, mourait et de nouveau tombait.*

Samarin referma l'ouvrage, s'avança vers le bureau du
bibliothécaire, appuya son oreille contre la porte en bois. Le
wagon craquait dans le vent, si bruyamment qu'il n'entendait plus rien. Il n'arrivait pas à savoir si on chuchotait de
l'autre côté, ou si c'était le vent qui hurlait dans les branches.
Une rafale empoigna du sable et de la paille, qu'elle fit
crépiter le long du châssis comme une nuée de rats jaillie
d'entre les roues. Samarin s'écarta de la porte et entendit
un cri de femme, dehors. Il bondit hors du wagon, dans la
poussière, parcourut le quai du regard. Personne. Il entendit
la cloche des pompiers, en ville. Puis, une nouvelle fois, la
femme qui hurlait. Non pas de peur, de plaisir ou de colère,
semblait-il, mais juste pour émettre un son, comme le loup,
les corbeaux. Ça venait de loin. Une pierre frappa Samarin
à l'épaule, une autre à la tête, et une en pleine joue, qui fit
jaillir le sang. Se couvrant la tête de ses bras, il courut se
réfugier sous le toit du quai. Le bruit du vent disparut dans
le fracas de la grêle – boulets de canon qui bombardaient
sans fin la ville depuis un bunker – et l'air devint blanc.
L'orage dura deux minutes et quand il cessa des débris
de feuilles pendaient aux branches des arbres comme des
lambeaux de vêtements. On s'enfonçait jusqu'aux chevilles
dans le sol recouvert de glace. Samarin vit la porte du
wagon s'ouvrir et Katya en descendre avec son cartable
sur le dos. Un objet lourd, à l'intérieur, le tirait vers le bas.
Levant les yeux, elle l'aperçut. Samarin cria son nom mais
elle se mit à courir le long de la voie ferrée. Il s'élança à sa
poursuite. Elle glissa sur la grêle et s'écroula, il la rattrapa.
Elle était étendue sur la glace, à moitié sur le dos, à moitié
sur le côté. Samarin s'agenouilla et elle leva les yeux vers lui

comme s'il venait la réveiller après des jours et des nuits de sommeil. Elle effleura sa joue coupée et retira lentement son doigt maculé de sang. Elle grelottait de froid. Elle demanda à Samarin : "Vers où ?" Vers où. Samarin lui saisit les mains et l'arracha à la grêle en train de fondre. Elle était trempée et frissonnait. Elle s'écarta pour ôter son cartable. Elle en vérifia le contenu, le serra contre sa poitrine et se mit à rire. Samarin lui dit : "Donnez-moi ça." Tout en riant, elle se releva et s'enfuit sur les rails. Samarin lui courut après, l'attrapa par la taille et elle tomba tête la première. Elle fit rempart de son corps pour protéger le cartable. Elle avait de la force et Samarin luttait pour tenter de la retourner, les tibias baignant dans la glace, les genoux plaqués contre ses cuisses, les mains fouillant son ventre, là où se trouvait le cartable. Il sentit l'odeur de ses cheveux, le coton mouillé de sa robe, sa taille solide et douce qui frétillait comme un poisson entre ses mains. Il plongea la main droite dans le creux de ses jambes, posa la main gauche sur ses seins. Sans un cri, elle relâcha son étreinte, se retourna tout en souplesse et repoussa les mains de Samarin, posant ses paumes douces et fraîches sur les jointures de ses doigts. Il s'empara du cartable, roula sur le côté et bondit sur ses pieds.

— Rendez-le-moi, dit-elle, toujours allongée, les yeux levés sur lui.

Samarin ouvrit le cartable. Il y avait une bombe artisanale. Il s'en saisit et lança le cartable à Katya, qui se mit à trembler.

— Il vaut mieux que ce soit moi, dit Samarin.

— Romantique, répondit Katya d'une voix sans relief. Vous échouez avant même d'avoir commencé.

— Mon bras est plus fort, je lancerai plus loin.

— Vous la jetterez dans la rivière. Vous n'en ferez rien.

— Pourquoi pas ? répliqua Samarin, un sourire aux lèvres, en contemplant le lourd colis qui pesait sur ses mains. Agir, c'est mieux que planifier.

Katya se leva. Le devant de sa jupe était froissé, strié de traînées sombres déposées par la glace fondue. Des fragments de grêlons pendaient à ses cheveux. Elle baissa les yeux, se recoiffa puis s'interrompit pour observer Samarin. Son visage changea d'expression. Il devint chaleureux, affamé, intéressé. Elle s'avança vers lui, pressa son corps contre le sien, lui passa les bras autour du cou, et l'embrassa sur les lèvres.

— Tu m'aimes à ce point ? demanda-t-elle.

— Oui, répondit-il et il tendit les lèvres vers sa bouche. Katya arracha la bombe de sa main distraite, crocheta sa cheville pour lui faire perdre l'équilibre et s'enfuit en courant sans qu'il puisse l'attraper.

Deux semaines plus tard, elle était arrêtée et condamnée pour tentative d'acte terroriste.

Neuf ans plus tard, à la mi-octobre, dans cette partie de la Sibérie qui s'étend entre Omsk et Krasnoyarsk, un homme grand et mince, emmitouflé dans deux manteaux et deux pantalons, descendait du nord à pied, en direction de la voie ferrée. Il suivait la rivière, arpentant les rochers tapissés d'ail sauvage, de bouleaux nains et de sorbiers des oiseleurs qui dominaient le torrent sur les derniers kilomètres précédant le pont. Ses oreilles émergeaient des touffes emmêlées de sa chevelure noire et sa langue se frayait un chemin à travers une barbe enchevêtrée pour humecter ses lèvres. Il regardait droit devant lui, avançant d'un pas régulier sans jamais trébucher, non pas à la manière de celui qui connaît le chemin, mais plutôt comme un homme qui marche depuis des mois vers le soleil blanc et entend poursuivre sur sa lancée jusqu'à ce que quelqu'un lui barre la route ou le tue. Il s'accroupit et passa son doigt sur le bout de ficelle avec lequel il avait rafistolé ses bottes. Il gardait l'avant-bras gauche serré contre sa poitrine.

À quelques centaines de mètres de la voie, il entendit le sifflement d'une locomotive. Il n'y avait pas de vent et les arbres frémirent au passage du son, jusqu'à l'horizon. Son assurance et son sens de l'orientation en furent tout chamboulés et il regarda autour de lui, bouche bée, en se léchant les lèvres. Il leva un œil grimaçant vers le ciel gris étincelant et respira profondément. Le sifflement résonna de nouveau. L'homme sourit et produisit un son. Un fragment de mot, peut-être. Ou bien il ne savait plus rire mais il essayait tout de même.

Le sifflement retentit pour la troisième fois, plus proche. L'homme se mit à courir. Au détour d'un méandre, il aperçut enfin le pont. Ses traits se durcirent et il se précipita au bord de l'eau. Il s'accroupit, plongea la main dans l'eau et s'aspergea le visage avant d'en boire une gorgée. Il jeta un rapide coup d'œil vers le pont puis derrière lui, au fond des bois, relâcha son bras gauche et tira de sous son manteau un paquet enveloppé d'un chiffon de lin. Il noua solidement le chiffon et le lesta d'une grosse pierre qui se trouvait là. Il tendit le bras en arrière et lança de toutes ses forces le paquet, qui s'enfonça au milieu de la rivière. Il se lava les mains dans l'eau, les secoua, puis remonta les manches de ses manteaux au-dessus de ses poignets et les lava une seconde fois.

La locomotive s'engagea sur le pont, sombre bête verte striée de pâles rayures de corrosion, semblables à des veines de malachite, rampant sur l'étroite travée et tirant derrière elle un chapelet de wagons à bestiaux. Le sifflement se répercuta au fond de la gorge. Le poids du train écrasait les traverses dans le douloureux gémissement du bois pourri et les hurlements du métal mal huilé. Le convoi s'égrenait au ralenti, comme s'il hésitait entre plusieurs directions possibles là où il n'y en avait qu'une. Des flocons de suie et des brins de paille tourbillonnaient dans l'air au-dessus de la rivière. L'un des wagons se balançait de droite à gauche et, dominant le fracas du moteur et des roues, on entendait des chocs sourds et répétés, comme si quelqu'un défonçait une planche à la hache.

La porte du wagon s'ouvrit brusquement et un homme apparut de dos dans l'embrasure, vêtu de hauts-de-chausses militaires et d'une chemise blanche. Agrippé au wagon, il tentait en vain d'attraper un cheval par la bride. Cabré au-dessus de l'homme, le cheval fouettait l'air de ses sabots. D'autres chevaux se trouvaient derrière, qui tendaient leurs naseaux vers la lumière du jour, affolés. Quand le wagon se pencha au-dessus de la rivière, l'homme perdit pied, culbuta par-dessus la balustrade et alla s'écraser cinquante mètres plus bas dans une eau peu profonde, au milieu des rochers. Ses membres se déployèrent dans la chute, comme s'il essayait tout à la fois de voler, de retomber sur ses pieds et de s'arc-bouter en vue de l'impact. Ses yeux étaient grands ouverts et sa bouche aussi, mais il ne cria pas. Les joues déformées par la chute, il s'écrasa sur le ventre. L'eau déploya ses blancs jupons tout autour de lui, l'homme ne bougeait plus. Les paisibles remous du bord de la rivière clapotaient contre le corps inerte échoué sur les galets.

Les chevaux dégringolèrent du wagon à la suite de l'homme. Il y en avait cinq, qui se retrouvèrent coincés entre le train en mouvement et le garde-corps du pont, bas et couvert de rouille. Le premier culbuta aussitôt par-dessus et vint s'abattre sur la berge près de l'homme qui avait chuté, détonant au contact de l'eau comme une mine qui explose. Les autres se disputaient le peu d'espace qu'offrait le parapet. Un alezan trapu, le harnais happé au passage par un crochet qui dépassait, fut entraîné par un wagon et, trottant, sautant, se débattant, se retrouva projeté contre l'entrée du tunnel, à l'autre bout du pont, où il se brisa l'encolure.

Les trois survivants trouvèrent refuge entre le train et la balustrade. Un espace à peine suffisant pour y tenir en file indienne, mais l'un des chevaux, un animal puissant, efflanqué, noir comme du charbon, voulut aller contre le mouvement de ses deux compagnons. Il se cabra et ses sabots s'abattirent sur le cheval qui lui bloquait le passage, un bai. Le cheval noir retrouva son équilibre et se cabra encore. Le bai s'avança et le noir retomba sur lui, pattes avant posées sur son garrot.

Tandis que le bai et le noir restaient accrochés l'un à l'autre comme des boxeurs soûlés de coups, le train avait dû bousculer le troisième cheval, un étalon blanc, à moins qu'il n'ait été pris de folie, car il fonça vers le garde-corps et plongea tête la première vers la rivière. Son licol était encordé à celui du bai, qui fut violemment arraché de sous le cheval noir et suivit le blanc dans sa chute. Bai et blanc s'envolèrent, figés dans leur chute, sans la grâce de Pégase, avant d'embrasser dans un bruit de tonnerre la peau de la rivière, au-dessus des galets.

Le cheval noir, unique survivant, fit quelques pas en arrière, s'immobilisa puis partit au petit galop à contresens du train. La distance entre le garde-corps et les rails grandissait au fur et à mesure qu'il avançait. Il galopa de plus belle tandis que l'ultime wagon oscillait en cadence au milieu du pont. Le wagon s'engouffra dans le tunnel et le cheval se jeta ventre à terre parmi les fougères et les herbes hautes qui bordaient la voie.

L'homme caché près de la rivière resta immobile, à l'écoute, jusqu'à ce que le bruit du train ait disparu. Il ôta ses bottes, défit ses deux pantalons et descendit dans le lit de la rivière, là où il avait jeté son paquet. Il avait de l'eau jusqu'en haut de ses maigres cuisses pâles. Une heure durant il poursuivit ses recherches, méthodique, quadrillant les eaux limpides pas après pas. Deux fois il se baissa, mais sa main se referma sur un galet clair.

Il ressortit et s'assit pour enfiler bottes et pantalons. "Quel idiot !" râla-t-il tout haut.

Il longea la berge jusqu'à la base du pont. Le bai vivait encore, secouant la tête dans le chatoiement d'un nuage de moustiques. Son corps paralysé ruisselait d'eau comme un récif de chair moelleux et chaud. Les flots avaient rejeté sur la rive le soldat tombé du train et l'un des chevaux. Le mort portait des hauts-de-chausses d'une étoffe délicate et des bottes d'importation. Ses poches étaient vides. L'homme lui enleva ses bottes pour les essayer. Elles étaient trop petites pour lui. Il remit les bottes sur le cadavre, le retourna et sortit de sa poche un couteau. Un simple rectangle d'acier, long et fin, dont la tranche était aiguisée, avec une bande de feutre enroulée à l'autre extrémité en guise de manche. Il s'approcha d'un cheval mort, le blanc, découpa le cuir de son postérieur et tailla un morceau de viande qu'il se fourra dans la bouche. Il regagna la lisière de la forêt, ramassa une poignée de feuilles d'oseille et s'accroupit, mâchant la viande crue et les feuilles, tout en surveillant les environs et en contemplant le soldat. Quand il eut terminé, il but l'eau de la rivière. Il colla son oreille à la pile du pont et écouta. Il se baissa vers le soldat et lui prit la main droite. Il jeta un coup d'œil vers l'amont, d'où il était venu, puis posa le poignet du soldat sur une pierre baignée d'un mince filet d'eau et lui trancha la main, cisaillant les ligaments, broyant l'articulation plus qu'il ne la coupait vraiment. Le sang noircit la pierre, se dispersa dans l'eau et s'échappa dans les tourbillons du courant.

L'homme rejeta dans la rivière le bras du soldat, prit la main coupée et se précipita dans les bois. Quelques centaines de mètres plus loin, il creusa de ses mains la boue, l'humus et la terre. Il enterra la main et referma le trou. Il retourna à la rivière, se lava les mains et entreprit d'escalader la paroi qui menait au tunnel.

Ses doigts de pieds aux ongles déchiquetés pointaient comme des griffes à travers ses bottes, si bien que lorsque la pente s'accentua, il enleva ses chaussures pour les fourrer dans les poches de son second manteau. L'une des poutrelles du pont était arrimée à la roche, trente mètres plus haut, mais les dix derniers mètres pour y accéder se redressaient brusquement, presque à pic, sans le moindre buisson auquel s'agripper. L'homme se tenait debout sur une roche en saillie, le souffle court. Le soleil moribond, à l'ouest, lui réchauffait le dos à travers ses épais manteaux, et il suivait des yeux les fissures rocheuses. Il empoigna la première prise, tendant son bras gauche aussi haut qu'il pouvait, et monta son pied droit sur un minuscule rebord. Il rampa sur le rocher, hissant membre après membre, jusqu'à ce que la paroi devienne complètement lisse ; la fissure qu'il avait vue s'incurver jusqu'à portée de main de la poutrelle n'était en fait que l'ombre d'un bloc de grès en surplomb. Il était collé à la roche, bras et jambes déployés, comme un nouveau-né essayant de téter, d'étreindre une mère de pierre dont les dimensions gigantesques excédaient la portée de ses membres. Il avait grimpé trop haut pour pouvoir lâcher prise. Une veine de quartz montait en diagonale vers la poutrelle. L'homme sentit la roche sur le point de lui échapper. Il émit un son, à mi-chemin du grognement et du sanglot, et s'accrocha au quartz avec les ongles de ses mains. Le surplomb translucide lui offrit la moitié de l'appui qu'il fallait pour ne pas tomber et, pour le reste, il s'en remit aux ongles de ses doigts de pieds. Celui de son gros orteil droit griffa la roche sur quelques centimètres avant de s'encastrer dans une invisible fissure. Il laissa tout le poids de son corps reposer un instant sur ce plectre cassant avant de se projeter vers le haut, puis, au moment même où l'ongle allait se briser, il saisit d'une main l'espar corrodé de la poutrelle du pont. Il resta suspendu pendant de longues secondes avant d'assurer la prise de son autre main et se hissa jusqu'à ce que ses pieds se posent sur le métal.

Il escalada la poutrelle. C'était aussi facile que de monter à l'échelle. La douleur battait au rythme de son pouls tandis qu'il progressait. Une écoutille percée au sommet de la poutrelle débouchait juste au bord de la voie ferrée. Il se glissa dans l'ouverture et vint s'asseoir sur le métal peint. Le soleil était sur le point de plonger derrière les arbres. Il s'allongea sur l'acier lisse, entre les rivets, et ferma les yeux.

Il entendit des pas sur le remblai qui soutenait les traverses et, sans se relever, tourna la tête en direction du bruit. Les nuages s'étaient dispersés et le ciel, là-bas vers l'ouest, prenait des teintes orangées. Les sapins noirs, les deux mamelons de roche éclatée absolument identiques qui encadraient la tranchée déchiquetaient la ligne d'horizon. Celui qui approchait allait à pied et solitaire, le long des rails, trente mètres plus loin. Une forme sombre, plus large que haute, qui avançait doucement dans la pénombre. L'homme se leva et ouvrit grand les bras.

— Frère ! cria-t-il. La silhouette s'immobilisa.

— N'ayez crainte ! Je vais seul, et sans armes !

La silhouette fit quelques pas.

— Allons, ne nous effrayons pas l'un l'autre.

Les deux hommes se rapprochèrent, au point de pouvoir distinguer leurs traits respectifs. L'homme venu de l'ouest portait un chapeau et un pardessus ; un fin duvet lui couvrait le menton. Il avait un sac en toile.

L'homme qui avait escaladé la falaise dit :

— Je cueillais des baies sauvages. Samarin, Kyrill Ivanovich.

Il lui tendit la main.

— Balashov, Gleb Alexeyevich.

Sa main était longue, fraîche et douce. Celle de Samarin était rêche, chaude et crevassée. Les deux hommes avaient à peu près le même âge, la trentaine.

Samarin s'assit sur les rails pour arranger la ficelle de ses bottes. Balashov l'observait, les mains agrippées à son sac.

— Pourquoi voyagez-vous à pied ? demanda Samarin. Les trains vont trop vite pour vous ?

— Il n'y a plus de trains. Seulement ceux de l'armée. On ne peut pas les prendre, c'est interdit.

— Je viens de voir un train.

— C'était un convoi militaire. Un train tchèque. Les Tchèques tirent sur ceux qui essaient de monter à bord.

— Des Tchèques ? Nous sommes pourtant en Sibérie, non ?

— Oui. En Sibérie.

Samarin fixait Balashov comme s'il cherchait à déterminer si c'était un menteur ou un idiot. Balashov s'éclaircit la gorge et détourna le regard. Il serra les poings sur la poignée du sac, si fort que le cuir craqua. Il regarda autour de lui, derrière lui, puis se pencha au-dessus du pont. Il poussa un cri, lâcha le sac et empoigna la balustrade. En tombant, le sac se renversa sur le côté et des objets s'en échappèrent, sans que Balashov n'y prête attention.

— Il y a des chevaux, en bas ! dit-il. Ils sont blessés.

— Morts, répondit Samarin. Ils sont tombés du train. Je les ai vus tomber.

— Pauvres bêtes. Vous en êtes certain ? Je ferais mieux d'aller voir. Peut-être l'un d'entre eux est-il encore vivant. Les hommes laisseront-ils un jour les chevaux en dehors de leurs guerres ?

Il regarda Samarin comme s'il attendait une réponse. Samarin éclata de rire.

— Vous n'arriverez jamais en bas. J'ai failli me tuer en montant. Eh, je suis là ! Tout ce temps passé à cueillir des baies et le premier homme sur qui je tombe en sortant de la forêt se préoccupe davantage des chevaux qui partent à la guerre que des hommes qui les accompagnent. Ça me rappelle cette Anglaise qui débarque en enfer, découvre les millions de damnés tourmentés par des diables, chargeant à mains nues des braises ardentes dans des chariots tirés par des ânes, et s'exclame : "Oh, les pauvres ânes !"

— Les chevaux ne partent pas à la guerre, répliqua Balashov. Ce sont les hommes qui les y mènent.

— Il y a un autre cheval mort par là-bas.

Samarin désigna l'entrée du tunnel. Balashov fit volte-face, respira un grand coup et courut vers l'endroit où gisait l'alezan. Samarin le regarda s'éloigner et, quand Balashov se pencha sur l'animal pour lui poser la main sur l'encolure, il s'accroupit près de son sac. Un petit rouleau de toile, lourd et soigneusement ficelé, était tombé par terre. Il y avait également une miche de pain, un bocal de poivrons conservés dans le vinaigre, avec une étiquette chinoise, et un petit livre intitulé *Neuf secrets pour en finir avec votre chagrin*. Surveillant Balashov par-dessus son épaule, Samarin déplia le rouleau de toile. Il contenait des instruments chirurgicaux et une véritable mâchoire hérissée d'aiguilles, de lames acérées et de ciseaux, confortablement installée dans les gencives de tissu. Samarin fouilla encore le sac tout à son aise et dénicha une bouteille d'alcool pur, dont il respira les vapeurs avant d'en boire une gorgée. Il trouva un grand linge autrefois blanc, raidi par du sang séché. Il le remit au fond du sac avec le livre et sortit un dernier objet. Un portefeuille en carton écorné, de la taille d'une enveloppe, fermé par un élastique. En l'ouvrant, il trouva une photographie glissée dans le papier sulfurisé d'une pochette intérieure. Le portrait d'une jeune fille. Pas un de ces clichés empesés pris en habits du dimanche dans un studio de province, mais quelque chose d'intime, de proche et de réel. Elle avait la tête posée sur sa main et fixait l'objectif avec une attention peut-être un peu forcée. Il faisait trop sombre pour en avoir le cœur net, pour distinguer les détails. Le dos de la photo ne portait aucune inscription. Il glissa le portefeuille, avec le portrait, dans son second manteau, redressa le sac, y glissa la bouteille, le rouleau et le linge, puis il se gava du pain et des poivrons. Il mangeait vite, tête penchée en avant, le regard bas.

— Je suis désolé, dit Samarin, tout en mâchant, quand Balashov revint. La nourriture est tombée de votre sac. J'avais faim. Tenez.

D'une main, il tendit à Balashov ce qui restait de pain. De l'autre, il transvasa la saumure du bocal à sa bouche.

— Ce n'est pas grave, répondit Balashov, repoussant d'un geste le pain. Bon appétit. Jazyk n'est qu'à une heure de marche.

— Je pourrai prendre un express pour Pétersbourg, là-bas ?

— Ça doit faire longtemps que vous cueillez des baies.

— Oui. Ça fait longtemps.

— Je vous l'ai déjà dit. Il n'y a pas de train.

Balashov inspecta le contenu du sac. Ses mains voletaient contre l'envers de la toile, comme un oiseau pris au piège, gagné par la panique.

— Vous n'avez pas vu un portefeuille en carton ? À l'intérieur, il y avait une photographie.

— Un portefeuille ? répondit Samarin. Non, ça ne me dit rien. Une photographie de qui ?

— Anna Petrov… Mais vous ne la connaissez pas, bien sûr.

— Anna Petrovna ! Votre femme ?

— Non, je n'ai pas de femme.

Balashov fouillait le ballast, à quatre pattes. Il faisait presque nuit.

— Une connaissance, rien de plus. Elle m'a chargé d'apporter une photographie à Verkhny Luk pour des papiers mais… personne n'en délivre plus de nos jours.

— Quel dommage que vous l'ayez perdue ! J'aurais tellement aimé la voir. Anna Petrovna. Avec un nom comme ça, on peut imaginer n'importe quel genre de femme. N'est-ce pas, Gleb Alexeyevich ? Une blonde avec des nattes, une rousse aux cheveux ras, une jeune étudiante, une vieille *babouchka*, boiteuse peut-être, ou peut-être pas. Un nom pareil laisse libre cours à l'imagination. Ce n'est pas comme… je ne sais pas, moi, Yevdokiya Filemonovna. Une brune, à coup sûr, avec des verrues et une forte poitrine. Anna Petrovna. Une femme de haute vertu, probablement. Ou bien un peu salope ? Je me le demande.

— Non ! répliqua Balashov. C'est la veuve d'un officier de cavalerie. Elle a un jeune fils et fait preuve d'une moralité irréprochable.

— Excellent. Et c'est admirable de votre part de lui servir de coursier.

— À Jazyk, je tiens le magasin. Je suis barbier, à l'occasion. Je suis allé à Verkhny Luk pour le travail. C'est à deux jours de marche dans cette direction. J'ai un stand. Je coupe les cheveux, je rase ceux qui le désirent.

Balashov parlait de plus en plus vite, ouvrant et refermant le sac.

— Gleb Alexeyevich ! dit Samarin en posant sa main sur l'épaule de Balashov. Cela n'a aucune importance. Vous n'avez pas à vous justifier. Vous êtes un citoyen paisible, respectueux de la loi, qui vaque à ses occupations. Regardez-moi, à présent. Ne suis-je pas le sauvage ? Ne serait-ce pas plutôt à moi de fournir des explications ?

Balashov rit nerveusement.

— Il fait noir, dit-il.

— Il fera plus noir encore dans le tunnel, répondit Samarin.

— Ah, vous allez à Jazyk, vous aussi ?

— C'est la ville la plus proche ?

— De loin.

— Alors, il faut que je les mette en garde contre l'homme qui me poursuit.

Les deux hommes marchaient sur les rails, à peine visibles dans cette nuit sans étoiles. Quand ils passèrent devant le cheval mort, à l'entrée du tunnel, Balashov se signa et murmura une prière.

— D'habitude, quand nous traversons le tunnel à deux, la nuit, nous nous tenons la main, dit-il.

— Eh bien, après tout, nous sommes en Asie, répondit Samarin. Balashov prit la main de Samarin et le guida dans le tunnel. Leurs pas sur les cailloux résonnaient puissamment, l'obscurité autour d'eux était chargée d'infini. Samarin toussa et sa toux s'envola, vivante, sous l'invisible voûte. Quelques centaines de mètres plus loin, il s'arrêta. Balashov voulut continuer, mais Samarin referma sa main sur la sienne. Plutôt que de se débattre, Balashov attendit.

— Vous avez peur ? fit la voix de Samarin.

— Non, répondit Balashov d'une voix tremblotante.

— Pourquoi pas ? Moi, j'ai peur.

— Dieu est là.

— Non, rétorqua Samarin. Pas le moindre petit dieu. C'est l'obscurité qu'il vous faut redouter. S'endormir ici, se réveiller dans les ténèbres et le silence. (Il lâcha la main de Balashov.) Tout seul. Sans aucun moyen de savoir qui vous êtes. Vous entendez le son de votre propre voix. Mais est-ce bien vous ?

Il donnait l'impression de parler de très loin, comme si l'être derrière les mots supervisait mille choses à la fois.

— Je ne suis pas seul ! hurla Balashov. Sa voix résonna d'un bout à l'autre du tunnel, si bien que l'ouïe exacerbée des deux hommes en estima les dimensions. Les lieux n'avaient plus rien d'infini. Samarin attrapa Balashov et resserra sur lui son étreinte. Hésitant, Balashov passa ses bras autour de lui et le gratifia en retour d'une timide accolade.

— Désolé, mon ami, dit Samarin. Bien sûr que vous n'êtes pas seul. Je suis là. Donnez-moi la main. J'ai été absent trop longtemps.

Ils se remirent en route.

— Une fois, j'ai erré dans la forêt une semaine durant, confia Balashov. À cette époque de l'année. La nuit, j'avais une peur panique des bêtes sauvages mais je n'osais pas faire de feu, de peur que des brigands ne me repèrent. Je m'allongeais sous ma couverture, dans le noir, après une longue journée de marche, essayant à tout prix de ne pas m'endormir, jusqu'à ce que mes yeux me fassent si mal que j'avais l'impression qu'ils allaient saigner. De temps à autre, j'entendais les loups. Mais le silence, c'était pire encore. Vous auriez donné n'importe quoi pour entendre une grenouille, un hibou, même si ces cris ressemblent à des âmes implorant qu'on les laisse poursuivre leur route. Au lieu de cela, une heure entière s'écoulait en silence. Puis soudain un bruissement, là, tout près. Vous imaginiez déjà les crocs de la bête happant votre jambe et vous arrachant à l'immobilité, et vous en train de hurler, de supplier l'animal tout en sachant qu'il ne vous comprendra pas, qu'il n'y aura en lui ni bien ni mal, aucun moyen de lui faire entendre raison. Malgré la peur et mes douloureux efforts pour rester éveillé, j'ai commencé à comprendre que l'horreur de la bête à venir était tout en moi. J'éprouverais la cruauté, la souffrance d'une mort solitaire au cœur de la forêt, mais cela ne viendrait pas du loup. Le loup ne ferait que participer du dessein de Dieu, et Dieu est bon. Toute cette horreur, je la portais en moi, comme la peur, et le loup viendrait m'en débarrasser. Plus rien alors ne me séparerait de Dieu.

— Et si ce n'était pas un loup qui venait ? Si c'était un homme, comme vous ? demanda Samarin d'une voix tranquille.

— Alors, ça ne serait pas aussi atroce. Jusqu'au moment de mourir, vous garderiez l'espoir qu'il vous épargne finalement de l'horreur qui est en lui, qu'il change d'avis. Vous penseriez qu'il fait erreur. Heureusement les bêtes ne sont pas venues, personne n'a jailli de la nuit. J'ai fini par m'endormir, et au lieu de faire des cauchemars, j'ai eu des rêves splendides. Des rêves de paradis, le souvenir d'une joie éternelle. Quand je me suis réveillé, quand je me suis rendu compte que je ne dormais plus, je me suis senti aussi malheureux que si j'avais perdu l'être le plus cher. J'ai marché toute la journée et le souvenir du rêve s'est estompé. Mais à la nuit tombante, j'étais de nouveau terrifié. Un soir, j'ai aperçu les lumières d'un village. J'étais sauvé. Une terreur nouvelle s'est emparée de moi, plus forte encore que l'ancienne. J'avais peur que tous les cauchemars que je n'avais pas faits dans la forêt ne me tombent dessus d'un seul coup, une fois arrivé en lieu sûr.

Samarin s'arrêta et s'approcha de lui. Son haleine effleurait le visage de Balashov.

— Et alors, murmura-t-il. C'est ce qui s'est passé ?

— Non ! répondit Balashov, qui tenta de reculer son visage hors de portée du souffle chaud de Samarin. Les cauchemars ne sont jamais venus.

— Bien sûr que non, reprit Samarin. Bien sûr que non. Bien. Continuons.

Les deux hommes sortirent du tunnel, dans l'odeur des mélèzes qui surplombaient la tranchée. La nuit était tombée, sous un ciel couvert, et on ne voyait rien, si ce n'est la lueur des rails et la dentelure floue des arbres sur l'horizon. Un vol d'oies sauvages passa au-dessus d'eux, grinçant dans la brise telle la charnière d'un volet. Les bottes éventrées de Samarin dérapaient et claquaient à grand bruit sur le ballast.

— En quelle année sommes-nous ? demanda Samarin.

— 1919.

— C'est toujours la guerre, j'imagine.

— Une guerre différente. Le genre de guerre où on ne sait jamais qui est dans quel camp. L'ancienne guerre, contre les Allemands et les Autrichiens, c'était nous contre eux. Maintenant, ce serait plutôt nous contre nous. Il y a des blancs et des rouges. Les blancs sont pour le tsar — il est mort à présent, les rouges l'ont tué. Les rouges sont pour que tous les hommes soient égaux.

— Et vous, Gleb Alexeyevich, vous êtes pour quoi ?

Balashov demeura un long moment silencieux. Enfin, il dit d'une voix tendue :

— Tous les hommes sont égaux devant Dieu.

— Mais comment fait-on l'expérience d'une telle égalité ?

— Quel genre de bagnard êtes-vous donc ?

Samarin, qui marchait devant, stoppa net et se retourna.

La lune s'était levée derrière les nuages et une pâle lumière peinturlurait d'ombres chinoises le visage des deux hommes. Les traits de Samarin avaient soudain perdu de leur animation. Ils s'étaient figés, immobiles et vides.

— Je croyais qu'en Sibérie, les gens nous appelaient des "malheureux" ? dit Samarin. Balashov fit un pas en arrière.

— En effet, mais... Vous ne parlez pas comme un bagnard.

— J'ai du mérite, au bout de cinq ans avec eux.

Les traits de Samarin reprirent peu à peu vie et lorsque son visage s'anima pour de bon, ce fut comme si l'inerte vacuité qui venait de s'en emparer n'avait été qu'une illusion. Il cueillit un morceau de fougère et se mit à arracher les frondes. Il chanta quelques vers d'une chanson, trop bas pour que Balashov en saisisse les paroles, si ce n'est l'expression "parmi les mondes".

– Oui, j'ai enfreint la loi, et je me suis évadé d'un camp de travail, reprit Samarin. Mais je ne suis pas un criminel.

– Prisonnier politique.

– Oui.

– Vous êtes un intellectuel. Un socialiste.

Samarin rit et fixa Balashov dans les yeux, d'un air entendu, familier.

– Quelque chose dans ce genre-là, répondit-il. Je me suis enfui du Jardin blanc. Ça vous dit quelque chose ? C'est à mille kilomètres au nord d'ici.

– N'y avait-il pas de l'or, là-haut ? demanda Balashov, confus. Je ne savais pas qu'il y avait un camp de travail au Jardin blanc.

– Du travail, il y en avait, mais pas d'or. J'imagine que vous aimeriez bien savoir pourquoi on m'a envoyé là-bas.

– Je n'ai pas à le savoir. La curiosité à l'égard des étrangers m'apparaît comme une forme de péché.

– Eh ! Voilà une manière de penser qui me va à merveille. Dites-moi, vous êtes sûr de n'avoir jamais fait de taule ?

– Non. Je n'ai jamais été prisonnier. Sauf à considérer que nos âmes sont prisonnières de nos corps, Kyrill Ivanovich.

– Ah, je vois, cette vieille rengaine de l'âme et du corps. Enfin, si vous y croyez... Oui, j'imagine.

– À Jazyk, nous y croyons. Nous croyons au salut. La plupart d'entre nous ont été sauvés.

– Le salut, se moqua Samarin. Il se remit en route et Balashov lui emboîta le pas, en gardant ses distances. Ils marchèrent en silence. De temps à autre, Samarin toussait ou trébuchait. Balashov avançait sans bruit, passant de traverse en traverse comme s'il reconnaissait chacune d'elles, même dans le noir. C'est lui qui brisa le silence.

– Bien sûr, Kyrill Ivanovich, si vous tenez absolument à me dire pourquoi vous étiez prisonnier, ce serait pécher de vous le refuser.

— Non, vous avez raison, répondit Samarin, cassant.

— C'est juste que je me souviens à présent de cette mise en garde dont vous parliez. Cet homme qui vous poursuit.

— Oui. Peut-être vaudrait-il mieux que je fasse demi-tour. Connaissez-vous l'histoire de ce moine qui arrive un jour dans un petit village de Pologne ? Il sonne les cloches sur la grand-place, rassemble les habitants et leur explique qu'il est venu les prévenir de l'arrivée imminente d'un terrible fléau. Quelqu'un lui demande alors qui apportera ce fléau. Et le moine répond : "C'est moi."

— Je vois, dit Balashov.

— J'ai fait des études d'ingénieur dans une ville proche de Penza. Il y avait cette fille, étudiante comme moi. Katya. Mais qu'importe son nom. Nous étions amis. Elle s'est mise à fréquenter les mauvaises personnes. Moi aussi. Seulement, Katya est allée plus loin que moi. Je vous parle d'un temps où le tsar régnait encore. Elle a fini par transporter une bombe. Je tenais à elle et je ne voulais pas qu'elle se fasse arrêter. Alors, je lui ai volé sa bombe. Et on m'a arrêté. Ils m'ont condamné à dix ans fermes au Jardin blanc.

— C'est tellement loin au nord. Ça n'a pas dû être facile là-bas.

Après une longue pause, Samarin reprit.

— Vous n'imaginez même pas à quel point c'est isolé, glacial et oublié de tous. Une nuit, je suis parti avec la ferme intention de ne plus jamais revenir. L'obscurité semblait deux fois plus épaisse qu'ici. Le vent était si fort qu'on se sentait comme un fétu de paille. En pensant à ce qu'ils diraient de moi, j'ai compris qu'ils n'en parleraient même pas. Je n'appartenais plus au monde des hommes. Et si, à cinq cents que nous étions, nous, les bagnards, nous étions sortis des baraquements pour nous coucher dans la neige, la neige nous aurait recouverts et nous aurions disparu de l'histoire. Vous comprenez ? Sans laisser de traces. Nous étions l'histoire de la lune. Nous étions l'histoire de l'air et de l'eau. Des trous nous attendaient, creusés dans la glace, nous aurions la couleur de la glace, nous comblerions les trous. Je me suis dit que si je fonçais dans les barbelés, de toutes mes forces, je ne sentirais rien. Je dormirais, c'est tout, ballotté par le vent comme une ancre en pleine tempête, et le tissu de mon manteau se prendrait dans les barbelures ; quand ils trouveraient mon corps et le décrocheraient, ils seraient incapables de récupérer tous les lambeaux de tissu et le barbelé finirait par tomber, rongé par la rouille, mais les lambeaux resteraient là, dessinant ma silhouette, le signe qu'un homme un jour s'était jeté contre la clôture, l'infime particule d'un monde meilleur à venir, le souvenir d'un homme courant dans la nuit au-devant de sa propre mort, au lieu de s'allonger par terre et de se laisser ensevelir sous la neige.

— Dieu veillait sur vous, il vous a mené jusqu'ici.

— Dieu ne m'a pas amené ici. C'est un homme qui l'a fait. L'homme qui me poursuit. Le Mohican. Avez-vous déjà entendu ce nom ?

— Jamais. Enfin, je connais le roman, bien sûr.

— Ce Mohican-là n'est pas plus vieux que vous et moi, mais il a gagné le respect des plus grands voleurs, d'Odessa jusqu'à Sakhaline. Tous le craignent. Pour atteindre son but, le Mohican enjambe les corps aussi naturellement que vous marchez sur ces traverses. Même en prison, c'était l'homme le plus libre que j'ai jamais rencontré. Les liens qui rapprochent parfois deux êtres, qu'il s'agisse de frères ou d'étrangers comme nous, n'existent pas pour lui. Il se fiche de l'honneur, du sens du devoir, de l'obligation ou de la bienveillance.

— Pourtant, il vous a pris avec lui quand il s'est évadé.

— Oui. Il m'a emporté comme nourriture. Nous nous sommes enfuis en janvier. En cette saison, il n'y a rien à manger dans la taïga, sans même parler de la toundra, et les troupeaux de rennes descendent beaucoup plus loin au sud. Il m'a pris dans l'intention de m'égorger, de me découper puis de me manger, comme un cochon.

— Dieu, aie pitié de nous.

— Peut-on rêver mieux qu'une nourriture qui marche à nos côtés, porte nos sacs et nous tient compagnie jusqu'au jour où il faudra la tuer ?

— Doux Jésus, Kyrill Ivanovich. Il est passé à l'acte ?

— Il a tenté sa chance mais je me suis enfui. Je pense que j'ai un jour d'avance sur lui.

— S'il est arrivé jusqu'ici, pourquoi aurait-il besoin de… Il n'y a pas grand-chose à manger à Jazyk, mais tout de même…

Samarin éclata de rire et frappa du poing l'épaule de Balashov.

— Gleb Alexeyevich, vous feriez un malheur au music-hall ! Un vrai comique ! Eh, c'est un train qu'on entend ?

Les rails chantaient. Un rai de lumière grise dansait à travers le ciel, à l'est, là où se dirigeaient les deux hommes. Balashov et Samarin descendirent de la voie, juchée au sommet d'un talus. Les rails chantèrent plus fort, sifflèrent puis se mirent à vibrer. Le train avait un projecteur, installé sur une plateforme. La locomotive apparut dans le virage, fonçant vers eux, dans l'éclat blanc de ses deux phares et le rougeoiement des gerbes d'étincelles. Le projecteur scrutait la forêt de part et d'autre de la voie, aveuglant les hiboux et chassant les zibelines affolées à des kilomètres. Quand le train fut à sa hauteur, Samarin se mit à courir. Balashov lui cria d'arrêter. Il y eut un éclair blanc, une détonation. Samarin bondit, empoigna une chaîne qui pendait d'un wagon, quitta le sol, se balança une fraction de seconde, puis retomba et dégringola en bas du talus, roulé en boule, pour terminer sa course au milieu des fougères. Balashov courut l'aider à se relever.

— Vous êtes blessé à la main.

— Laissez-moi verser dessus un peu de votre alcool, répondit Samarin. Balashov hésitait. J'en ai bu une gorgée tout à l'heure.

— Je sais, répliqua Balashov. Je l'ai senti à votre haleine.

Il tira de sa poche un mouchoir, l'imbiba d'alcool et nettoya la plaie. Il demanda à Samarin s'il avait entendu le coup de feu.

— Je crois que la balle a brisé une de ces branches, ajouta-t-il, désignant les arbres tout proches. Vous vous en sortez bien. Je vous l'ai déjà dit, on ne sait jamais qui est de quel côté. L'ancienne guerre ne s'est pas terminée proprement. Elle a laissé des scories un peu partout en Russie, les Tchèques par exemple. La Russie les a faits prisonniers au cours de l'ancienne guerre. À l'époque, ils ne disposaient pas d'un État indépendant. Maintenant qu'ils l'ont, ils aimeraient bien rentrer au pays, mais se retrouvent coincés dans cette nouvelle guerre. Officiellement, ils sont blancs. Mais la moitié d'entre eux sont rouges. Ils sont des milliers aux quatre coins de la Sibérie. Ils se sont emparés de la ligne du Transsibérien, sur toute sa longueur, vous imaginez un peu ? Rien n'a plus aucun sens.

— Tout a un sens, dit Samarin. Sauf vous.

Balashov rit.

— Nous ferions mieux de continuer.

Ils marchèrent en silence jusqu'à ce que Samarin reprenne :

— Non, vraiment, je le pense. C'est vous qui n'avez aucun sens.

— Je ne comprends pas, dit Balashov d'une voix tremblante, la gorge sèche.

— Vous n'êtes pas barbier. Ou alors un très *mauvais* barbier. Les barbiers ne sont pas censés utiliser des scalpels et de l'alcool, et ils ne saignent pas leurs clients comme des porcs.

— J'ai parfois la main qui dérape quand je rase.

— Raser quoi ? Une gorge, au scalpel ?

— Je vous en prie, Kyrill Ivanovich, vous devez comprendre que nous sommes bien loin du premier hôpital. Il m'arrive de réaliser de petites opérations chirurgicales.

— Moi, je crois que vous appartenez à l'une de ces sectes un peu tordues qu'on trouve en Sibérie. Je crois que tous les habitants de… comment déjà… Jazyk, en font partie. Vous me semblez trop bien né pour être un simple barbier ou un épicier, et trop bête pour un exilé politique.

— Monsieur Samarin, je vous en supplie. Vous m'aviez dit que vous étiez d'accord pour ne jamais passer au crible la vie des autres quand ils ne veulent pas qu'on le fasse.

Samarin s'arrêta, fit demi-tour et voulut frapper Balashov au menton. Balashov esquiva promptement.

— Je sais ce que tu es, dit Samarin. Il tomba à genoux, jeta la tête en arrière et lança un grand éclat de rire vers le ciel, un rire plein, prolongé, dont il se délecta. Il redressa la tête et fixa Balashov, incrédule.

— Je sais ce que tu es. Je sais ce que tu as fait et je sais ce que tu as perdu. Incroyable. Est-ce que les Tchèques sont au courant ? Non, cela va de soi. Ils pensent sans doute que vous êtes juste un peu tordu. Eh bien, tout ceci est très drôle, même si je parie que l'homme de Verkhny Luk, lui, ne rit pas vraiment. À moins qu'il ne s'agisse d'un garçon ?

— Perdu, non, murmura Balashov.

— Pardon ?

— Vous avez dit tout à l'heure : "Ce que nous avons perdu." Nous n'avons rien perdu, si ce n'est un fardeau. En échange, c'est une vie nouvelle que nous avons gagnée.

Samarin bâilla et hocha la tête.

— J'ai froid, dit-il. Dès que je commence à m'imaginer au chaud dans une maison, j'attrape froid.

Il repartit. Balashov marchait désormais une bonne dizaine de pas en arrière.

— Qu'est-ce que vous allez faire ? demanda Balashov au bout d'un moment.

— Je dois rejoindre Pétersbourg.

— Mais il n'y a pas de train. Et il y a des combats, plus loin sur la ligne.

— Il faudra juste que je persuade vos Tchèques de me prendre à bord d'un convoi. Qui est leur commandant ici ?

— Il s'appelle Matula, répondit Balashov. Mais il n'est pas normal. Son âme est malade.

— C'est curieux de vous entendre dire que les autres ne sont pas normaux.

— Kyrill Ivanovich, je vous en prie, quoi que vous fassiez à Jazyk, ne parlez à personne de notre nature. Les Tchèques, vous l'avez dit, ne savent rien. Nous avons prétendu que, pour protéger les enfants du village, nous les avions tous envoyés au Turkestan.

— Au Turkestan ! Sacré comique. Qu'en est-il de votre amie Anna Petrovna ? De son fils Misha ?

— Alyosha, pas Misha.

— Ah, il s'appelle donc Alyosha.

— Je vous en prie, ne faites pas de mal à Anna Petrovna.

— Pourquoi lui en ferais-je ? s'étonna Samarin. Jusqu'alors, il avait parlé sans regarder Balashov, mais il se retourna soudain, intrigué. Elle mérite qu'on lui fasse du mal ?

Des points lumineux apparurent entre les arbres, devant eux.

— Nous arrivons à Jazyk, dit Balashov.

Samarin s'arrêta pour observer les lumières.

— Pauvre bourgade, soupira-t-il. Écoutez. Il faut que vous me disiez. Est-ce qu'un shaman est venu importuner les villageois ces derniers temps ? Un charlatan toungouze qui divaguait dans la forêt il y a quelques jours, monté sur un renne galeux, jouant les prophètes pour mendier un peu d'alcool ?

— Il y a bien un shaman qui dort devant le *stáb* du capitaine Matula, au fond de la cour.

— Ah, le diable ! Combien d'yeux a-t-il ?

— Un seul.

Samarin s'approcha de Balashov.

— Un seul œil valide, vous voulez dire.

— Un œil valide et deux bandeaux, un sur son œil crevé et l'autre sur le front. Il prétend qu'il a un troisième œil à cet endroit-là, mais personne ne l'a jamais vu.

– Mmm, grogna Samarin. Pauvre type. Je crains fort qu'il ne soit le prochain sur la liste du Mohican.

– Vous devriez attendre ici jusqu'à l'aube. Les soldats tchèques patrouillent toute la nuit aux abords de la ville. C'est le couvre-feu. Vous n'avez pas de laissez-passer.

– Donnez-moi la bouteille.

– Ce n'est pas fait pour boire, Kyrill Ivanovich.

– Je vous dis de me la donner.

La voix de Samarin avait changé. Elle ressemblait davantage à celle qu'il avait dans la pénombre du tunnel, plus vieille, débarrassée des hauts et des bas propres à la passion.

– Je… je n'ai aucune intention de vous la donner, Kyrill Ivanovich.

– Vous n'êtes pas du genre à vous battre.

– Non, mais vous ne devriez pas me prendre la bouteille si je refuse de vous la donner. Vous m'avez dit que vous n'étiez pas un criminel.

Samarin plongea la main sous son manteau et brandit son couteau. Il le colla sur la joue de Balashov.

– Donne-moi la bouteille avant que je n'achève ce que tu as commencé.

Balashov posa le sac à terre, en prenant soin de rester hors de portée de la lame. Il sortit la bouteille et la tendit à Samarin.

– Maintenant, je n'ai plus aucune raison valable de vous tuer, dit Samarin. Vous ne parlerez à personne de notre rencontre, elle n'a pas eu lieu. Je ne dirai rien sur ce que vous fabriquiez à Verkhny Luk. Nous ne nous sommes jamais vus. J'espère que c'est bien compris. Qu'y a-t-il de l'autre côté de ces arbres ?

– Une prairie.

Samarin tapa du pied, bondit à travers les arbres et disparut dans l'obscurité. Balashov lui hurla d'attendre, de ne faire aucun mal à Anna Petrovna. Il entendit la voix de Samarin, sa voix jeune, qui criait :

– Comédien !

Josef Mutz, lieutenant de la Légion tchécoslovaque engagée en Russie, était assis à la table de sa chambre et taillait au ciseau oblique une pièce de cerisier à la lumière de sa lampe à pétrole. Toutes les minutes environ, il se penchait sur sa gravure pour l'examiner, la comparant à une coupure de presse salie sur laquelle figurait une photographie de Thomas Masaryk. Il souffla sur la plaquette avant de la presser contre un tampon encreur. Il prit un petit rectangle de papier bleu sur la pile posée devant lui. Sur le papier étaient imprimés en russe, en tchèque et en latin les mots *Première Banque socialiste slave sibérienne de Jazyk : un milliard de couronnes,* et la même somme en chiffres. Mutz souffla de nouveau sur le bois gravé et l'appuya sur la partie vierge de la feuille. L'image du premier président tchécoslovaque s'imprima sur le billet. Les lunettes de Masaryk étaient maculées de bavures, mais le détail des rides autour de ses yeux était bien rendu et, sous la barbe, Mutz avait capturé le sourire distant que le président avait arboré pendant des décennies en écoutant discourir les idiots. Mutz prit une gouge à pointe fine pour retravailler le dessin des lunettes. Il importait vraiment que Masaryk n'ait pas l'air de porter des lunettes noires. Sur la monnaie de Mutz, les yeux des hommes bons seraient toujours visibles.

La banque du lieutenant se composait d'un grand plateau d'imprimerie à casiers posé sur la tranche, avec, cloué en bas, un tableau de trictrac entaché des éclats de cervelle indélébiles de Chupkin, le révolutionnaire socialiste de gauche. Sa tête avait été transpercée par la balle d'un sniper au moment exact où Mutz allait le battre, comme toujours, même si Chupkin avait toujours refusé d'admettre la moindre défaite. Une obstination dont semblaient imprégnées les cellules de sa cervelle. Obstination qui rendait toute tentative de frotter au sable et à l'eau les éclats sanglants aussi vaine que lorsque, de son vivant, on essayait de faire changer d'avis Chupkin sur le rôle de la bourgeoisie dans la lutte des classes. La table de trictrac contenait les ciseaux à bois et les gouges de Mutz. Dans les casiers étaient archivés la brève histoire de l'inflation à Jazyk depuis l'avènement de la loi martiale tchécoslovaque, des billets allant d'une couronne à cent millions de couronnes et les plaquettes correspondantes. Il ne restait quasiment plus de billets d'une couronne. Ils avaient duré deux mois, pendant lesquels Mutz était parvenu à convaincre Matula que la valeur de la monnaie imprimée devait rester proportionnelle aux réserves de vivres disponibles dans la région. Ces billets élimés, déformés par l'usure, ne valaient plus rien. Mutz sortit du casier la plaque d'une couronne, passa le bout de ses doigts sur les rainures. Cela faisait si longtemps qu'elle n'avait pas servi que l'encre séchée ne laissait plus aucune trace. Mutz posa devant lui un billet vierge, encra la plaque et imprima une nouvelle copie. L'image qu'il avait conçue pour les billets d'une couronne était une femme symbolisant la Liberté. Si le mot "Liberté" n'avait pas figuré sous les traits de cette femme, on l'aurait volontiers prise pour quelqu'un de célèbre, ou du moins pour un individu bien réel plutôt que pour un symbole, parce qu'il ne l'avait pas représentée en pied, franchissant les barricades. Seul son buste apparaissait, tête nue, avec une longue chevelure ondulée nouée sur la nuque. La femme avait le nez pointu. Sa lèvre supérieure, finement dessinée, était plus charnue que sa lèvre inférieure et légèrement retroussée. Elle dévisageait le porteur du billet de ses grands yeux sombres qui observaient le monde depuis si longtemps, et elle riait avec délice de toute cette comédie.

Il n'y avait désormais plus aucune raison de rire, mais elle semblait incapable de détourner son regard du spectacle.

Mutz observa longuement sa Liberté, le visage brûlant. Il se massa le cou, posant ses doigts gelés sur les muscles chauds, glissa le billet d'une couronne dans la poche de sa chemise et celui d'un milliard entre ses lèvres, se leva et entreprit de remettre un peu d'ordre dans la pagaïe de son lit. Il posa sur le sol des dents de mammouth, masses blanches aussi grosses que des briques, rangea sur une étagère les coffrets abritant sa collection de papillons de nuit sibériens, classa par ordre alphabétique une liasse de dessins de propagande bolchevique et fourra le brouillon d'un compte rendu sur la géologie du cours supérieur de la Iénisseï dans le coffre, près de la porte, où s'entassaient des dizaines d'exposés similaires. Il s'allongea sur le lit et tendit dans la lumière le billet d'un milliard. Aucun filigrane. À Prague, à présent, circulait certainement la nouvelle monnaie tchécoslovaque, pourvue de filigranes. Et comptant beaucoup moins de zéros. Un jour prochain, une centaine d'hommes aux uniformes rapiécés débarqueraient en gare de Prague et marcheraient vers la brasserie la plus proche. Pour les passants en costume neuf et les femmes vêtues de robes à la mode, qui s'arrêteraient dans la rue pour les regarder passer, la guerre se serait achevée depuis bien longtemps déjà. Tous seraient décontenancés à la vue de ces soldats en armes défilant au milieu des gens vêtus au goût du jour, répétant encore et encore, illuminés, qu'ils revenaient de Sibérie où ils avaient combattu au nom de la Tchécoslovaquie. Les hommes de la compagnie de la Légion tchèque commandée par le capitaine Matula entreraient calmement dans la brasserie en se léchant les lèvres, bien décidés à se payer à boire avec la monnaie impériale qu'ils trimballaient au fond de leurs poches depuis cinq ans déjà, à travers l'Eurasie, l'Amérique et l'océan Atlantique. Le patron hocherait du chef, leur montrerait la nouvelle monnaie, la monnaie tchécoslovaque :

n'avaient-ils pas de tels billets ? Alors l'un d'eux plongerait de nouveau la main dans sa poche, en sortirait un billet ridé d'un milliard de couronnes de la Première Banque socialiste slave sibérienne de Jazyk, le plaquerait sur le comptoir et commanderait une centaine de bières. Le patron les servirait, par pitié, par peur, ou peut-être parce qu'il imaginerait, l'espace d'un instant, ces étranges clients en rangs débraillés dans une ville de la steppe, à l'autre bout du monde, impatients de rentrer chez eux.

Mutz entendit des voix dans la cour, sous sa fenêtre, là où le capitaine Matula avait enchaîné le shaman au montant d'une niche. Il était presque minuit. Mutz se leva et ouvrit la fenêtre. Il occupait l'étage supérieur du *stáb* tchèque, qui abritait autrefois les bureaux administratifs de Jazyk. L'unique autre source de lumière, à part sa lampe, était la lanterne de la sentinelle, suspendue à un crochet sous le porche de la cour. Il aperçut la silhouette du sergent Nekovar. Puis Nekovar fit demi-tour et disparut dans l'obscurité.

Mutz interpella le shaman. Il ne le voyait pas mais entendit le mouvement d'un corps dans la boue et le cliquetis d'une chaîne.

Le shaman toussa à travers de profonds voiles de flegme et dit :

— Chacun aura son cheval.

— Vous avez bu ? s'inquiéta Mutz.

Il y eut un silence et, dans une nouvelle quinte de toux, la réponse :

— Non.

— Eh bien dormez, alors, reprit Mutz avant de refermer sa fenêtre. Le capitaine Matula jalousait les rêves du shaman. À Prague, avant la guerre, où il participait à des séances de spiritisme, il avait séduit une femme médium, croyant qu'elle descendait d'une lignée de brahmanes, avec ses yeux noirs et des cheveux sombres comme l'huile de roche des Carpathes. Hélas il avait découvert au petit matin, tandis qu'ils reprenaient leur souffle dans la soie et le lin parfumés de son lit défait, encore chaud et moite, que son arbre généalogique n'avait jamais dépassé la ville de Pressbourg. Matula était persuadé que, quand le shaman dormait, son esprit parcourait la steppe. Le capitaine voulait savoir ce qu'avait vu le shaman, comment il parvenait à libérer ainsi son esprit, quels étaient ces mondes dans lesquels il évoluait. Les spiritualistes européens atteignaient péniblement un plan astral qui se réduisait à un de ces lieux à la mode peuplés d'une foule bavarde et avide de ragots, à un café viennois au décor de frondes de fougères et de plumes d'autruches, le genre d'endroit où les amis deviennent des amants, où les amants lancent des regards entendus vers les tables voisines, où l'écho des vivants se résume au murmure d'un serveur venant vous annoncer un appel téléphonique. Pour le shaman, il en allait tout autrement. Le monde d'en haut et le monde d'en bas étaient de vastes plaines où héros, démons et rennes se poursuivaient sans répit afin de se livrer d'épiques batailles, des contrées de sang et d'acier. Quand le shaman était arrivé à Jazyk, en quête d'un verre d'alcool, le capitaine lui avait attribué une chambre, une couchette et un peu de vodka, et l'avait pressé de lui révéler ses secrets, afin de l'aider à rétablir l'ordre sur les terres situées au nord, entre la voie ferrée et l'océan Arctique, et de permettre à une centaine de Tchèques de prendre part aux mystères des forêts de mélèzes. Le shaman avait redemandé à boire, puis s'était assoupi. Au réveil, il s'était mis à cracher du sang et il appelait Matula *avakhi,* ce qui dans la langue des Toungouzes signifie "démon". Tous les Tchèques et les Russes, il les appelait *avakhis.* Il dit qu'un *avakhi* avait crevé son troisième œil dans la forêt et que son esprit ne voyait plus rien. Matula répondit qu'il saurait lui ouvrir le troisième œil et ordonna qu'on l'enchaîne pour empêcher qu'il ne s'échappe ou ne se procure de l'alcool, jusqu'à ce qu'il soit de nouveau capable de voir et se décide enfin à confier ses secrets.

Mutz était couché sur son lit. Il perçut un bruit de bottes dans le couloir, puis entendit la voix de Broucek qui l'appelait. Mutz lui ordonna d'entrer.

Debout dans l'embrasure de la porte, le fusil à la main, canon au ras du sol, Broucek tripotait le col de sa chemise.

— Je vous fais mon rapport avec obéissance, camarade ! déclara-t-il. M. Balashov demande à vous parler.

— Épargnez-moi votre obéissance, rétorqua Mutz. Il lança ses jambes hors du lit, s'assit sur le rebord et se demanda tout haut ce que Balashov pouvait bien faire dehors après le couvre-feu.

— M. Balashov a l'air très nerveux, reprit Broucek.

— Il est toujours nerveux.

— Plus nerveux que d'habitude.

— Asseyez-vous.

Broucek vint s'asseoir sur le lit à côté de Mutz, agrippé des deux mains au canon de son arme. Il avait la peau mate des gitans, même s'il prétendait qu'il ne l'était pas, insistant même, sans jamais s'énerver, sur le fait qu'aucun gitan n'avait jamais approché sa mère d'assez près pour avoir joué un rôle dans sa conception ni l'avoir échangé au berceau avec un autre enfant. Il était grand et déplaçait sa stature avec une grâce paresseuse. Un éternel demi-sourire aux lèvres, il jetait sur tout un chacun, du haut de ses grands yeux d'encre, un regard innocent et curieux. Il n'était pas vif d'esprit, n'avait aucune histoire à raconter, ne savait ni mentir ni flatter, mais au cours du long voyage qui les avait menés de Bohême jusqu'en Sibérie, il avait découvert combien il plaisait aux femmes et, sans vraiment le vouloir, avait appris d'elles un langage qu'il pouvait mettre à profit pour les séduire. Son ami Nikovar, qui consacrait sa vie à l'étude de ce qu'il appelait "les fondements mécaniques de l'excitation sexuelle féminine", le harcelait sans cesse pour obtenir de nouvelles données. En vérité, les deux compères n'étaient rien d'autre qu'un ouvrier agricole et un dessinateur industriel dont on avait fait des soldats. Au pire moment de cette campagne à laquelle ils participaient à contrecœur, le jour de l'attaque de Staraya Krepost, Broucek était resté en arrière, refusant de prendre part au combat, et il n'avait pas remarqué la façon dont les hurlements des femmes s'étaient soudain étranglés, laissant place à une horreur silencieuse et terrifiée lorsqu'elles aperçurent parmi leurs bourreaux le visage frais, net et sans rides de Broucek, sa beauté céleste, comprenant alors qu'anges et démons étaient bien plus proches les uns des autres qu'ils ne le seraient jamais d'elles-mêmes.

— Voici les nouvelles coupures, annonça Mutz en lui montrant le billet d'un milliard de couronnes. Broucek s'en saisit et l'examina longuement.

— Il y a neuf zéros, constata-t-il.

— Oui. Ça fait un milliard. Nous allons être milliardaires.

— Un milliard, ça fait une sacrée somme.

— Oui, une satanée somme. Mille millions.

— Mille millions !

— Exactement.

— Quand je travaillais à la ferme en Bohême, on était payés dix couronnes. Dix ! (Broucek se fendit d'un large sourire et fit craquer ses doigts.) On pouvait acheter pas mal de choses avec dix couronnes. Un kilo de café ou un jeu de cartes, un mouchoir, une bouteille de cognac, une paire de bottes, un billet pour passer la journée à Hradec Králové, un journal, un chapeau anglais, une hache, une tapette à souris, un harmonica, un bouquet d'œillets, un filet d'oranges. Et notre dernière solde, c'était… combien déjà ?

— Cinq cent millions de couronnes.

— Oui, c'est ça. Mais il n'y a rien à acheter, à part des graines de tournesol qui coûtent cent millions le sachet. Peut-être parce que la Sibérie est si vaste. C'est peut-être ça. Comme s'il y avait autant d'argent que de kilomètres. En Bohême, quand on se déplace de dix kilomètres, tout change. Ici, on en parcourt des milliers et le paysage demeure toujours le même. Plat, avec des bouleaux et des corbeaux. C'est Masaryk, sur le billet ?

— Oui.

— Vous l'avez drôlement bien dessiné. Alors, quand est-ce qu'il nous ramène à la maison ?

— Je n'en ai pas la moindre idée.

Broucek renifla et se pencha en avant pour se gratter le nez sur le bout du canon.

— Sûr qu'il a la belle vie à Prague, maintenant, reprit-il. Il doit vivre au château, à l'heure qu'il est. Il n'aurait pas dû nous laisser en Sibérie, pas vrai ? Sans doute qu'il nous a oubliés.

— Non, répondit Mutz. Mais il faut que vous compreniez. Quand les Français, les Anglais et les Américains se sont mis d'accord pour découper l'empire, tous ceux qui en voulaient une petite part ont dû mettre quelque chose sur la table. Quelque chose de valeur, de l'or, du charbon ou du sang. Et Masaryk, lui, n'avait ni or ni charbon à leur offrir.

— Vraiment ? Je croyais qu'il était riche.

— Pas de ces choses-là.

— Il ne reste que le sang, alors.

— Oui.

— Le nôtre.

— Oui.

— Nous nous sommes battus contre les Allemands. Ça ne faisait pas assez de sang pour eux ?

— C'était bien, mais maintenant que les Allemands ont perdu la guerre, les Français, les Anglais et les Américains craignent les rouges.

— Parce qu'ils ont tué le tsar.

— Surtout parce qu'ils veulent s'emparer de toutes les richesses pour les redistribuer.

— Oui, j'ai entendu dire ça, répondit Broucek, hochant la tête. Ça m'a l'air d'être une bonne idée. Et quand on rentrera en Tchécoslovaquie, ce sera comme ça ?

– Je ne sais pas trop. Vous aimeriez que ça soit comme ça ?

– Pour sûr. Moi, je ne possède rien. J'ai toujours rêvé d'une vieille horloge. D'un piano. Et d'un costume comme ceux que portent les Anglais pour aller aux courses.

– N'oubliez pas le gramophone.

Broucek haussa les épaules.

– Le gramophone, je le laisse à un autre. Mais j'aimerais bien rentrer pour m'occuper de cette horloge. Il est grand temps. Nous avons combattu les rouges. Ils ressemblent à des Russes. Les blancs aussi. Tous ressemblent à des Russes. Ils n'ont pas besoin de nous ici. Ils s'entretuent bien assez comme ça. Peut-être que Masaryk veut bâtir un Empire tchécoslovaque, comme l'ont fait les Français et les Anglais. Peut-être qu'il se dit que si les Anglais, avec leur île minuscule, sont capables de dominer l'Inde tout entière, les Tchèques et les Slovaques peuvent bien régner sur la Sibérie.

– Non, pas Masaryk, répliqua Mutz.

– C'est le capitaine, alors, n'est-ce pas ?

– Oui.

– D'autres gars pensent aussi que nous devrions le tuer.

– Ça serait une mutinerie.

– Oui.

– Il paie en dollars Smutný, Hanak, Kliment, Dezort et Buchar pour assurer sa protection, et ils ont la mitrailleuse Maxim.

– Vous pourriez nous sortir d'ici. Vous pourriez nous emmener jusqu'à Vladivostok sans le capitaine.

On frappa timidement à la porte.

– C'est M. Balashov, dit Broucek en se levant.

– Je vais le recevoir. Allez donc demander à Nekovar si le shaman va bien.

– Nekovar n'est pas là, camarade. Il surveille les gens du village, qui se sont rassemblés dans l'arrière-boutique de Balashov.

— Mais alors, personne n'est de garde dans la cour ?

— Il n'y a que le shaman dans la cour. Il est enchaîné, il n'a aucun moyen de s'enfuir.

— Et si quelqu'un se faufilait à l'intérieur ?

Ils se précipitèrent dans la pénombre du couloir, sans se soucier de Balashov qui cria quelque chose dans leur dos. Les bottes de Mutz et de Broucek martelaient le sol dans le silence des couloirs. Arrivé sur le seuil, le soldat arma son fusil dans un cliquetis de culasse. Dehors il faisait froid et la pluie s'était mise à tomber.

Les deux hommes bondirent à travers le porche et s'approchèrent de la niche du shaman, tache sombre contre le mur éclairé par la fenêtre de Mutz. La botte de Mutz cogna contre du verre. Il s'accroupit et ramassa une grande bouteille vide. Les dernières vapeurs d'alcool pur s'échappèrent du goulot et lui poignardèrent les sinus. Il laissa tomber la bouteille dans la boue naissante, toussa et se passa la main sur les paupières. Leurs yeux s'accoutumèrent à l'obscurité. Le shaman était assis dans la boue, le dos appuyé à la niche, son tambour posé sur le ventre, enveloppé dans ses mains. Mutz lui secoua l'épaule. Les animaux, les pièces en fer couverts de rouille et les boîtes de conserve écrasées qui servaient de parure au manteau du shaman résonnèrent comme des casseroles traînées par un chat de gouttière. Mutz sortit de sa tunique un briquet et éclaira le visage du shaman. La pluie lessivait la bile et le sang qui avaient jailli de sa bouche et maculaient sa barbe ébouriffée. Le shaman toussa et ils sentirent une odeur d'alcool mêlé de fluides gastriques. Son œil valide palpita. Il ne s'ouvrit pas.

Mutz posa sa main sur l'épaule du shaman et le secoua de nouveau.

— Eh, qui vous a donné cette bouteille ?

— Trop loin vers le sud, murmura le shaman. Les mots étaient à peine audibles. Il parlait bien le russe, avec un fort accent toungouze et une voix éraillée par l'âge, la maladie et la boisson. Son murmure était un filet de voix évanescent, comme l'ultime rougeoiement de braises à l'agonie. Mais ses mots étaient articulés : il avait l'air plus épuisé que soûl.

– Quelqu'un vous a frappé ? demanda Mutz. Il y avait du sang sur la lèvre du shaman.

– Je lui ai dit que je ne voyais son frère nulle part dans les autres mondes, murmura le shaman. Mais je l'entendais, tout en bas, là où ça pue. J'ai entendu son frère gémir qu'il voulait récupérer son corps.

– Le frère de qui ? (Mutz se tourna vers Broucek.) Avez-vous la moindre idée de ce qu'il raconte ?

Broucek haussa les épaules.

– Quand j'étais gosse, mon père se soûlait tout le temps et passait des heures à hurler n'importe quoi. Personne ne s'est jamais demandé ce qu'il racontait.

La tête du shaman roula sur le côté et il vomit en toussant. Mutz le secoua une nouvelle fois.

– Nous allons vous emmener à l'intérieur, lui dit-il.

Broucek ajouta :

– C'est vous qui avez la clé.

Honteux, Mutz fouilla ses poches à la recherche de la clé du cadenas qui fixait la chaîne du shaman à la niche. Pris d'un haut-le-cœur, le shaman s'effondra dans la boue. Le choc semblait lui avoir redonné un semblant de vie ; il respira et ouvrit l'œil.

– Bon sang, s'exclama Mutz. Broucek, courez jusqu'à ma chambre. La clé est pendue au crochet, juste à côté du lit. Shaman. Dites-moi qui vous a frappé. Qui vous a donné l'alcool ?

– Quand j'avais trois bons yeux, j'étais un vaillant guerrier, répondit le shaman. Dans les chants de mon peuple, j'étais un guerrier. On m'appelait Notre-Homme.

– Je vous en prie. Essayez de comprendre ce que je vous demande. Il faut me dire qui vous a fait ça.

– Non, dit le shaman. Il poursuivra Notre-Homme jusqu'au monde d'en haut. C'est un démon cruel. Un *avakhi*.

Le shaman plongea la main dans sa bourse, en retira un fragment sombre et sec, le glissa entre ses lèvres et se mit à mâcher.

— Notre-Homme va mourir bientôt. Il s'en va.

— Attendez, dit Mutz. Nous allons prendre soin de vous à l'intérieur. Attendez encore un peu, il rapporte la clé.

— Notre-Homme ne voit plus où il va, mais il sent l'odeur des mélèzes, il entend une branche craquer là où la corde se tend, il sent un cercueil en écorce de bouleau qui se balance dans le vent au bout de la corde.

— Attendez ! Restez en vie ! Remettez-vous. Vous avez survécu à des nuits bien pires. Que vous a dit le démon ?

La voix du shaman se transforma ; c'était toujours un murmure à peine prononcé, mais dépourvu d'accent, avec un ricanement cruel, comme s'il avait enregistré la voix du démon sur un disque.

— Saloperie de fils de pute, prononça le shaman avec la voix du démon. Qu'es-tu venu faire par ici ? Tu crois vraiment que je vais avaler tes saloperies de visions de shaman, que je vais aller me pendre ? (La voix rauque du démon se mêla à celle du shaman, produisant un rire monstrueux, occidental.) Les gens aiment les diseurs de bonne aventure aveugles. Ils pensent que moins ils voient, plus ils en savent.

— Je retrouverai cet homme, je le punirai si vous m'aidez, reprit Mutz. Vous le connaissez ? L'aviez-vous déjà rencontré ?

Le shaman avait le souffle lourd, il était parcouru de violents frissons. De sa voix propre, il dit :

— S'en va.

Mutz entendit les pas de Broucek qui s'approchaient.

— Broucek arrive avec la clé, reprit-il. Bientôt, vous serez au sec à l'intérieur.

Le shaman posa l'une de ses paumes dans la boue et décrivit un arc de cercle.

— Pas de renne pour porter Notre-Homme jusqu'au monde d'en haut, pas de cheval. La boue est molle. Poussez

Notre-Homme dedans, jusqu'à la rivière, poussez-le dans l'eau, laissez le courant l'emporter vers le nord.

Broucek accourut dans des gerbes d'éclaboussures. Mutz lui arracha des mains la clé et ouvrit le cadenas.

— La quille glisse à travers la boue et flotte librement, murmura le shaman. Il y eut un bruit de gorge, comme un oiseau blessé se débattant dans un tas de feuilles mortes. Dans le futur, reprit-il, chacun aura son cheval.

Sa tête tomba en avant. Mutz la redressa, tira d'un coup sec sur sa mâchoire pour lui entrouvrir la bouche et posa le revers de sa main contre les lèvres du shaman. Il agita la flamme de son briquet devant son œil valide, de son autre main cherchant en vain un pouls.

— Il est mort ? demanda Broucek.

— Oui. Il s'est libéré par l'alcool. Comment diable un homme enchaîné peut-il dénicher une bouteille d'alcool au beau milieu de la nuit, dans un village comme celui-ci ?

Mutz observa le visage du shaman, ses deux joues tatouées dans le sens de la longueur, l'entrelacs des sillons creusés par l'âge, aussi profonds et nets que ceux qu'il taillait à l'aide de ses gouges les plus fines. L'autre œil du shaman était une orbite vide, dévasté par un ours, ce que le shaman considérait comme une perte honorable. Sur son front, un bandeau en peau de renne cachait son troisième œil, dont il disait qu'il était également aveugle, mais qu'aucun des Tchèques n'avait vu. Il se débattait en hurlant si l'on s'avisait d'y toucher. Mutz releva le bandeau sur le crâne du mort. Le troisième œil était une bosse en plein milieu du front, dure comme de l'os sous la peau avec l'image d'un œil tatouée dessus. Le tatouage était vieux et distendu, comme s'il avait été octroyé au shaman lorsqu'il était encore enfant et que l'excroissance osseuse n'avait pas fini de grandir. Quelqu'un avait tracé dessus, au couteau, un autre tatouage encore frais, grossièrement dessiné. Un simple mot : "MENTEUR."

Ils transportèrent le shaman à l'intérieur en l'enveloppant dans son manteau. Tandis qu'ils marchaient sous l'averse, l'odeur d'alcool s'évapora, remplacée par celle de l'acier humide et de la rouille. Ils le déposèrent sur le carrelage au pied de l'escalier. Balashov les attendait. Il invoqua Dieu à grands cris quand il aperçut le cadavre.

— On l'a poignardé ? demanda-t-il.

— Pourquoi pensez-vous qu'on l'a poignardé ? répliqua Mutz.

— Parfois, des brigands sortent des bois. Des bagnards qui n'ont nulle part où aller. Des hommes devenus semblables à des bêtes.

— Avez-vous de bonnes raisons de penser qu'il y a un bagnard à Jazyk, au moment où je vous parle ?

Balashov hocha la tête.

— Dites-moi, vous ne vendez pas d'alcool dans votre boutique ? poursuivit Mutz.

— Avec tout le respect que je vous dois, lieutenant, vous le savez bien : il n'y a pas d'alcool dans ce village. Nos croyances.

— Oui, vos croyances obscures. Pas même dans un but médical ?

— Sont-elles si obscures que cela ?

— Obscures, oui. Tout ce que j'en sais, c'est que vous n'entrez jamais à l'église, que vous croyez en Dieu, que vous ne buvez pas ni ne mangez de viande, que vous trouvez toujours le moyen de contourner les questions les plus directes et que nous n'avons jamais vu vos enfants.

— Au Turkestan, murmura Balashov. Nous les avons envoyés au Turkestan par train spécial, vous le savez… Le temps que les choses…

Il se frotta la bouche et passa la main dans ses cheveux en contemplant le mort.

— Qui aurait pu lui donner de l'alcool ? Peut-être qu'ils ne pensaient pas à mal. Qu'ils voulaient juste soulager un compagnon d'infortune.

– Que faites-vous dehors après le couvre-feu ? Peu m'importe, vous comprenez, mais vous auriez pu vous faire tirer dessus.

– J'ai rendu visite à des amis, en lisière du village. Je voulais vous voir. J'ai l'impression qu'Anna Petrovna est en danger. Je voulais vous demander si vous pouviez envoyer des hommes pour surveiller sa maison, cette nuit. (Il hocha la tête en direction du shaman.) Pauvre homme. Un élément nouveau et déplaisant est entré dans notre village.

– Qu'est-ce qui vous fait croire qu'Anna Petrovna est en danger ?

– Dieu me l'a dit. Un autre Toungouze va venir chercher le corps du shaman. En attendant, vous devriez le conserver dans une cave, au froid. Mais je vous en prie, je vous en supplie, envoyez un soldat surveiller la maison d'Anna Petrovna.

– J'irai moi-même, répondit Mutz. Venez donc avec moi.

– Non ! rétorqua Balashov, élevant soudain la voix. L'espace d'un instant, un autre homme s'était glissé derrière son visage et s'exprimait à travers lui, aussi éloigné du Balashov habituel qu'une blessure l'est d'une cicatrice. Non, répéta-t-il d'une voix plus calme, l'autre homme en lui retournant au néant. Un sourire fendit ses lèvres puis se referma aussitôt, et il posa ses mains sur la manche du lieutenant. Il dit : Anna Petrovna ne me laissera... M'a demandé de ne pas m'approcher de sa maison en raison d'un vieux différend. C'est une femme vertueuse, honnête et respectable, avec un jeune enfant, elle est veuve, veuve de guerre. Vous la connaissez, n'est-ce pas ?

– Oui, répondit Mutz.

– Vous savez combien elle est vertueuse.

– Oui, elle l'est.

Mutz observa le sourire de Balashov qui allait et venait, puis une grimace et des battements de paupières incontrôlés : un souvenir lui revenait.

— Vous avez mis son visage sur vos billets, dit Balashov.

— Je sais. Ce fut une erreur de ma part. J'aurais dû lui demander la permission. Elle l'a mal pris. Je l'avais aperçue aux portes de la ville, le jour où nous sommes arrivés. Je me suis souvenu de son visage. Je n'oublie jamais un visage. Eh bien, quoi qu'il en soit, j'irai là-bas. Vous pouvez rentrer chez vous.

Balashov le remercia et prit congé. Mutz et Broucek glissèrent le corps et la tête du shaman dans deux gros sacs et le descendirent au sous-sol, dans une remise humide et froide, où ils le posèrent sur un lit de paille et de cageots brisés, au milieu d'un indicible bric-à-brac de débris de meubles et de pièces métalliques rouillées. Mutz avait l'habitude des morts, de leur apparence de coquille vide, mais le shaman avait l'air différent. Soucieux, peut-être. Comme s'il se croyait vraiment capable de rejoindre le monde des esprits et s'était concentré sur le grand saut à venir au moment de mourir. Tout au long de sa vie, il n'avait fait autre chose que de traduire ses songes en mots. N'était-ce pas là tout ce qu'il y avait ? C'est quand les gens essayaient de transformer en actes les mots rêvés que tout se compliquait. Un élément nouveau et de déplaisant. Mutz n'avait jamais vu Balashov mentir aussi effrontément.

— Je vais passer voir Nekovar, dit Mutz. Allez chez Anna Petrovna. Je vous rejoindrai plus tard.

Broucek sourit et acquiesça du chef.

— Elle vous plaît ? interrogea Mutz, les entrailles soudain parcourues d'un étrange bouillonnement. Il se demanda si Broucek avait vu son visage changer de couleur à la lumière de la lampe. Assurez-vous que tout va bien, attendez-moi devant sa porte et laissez-la tranquille. C'est un ordre, compris ?

Broucek eut l'air blessé, gêné. Il hocha de nouveau la tête et grimpa l'escalier au pas de course.

Mutz se tenait debout sur le seuil du *stáb*. Il n'y avait pas la moindre lumière aux fenêtres, et le bruit de l'averse sur le toit s'était amplifié en un grondement. Il mit sa casquette, enfila une cape anglaise et sortit. La place avait disparu dans la pluie et l'obscurité, l'église à l'abandon, le magasin de Balashov, les bureaux désaffectés du négociant en fourrures et de la coopérative laitière, les maisons, la statue d'Alexandre III, les kiosques où les Russes vendaient du poisson séché, des graines de tournesol, des brochures de propagande, des revues et des journaux vieux d'un mois et, depuis quelque temps, leurs effets personnels : montres, bijoux et bibelots. Mutz quitta l'étroite bande pavée pour s'engager dans la boue, une couche liquide puis une couche plus dure en profondeur, avec entre les deux une couche glissante comme de la graisse. Le sol libérait une odeur épaisse de poussière et ses épaules croulaient sous le poids de l'eau. Sa botte s'enfonça dans une profonde ornière au milieu de la place et il lutta pour l'en sortir. La botte se dégagea dans un claquement d'air qui couvrit un instant le fracas de la pluie. Il lui fallut de longues minutes pour traverser la place. Il s'immobilisa à l'angle d'une grande bâtisse en rondins montée sur pilotis, dont le pignon portait une inscription. Il faisait trop noir pour distinguer les lettres, mais il savait ce qu'il y avait écrit : *G. A. Balashov – Articles variés – Épicerie*.

Le magasin, avec ses deux vitrines encadrant la porte d'entrée, était fermé. Mutz monta les escaliers qui menaient à la porte et frappa doucement. Il colla son oreille au bois, écouta quelques instants, puis redescendit vers la place.

À droite de la façade, un étroit passage séparait le magasin de Balashov de l'édifice voisin. Mutz s'engagea dans l'ouverture, piétinant des touffes détrempées de pissenlits, d'orties, de mourons blancs. Le magasin était plus vaste qu'on ne l'aurait cru depuis la place. Passé deux petites fenêtres, le mur continuait vers l'arrière, nu, sur près de quarante mètres. L'averse avait cessé et, au bout de quelques pas, Mutz distingua à l'intérieur une vibration étouffée, à mi-chemin d'un roulement de tambour et du battement d'un pouls, et un autre son, si vague et ténu qu'il le prit d'abord pour un bourdonnement d'oreille. Quand il avait vingt ans, il avait fait un séjour au bord de la mer, près de Trieste. Le son ressemblait au bruit du ressac.

Dans la forêt, le sifflet à vapeur d'une locomotive résonna trois fois et le projecteur monté sur le train du capitaine Matula fouetta la nuit au-dessus des toits de Jazyk. Dans les arrière-cours du voisinage, des roquets tendirent le cou au bout de leur corde et aboyèrent en réponse. Mutz avait atteint l'extrémité du passage. À l'arrière du bâtiment se trouvait un enclos ceint d'une haute et solide barrière en bois. Le sergent Nekovar était appuyé contre la barrière, trapu et coriace comme un buisson sec, les ultimes gouttes de pluie tombant au goutte-à-goutte du bout de ses moustaches.

— Je vous fais mon rapport avec obéissance, camarade ! Ils sont tous là-dedans, chuchota Nekovar. À faire des tours sur eux-mêmes, à prononcer des jugements, des prophéties. Trois cent quarante-neuf individus, deux cent quatre-vingt-onze hommes et cinquante-huit femmes.

— Il y a moyen de monter ?

Nekovar s'agenouilla pour ramasser une échelle pliante qu'il déploya et posa contre la façade. Bien graissés, les éléments de l'échelle coulissaient sans bruit et les barreaux métalliques avaient l'air solides. Mutz secoua la tête, incrédule.

— Quand vous serez tout en haut, murmura Nekovar, penchez-vous en avant et vous tomberez sur une poignée. Tirez-la doucement vers vous, une trappe apparaîtra. La porte s'ouvre vers le haut. Elle pivote. Glissez-vous à l'intérieur, vous apercevrez une petite fente lumineuse. J'ai découpé une ouverture pour que vous puissiez voir. Le parquet est solide, mais il faudra avancer sans faire de bruit, ils risqueraient de vous entendre.

Il semblait blasé par sa propre ingéniosité.

— Comment avez-vous pu faire tout ça sans qu'on vous remarque ? murmura Mutz, pris d'une colère soudaine sans savoir pourquoi.

— Je suis un homme pratique, chuchota Nekovar. Dieu, que tout cela l'ennuyait. Qu'on lui confie enfin des missions plus ardues !

Mutz escalada l'échelle que Nekovar maintenait en place. Lorsque Mutz atteignit le sommet de la façade, l'échelle oscilla et ploya sous son poids, mais elle ne semblait pas sur le point de basculer. S'agrippant d'une main à l'échelle, Mutz se tendit vers l'avant, à tâtons, en pensant tomber sur les planches humides du toit. Mais sa main rencontra du métal froid, ruisselant de gouttelettes. La poignée était bien calée dans sa paume. Il tira, souleva, la lucarne s'ouvrit, un air chaud et sec s'échappa dans la nuit, et avec lui les odeurs du magasin de Balashov : poisson salé, thé bon marché, vinaigre au fenouil, sciure, kérosène, naphtaline et bois fraîchement coupé. Mutz enjamba le dernier barreau pour se glisser sous les combles.

On distinguait mieux le battement, à présent. C'était le choc d'un pied frappant sur le plancher. Mutz entendit la vibration, le grincement, la souffrance, tous les poumons se joignant dans un bruit de ressac. Une assemblée respirant à l'unisson. Il vit de la lumière là où Nekovar avait découpé son judas. Il s'avança dans cette direction aussi discrètement que le lui permettaient ses bottes, s'allongea par terre et observa à travers le trou l'entrepôt aménagé dans l'arrière-boutique de Balashov. Une forme virevoltait dans l'espace. De part et d'autre de l'entrepôt étaient disposés des lampes, des hommes et des femmes qui se balançaient doucement en respirant par la bouche, têtes penchées en arrière, les yeux clos, mains unies en prière. Un espace avait été dégagé autour de la forme qui tournait sur elle-même, un cercle de ténèbres et d'effroi religieux séparant ceux qui respiraient de l'habit blanc emporté dans sa course folle. Ça devait être un homme, un homme transformé en toupie silencieuse, à part le battement de son pied droit sur le sol et le rebord de son ample tunique qui fendait l'air dans un sifflement. Les bras étaient tendus sur les côtés, le talon gauche en pivot comme s'il était fixé au sol et lubrifié, la tunique gonflait avec la vitesse et l'homme tournoyait si vite qu'on ne voyait pas son visage, même si Mutz savait qu'il s'agissait de Balashov. La tunique et les hauts-de-chausses étaient d'un blanc étincelant, pris dans un mouvement si rapide qu'on aurait dit un miroitement immobile, une graine virevoltante, suspendue à mi-chemin de la branche et du sol par le jeu de vents contraires.

Une femme s'écroula à terre, hurlant des mots dans une langue inconnue de Mutz, et resta là, allongée, prise de convulsions, secouant la tête. Un homme que Mutz reconnut pour l'avoir croisé dans la rue rompit le cercle et se mit à tourner comme Balashov. Le souffle de la foule adopta peu à peu le rythme marqué par le pied de Balashov tandis qu'il tournoyait. Tous respiraient plus fort, remplissant puis vidant leurs poumons en l'espace d'une seconde. Deux autres personnes s'évanouirent et un homme cria quelque chose au sujet de l'esprit. Le second tourneur s'effondra sur le sol, remua la tête, bondit sur ses pieds, vacilla tel un ivrogne et se prépara à tourner de nouveau. Balashov tourbillonnait encore et toujours, puis il tomba et deux fidèles le rattrapèrent au vol. Il était dans leurs bras. Ses yeux étaient ouverts mais semblaient fort lointains.

Bientôt, la respiration et les incantations s'atténuèrent. Les fidèles allaient et venaient à travers l'entrepôt, sans un mot, s'étreignant les uns les autres et s'embrassant sur les joues. Certains buvaient du thé. Puis le mouvement reprit. L'un après l'autre, comme Balashov, ils commencèrent à tournoyer. Le murmure des habits dans l'air, le bruit de leur respiration et le doux battement de leurs pieds évoquaient des enfants courant en secret à travers un champ de blé, soucieux de ne pas être entendus. Balashov se redressa et se remit à tourner, dérivant insensiblement vers le milieu de la salle. Une femme au profil d'aigle, avec des arcades sourcilières prononcées, un nez crochu et de larges épaules était à ses côtés, et un par un les autres s'écroulaient, défaillaient ou interrompaient leur danse avant de retourner en trébuchant en marge du cercle. Au bout d'un moment, il ne resta plus que Balashov et la femme-aigle. Leurs visages et leurs corps étaient à moitié transparents, brouillés par la vitesse, ils tournaient et leurs mains se croisaient au bout de leurs bras tendus, comme les rouages d'une prodigieuse mécanique, jointes sans jamais se toucher, unies et harmonieuses. La femme-aigle émit un son aigu qui décrivit une courbe jusqu'aux poutres de la charpente, elle s'éloigna de Balashov en tournoyant, ralentit puis s'arrêta. Elle se tenait immobile et droite, resplendissante de sueur, la chevelure luisante, farouche comme une aigrette, la robe collée à sa poitrine plate et satinée. Était-ce bien une femme ?

— Frères et sœurs, Christ autant que vous êtes, dit l'aigle. J'ai atteint les plus hautes sphères, j'ai parcouru les cieux en un aéroplane vert émeraude jusqu'aux yeux du Seigneur. Les anges m'ont tendu un manteau de cuir blanc comme la neige, des lunettes d'aviateur serties de diamants et un casque de pilote en cuir d'un blanc immaculé. J'ai volé dans le noir pendant des heures, puis j'ai aperçu au loin les grands yeux brillants de Dieu qui scintillaient comme les lumières de deux Londres à travers la nuit. Comme je m'approchais, j'ai vu les millions de lampes électriques qui illuminent le paradis, des millions et des millions de lumières resplendissantes, et le chant des anges joué par cent mille gramophones. La parole de Dieu est transmise ici-bas par des câbles téléphoniques aussi fins que la soie des toiles d'araignées, mes amis, aussi innombrables que tous les cheveux de toutes les têtes de Russie, et les anges favoris de Dieu vont dans des voitures dorées dont les pneumatiques sont faits de nacre et les sirènes d'argent. Dans mon aéroplane, j'ai frôlé le visage de Dieu et, bien plus bas, au sommet d'une verte colline, le long d'un torrent d'électricité, j'ai vu Jésus-Christ notre Sauveur, qui conversait avec notre Christ, notre ange, notre frère Balashov. Je le vois de retour à présent, frères et sœurs, je vois Gleb Alexeyevich redescendu des cieux, il nous apporte des nouvelles, le message du Seigneur. Il est de retour ! Il est parmi nous !

La réponse fut un cri unanime, lancé par les ombres dessinées sur le mur :

— Il est parmi nous !

— Frères et sœurs, déclara Balashov. Son menton ruisselait de sueur. Il se balançait lentement, clignait des yeux et parlait sans articuler. Il inspira profondément puis relâcha son souffle. Il reprit son calme et sourit. Le sourire se changea soudain en absence d'expression, un vide tourné vers l'intérieur, comme si son esprit était un récipient trop poreux pour retenir le bonheur plus qu'un bref instant.

— Oui, reprit Balashov d'une voix éteinte. Oui, je suis allé là-bas et j'ai parlé à notre ami, notre frère, le fils de Dieu, celui qui veille sur les colombes blanches.

— Il veille sur nous, répondirent en écho les ombres sur le mur. Pas sur ceux qui sont morts, les corbeaux.

— Il m'a appris que le temps du paradis diffère du nôtre, que nos années y valent des heures. Nous avons vécu à Jazyk les heures d'une nuit, mais le jour va bientôt se lever.

– Amen !

À chacune de leurs réponses, les ombres sur le mur repoussaient Balashov vers le centre du cercle. Sa voix se fit plus vigoureuse.

– À la première heure, les commissaires du tsar sont venus au village pour enrôler celles des colombes blanches qui avaient été des hommes. Par la grâce et l'amour de Dieu, nous leur avons fait comprendre que nous ne nous battrions pas et ils s'en sont allés.

– Une saison sur la terre, une heure à peine au paradis, répondit le grondement.

– La deuxième heure a vu arriver ceux qui se faisaient appeler socialistes révolutionnaires. Ils ont couvert de louanges notre vertu, admiré notre mode de vie, puis ils ont volé nos poules.

Les ombres sur le mur partirent d'un grand éclat de rire.

– Lors de la troisième heure, les hommes du tsar sont revenus, en proie à l'ivresse, et nous ont appelés traîtres, incroyants, ils ont frappé les frères et les sœurs, ils nous ont forcés à embrasser les icônes, à boire de la vodka, ils ont pris nos chevaux avant de disparaître. Le chef de canton et les siens sont partis avec eux.

– Des loups ! Voler des anges !

– Au cours de la quatrième heure, la grippe a frappé le village alors que nous étions épuisés à force de labourer sans chevaux, et douze d'entre nous sont partis vivre pour toujours avec le Christ.

– Qui reconnaît les siens !

– À la cinquième heure, ceux qui se faisaient appeler bolcheviques sont venus avec leur bannière rouge, ils nous ont dit de nous réjouir parce que le tsar, notre ennemi, était mort et que nous étions libres désormais de vivre comme nous l'entendions sous le régime communiste. Nous leur avons répondu que nous avions toujours mené une vie en commun. Ils ont ri, ont pris tous les vivres et les couteaux qu'ils ont pu, et ils sont repartis.

— Des corbeaux !

— La sixième heure a vu arriver les Tchèques et le Juif. Ils ont fouillé nos maisons, volé notre nourriture, ils ont commencé à tuer le bétail pour le manger. Ils ont fusillé le professeur. Le chef de canton est revenu. Les Tchèques ont promis qu'ils s'en iraient. Ils sont restés.

Les ombres gardèrent le silence.

— La septième heure est sur le point de commencer. La septième heure, c'est l'hiver et nous avons faim. Malgré tout nous partageons, encore et toujours.

— Les anges partagent toujours !

— Mais la septième heure, c'est l'aube. Il me l'a dit. Les Tchèques et le Juif partiront, et plus personne ne viendra. Nous aurons assez de lait et de pain, nous vendrons notre beurre. Le soleil se lèvera sur Jazyk, le train viendra chaque semaine, sans soldats. Bientôt, mes frères et sœurs. Il nous faut prier et garder patience. Les hommes du tsar, les révolutionnaires, les rouges étendards, les Occidentaux, c'en sera fini. Nous vivrons notre vie commune pour l'éternité, ici-bas comme aux cieux, sans péché, tels Adam et Ève avant la chute.

— Nous avons monté le cheval blanc !

— Oui, sœur. Il nous faut prier et garder patience. Hier, à Verkhny Luk, j'ai aidé un jeune homme à monter le cheval blanc pour trouver le salut. Il pleurait et s'accrochait à mon épaule tandis que son sang coulait, priant et remerciant Dieu de lui avoir donné la force d'œuvrer pour son salut. Voyez, sur mon épaule, l'empreinte de ses doigts ! Après, il s'est levé et a jeté lui-même au feu les clés de l'enfer. Vous voyez, même sans péchés, même sans enfants, nous sommes de plus en plus nombreux. Patience. Bientôt, dès les premières fortes gelées, ils seront tous partis.

— La veuve aussi, ajouta une voix de femme, parmi les ombres. Ce n'était ni une réponse ni une question. C'était l'aigle. Elle parlait comme pour tisser ensemble sa prophétie et celle de Balashov.

— La veuve, reprit Balashov, le regard baissé, s'essuyant les mains sur sa tunique. Christ n'a rien dit au sujet de la veuve. Elle vit ici. Là-haut, au paradis, son nom ne fut pas mentionné, ma sœur. Mes amis ! Il se fait tard. Un psaume, d'abord, puis que les nécessiteux expriment leurs requêtes, et nous dirons ensemble la prière finale.

> *Merveilleux Éden*
> *Quel jour lumineux.*
> *Mon âme, mon réconfort*
> *Se trouvent au paradis*
> *J'ai vécu là-haut près de Dieu*
> *Immortel parmi les Immortels*
> *Il m'aimait aussi intimement*
> *Que Son propre fils.*

— Amen, crièrent en retour les ombres sur le mur. Immortel !

Mutz entendit des bruits de pas derrière lui et il se retourna, maladroit, battant l'air de ses bottes et de ses bras dans le noir, comme une coccinelle renversée sur le dos. Dans sa panique, son poncho mouillé ressemblait à la voilure dérisoire d'une chauve-souris. Mutz se mordit les lèvres pour ne pas crier. Son pied droit buta sur une forme mouvante qui, horreur, empoigna fermement la semelle de sa botte.

— Camarade ! murmura Nekovar. On vous attend au *stáb*. Ils ont capturé un individu suspect qui rôdait dans les parages. Un étranger, camarade. Un couteau sur lui long comme un sabre.

LE PRISONNIER

L'une des salles du *stáb* était aménagée en cellule. Plusieurs fois, les hommes de main de Matula avaient amené là, pour les passer à tabac, des soldats tchèques qui se plaignaient trop ouvertement de ne pas pouvoir rentrer au pays. De temps à autre, comme ce soir-là, la forêt et la voie ferrée, une voie secondaire raccordée au tracé principal du Transsibérien, cent soixante kilomètres plus au sud, recrachaient dans cette cellule les épluchures, les restes de la grande cuisine de la guerre. Un cosaque déserteur venu d'Omsk y avait séjourné, le temps de purger son alcool et de se repentir à chaudes larmes des viols et des villes incendiées. Ils l'avaient relâché au bout de quelques semaines et il était reparti à pied dans la forêt. Peut-être y errait-il toujours. Peut-être était-il entré dans un autre village, avec un nouveau nom, une nouvelle histoire. L'époque s'y prêtait. Il y eut ce Hongrois qui prétendait être un ancien prisonnier de guerre tentant de rentrer chez lui, tout comme les Tchèques, avait-il précisé dans son mauvais allemand. Matula le jugea coupable d'espionnage et se chargea en personne de son exécution. Il y eut Putov, un socialiste révolutionnaire qui prétendait rendre visite à des proches. Un jeune type passionné, de plaisante compagnie, avec de grands yeux et de longues manches qui le couvraient jusqu'aux doigts. Il s'était perdu en route. Et puis l'acheteur de fourrures venu de Perm. Ils n'avaient aucune raison de l'emprisonner. Il était aussi russe que le pain noir et la vodka, il avait ses papiers. Mais Matula n'avait trouvé que ce moyen pour le persuader de rester, et il voulait absolument s'entretenir avec lui des mystères et des richesses de la taïga. Il le garda donc en cellule une semaine durant, puis le laissa repartir avec un sachet de poisson salé et une affreuse Nativité peinte sur de l'écorce de bouleau en guise d'excuses.

Lanterne à la main, Mutz remonta le couloir obscur qui menait à la cellule. Après l'averse, dans la nuit froide, l'air était humide et glacial. La lumière allait et venait le long du couloir, au gré des mouvements de la lanterne. Elle faisait briller les yeux et les ceinturons, au bout du couloir, là où grondaient les voix des deux responsables de la capture, Racansky et Bublik. La nuit, dans ces couloirs nus dont le parquet avait depuis longtemps perdu toute trace de vernis, au milieu des murs blanchis à la chaux et sous les plafonds hauts et humides, une simple discussion entre deux personnes prenait vite des allures de complot.

— Vous voyez, Racansky, déclara Bublik à l'approche de Mutz. La lumière, c'est pour les officiers. Voilà encore une belle métaphore de la lutte des classes.

— Vous avez raison, répondit Mutz. Mais ne comptez pas sur moi pour vous donner la lanterne.

— Même le prisonnier a droit à une chandelle, protesta Racansky.

— Nous lui avons donné la nôtre, dit Bublik. À juste titre. Il poursuivit à voix basse : je crois que nous sommes en présence de quelqu'un d'important, camarade juif-lieutenant, monsieur. Il s'appelle Samarin. Prisonnier politique. Évadé d'un camp là-bas au nord. Je me demande s'il n'est pas bolchevique. Révolutionnaire !

— Et ça vous plaît, non ?

— Quel homme bon et honnête ne s'en réjouirait pas ? L'alliance des soldats, des paysans et des ouvriers…

— Alors, pourquoi l'avoir enfermé dans cette cellule ?

Il y eut un silence. Bublik s'éclaircit la gorge en tripotant le cran de sûreté de son fusil.

— Matula, répondit Racansky.

— Oui, je sais, dit Mutz. Quand donc déclencherez-vous une révolution contre *lui* ?

– Une révolution sans lanternes ? hurla Bublik. Ses doigts esquissèrent un geste obscène à l'intention de Mutz.

– Vous êtes le prochain sur la liste, camarade bourgeois, ajouta Bublik.

– Il n'a rien à se reprocher, Tomik, murmura Racansky.

– Dans la révolution, tout le monde a quelque chose à se reprocher, conclut Bublik en s'adressant au sol.

Mutz ouvrit la bouche, puis il se ravisa. Il aurait aimé trouver un titre à ces hommes. De ce point de vue, il se cachait encore derrière les ruines de l'empire dans lequel il avait vécu, qui était mort. Il avait un penchant pour les catégories. Comme la plupart des gens. Lui-même était le camarade-juif-lieutenant-monsieur. Il savait pourtant le risque qu'il y avait à se raccrocher à des catégories anciennes en ces temps incertains de révolution, de guerre civile et d'états naissants. Mais il était incapable de résister. Il ouvrit de nouveau la bouche.

– Chers… Bublik leva les yeux vers lui… collègues fonctionnaires.

Bublik plissa les yeux et ses moustaches semblèrent se ramasser en arrière comme les oreilles d'un chat. Bublik méprisait cet homme mais ne put s'empêcher d'apprécier l'expression.

– Vous l'avez fouillé ?

– Il porte toute la crasse du monde, répondit Bublik.

– Il pue, ajouta Racansky. Et il a des poux.

– Qu'il se lave, répliqua Mutz. Qu'avez-vous trouvé ?

La lanterne éclaira un vieux chiffon souillé posé à même le sol, sur lequel étaient rassemblés une pièce de métal transformée en couteau de fortune, un rouleau d'écorce plié, quelques longueurs d'une ficelle taillée dans les boyaux d'un animal et un portefeuille en carton.

– Pas grand-chose, hein, dit Racansky.

Mutz ouvrit le portefeuille et en retira la photographie. Ce fut comme un coup de poignard à l'estomac.

– Vous avez trouvé ça sur lui ? Il connaît Anna Petrovna ?

Bublik et Racansky se bousculèrent dans le faisceau de la lanterne pour regarder le portrait.

— Nous n'avions pas vu que c'était elle, se justifia Racansky. Il dit qu'il l'a ramassée par terre dans la rue.

Mutz ramassa le rouleau d'écorce et le déplia. Sur l'écorce était griffonné à la hâte, en lettres capitales brouillonnes : "JE ME MEURS ICI. K." Il fourra dans sa poche rouleau et portefeuille ; il voulait savoir si Samarin avait dit autre chose.

Bublik colla son visage à celui de Mutz et fit une grimace inquiétante.

— Un homme a tenté de le manger.

Mutz prit la clé de la cellule et la glissa dans la serrure.

— Je laisse ouvert, dit-il aux soldats. Soyez vigilants.

— Si vous levez la main sur lui, c'est à nous qu'il faudra rendre des comptes, rétorqua Racansky.

Mutz pénétra dans la cellule, refermant la porte derrière lui. Il posa les yeux sur le prisonnier qui avait fixé la chandelle à l'armature métallique de son lit de camp et était assis sur le sol, jambes croisées dans la lumière, plongé dans la lecture d'un vieux numéro du *Quotidien tchécoslovaque*. Le temps d'atteindre Jazyk, tous les numéros étaient déjà vieux.

— Vous lisez le tchèque ? demanda Mutz en russe. Samarin leva les yeux sur lui.

— Auriez-vous une cigarette ? demanda-t-il.

— Non.

Mutz mit les mains dans ses poches et considéra le prisonnier. Le visage décharné, usé, de Samarin, qui respirait le mépris, laissait deviner un esprit impatient et imprévisible. Ses yeux le foudroyèrent ; car ils avaient l'étrange faculté de toucher, de bousculer, de frapper ou de griffer ce qu'ils voyaient.

— Je regrette que nous soyons obligés de vous incarcérer, dit Mutz. Aussi étrange que cela puisse vous paraître, ces lieux sont sous notre juridiction. Comme vous n'avez aucun papier, nous allons devoir étudier votre cas d'un peu plus près.

— Il serait plus facile de me mettre dans le prochain train pour Saint-Pétersbourg, rétorqua Samarin.

— Petrograd se trouve à plus de trois mille kilomètres d'ici et, à l'heure qu'il est, ils bombardent les faubourgs d'Omsk. Mais vous savez tout cela, n'est-ce pas ?

Il traversa la pièce et vint s'asseoir sur le lit. À la lumière de la chandelle, il devina un mouvement furtif dans la chevelure de Samarin et recula à l'autre bout du lit. La paille du matelas siffla sous son poids.

— Quand on m'a arrêté, la ville s'appelait encore Pétersbourg, dit Samarin.

— C'était quand ?

— En 1914. J'ai été jugé et je suis arrivé au camp de travail du Jardin blanc en 1915. Je me suis évadé en janvier. Il y a neuf mois de cela. Ça fait neuf mois que je marche.

— Une audience aura lieu demain et vous aurez tout loisir de raconter en détail votre histoire. Mais j'aimerais vous poser quelques questions.

— Vraiment ? répondit Samarin. Il toussa, se racla la gorge et cracha dans un coin, cala son avant-bras sur son genou et posa sa tête dessus. Mutz comprit qu'il n'était pas seulement épuisé. Cinq années passées au milieu des bagnards et de la nature sauvage l'avaient anéanti. L'espace d'un instant, son esprit autrefois vif et brillant était revenu à la vie – impression trompeuse. À présent, le vide reprenait le dessus ; Mutz connaissait la manière dont la vie des bagnards les creuse de l'intérieur, de telle sorte que le vide n'est pas chez eux une simple absence de vitalité : c'est plutôt la vitalité qui devient, à l'occasion, une ruse désespérée visant à cacher le vide.

— Comment vous êtes-vous blessé à la main ?

— Des arêtes acérées, il n'y a que cela dehors. La pointe d'une branche.

– Que savez-vous au sujet d'un shaman toungouze au front difforme ?

Samarin haussa les épaules.

– J'en ai rencontré un dans la forêt, il y a quelques mois de cela. La situation était compliquée.

– C'est-à-dire ?

– Un autre bagnard voulait à tout prix me découper en morceaux.

– Je sais. Tentative de cannibalisme. Et depuis, plus rien ? Avez-vous introduit de l'alcool dans le village ce soir ?

Samarin releva la tête et éclata de rire. Surpris, Mutz se redressa.

– Lieutenant Mutz, reprit Samarin. Il s'était levé et baissait les yeux sur son interrogateur, une main dans la poche, frottant de l'autre son menton barbu. Non, ne soyez pas étonné. Vos camarades, ce sont eux qui m'ont donné votre nom. Mais vous ne trouvez pas que c'est un peu le monde à l'envers ? Moi, étudiant dans le pays qui est le mien, bagnard seulement si l'on s'en tient à la définition qu'en donnait une tyrannie aujourd'hui renversée, tout comme sont renversées les lois en vertu desquelles j'ai été condamné. Et pourtant, vous m'incarcérez. Mais vous, qui êtes-vous ? Un officier juif, enrôlé dans l'armée d'un empire qui n'existe même plus, servant à présent un pays dans lequel vous n'êtes jamais allé auparavant, parce qu'il a un an à peine et qu'il se trouve à près de cinq mille kilomètres d'ici. Il me semble que c'est *moi* qui serais en droit de vous enfermer et de vous demander ce que *vous* faites ici.

Mutz leva les yeux sur Samarin qui se dressait au-dessus de lui, bras croisés, sourcils levés. Il était grand et, d'une certaine manière, il avait l'air plus propre que tout à l'heure. Des applaudissements se firent entendre dans le couloir et Bublik cria :

– Bravo !

Mutz se sentit happé par un puits de tristesse. Il étudia ses bottes, se pinça les lèvres et dit :

– Bien. J'ai la ferme intention de rentrer à Prague dès que ce sera possible. Mais que signifient ces mots ?

Il sortit de sa poche le rouleau d'écorce. Samarin le lui arracha des mains et l'approcha de la flamme de la bougie. Le rouleau brûla si vite qu'il dut le lâcher et l'éteindre sous son pied.

– Ce n'était rien du tout, dit-il précipitamment. Au Jardin blanc, les bagnards jetaient ce genre d'objets à travers les grilles du pavillon disciplinaire. Je n'ai pas besoin qu'on me le rappelle. Je ne savais même pas qu'il se trouvait au fond de ma poche.

– Au bout de huit mois ?

– K... Qui donc était ce K ? Je crois me souvenir qu'il s'appelait Kabanchik. Un bon voleur, pour ce qui est de se faufiler par une haute et étroite fenêtre.

– Et la photographie ?

– Comme je l'ai dit aux jeunes Tchèques qui sont dans le couloir, je suis arrivé par le nord, le long d'une rivière et, passé la première ferme, là où le chemin devient une route, j'ai trouvé le portefeuille par terre.

– Dans le noir.

– J'ai d'excellents yeux.

– Connaissez-vous la femme, sur la photographie ?

– Devrais-je la connaître ?

– Eh bien, la connaissez-vous ?

– Et vous ?

– Oui, répondit Mutz. Je la connais. (Il se frotta le front avec les doigts de sa main droite.) Je ne suis pas policier, reprit-il. Ni inspecteur.

– Ce n'est pas grave, ne vous inquiétez pas, répondit Samarin. À vrai dire, comme je n'avais pas de lumière, je n'ai pas pu regarder la photographie avant que vous ne me la confisquiez. Vous permettez ?

Mutz tira de sa poche la photographie et la tendit à Samarin qui s'assit sur le rebord du lit et la tendit à la lumière, en la tenant entre le pouce et l'index de ses deux mains, pinçant de ses ongles noirs et déchiquetés la marge blanche, soucieux de ne pas salir le portrait. C'était la même Anna Petrovna que celle, gravée par Mutz, qui ornait les billets tchèques d'une couronne, la même chevelure ondulée nouée dans le cou et les mêmes yeux avides, mais plus jeunes de quelques années, et plus heureux : l'Anna d'avant la guerre. La robe sombre à col montant aurait eu l'air démodée à présent, mais pas la nonchalance avec laquelle le haut de la robe était déboutonné, ni la manière dont la tête d'Anna, posée sur sa main, laissait entrevoir tout un pan de son cou, pâle et irrégulier. Ces détails échappaient à la mode. Là où un photographe professionnel aurait obtenu une complexion blanche et lisse sous une lumière égale, ce cliché mettait en scène des extrêmes d'ombre et de lumière. L'âpre contraste entre les parties sombres et éclairées du visage d'Anna faisait écho à celui qui existait entre l'austérité du clair-obscur lui-même et le bonheur qui se lisait sur son sourire. L'éclairage, sans qu'on puisse déterminer s'il s'agissait de la lumière du jour ou d'un ingénieux dispositif électrique, soulignait les moindres rides, les rares imperfections d'une peau pourtant si jeune. Ce détail, associé au dessin d'une absolue simplicité de ses pommettes et de son nez légèrement retroussé, lui donnait un air à la fois sage et juvénile.

— Une vraie beauté, dit Samarin. S'il l'avait dit autrement, Mutz se serait mis en colère et aurait regretté de lui avoir montré la photographie. Mais il avait prononcé ce jugement comme un fait avéré, laissant entendre qu'être une beauté était une profession somme toute banale, comme charpentier ou conducteur de fardier. Chaque village avait sa beauté, bien sûr.

— Ce n'est pas l'avis de tout le monde, rétorqua Mutz. Vous la reconnaissez ?

— Non. Je me demande quand cette photographie a été prise. En tout cas, celui qui l'a prise est un bon photographe.

— C'est un autoportrait, rectifia Mutz.

Il reprit la photographie et la mit de côté.

— Avez-vous la moindre raison de penser qu'elle pourrait être en danger ? demanda Mutz.

— Je ne connais même pas son nom. Je peux vous dire que tous les habitants de ce village sont en danger. L'autre bagnard est à mes trousses. Le Mohican, c'est son surnom. Je ne connais pas son vrai nom. Il est d'une redoutable efficacité quand il s'agit de tuer. Ce ne sont pas quelques dizaines de soldats tchèques qui l'en empêcheront.

— Connaissez-vous un homme du nom de Balashov ?

— Non. Mais dites-moi : comment s'appelle cette femme ?

— Vous n'avez aucun besoin de le savoir.

— Elle s'appelle Anna Petrovna ? Oui ! Je le vois à votre expression. Mes gardiens m'ont parlé d'elle. N'oubliez pas de lui transmettre mes compliments pour le portrait. Cette image nous survivra à tous.

Il y eut un silence. Mutz sentit que Samarin l'observait. Il se tourna vers lui : Samarin le regardait, l'air bienveillant. Il lui avait parlé avec autant de tact et d'intimité que si les deux hommes se connaissaient depuis toujours. L'espace d'un instant, Mutz se surprit à faire le tour des gens qu'il avait rencontrés par le passé. Connaissait-il cet homme ? C'était ridicule. Pourtant, un homme pouvait-il, par le seul ton de sa voix, l'expression de son visage et son aptitude à deviner ce que pense l'autre, vous donner l'impression qu'il était votre ami ? De donner *l'impression* qu'une seconde d'affection avait autant de valeur que des années entières ; que le temps ne changeait rien à l'affaire ? La mémoire importait-elle si peu quand il s'agissait d'évaluer le présent ?

— Vous l'aimez beaucoup, cette Anna Petrovna. N'est-ce pas, Jacob ? demanda Samarin.

— Je... Je ne m'appelle pas Jacob, répondit Mutz.

Le piège classique.

— Abraham ?

— Je m'appelle Josef. J'aimerais autant que nous nous en tenions au strict cadre de l'interrogatoire. Saviez-vous que le shaman était mort ?

Samarin secoua la tête. Puis il claqua des doigts et pointa son index vers Mutz.

— Empoisonnement par l'alcool ! C'est cela que vous soupçonnez, vous vous êtes trahi. Mais pourquoi aurais-je... Écoutez-moi. (Il baissa la voix, s'humecta les lèvres et jeta un regard vers l'étroite lucarne de la cellule. Il semblait soucieux, apeuré.) Et si le Mohican était déjà ici ? Le shaman savait ce que le Mohican voulait faire de moi ! Aussi incompréhensible que cela puisse paraître, un grand bandit peut se vanter devant d'autres voleurs d'avoir mangé un homme, mais il ne permettra jamais que la populace le sache. Et je sais que le Mohican avait de l'eau-de-vie sur lui. Je vous en prie, lieutenant. Voyez comme je suis épuisé, et ce procès demain... Si vous ne postez pas l'une de vos sentinelles sous ma fenêtre, je ne fermerai pas l'œil de la nuit. Tous ceux à qui j'ai raconté ce qui s'est passé dans la taïga ont encore plus à craindre. Vous aussi, désormais. Mais demain, je parlerai à tant de gens que même le Mohican ne pourra en venir à bout.

— Bublik ! Racansky ! cria Mutz, qui s'était levé et se dirigeait vers la porte. Venez !

Les deux hommes entrèrent en traînant les pieds.

— M. Samarin demande à bénéficier d'une surveillance rapprochée cette nuit, or je sais que vous mourez tous d'envie de faire plus ample connaissance. Je vous propose donc de passer la nuit ensemble.

— C'est un honneur, ronchonna Bublik.

— Ne lui donnez aucune arme. Pour le reste, partagez avec lui ce que vous avez.

— Il faut nous laisser la lanterne, alors.

— Je n'en ai pas encore fini.

Bublik fit un pas en avant.

— C'est un grand honneur de compter parmi nous un authentique membre de la classe révolutionnaire russe, un intellectuel, un ami actif de la classe ouvrière, un réverbère… un phare pour guider les paysans, un homme qui a été témoin, de l'intérieur, de la plus glorieuse révolution que le monde ait connue, qui nous aidera à mieux connaître l'agonie de l'impérialisme, du capitalisme et du nationalisme bourgeois, qui nous guidera à travers l'œuvre du grand Karl Marx. Camarade Samarin !

Bublik applaudit. Racansky l'imita.

— Donnez-moi une cigarette, réclama Samarin. Bublik gratifia Racansky d'un petit coup de coude, et Racansky lui tendit une cigarette et l'alluma. Samarin tira dessus avec voracité.

— Une révolution a eu lieu ? demanda-t-il.

— Oui ! hurla Bublik, dressant le poing.

— J'imagine qu'il y a eu des bannières, des manifestations, un changement de gouvernement, un châtiment pour les riches propriétaires, pas mal d'incendies, de pillages, une redistribution des terres et de l'espace, et une bonne mesure de justice expéditive ?

— Oui ! acquiesça Bublik, baissant un peu le poing et perdant de son assurance. Tout a changé.

— Et toi, tu as changé ?

— Oui ! répondit Bublik, dressant de nouveau le poing. Non ! (Il se frappa le front, la poitrine, cogna la crosse de son fusil contre le sol et donna un coup de poing à Racansky.) Je me sens si… ignorant. Ou plutôt, illettré. Ce n'est pas ma faute à moi. Nous sommes tous des victimes du système éducatif austro-hongrois, contrôlé par la bourgeoisie. Il y a tellement de… de processus.

— Je ne suis guère qu'un étudiant, vous savez, répondit Samarin, emplissant ses poumons de chaleur grisâtre. Je ne suis pas un révolutionnaire, comme vous dites. Cinq ans de bagne. (Il éclata de rire.) Tout ça pour un malentendu ! Ça vaut ce que ça vaut, mais voilà ce que j'en pense : pour qu'il y ait révolution, il faut une révolution là-dedans.

Il se donna une petite tape sur le crâne.

— Excellent ! répliqua Bublik, qui n'arrêtait pas de se lever puis de se rasseoir. Vous voyez bien ! Concis, direct. Camarade Samarin, quelle est la meilleure manière d'entreprendre cette révolution intérieure ? Plus d'un, parmi les soldats et les officiers...

— Ceux-là sont vertueux par nature, intervint Samarin.

— Oui !

— Généreux par nature. Des personnes altruistes, désintéressées, qui œuvrent pour l'intérêt général, qui partagent sans se soucier du profit, qui sacrifient sans espérer en retour une quelconque gratitude. Des personnes qui n'ont pas besoin d'être organisées.

— Oui ! Moi, par exemple...

— Tous les autres doivent être anéantis.

— Anéantis... je vois.

— C'est très facile à voir, mais difficile à regarder. Voilà ce qu'il en est : même si Dieu n'existe pas, la vraie révolution doit être semblable au châtiment divin. Ses agents doivent apparaître aux vertueux comme les agents d'une volonté – la leur – inéluctable, irrésistible, qui mène les méchants à leur perte. Donnez-moi une cigarette.

— Donnez-lui une cigarette, Racansky.

— C'est la dernière.

— Voulez-vous être anéanti par la volonté des vertueux ? Donnez-la-lui !

Bublik lui arracha des mains la cigarette et la tendit au prisonnier, qui se pencha tranquillement au-dessus de la chandelle pour l'allumer.

— Poursuivez, je vous en prie, camarade Samarin. Dites-nous comment mener à bien cette destruction. Comment reconnaîtra-t-on les vertueux ? Court-on le risque de se tromper ?

— Ça ne fait aucun doute, répondit Samarin, riant aux éclats. Il se roula sur le côté et se redressa sur son coude, dispersant la fumée d'un geste de la main.

— N'oubliez pas, je ne sais pas comment cela va se dérouler. Je ne suis qu'un étudiant.

Racansky reprit :

— Mais si les destructeurs tuent les innocents aussi bien que les coupables, ne méritent-ils pas eux-mêmes qu'on les détruise ?

— La ferme ! l'interrompit Bublik.

— Racansky a raison, dit Samarin. Au bout du compte, les destructeurs se détruiront entre eux et tout sera terminé. Voilà pourquoi ils s'autoriseront peut-être à agir comme des monstres, chacun en jugera ainsi et c'est légitime. Ils échappent à la culpabilité et à l'innocence. Ils sont terribles, effrayants, sanguinaires. Mais il est vain de les juger, tout autant que de juger une rivière en crue, quand bien même elle vous aurait terrorisé, et quel que soit le nombre de vos proches qu'elle a massacrés. Les eaux redescendront et la crue disparaîtra, laissant derrière elle un territoire transformé.

Bublik et Racansky se regardèrent, Bublik hochant la tête, Racansky fixant Samarin, la bouche entrebâillée. Il se baissa pour s'asseoir sur le sol, jambes croisées, fusil posé sur les genoux, les yeux levés en direction du prisonnier. Le souffle lourd, Bublik l'imita.

— Est-ce que quelqu'un connaît des blagues ? demanda Samarin.

— Vous entendez ? glissa Bublik à Racansky. Maintenant, il détend l'atmosphère, il se met à la portée des paysans et des ouvriers, grâce à des anecdotes amusantes et instructives.

— J'en connais une, reprit Samarin. Un assassin emmène une fillette dans les bois, la nuit. Il fait noir, les arbres gémissent dans la brise, personne d'autre dans les parages. La fillette dit à l'homme : "J'ai peur." L'assassin lui répond : "Tu as peur ? Mais c'est moi qui vais devoir rentrer tout seul à la maison !"

Il y eut un silence. Le visage de Bublik se décomposa, il se frotta les paupières, ouvrit la bouche et laissa échapper un long rire rauque. Samarin, Racansky et Mutz posèrent leurs yeux sur lui tandis qu'il gémissait en secouant la tête, essuyait ses larmes et pouffait de rire.

— Rentrer tout seul à la maison ! répéta-t-il, et son rire reprit de plus belle. C'est pas vrai ! Vous voyez ?

Mutz s'immisça dans le cercle des trois autres et posa sa lanterne au centre.

— Voilà.

Bublik leva les yeux sur lui puis se retourna vers Samarin. Samarin dit à Mutz :

— Vous êtes un homme généreux, Josef. Nous laisser la lanterne alors qu'il fait si noir... En même temps, personne ne vous verra, bien sûr, si vous allez chez Anna Petrovna. Je suis certain que vous connaissez bien la route.

— Je n'aime pas les familiarités, répliqua Mutz. Veillez à ce que le prisonnier soit propre et épouillé à neuf heures demain matin, et qu'il ait de nouveaux habits. Sergent Bublik. S'il vous plaît.

Puis il prit le chemin de la maison d'Anna Petrovna.

ANNA PETROVNA

Anna Petrovna Lutova naquit en 1891 dans une ville de la province de Voroneû, au milieu de la steppe européenne, à une époque où la région était en proie à la famine. Sa mère ressentit les premières douleurs par un après-midi pluvieux d'octobre et son père partit à cheval en quête du docteur. Quand les deux hommes revinrent, son père était pâle comme un linge. Tandis qu'à l'étage, le docteur se tenait au chevet de la mère d'Anna, son père resta assis dans la cuisine, à boire du cognac en silence, renversant par terre la moitié des verres qu'il remplissait à ras bord d'une main tremblante ; il refusait de laisser la bonne le servir et la contemplait, hébété, quand elle voulait lui arracher des mains le verre vide. Pour aller chercher le docteur, il s'était aventuré au-delà des faubourgs de la ville. En chemin, il avait croisé une famille. Trois enfants assoupis sur l'herbe du bas-côté, l'air affamés, le visage décharné et les oreilles décollées, et les parents debout à côté d'eux, le père portant une casquette et une veste noire sur sa blouse, mains dans le dos, regard dans le vague. La mère, un foulard gorgé d'eau froissé sur le front, s'était avancée sur la route à l'approche du cavalier et l'avait interpellé. Lui donnant du "monsieur", elle avait imploré son aide. Le père d'Anna avait poursuivi son chemin sans même s'arrêter. Comment une mère et un père pouvaient-ils laisser leurs enfants sur le sol détrempé, avec cette pluie qui leur inondait le visage, des enfants si faibles, si maigres ? Il était à la fois préoccupé et indifférent. Sur le chemin du retour il s'en était ouvert au docteur, qui l'avait regardé sans rien dire puis, après quelques centaines de mètres, s'était retourné sur sa selle et avait répondu : "Ces enfants ont dû mourir de faim, probablement." Quand ils étaient repassés à cet endroit, la famille avait disparu. Le docteur avait ajouté qu'il ne restait dans les villages que les paysans les plus riches, les autres étaient partis pour la ville ou la forêt. Les gens se nourrissaient d'écorce et de lézards. Aux abords de la ville, ils avaient de nouveau croisé la famille, sur une charrette. La mère et le père étaient assis à l'arrière, tournant le dos au charretier. Les enfants morts étaient allongés sous une bâche, des flaques s'étaient formées dans les plis de la toile. Leur surface se plissait quand la charrette franchissait des ornières et la pluie se mêlait à l'eau. Quand le père d'Anna et le docteur les doublèrent au petit galop, les parents n'eurent pas un regard pour eux.

La première fois qu'Anna entendit cette histoire de la bouche de son père, elle avait quatorze ans. Jusqu'alors, elle avait toujours cru ce que lui racontait sa petite sœur, qui l'avait appris de la bonne, à savoir que son père était tellement effrayé par l'accouchement que, pris de panique, il s'était soûlé. Son père, tel qu'elle le connaissait, buvait seulement pendant les vacances et à l'occasion des pique-niques, ou quand il passait une soirée entre amis, prononçant à chaque verre de longs et graves discours à la santé les uns des autres ou à celle de gens aux noms aussi saugrenus qu'Aubrey Berdsley ou Gustav Klimt. Anna avait toujours été fière à l'idée que, quand elle avait vu le jour, son père était tellement ému qu'il s'était mis à boire et à fredonner dans la cuisine, qui sait, une chanson pour sa fille en train de naître.

Son père était artiste. Autodidacte, il affirmait à qui voulait l'entendre que les paysages étaient une forme révolue. Il méprisait la photographie, qu'il dénonçait comme une corruption, une dégradation, un avilissement, et s'opposait obstinément à ce que les membres de sa famille se fassent tirer le portrait. Chaque fois qu'ils en exprimaient le désir, il leur promettait à la place d'aller chercher son carnet de croquis. Hélas, quand il en avait fini de fumer, de lire son roman ou d'écrire sa lettre, sa promesse était oubliée. Il peignait des portraits d'hommes d'affaires, d'intellectuels, d'aristocrates de Voroneû et de leurs épouses. En général, c'était lui qui les abordait et leur demandait de poser pour lui, mais certains lui proposaient une rétribution. Il rejetait l'offre d'un geste théâtral, les deux paumes lancées devant lui, comme s'il repoussait un taureau dans son enclos, et répondait : "Un véritable artiste ne travaille pas pour l'argent. Un véritable artiste n'a pas besoin d'argent." Le père d'Anna n'en avait certes aucun besoin. Les revenus de la brasserie familiale, à Lipetsk, suffisaient à payer l'entretien de la maison, leur garde-robe à tous, la nourriture, quatre domestiques et ces objets du désir qui firent leur apparition dans la maison à l'orée du XXe siècle : bicyclette, gramophone et lumière électrique.

L'enfance d'Anna, ce furent les parfums de peinture à l'huile, de toile et de bois fraîchement raboté qui s'échappaient par la porte de l'atelier ; les modèles qui grimpaient les marches grinçantes de l'escalier ; les propriétaires terriens qui débarquaient de leur campagne avec leurs pellicules et leurs ourlets effilochés, imprégnés d'humidité ; les petits bureaucrates rigides dans leur uniforme flambant neuf acheté par correspondance ; de grandes femmes élégantes qui se précipitaient en froufroutant, pleines de grâce, tantôt seules, tantôt à deux, vers la lumière qui inondait la pièce du haut. Plusieurs semaines après les visites, le père d'Anna la laissait entrer dans l'atelier pour lui montrer ses tableaux, et elle était stupéfaite de voir combien son père avait transformé les modèles, la couperose avait disparu de la joue des propriétaires et leur nez s'était affiné, le bombement de leur bedaine avait dérivé au nord jusqu'au torse, les belles dames paraissaient plus jeunes et leur taille plus svelte qu'elle ne l'était en réalité, des bureaucrates aux yeux fuyants et aux traits inexpressifs lançaient depuis la toile des regards pleins de sagesse et de l'ardent désir d'œuvrer pour le bien de l'humanité, ce qu'on n'aurait jamais soupçonné en les croisant dans la rue. Enfant, Anna pensait que les clients de son père devaient lui être reconnaissants d'avoir fait disparaître rides, taches, grosseurs, verrues et strabisme, d'avoir éliminé tant de poils du visage des femmes pour en ajouter sur le crâne des hommes, si bien que toutes les femmes et tous les hommes finissaient par se ressembler et que personne n'avait de raison d'être jaloux. Elle pensait qu'ils devaient payer ces portraits au prix fort, en monnaie d'or peut-être.

Quelques semaines avant son quinzième anniversaire, son père l'avait fait monter à l'atelier pour lui présenter le portrait du maréchal de la noblesse. L'amour du père d'Anna pour l'art contemporain n'empêchait pas son œuvre d'être des plus conservatrices. Il peignait ses sujets en tenue d'apparat sur un fond sombre, tellement sombre qu'on n'aurait su dire s'il représentait la nuit, un rideau ou si ce n'était rien de plus qu'une couche de peinture noire, uniforme et grossière. La perspective était assurée par des objets peints en arrière-plan, un crâne, des livres ou un globe terrestre posés au coin d'une table, contre laquelle le sujet s'appuyait du bout des doigts, avec délicatesse. Anna reconnut le maréchal aux médailles et autres décorations dont son père avait orné sa poitrine. Sur la table, le père avait représenté trois souris des moissons qu'on devinait mortes de famine. Elles avaient les côtes saillantes, l'arrière-train tout ratatiné, le crâne décharné, la bouche grande ouverte, comme à l'agonie. Il n'avait jamais rien peint d'aussi vrai ni d'aussi hideux. Anna vit que son père était excité, nerveux. La peinture était presque sèche, mais il n'avait pas pris le temps d'ôter sa blouse. Il n'était pas descendu déjeuner ce jour-là, ils ne l'avaient pas vu au petit-déjeuner, il n'était même pas venu embrasser ses filles la veille à l'heure du coucher. Il avait des taches de peinture dans sa barbe, des cernes de fatigue et d'anxiété sous les yeux.

Anna comprit que son père attendait qu'elle l'interroge au sujet des souris et elle s'exécuta. Il lui raconta les enfants morts qu'il avait vus le jour de sa naissance ; et comment le maréchal de la noblesse, principal propriétaire terrien de la région, avait vendu et exporté par bateau toutes ses réserves de céréales, alors même que ses métayers étaient en train de mourir de faim ; il s'était ensuite opposé aux aristocrates et aux citadins collectant des fonds pour venir en aide aux affamés, par crainte que l'on soupçonne à l'étranger qu'il y avait une famine. Anna posa les yeux sur la peinture puis sur son père qui souriait en fronçant les sourcils, clignait nerveusement des yeux et mordillait le manche de son pinceau. La première pensée qui lui traversa l'esprit fut qu'en mourant le jour de sa naissance, les enfants avaient singulièrement manqué de tact. La seconde fut que le maréchal de la noblesse, qu'elle avait vu monter à l'atelier d'un air guindé, la semaine précédente, et qui lui avait adressé en souriant un signe de la tête, ce petit homme gris de peau avec ses moustaches blanches abondamment huilées était un monstre. Elle s'assit à la table sur laquelle son père mélangeait ses pigments et des larmes coulèrent le long de ses joues. Le père rangea son pinceau, posa ses mains sur les épaules de sa fille, repoussa les mèches qui lui tombaient sur le visage, l'embrassa sur le front et lui dit de ne pas s'inquiéter, on ne l'arrêterait peut-être pas.

Anna ne saisit pas le sens de sa remarque. Elle pleurait parce que cette mort anonyme sous une bâche baignée par la pluie lui paraissait une manière particulièrement odieuse de disparaître de la mémoire de sa propre famille ; et elle se sentait responsable, honteuse de n'avoir pas pu les aider.

Elle lui demanda une nouvelle fois ce que signifiaient les souris. Il vint s'asseoir à côté d'elle et répondit qu'elles symbolisaient la famine. Elle voulut savoir pourquoi, au lieu de peindre un symbole de la famine, il n'avait pas peint la famine. Son père rougit, se dressa sur ses jambes, jeta les bras au ciel en secouant la tête et lui dit qu'elle n'avait aucune idée des risques qu'il courait à outrager ainsi un homme aussi puissant que le maréchal, fût-ce sous la forme d'un symbole. Il risquait l'exil, la Sibérie.

Anna essuya ses larmes, renifla et fronça les sourcils. Elle ne voulait pas qu'on envoie son père en Sibérie. Elle ajouta que s'il voulait vraiment humilier le maréchal, peut-être valait-il mieux peindre les vrais paysans qui vivaient sur ses terres et étaient morts de faim car ainsi, il aurait beau se sentir offensé, il ne pourrait s'en tirer par de belles paroles. Elle insista en disant que s'il voulait vraiment blesser le maréchal, il n'aurait pas dû le représenter comme un homme grand et fort, avec le regard aussi perçant et les joues aussi roses que tous les hommes et femmes qu'il avait peints jusque-là ; il aurait fallu le peindre tel qu'il était, avec sa peau grise, ses vieux os, son air sournois. Dans un accès de colère, son père l'empoigna par le bras pour la jeter dehors et claqua la porte.

Quelques jours plus tard, le père d'Anna emballa son tableau pour l'emporter à l'assemblée municipale, où il devait le dévoiler en présence du maréchal. En le voyant si affolé, Anna prit peur. Le père embrassa sa femme et ses deux filles, les serrant contre lui comme s'il devait ne jamais les revoir. La peur s'était immiscée au plus profond de son être. Anna comprit qu'une écharde du vaste monde s'était enfoncée dans le cœur de son père. Elle ne l'avait encore jamais vue, la puissance cumulée, atroce et impitoyable de tous ces inconnus capables d'accéder à votre for intérieur, d'y faire naître la peur. Elle ne l'avait jamais vue, mais elle put la lire sur le visage de son père. Ce qui ne se produirait qu'en deux autres occasions : le jour où il apprendrait que les employés de la brasserie s'étaient mis en grève, et quand un tiers lui affirmerait qu'il était un bien piètre artiste. Quand elle la découvrit, elle comprit qu'elle l'avait déjà vue avant, que tant d'hommes la portaient sur eux à longueur de temps, ces hommes aux costumes poussiéreux et aux casquettes élimées qui descendaient la rue à pas lents, comme s'ils avaient peur de rentrer chez eux. Or l'absence de cette peur chez son père montrait qu'il n'avait presque jamais été confronté à ce monde-là. Elle eut soudain envie de la traquer sans relâche, de l'étreindre. Plus tard, lorsqu'elle rencontrerait son mari, elle ne verrait en lui ni la peur que provoque l'indifférence du vaste monde, ni le soin que son père mettait à l'ignorer, mais la croyance en un tout autre monde encore.

Son père ne rentra pas ce soir-là. Anna, sa sœur et sa mère jouèrent aux cartes jusqu'à minuit passé en buvant du thé. La mère d'Anna dit aux domestiques d'aller se coucher et elles s'assirent sur le divan, les yeux rivés sur l'horloge allemande accrochée au mur à côté du poêle. La mère passa ses doigts dans les cheveux de ses filles jusqu'à ce qu'elles la supplient d'arrêter parce qu'elle frottait trop fort et leur faisait mal, puis elles s'endormirent sur son épaule après que deux heures eurent sonné à l'horloge. À cinq heures du matin, on frappa à la porte et la maisonnée accourut aux nouvelles. Le père d'Anna avait été arrêté par la police et incarcéré à la prison municipale, sur ordre du maréchal de la noblesse. La mère d'Anna attrapa un châle, un chapeau, et traîna dans la rue ses deux filles ensommeillées. C'était le mois de mai, l'aube se levait à peine, elles couraient, trébuchaient et arpentaient à grands pas les rues désertes, d'un bleu cendré, sous le regard engourdi des ivrognes. Anna passa plusieurs heures devant la porte de la prison, la main dans celle de sa sœur, à écouter sa mère parlementer sans fin avec le gardien, suppliant qu'on la laisse voir son mari, pleurant à chaudes larmes, agitant son mouchoir sous le nez de l'homme, montrant ses filles du doigt. Le gardien l'écoutait avec attention en hochant la tête, moustaches tournées vers le sol, sans un mot ni un geste, tandis qu'un petit attroupement s'était formé devant la prison, des femmes de prisonniers plus pauvres que la mère d'Anna, outrées que celle-ci monopolise ainsi l'attention. La mère d'Anna finit par s'en aller, tête basse.

Elle regarda Anna et lui demanda d'une voix enrouée à force de plaider sa cause pourquoi elle ne pleurait pas, ce qui l'aurait bien aidée. Alors, Anna s'était mise à pleurer.

Son père passa deux jours en prison. On ne l'envoya pas en Sibérie, il ne reçut aucune amende, ne fut même pas jugé. Le tableau avait fait de la peine au maréchal de la noblesse. L'attaque était grave, le fait qu'il ne l'ait pas perçue d'emblée pire encore. Ce n'était rien que trois malheureuses souris après tout, mais tout le monde avait compris qu'elles le mettaient en cause, parce que le père d'Anna avait passé des mois à trouver le courage de peindre les souris et fait en sorte que son projet ne soit un secret pour personne. Mais nous étions en 1905 et le maréchal de la noblesse se devait d'être prudent. Le conseil municipal était un repaire de libéraux, l'armée bombardait les rues de Moscou, les paysans brûlaient les demeures des grands propriétaires. Le jour même, la fumée s'était élevée au-dessus de la ville, là où les Centuries noires étaient tombées sur les juifs, et au-delà des limites de la ville, là où les fenêtres aveugles du domaine de Kalin-Kalensky crachaient leurs derniers relents d'incendie. La police refusait de coopérer et l'on ne pouvait plus faire confiance aux journaux, dont les rédacteurs en chef ne se laissaient plus intimider. Quand sa propre fille lui rapporta que certaines des plus prestigieuses familles de la ville lui fermaient leur porte parce que son père avait fait emprisonner l'artiste Lutov, le maréchal prit ses dispositions pour que le père d'Anna soit libéré.

Celui-ci fit un retour triomphal à la maison, embrassa tendrement les siens et repartit une heure plus tard pour assister à un banquet organisé en son honneur par la fine fleur des libéraux de la ville, où les éloges plurent. On le présenta comme un héros de la lutte démocratique et, dans les discours, son nom fut si souvent associé à des principes comme la nécessité d'une constitution ou de la création d'un parlement démocratique qu'il en vint à croire que ces trois éléments formaient un tout indissociable, qu'aucun n'avait de sens séparé des deux autres. Au cours des semaines et des mois qui suivirent, les convives du banquet perdirent de vue cette conviction. Le père d'Anna, lui, restait persuadé que, de tous les actes héroïques qui avaient marqué la grande bataille pour la liberté de l'an 1905, le sien était le plus extraordinaire. Sa famille ne le vit presque plus, sa palette et ses pinceaux se couvrirent de poussière, car il passait son temps avec des libéraux et des révolutionnaires dans la salle sombre d'un restaurant ou l'atmosphère étouffante et conspiratrice d'un appartement, à fumer du tabac en sirotant du café turc. Il rencontra le révolutionnaire Tsybasov, qui se remettait de blessures infligées par les cosaques à Odessa. Recherché par la police, Tsybasov serait sans doute pendu si on le capturait ; il portait une large balafre en travers de la joue, souvenir d'un coup de sabre qui avait bien failli lui trancher la tête. Quand le père d'Anna le salua comme un combattant plein de bon sens qui avait fait presque autant que lui-même pour la cause, Tsybasov fut tellement abasourdi qu'il ne sut quoi répondre, lui qui, à l'âge de seize, avait tenu en haleine une heure durant, sans la moindre fausse note, un congrès révolutionnaire à Vienne. Le père d'Anna se mit à fréquenter une maison qui proposait des cours du soir à des jeunes femmes désireuses d'en savoir plus sur le marxisme. Il était capable de leur parler de Marx avec une éloquence, une conviction d'autant plus grandes qu'il ne connaissait absolument rien aux œuvres du grand penseur. Certaines de ces marxistes étaient à peine plus vieilles qu'Anna.

Par une soirée suffocante de l'été suivant, la sœur d'Anna fut en proie à de violents maux de tête. Sa fièvre monta et elle saigna du nez. Elle resta alitée dix jours durant, crachant du sang, agitée, délirant dans ses draps moites et entortillés. Le docteur découvrit des taches rouges sur sa poitrine et diagnostiqua le typhus. Les femmes adressèrent télégramme sur télégramme au père d'Anna, qui avait loué pour l'été une maison de campagne en Crimée afin d'approfondir ses lectures de Marx, mais ces missives avaient dû s'égarer car, lorsque le père revint, sa fille ne bougeait presque plus. Sa respiration pénible et rauque emplissait le silence de la chambre où elle reposait. Anna accueillit son père sur le seuil, puis ils s'embrassèrent avant de monter main dans la main jusqu'à la chambre. La mère d'Anna était assise sur une chaise inconfortable au chevet de sa cadette, elle lui parlait d'un bal à Saint-Pétersbourg et de la robe en soie qu'elle avait mise pour l'occasion. Sa fille avait les yeux fermés, ses lèvres entrebâillées étaient maculées d'une fine couche d'écume. Quand son mari entra, la mère d'Anna leva les yeux sur lui puis détourna aussitôt le regard, reprenant le fil de son histoire, comme s'il était un étranger. Le père d'Anna se pencha au-dessus du lit, posa la main sur le front de sa fille et prononça plusieurs fois son nom. Elle n'esquissa pas le moindre geste. Le père d'Anna lâcha un long et profond soupir, plissa le front et déclara :

— Il faut que je peigne son portrait.

Il revint avec son chevalet et une toile vierge, dessina une esquisse au fusain. Anna l'observait. Ses yeux allaient et venaient de l'esquisse à sa fille, comme s'il s'agissait de la restituer le plus fidèlement possible. Pourtant, la silhouette tracée sur la toile se tenait debout, comme tous les sujets de son père. Peu à peu Anna vit apparaître une version enfantine de ses éternelles femmes, svelte, avec des membres longs et maigres qui s'incurvaient dans un sens puis dans l'autre, comme taillés dans la corde, des lèvres pâles, des flots de cheveux ondulés, un petit nez retroussé et d'immenses yeux noirs. La sœur d'Anna était grassouillette, avait un nez aplati et de petits yeux bruns, les lèvres rouges et de fins cheveux clairs qui semblaient toujours prêts à se déployer en tous sens même quand elle les arrimait en nattes solides.

— Papa, dit Anna. Papa. Je sais ce que nous devrions faire. Il faut prendre une photographie. Je pourrais courir chez Zakhar Dmitryevich. Tu n'auras pas le temps de la peindre.

Son père leva les yeux sur elle, lâcha son matériel, l'attrapa violemment par le haut du bras, la traîna dehors et ferma la porte derrière eux. Il lui demanda ce qu'elle voulait dire, qu'il n'y avait plus le temps. Insinuait-elle que sa sœur allait mourir ? N'avait-elle pas honte ?

— Elle va mourir, rétorqua Anna en baissant les yeux. On l'enterrera et nous n'aurons pas même une photographie pour nous rappeler à quoi elle ressemblait vraiment.

Son père devint livide. Il la gifla, levant la main sur elle pour la première fois, et dit qu'elle était une petite idiote qui ne savait rien. Croyait-elle qu'un fatras de produits chimiques sur une feuille de papier, qu'un gadget de lumière et de jeux de miroirs était capable d'atteindre l'âme de sa sœur, de révéler sa vraie nature ? Était-elle à ce point insensible, n'avait-elle aucun sentiment, pour ne pas comprendre que le père de sa sœur, qui l'avait vue grandir depuis son plus jeune âge, qui était du même sang, dont les crayons et les pinceaux étaient assez puissants pour avoir ébranlé les fondations politiques du sud de la Russie, peindrait un portrait d'elle dans lequel sa vie tout entière, son souffle, sa pulsation, son chant serait rendu pour l'éternité, avec une vitalité bien plus forte qu'un truc de pacotille à trois sous, tout juste bon à immortaliser la laideur et les pauvres habits des paysans et des soldats ?

Anna avait la joue brûlante. Elle était surprise de ne pas pleurer. Mains jointes derrière le dos, elle dévisageait son père. Elle comprit avec stupeur que ses mots lui avaient causé une douleur bien plus grande que sa gifle à lui sur sa joue. Il clignait nerveusement des yeux, le souffle lourd. Elle voulait le blesser encore davantage. Elle ajouta :

— Tes portraits se ressemblent tous.

Son père leva la main pour la frapper une nouvelle fois mais elle ferma les yeux, tête rentrée dans les épaules. La gifle ne vint pas. Quand elle rouvrit les yeux, elle vit qu'il avait laissé retomber sa main, il tremblait. Il hurla qu'elle était un monstre, qu'elle ne pouvait être sa fille et il l'envoya dans sa chambre.

La porte s'ouvrit et la mère d'Anna apparut.

— Elle s'est éteinte, dit-elle.

Quand les funérailles s'achevèrent, le père d'Anna repartit en Crimée. Jusqu'à son départ, il ne lui adressa plus la parole ; elle ne le reverrait que bien des années plus tard. Anna fêta son anniversaire quelques semaines après l'enterrement. La mère d'Anna se glissa dans sa chambre aux premières lueurs du jour, pensant que sa fille dormait encore, pour y déposer un imposant paquet enveloppé de papier crème. Dès que sa mère fut partie, Anna se leva pour l'ouvrir. C'était un appareil photographique français, présenté dans un coffret en bois avec une doublure en velours et une poignée, comme une valise. Le coffret contenait en outre un bipied escamotable, des flacons de produits chimiques, divers objectifs, un câble équipé d'un piston pour déclencher l'obturateur à distance et un ouvrage intitulé *Principes de la photographie*, le tout soigneusement rangé dans des étuis de velours.

Sur la première photographie que prit Anna, on la voyait debout devant sa coiffeuse, la lumière du jour inondant sa chambre à travers les hautes fenêtres. En ce début d'après-midi, le soleil qui illuminait Anna était au zénith, éclatant et chaud. Par manque d'expérience et par impatience, elle n'avait prêté aucune attention aux jeux d'ombre et de lumière, et sur l'image elle flottait dans un éblouissant parallélogramme qui contrastait avec l'obscurité du reste de la chambre, où des masses, des recoins sombres et indistincts s'échappaient furtivement vers la marge. Sa robe blanche était tellement surexposée qu'il était impossible d'en distinguer le détail, la texture, si bien qu'elle semblait resplendir de sa propre lumière. Anna avait seize ans. Elle avait attaché ses cheveux et son visage était parfaitement net. Elle tenait dans son dos le câble de l'obturateur et, l'ayant déclenché, elle s'était efforcée de rester immobile le plus longtemps possible, craignant que l'image ne soit floue. La tête haute, elle avait l'air heureuse et fière, jetait sur le monde à ses pieds un regard humide à force de fixer la lumière solaire sans cligner des yeux et, lèvres entrouvertes, elle étouffait un rire.

Anna réquisitionna une partie de la cave pour en faire sa chambre noire et persuada sa mère d'acheter un épais rideau de feutre noir, qu'elle suspendit au plafond dans un coin de la pièce, derrière les tonneaux de saumure. Elle effrayait son monde avec l'odeur des produits chimiques et les hurlements qu'elle poussait à l'encontre de quiconque osait pousser le rideau pendant qu'elle développait. Elle décrocha les portraits que son père avait faits d'elle, exposés aux quatre coins de la maison, une nouvelle peinture chaque année de sa vie, et les jeta dans le grand feu que le jardinier alluma en novembre avec les mauvaises herbes. Sa mère l'observait à la fenêtre, sourcils froncés, mais elle ne tenta pas de l'en empêcher. Le jardinier refusa de brûler les tableaux et proposa de les apporter à son frère, à la campagne. Voilà comment les toiles atterrirent sur l'étal d'un marché, se vendirent pour une bouchée de pain et disparurent à tout jamais. Anna les remplaça par des autoportraits et des photographies de sa mère. Elle voulut exposer dans le vestibule un portrait des domestiques, mais sa mère s'y opposa et l'obligea à se rabattre sur l'arrière-cuisine. Au cimetière, Anna prit une photo de la tombe de sa sœur sous les premiers flocons, le gravier coulé dans la lie poisseuse des cristaux de neige au pied de la stèle et, blotti dans un angle comme pour s'y abriter, un bouquet rabougri de chrysanthèmes brûlés par le gel. Elle la fit encadrer de noir, mit un ruban noir sur un coin du cadre et voulut l'accrocher à la place de l'ultime portrait que son père avait peint de sa sœur. Sa mère hocha la tête en signe de refus et Anna dut se résoudre à la poser sur sa coiffeuse.

Anna emporta son appareil au marché et tira le portrait de vieilles paysannes aux tabliers souillés de lait caillé, debout, leurs gros doigts posés sur un comptoir où se dressaient les ruines blanchâtres des montagnes de *tvorog*, le regard profond et sceptique derrière leurs pommettes rougies. Certaines se couvraient le visage de leur fichu et la chassaient en hurlant qu'elle apportait le mauvais œil. D'autres riaient de bon cœur, priaient Anna de leur envoyer un tirage. Leur adresse commençait par "Tante", suivi de leur prénom et du nom de leur village. Un jour, Anna partit à la rencontre d'un groupe de travailleurs qui chargeaient des sacs de blé sur les barges du Don. Ils s'arrêtèrent aussitôt et se mirent en rang pour poser, timides et moites de sueur ; ils ne savaient pas s'il fallait croiser les bras, tenir le revers de leur veste ou mettre les mains dans le dos, et n'arrêtaient pas de bouger, de pouffer, de se pousser du coude et de chuchoter comme des fillettes. Puis ils s'enhardirent jusqu'à lui demander si elle était mariée, si elle voulait danser, faire un tour sur le fleuve ; à la fin tous riaient aux éclats, lui chantaient des chansons et faisaient des cabrioles à cloche-pied, jusqu'à ce que le contremaître apparaisse à la porte de la cabane où il faisait la sieste et leur hurle dessus pour qu'ils se remettent au travail.

Un autre jour, elle se leva aux aurores pour saisir des pêcheurs dans leurs barques à la cale inondée de petits poissons argentés, semblables à des piscines de mercure, avant que la chaleur solaire ne dissipe la brume au-dessus du fleuve. Plus tard, elle installa son appareil sur le balcon familial pour immortaliser la procession de la croix à travers la ville ; les prêtres aveuglés par la poussière que soulevait une brise estivale, leurs habits de cérémonie noirs et blancs claquant soudain comme un troupeau d'oies se dressant sur leurs pattes ; un miséreux pris de folie vêtu d'un costume noir en lambeaux, sans chemise ni souliers, qui gambadait et sautillait en marche arrière devant la procession, tête dressée en contemplation de la croix dorée, mains tantôt jointes vers la croix, frottées l'une contre l'autre comme devant un feu, tantôt collées aux tempes. Le miséreux trébucha, s'écroula sur le dos, et la procession enjamba son corps. Les prêtres lui donnèrent des coups de pied au passage et l'un d'eux écrasa sous sa botte le torse du dément. Enfin, des nonnes le traînèrent sur le bas-côté, la bouche ensanglantée, et l'allongèrent doucement dans le caniveau avant de repartir en courant derrière la croix. Quelques minutes plus tard, le fou reprit connaissance et suivit à quatre pattes le nuage de poussière.

À l'automne 1907, Anna alla photographier des étudiants qui avaient fondé un club de natation, de patinage et de cueillette des champignons. Ils nageaient, patinaient et cueillaient des champignons, mais uniquement pour pouvoir se rassembler et débattre du communisme sans éveiller les soupçons de la police. Anna avait entendu parler du communisme, le mot était dans l'air du temps, mais elle ne savait pas de quoi il s'agissait au juste. Elle se représentait une secte austère et digne, artistico-philosophique, avec d'éventuels penchants végétariens, une secte dont les membres habitaient des huttes au fond de la forêt. Des gens sérieux, intellectuels barbus en blouse paysanne et femmes vêtues de sobres robes noires, qui passaient leur temps à réfléchir à la manière de rendre ce monde meilleur et qui, bien qu'issus de familles respectables et prospères, récoltaient et cuisinaient leur propre nourriture et lavaient eux-mêmes leur linge. Comment ils trouvaient le temps de discuter sans domestiques pour remplir toutes ces tâches, cela restait un mystère. Peut-être les femmes se chargeaient-elles de la lessive, de la cuisine et du ramassage des pommes de terre, laissant les hommes libres de se livrer à leurs débats. Anna ne lisait pas les journaux, seulement des romans et de la poésie. En général, quand elle lisait Alexander Blok, elle ne comprenait pas ce qu'il voulait dire mais elle aimait la lumière, les couleurs et l'espace, informe mais complexe, sur lequel ses mots semblaient ouvrir une perspective et qu'elle quittait ensuite avec nostalgie. Elle demanda aux étudiants si le communisme avait quelque chose à voir avec le marxisme. Un étudiant dégingandé portant des lunettes, avec les cheveux coupés au carré et de maigres poignets qui émergeaient d'un vieux manteau en toile bien trop petit pour lui, la regarda comme si elle avait demandé combien de jours comptait la semaine, puis entreprit de lui répondre avec un plaisir croissant. Anna l'interrompit pour lui demander s'il connaissait un nommé Lutov.

— Je le connais de réputation, répondit l'étudiant. Il se prétend artiste. J'ai vu ses tableaux. Il a recours à des formes bourgeoises dégénérées. Son style est primitif. Il peint des archétypes de belles femmes et d'hommes beaux. Il se présente comme un révolutionnaire, comme s'il avait posé une bombe sous l'oreiller du tsar, mais à ce qu'on sait, il n'a jamais rien fait, n'a même jamais distribué de tracts. De toute façon, c'est un rentier, un parasite, il se nourrit du sang des ouvriers d'une usine qu'il possède. Il passe le plus clair de son temps à tenter de séduire des jeunes femmes qui sortent avec des marxistes. Tu es tout à fait son genre. Prends garde à toi.

Anna accompagna les communistes à une réunion qu'ils avaient organisée dans une usine de teinture, non loin des quais. Les ouvriers s'étaient mis en grève après que l'un des leurs se fut noyé dans une cuve de goudron et qu'on eut renvoyé son frère parce qu'il s'était rendu à l'enterrement sans demander la permission. De bon matin, les six étudiants descendirent à grands pas la ruelle pavée qui menait à l'usine. L'étudiant dégingandé mal fagoté marchait devant en qualité de président du club, un cartable en cuir qui contenait une liasse de tracts sur l'épaule, un pot de colle et une brosse. Un garçon corpulent lui emboîtait le pas, bien nourri, avec une casquette et un manteau de cuir noir flambant neuf, le visage grêlé, souvenir de quelque maladie infantile. Il avait serré tellement fort la ceinture de son manteau, d'un nœud intransigeant, impossible à défaire sauf à s'asseoir et à s'y attaquer avec un objet pointu, qu'il ressemblait au chiffre huit. Il tenait à la main un carnet et un stylo car il projetait d'écrire un article pour le magazine clandestin *Jeunesse sociale-démocrate de Russie du Sud*. Une petite femme aux cheveux clairs attachés en chignon, la peau pâle et lisse comme de la cire, avec de grands yeux bleu clair, un manteau brun mais pas de chapeau, portait une bannière rouge soigneusement enroulée. Elle avançait d'un pas nerveux, tête baissée, comme quelqu'un qui aurait du retard et craindrait d'être puni. Ce qui ne faisait que souligner le pouvoir et la grâce de la femme qui marchait à ses côtés, une grande et belle princesse communiste enveloppée dans un manteau d'astrakan, coiffée d'une casquette de paysan crasseuse qui, sur sa courte chevelure noire, évoquait le nec plus ultra de la mode viennoise. Elle avait la peau mate, de hautes pommettes et des yeux délicatement bridés, héritage d'une grand-mère bouriate. Elle tenait une bourse dans sa main gantée et se retournait de temps à autre pour sourire à Anna, laquelle avait bien de la peine à suivre, le bipied et les plaques posés sur une épaule, l'appareil en bandoulière sur l'autre. Un homme au visage doux et à la barbe drue lui tenait compagnie. C'était un juif coiffé d'un vieux bonnet noir aux poils hérissés par le froid humide du petit matin, qui transportait une caisse vide. Il s'évertuait à lui expliquer le marxisme pendant qu'ils cheminaient, elle s'efforçait d'écouter et de comprendre, tout en essayant de se représenter ce que ce serait d'être séduite par son père, ce que signifiait séduire, et quel était donc ce processus, abondamment décrit dans les romans, qui poussait ensuite les hommes à maltraiter les femmes.

D'autres marcheurs les accompagnaient, des ouvriers, un flot de plus en plus dense au fur et à mesure qu'ils approchaient du lieu de rassemblement, humide et froid, au pied des grilles cadenassées de l'usine. Deux cents hommes se tenaient debout sur l'herbe brune, avec de la boue gelée et fondue par endroits et des flaques d'eau où flottaient des nappes étincelantes de produits chimiques. De petits groupes s'étaient formés autour des plus éloquents d'entre eux, débattant de ce qu'il fallait faire. Une troupe de fantassins protégeait les grilles, une douzaine de cosaques à cheval s'étaient postés sur une butte entre les ouvriers et le fleuve et, abrités du vent par une petite maison en brique restée inachevée, sur la route de la ville, les hommes d'un escadron de la cavalerie régulière observaient la scène. Ils conversaient, tranquilles, fumant leur cigarette. Anna et les communistes suivirent le président qui vint à la rencontre d'un homme de grande taille, en manteau de laine et chapeau melon, bandeau rouge au bras.

Les deux hommes échangèrent une poignée de main et le meneur des ouvriers salua de la tête les autres étudiants. Son regard s'attarda sur les femmes, il plissa les yeux, se tourna vers le président puis de nouveau vers les femmes, hocha la tête une nouvelle fois et adressa enfin la parole au premier des communistes. Il était bien plus âgé que l'étudiant dégingandé, il semblait avoir franchi une étape supplémentaire dans la vie. Il ne s'adressait pas au président comme un ouvrier à un étudiant, ni comme un autodidacte à un universitaire lettré, ni comme un homme qui s'était battu avec ses poings et avait engendré des fils à un pâle puceau qui venait à peine de quitter le confort d'une famille aisée ; il s'adressait à lui comme un homme qui a un problème à un spécialiste susceptible d'y remédier. Les autres ouvriers firent taire leurs champions de rhétorique et se rassemblèrent autour des deux hommes. Les deux femmes déployèrent le drapeau rouge. Les lèvres de ceux qui n'étaient pas analphabètes articulaient sans bruit tandis qu'ils déchiffraient l'inscription peinte en blanc : *Pour tous les travailleurs – Respect, Dignité, Justice*. Le juif posa la caisse à même le sol boueux et le président monta sur cette estrade improvisée, dépassant de la tête et des épaules la foule. Il confia sa liasse de tracts au meneur afin qu'il les distribue. Le silence se fit parmi les grévistes qui levèrent les yeux vers le jeune communiste, respectueux et pleins d'espoir, semblables à ce qu'imaginent les pratiquants et les prêtres des religions anciennes lorsqu'ils pensent aux premiers jours miraculeux de leur foi, quand la bonne parole était sur le point d'être prêchée pour la première fois, précédée cependant par la rumeur de ses pouvoirs. Le murmure étouffé des machines s'éleva de l'usine, un cheval hennit et les hommes se retinrent de tousser.

Dès que le président parla, d'une voix pressante qui portait loin, piquant puis remontant en flèche comme une alouette au-dessus d'un champ de blé, les grévistes eurent le sentiment qu'il connaissait leur souffrance, le nom et le visage de chacun d'entre eux, comme s'il avait passé des mois à les observer, invisible rôdeur, tandis qu'ils veillaient sur les alambics, les cuves et les fourneaux. Il savait tout de leur métier, il les considérait comme des hommes admirables. Il les appelait honorables travailleurs, camarades, frères. Il savait leur salaire de misère, leurs journées harassantes ; comment les blessés étaient mis à la porte sans même un kopeck pour se retourner, parfois même harcelés jusqu'au-delà des grilles par des intendants qui leur reprochaient d'avoir causé des dégâts avec leurs membres estropiés et leurs crânes fracassés ; le ton familier du patron quand il leur parlait, comme s'ils étaient des serfs ou des enfants ; comment il récupérait la majeure partie des salaires qu'il leur payait grâce au loyer des baraques infestées de rats et de cafards où s'entassaient leurs familles, et presque tout le solde dans la recette du magasin d'entreprise ; comment le fils du patron avait impunément violé la fille d'un ouvrier et comment sa famille avait reçu quelques roubles en or avant d'être envoyée à l'autre bout du pays, à Kharkov, d'où elle ne devait jamais revenir ; l'ultime avanie du patron après la noyade, au cours de laquelle le frère de la victime avait tenu la main de l'homme en train de se noyer et senti un instant le battement de son pouls juste avant qu'il n'expire, comment lorsqu'il avait bravé l'interdiction de quitter son poste pour se rendre aux funérailles, le patron pris de furie l'avait empoigné et roué de coups jusqu'à ce que le sang coule de ses oreilles ; comment il avait fallu arrêter le bras du patron, faute de quoi il y aurait eu un deuxième cadavre dont, une nouvelle fois, aucun juge ne se serait soucié.

Le président les captivait. Il marqua une pause, les ouvriers étaient à présent immobiles et silencieux. Il poursuivit son discours, joignant le geste à ses paroles. Il agitait les bras, frappait son poing serré dans la paume de sa main, se tendait en arrière, bras grands ouverts, puis soudain bondissait comme un chat sur sa proie, se ramassait sur lui-même en décrivant de son bras tendu un grand arc de cercle au-dessus de la foule, posait les mains sur ses hanches, tête inclinée sur le côté, avant de se pencher brusquement au-dessus d'eux pour poignarder leurs visages de son index, toi, toi et toi, tous ensemble. Anna, jouant des coudes au milieu de cette forêt d'épaules masculines, dans l'odeur mêlée d'humidité et de tabac qui imprégnait le tissu des manteaux, se pencha sur le viseur de son appareil et vit le président se redresser dans une fenêtre de lumière émergeant des ténèbres, embrasser la foule du regard et lisser l'air de ses mains en hochant du chef. Elle baissa l'objectif jusqu'à ce que seules la chaussure et la jambe de pantalon du président apparaissent dans un coin du cadre, et que les visages de trois ouvriers emplissent le viseur. À cet instant précis, l'un d'eux poussa un cri, regard incandescent entre casquette et barbe, et si le mot qu'il criait, "Vérité !", ne s'imprima pas sur la gélatine et le nitrate d'argent de la plaque, celle-ci porterait à jamais l'empreinte de sa rage. Un autre contemplait le président, muet d'émerveillement, comme si l'un des apôtres était sorti de la forêt pour révéler aux citadins qu'à compter de ce jour le commun des mortels assisterait enfin à ces fameux prodiges annoncés par la rumeur, rapportés par des tiers ou simplement rêvés. Le troisième homme, lui, pas encore prêt à croire ni décidé à mener le parti des sceptiques mais toujours prêt à rire, lançait un regard oblique, cherchant dans cet ensorcelant discours la moindre fissure où enfoncer une plaisanterie ravageuse. Anna déclencha l'obturateur, retira la plaque et en glissa une vierge dans l'appareil.

Le président poursuivit son discours, d'une voix plus forte, plus sûr de lui-même, redoublant de prodiges qui lui assuraient la confiance des ouvriers. Il avait une connaissance stupéfiante des finances du patron, leur expliqua ce que coûtaient les teintures, combien se vendaient les produits finis et la différence qu'empochait le patron. Il leur expliqua que c'était aux travailleurs que ce profit revenait de droit, puisque c'étaient eux qui réalisaient les teintures, pas le patron.

— Avait-il seulement le savoir-faire pour s'en charger lui-même ? Ses mains avaient-elles jamais été tachées de vitriol ou de carmin ? Non ! Elles n'étaient tachées que de sang, le sang des travailleurs. Le patron était un parasite, pas un créateur de biens nécessaires, utiles ou beaux, un homme qui avait obtenu le pouvoir de voler le fruit de leur labeur, non pas en vertu de son talent mais parce qu'il avait abandonné son humanité et sa bonté naturelles pour gagner le droit de s'asseoir à la table de ce groupuscule de malfrats que formaient les banquiers et les capitalistes, dans le but d'obtenir sa part du gâteau.

Quelqu'un cria que les banques appartenaient aux juifs. D'autres acquiescèrent bruyamment. Le président dévisagea les uns après les autres les membres du chœur, les yeux dans les yeux, et reprit d'une voix qui était dans leur camp, qui rendait ce dernier bien plus splendide qu'ils n'osaient l'imaginer. Juifs, Russes, Tartares, Allemands,

Polonais ; peu importait le sang, il y avait ceux dont on buvait le sang et ceux qui s'en abreuvaient.

— C'est bien ce que font les juifs, intervint le dissident. Ils tuent les chrétiens pour boire leur sang. C'est ce qu'ils font en secret.

Le meneur des grévistes lui dit de la fermer, d'arrêter ses bêtises.

— Les capitalistes et leurs journaux vous racontent ces histoires à dormir debout pour détourner votre regard du secret véritable, le plus formidable et le plus terrible des secrets, reprit le président. Il parlait moins fort, à présent. La foule retenait son souffle et ses quintes de toux, et les ouvriers resserrèrent leur cercle d'un pas traînant. Un cliquetis métallique résonna dans le lointain tandis que les cosaques empoignaient leurs armes.

— Le secret, c'est que vous êtes nombreux, qu'ils ne sont qu'une poignée. Vous êtes forts, ils sont faibles. Quand les ouvriers d'une seule usine se soulèvent, comme vous l'avez fait, ils tremblent mais ne cèdent pas. Mais qu'adviendra-t-il le jour où toutes les usines s'arrêteront, non seulement les usines, mais les paysans et les soldats ? Pas seulement en Russie, mais en Allemagne, en France, en Angleterre, en Amérique ? Voilà le secret qu'ils vous cachent : vous n'êtes pas seuls. Ils parlent du peuple. Mais le peuple, c'est vous, le peuple est en chacun de vous et vous êtes en lui. Le peuple est une force implacable, plus puissante que les armées car sans peuple il n'est point d'armée, plus puissante que l'argent car sans le peuple il n'est rien que l'argent puisse acheter, plus puissante que l'amour, car hors l'amour du peuple il n'est point d'amour véritable. Vous êtes le peuple. Le peuple est tout-puissant. *Znachit*, vous êtes tout-puissants. Regardez, regardez, mes frères.

Il pointa du doigt les grilles de l'usine. Les soldats venaient de les ouvrir pour laisser sortir l'automobile du patron. En dépit du froid, la voiture noire était décapotée et la foule vit le patron assis à l'arrière, au milieu de la banquette, engoncé dans sa fourrure d'écureuil, dans sa propre masse de graisse et de muscles, coiffé d'un chapeau anglais semblable à celui de Sherlock Holmes. Son siège était surélevé et, tandis que la voiture traversait les flaques sales et plissées, on aurait dit un roi chevauchant un scarabée. Le président avait à ce point envoûté son auditoire qu'on aurait juré qu'il lui avait suffi, pour arracher le patron au refuge de son usine, d'invoquer ce peuple dont il connaissait les pouvoirs. Quelques travailleurs s'écartèrent de l'estrade improvisée, persuadés que les deux hommes allaient s'affronter en un formidable duel dont la portée les dépassait. D'autres, bien plus nombreux, coururent vers la voiture, qui s'engagea sur la route de la ville mais progressait si lentement qu'elle allait être interceptée.

Anna observa par-dessus son épaule la butte au sommet de laquelle étaient postés les cosaques. Elle vit à travers leurs yeux la masse sombre et mouvante des hommes qui se dispersaient dans la plaine, à la surface des champs, avec l'anarchique solidarité d'un vol de corneilles, et elle voulut imprimer tout cela sur la plaque. Les cosaques se laissèrent glisser du haut de la colline, telle une phalange de cavaliers calme et silencieuse. Quand ils dégainèrent leur sabre et le posèrent sur l'épaule, les chevaux ne bronchèrent pas. Les autres cavaliers s'étaient mis à cheval et tenaient leur position. Le président des communistes descendit de sa caisse, son groupe se rassembla autour de lui, à l'exception de la petite femme qui courait avec les ouvriers vers la voiture du patron, traînant dans la boue l'autre extrémité de sa bannière, que la princesse rouge avait laissée tomber.

Le juif cria à Anna qu'il était temps de partir.

— Pourquoi ? répondit Anna. Pour aller où ?

— Ceux qui forment l'avant-garde de la lutte révolutionnaire sont trop rares et précieux pour être sacrifiés dans une bataille contre les forces réactionnaires, répondit le président. Cette tâche échoit aux masses radicalisées de la classe ouvrière.

Il fit volte-face et partit d'un pas vif en direction de la ville, entraînant derrière lui les quatre autres membres de l'avant-garde. Au bout de quelques pas, ils se mirent à courir.

La voiture du patron était bloquée par une colonne de travailleurs qui pesaient de tout leur poids contre le radiateur. Le chauffeur appuyait à fond sur l'accélérateur mais les roues fouettaient la boue. Le patron se leva et la foule railla son chapeau, demandant des nouvelles de ce cher Watson et de Baskervili, son fidèle chien de Géorgie. Il y eut un grand éclat de rire, quand soudain une pierre frappa le patron à l'épaule. Sous les huées de la foule, le patron sortit un revolver de son manteau et un homme hurla :

— Assassin !

— Ah, vous me traitez d'assassin, putain de fainéants ! vociféra le patron. Vous seriez morts de faim si je n'avais pas bâti cette usine. Retournez au village si ça vous plaît tant. Je vous paie trop. J'ai vu les habits que vous portez les jours de congé. Mon père était un paysan, un serf, et il n'avait que deux chemises. Quoi, vous croyez les juifs maintenant, quand ils vous racontent que vous êtes misérables ?

Les ouvriers répliquèrent qu'ils n'avaient nul besoin des juifs pour le savoir et secouèrent la voiture. Déséquilibré par le choc, le patron perdit l'équilibre et laissa tomber son revolver, avant de s'écrouler au beau milieu de la foule. Le chauffeur se hissa par-dessus le pare-brise et disparut dans la mêlée. Un cri s'éleva : "Les cosaques !", et les cavaliers étaient sur eux. Tout n'était plus que vitesse, musculature, souffle et harnais des montures, des hommes en manteau noir se penchaient en avant, perdant un instant la grâce de leur posture, pour abattre le poids brutal de leurs armes. Anna observait dans le viseur de son appareil la ruée des fuyards autour d'elle, aussi immobile qu'elle le pouvait, consciente de ses pieds froids plantés à angle droit sur le sol gelé. Elle visa la voiture renversée sur le côté, le patron qui se tenait debout appuyé contre le châssis, vieillard apeuré et bizarre, avec sa bouche béante et son chapeau de Sherlock au rebord déchiré. Un homme était étendu tout près de lui, face contre terre, le bras désarticulé et le crâne ensanglanté ; un ouvrier avait ramassé le revolver, il arma, visa et tira, aussi naturellement que s'il accrochait sa veste au portemanteau, sans se soucier du recul, et le cheval du cosaque reçut la balle en plein poitrail, se tordit et roula à terre. Alors, un autre cosaque surgit, se pencha et du tranchant de son sabre traça une ligne parfaite depuis le front de l'homme jusqu'à sa taille, la ligne s'épaissit aussitôt et l'homme s'effondra, les deux bords de la ligne désormais disjoints. Anna vit tout cela dans son viseur comme si c'était là, et seulement là, que se déroulaient les événements, et quand l'un des cosaques arracha la bannière et contourna à cheval la femme qui la tenait, laquelle regardait dans l'autre direction, perdue, ce fut une vraie prouesse équestre : le cosaque attrapa les cheveux de la femme, les empoigna comme des rênes et tira, la femme posa ses deux mains sur son crâne et tenta de se dégager, mais le cosaque riait. La femme ne cria pas, ne dit rien, et Anna déclencha. Le cosaque agrippa le manteau de la femme, la hissa et la jeta à plat ventre sur le pommeau de sa selle.

Un cosaque poussa l'appareil du bout de la botte. Anna leva les yeux sur son visage aérien et sombre, où palpitait encore la rage du combat.

— Eh, *bárishnya,* lui dit-il. Qu'est-ce que c'est que ce machin, ça sert à quoi, à quoi tu joues ici ? *Studentka !* Qu'est-ce que c'est que ce machin, hein, *studentka* impie, toi qui es si maligne ?

— Je photographie.

— Qu'est-ce que tu photographies ?

— Les événements qui arrivent.

— Dieu qu'elle est maligne, cette salope, dit le cosaque et il leva son sabre au-dessus d'elle. Anna étreignit son appareil, tête rentrée dans les épaules. Le cosaque baissa le bras et fit reculer son cheval. Un autre cavalier se tenait derrière Anna, pas un cosaque, mais un hussard.

— Arrière, ordonna le hussard au cosaque.

— Elle était avec ces saletés, Votre Honneur, protesta le cosaque. Les agitateurs juifs et tous ces mutins.

— Ne voyez-vous pas qu'elle est une jeune femme respectable ?

— Les jeunes femmes respectables ne se promènent pas avec des appareils photo, Votre Honneur.

— Depuis quand tranche-t-on la gorge des jeunes femmes sous prétexte qu'elles ont un appareil ?

— *Da nu, bárin,* rétorqua le cosaque, railleur. C'était un beau gars du Sud, la peau rougie par le soleil, la bouche envahie d'or et le nez écrasé. Un petit coup de sabre de rien du tout, il est tout émoussé. En guise de souvenir, pour qu'elle nous oublie pas.

Le hussard posa le regard sur Anna, qui sentit son visage devenir brûlant puis soudain glacial, car elle se rendit compte qu'elle n'avait jamais plu à personne comme elle plaisait au jeune cavalier, sans même lui avoir adressé la parole. Elle ne savait pas ce que c'était que de ravir un homme par sa seule apparence, d'être regardée comme si le temps s'était inversé et que cet homme s'était retrouvé face à face avec le plus doux de ses souvenirs, avant même qu'elle ne soit un souvenir pour lui, comme s'il savait tout d'elle dès le premier instant et que cette connaissance devait se dénouer ensuite tout au long de leur vie.

— Laissez-moi vous raccompagner, offrit-il.

Elle accepta et il descendit pour l'aider à se mettre en selle. Elle s'assit en amazone et le hussard l'emmena vers ses camarades qui venaient à sa rencontre avec un cheval sellé. En regardant par-dessus son épaule, Anna vit les fantassins aider le patron et son chauffeur à redresser la voiture. Deux ouvriers qui n'en étaient pas retournaient les cadavres du bout de leurs bottes et leur vidaient les poches. Quand ils poussèrent le corps coupé en deux, les entrailles se répandirent sur le sol. Les cosaques étaient attroupés autour du cheval mort. La fille à la bannière poussa un glapissement, se débattit une seconde puis ne se débattit plus. Anna aperçut ses cheveux qui pendaient, clairs sur le fond sombre et bigarré du sol boueux.

— Relâchez la femme ! hurla Anna.

— Ne vous inquiétez pas pour elle, crièrent-ils en retour. Notre vénérable Ataman est le père de six filles. Rien qu'une petite conversation sur ce qu'elle faisait là. Revenez la chercher demain.

Anna et les hussards remontèrent les rues qui menaient de la rivière jusqu'à la ville. Ils longèrent une minuscule chapelle, à peine une petite grange avec un clocher et une coupole toute de travers. Au sommet de la coupole se dressait une croix dorée. Le reste de l'édifice était fait de planches nues et délavées, comme l'église d'une mission arctique, construite avec du bois flotté. De tous les cavaliers, le hussard qui s'était interposé entre Anna et le cosaque, et qui chevauchait à ses côtés, fut le seul à se signer, tête inclinée, murmurant une prière silencieuse. Il se signa à deux reprises.

— Pourquoi faites-vous cela, et pas vos camarades ? demanda Anna.

— Leurs âmes sont aveugles. Pour l'âme qui sait voir, le monde baigne dans les ténèbres, mais elle y voit d'autres bonnes âmes qui traversent la ville comme des lanternes dans la nuit, elle voit briller la lumière dans les maisons du Seigneur, comme celle-ci, la lumière de Dieu et de son fils, des anges, des saints et des martyrs qui illumine la rue. L'âme obéissante… (Il se signa de nouveau.)… peut absorber un peu de cette lumière. Elle poursuit sa marche dans le noir et porte en elle cette lueur. Elle brille pour les autres.

— Vous ne parlez pas comme un hussard.

Il rit.

— Les hussards sont tous des ivrognes et des joueurs, et… et les jeunes femmes n'ont pas d'appareil photo. Pourquoi prenez-vous des photographies ?

— Parce que je suis incapable de raconter aux gens ce que je vois.

Lorsqu'ils atteignirent la maison d'Anna, elle lui demanda si elle pouvait le photographier. Il dit à ses camarades de le rejoindre mais elle se tourna vers eux et fit non de la tête. Rien que lui. Il mit pied à terre et posa debout à côté de son cheval, puis elle le prit en photo. Quelle chance elle avait d'être là, car il était le seul homme au monde. Les autres n'étaient que des mannequins d'argile aux articulations grossières, avec des trous d'aiguilles à la place des yeux, des morceaux de viande en guise de cœurs. Lui seul était vivant. Ce jour-là, sous ses yeux, on avait massacré un homme avant de l'abandonner, mort, sur le sol. Les autres aussi étaient morts, même s'ils se tenaient droits, même s'ils bougeaient. Seul cet homme-là était vivant. Il inclina la tête, prononça quelques mots, puis il remonta à cheval et s'éloigna, emportant avec lui quelque chose de plus précieux que toutes les joies qu'elle avait connues jusqu'alors, et quand il disparut, tous les atomes du monde se tapirent de nouveau sous le capuchon noir. Elle gardait une partie de lui sur la plaque de son appareil et se précipita dans la maison pour la dévoiler.

Un homme lourd avec un lourd manteau et de lourdes bottes l'attendait dans le vestibule. Sa mère et une autre silhouette s'adressèrent à elle. Elles étaient excitées, parlaient fort et tentaient de lui donner des explications. L'homme lourd était tout proche de l'appareil, qu'il menaçait. Anna l'enveloppa dans ses bras, pencha la tête au-dessus de l'objectif et recula vers la porte. L'homme lourd était vif, il posa ses lourdes mains sur l'appareil et tira. Sa force était irrésistible, il lui arracha l'appareil, imprégné de la chaleur de son corps. Anna hurla : "Non", sa gorge gronda et ses oreilles s'emplirent de son propre cri. Si sa mère et la silhouette ne l'avaient pas retenue, elle aurait bondi, propulsée par la rage, et aurait déchiré à coups de dents le visage de l'homme lourd. Celui-ci emporta l'appareil dans l'arrière-cour, le posa par terre et le réduisit en pièces d'un seul coup de masse.

— Ma chérie, qu'as-tu donc fait ? Où es-tu donc allée avec cet appareil ? Ils voulaient t'arrêter.

La mère d'Anna était terrifiée, bien au-delà des larmes, par la colère de sa fille.

La silhouette était celle d'un policier. Il demanda à Anna comment elle pensait qu'une jeune fille puisse se promener seule en ville avec un appareil photo et se mêler à la vermine la plus vile, la plus indécente et la plus déloyale à l'insu des autorités. Il ajouta que seuls des efforts surhumains de sa part avaient permis de substituer la simple destruction de l'appareil à une arrestation, un procès et un exil plus que probable.

Au cours de la nuit, quand tout le monde fut couché, Anna sortit dans le noir avec une lanterne. Quatre heures durant elle chercha dans la cour la plaque sur laquelle était imprimée l'image du cavalier. Elle ne la trouva pas. Elle ramassa le mécanisme qui contrôlait l'ouverture de l'appareil et l'emporta avec elle dans son lit, où elle passa une partie de la nuit à tendre vers la lune l'iris métallique. Elle en déployait les rabats, les refermait, si bien que tour à tour elle tenait entre ses doigts un intense point lumineux puis, l'instant d'après, distinguait la surface du satellite dans ses moindres détails.

Trois ans plus tard, Anna et le hussard se marièrent. Le banquet des noces se tint dans une clairière à l'orée de la ville où les officiers du régiment rivalisèrent d'adresse devant les invités, ramassant au grand galop des foulards posés sur le sol, chevauchant debout sur leur selle, tranchant d'un coup de sabre des melons posés en équilibre sur une perche.

En fin d'après-midi, le colonel du régiment confia à Anna :

— Madame, votre mari est un cavalier-né. Il monte à cheval comme ces Tartares qu'on attachait à califourchon sur des poneys avant même qu'ils ne sachent marcher. Il manie le sabre mieux qu'aucun soldat de la garde.

Les recrues le suivront les yeux fermés. Pourtant, je me demande si vous ne seriez pas capable de le persuader d'épouser une autre carrière. Ce serait chose aisée pour une femme de votre beauté. Je ne voudrais pas être contraint de l'emmener à la guerre.

— Je ne veux pas qu'il aille à la guerre, répondit Anna. Mais il est lieutenant des hussards. C'est un soldat.

— On peut être un parfait soldat et échouer au premier test sur le champ de bataille.

— Pensez-vous que mon mari soit un lâche ?

— Non, il ne l'est pas. Il a le courage d'être pieux au milieu des hussards. Croire est une chose, nous croyons tous, mais il faut du courage pour être pieux. Cela lui a valu des railleries. Quand il a refusé de participer aux jeux de cartes avec enjeu, non parce qu'il n'avait pas d'argent mais parce que c'est un péché, on s'est moqué de lui et il ne l'a pas supporté. Il a même expédié un homme à l'hôpital. Le saviez-vous ? Non.

— Mais alors, de quoi s'agit-il ?

Le colonel la dévisagea quelques secondes sans dire un mot. Puis il hurla sous son nez : "BANG !" et éclata de rire en la voyant sursauter.

— Pardonnez-moi, Anna Petrovna. Il s'agit du bruit. Votre mari est entré dans l'armée trop tard pour faire la guerre aux Japonais. Il ne sait pas ce que c'est. Avez-vous jamais entendu de près la détonation d'une Howitzer, ou un obus qui explose à cinquante mètres ? On ne peut pas dire que ce soit bruyant. C'est comme recevoir un coup. C'est une agression. Un choc. Le son vous envahit, se répercute à l'intérieur de votre crâne. Si nous devions combattre les Turcomans ou la populace des campagnes, grâce à Dieu, on en reviendrait aux bonnes vieilles charges, sabre au clair, et votre époux en sortirait couvert de gloire. Mais contre la Turquie, l'Autriche ou l'Allemagne, il y aura mille canons lourds de chaque côté, qui tireront tous en même temps, deux mille obus à la minute, un vacarme à effrayer le diable. Je peux vous en parler, mais les mots sont incapables de traduire l'effet qu'a ce bruit sur l'esprit d'un homme, même s'il n'a jamais été effleuré par le moindre éclat d'obus.

— Mais les hommes doivent bien finir par s'y habituer.

— C'est vrai. Nous sommes des soldats. Nous avons la tête bien épaisse, remplie de bourre de coton et de *kaše*. Il replia l'index et le cogna contre son front : certains ne s'y font jamais. Nous partons parfois en manœuvres, vous le savez, n'est-ce pas ?, avec les canons lourds. Quelques-uns, à peine. Un exercice. Oui. Le fait est que… je vous souhaite, à vous et à votre époux, tout le bonheur du monde. J'aime voir mes meilleurs hommes conquérir les plus belles mariées. Mais il y a une chose à laquelle il faut songer, Anna Petrovna. Quand les canons font feu, votre mari tremble. Il tremble à chaque fois ! Usez de votre charme !

— Y aura-t-il une guerre ?

— Pas avant la fin de votre lune de miel ! Pas de sitôt ! Jamais, peut-être !

Le colonel partit d'un grand éclat de rire.

— Soyez maudits ! cria-t-il à qui voulait l'entendre, en cognant du poing sur la table. À qui le tour de porter un toast ?

Le mari d'Anna revint s'asseoir à leur table.

— Soyez maudits ! répéta le colonel, adressant à Anna un regard insistant. Anna observait son mari. Le colonel frappa plus fort sur la table. Anna vit son mari tressaillir.

Le soir même, mari et femme prirent place à bord de l'express pour la Crimée. Ils avaient une cabine de première classe à deux couchettes, et le voyage devait durer vingt-cinq heures. Le chef de train avait reçu un bon pourboire. Il fit leur lit, disposa sur la table au pied de la fenêtre un vase de chrysanthèmes blancs et une bouteille de champagne. Le compartiment était éclairé à l'électricité. C'était le 15 mai 1910.

À neuf heures et demie du soir, les villages qui défilaient à leur fenêtre, au nord de Kharkov, prirent des teintes sombres et bleutées. Les vieillards avaient quitté leurs porches, seuls les amoureux, les voleurs et les vagabonds soulevaient encore la poussière des chemins. Anna vit un renard s'arrêter au milieu d'un champ et dresser la tête, puis un hongre lunaire qui galopait en cercle dans son enclos, le long d'une rivière. Le mari d'Anna partit faire sa toilette et elle abaissa le store, se déshabilla, enfila sa chemise de nuit et détacha ses cheveux. Quand son mari fut de retour, il lui demanda si elle désirait une coupe de champagne. Elle fit non de la tête. Il verrouilla la porte et ils s'assirent face à face, de part et d'autre de l'allée étroite qui séparait les lits.

— Bon, souffla-t-il.

— Bon, répondit-elle.

Ils éclatèrent de rire. Anna tremblait. Un tel pouvoir l'effrayait. Le bonheur semblait sans limites, et le visage de son amant, ses bras, ses jambes, son souffle, ses yeux, les doux mouvements de ses lèvres, le moindre battement de ses paupières lui contaient avec une joie plus grande encore que l'univers était à eux, vaste terrain de jeu, le monde tout entier se concentrait là, à l'écoute, en suspens, le temps avait interrompu son vol effréné pour dessiner un lieu où ils pourraient s'aimer comme bon leur semblait, l'histoire ne serait plus jusqu'à ce qu'Anna et son amant décrètent qu'elle pouvait recommencer.

Le mari d'Anna tendit la main vers la sienne, qui se déroba.

— Qu'y a-t-il ? demanda-t-il.

— Ce n'est rien, répondit-elle, à bout de souffle, le cœur martelant ses côtes comme s'il cherchait à s'échapper. J'ai eu peur que le monde ne meure si nous nous touchions.

Le mari d'Anna se leva et vint s'asseoir à ses côtés. Il la prit dans ses bras et le monde ne mourut pas.

— Me croyez-vous ? demanda-t-il.

– Quoi ?

– Me croyez-vous quand je dis que je vous aime ?

– Oui.

– Je vous aime. Si seulement vous pouviez voir ce qu'il y a dans mon cœur, vous sauriez à quel point c'est vrai.

– Je le vois. Vraiment. Je vous crois.

– Nous nous sommes déjà touchés.

– Oui.

– Nous nous sommes embrassés. Nous avons dansé. Personne n'est mort.

Anna sourit, l'embrassa sur les lèvres et les yeux.

– Je ne voulais pas dire ce que vous croyez que je voulais dire. C'était bien mieux que cela.

Son mari rougit.

– Jusqu'à présent, je ne vous ai touchée que là où je le pouvais.

– Et aucune autre ? Nulle part ailleurs ? Vous en êtes sûr ?

– Personne.

– Toutes les filles disent : "Ah, ces hussards !" J'ai rencontré le seul hussard qui soit un moine.

Le mari d'Anna souriait, anxieux.

– Vous savez comment faire ?

Anna secoua la tête et éclata de rire.

– Et vous ?

– Je crois que oui, répondit son mari, l'air surpris. Mais, à ce que je sache, personne ne s'est jamais assis à côté de moi pour m'expliquer. (Ils rirent ensemble.) Dois-je éteindre la lumière ? demanda-t-il.

– Pourquoi donc ?

– Je ne sais pas.

– N'éteignez pas.

Anna fronça les sourcils.

– J'ai vu des chevaux le faire, reprit-elle.

– Non. S'il y a une chose dont je suis sûr, c'est que ce n'est pas comme les chevaux.

— Mais vous appartenez à la cavalerie, rétorqua Anna en riant aux éclats.

— Non ! protesta son mari.

— Les hommes sont-ils comme les chevaux, d'une certaine manière ?

— J'aime bien le sucre.

— Je ne parle pas de cela.

— Voulez-vous que je sois comme eux ?

— Montrez-moi.

— Vous ne serez pas déçue si ce n'est pas comme un cheval ?

— Montrez-moi.

— Vous fermerez les yeux ?

Anna hocha la tête. Il lui tourna le dos pour se déshabiller et plia avec soin ses vêtements. Il se retourna vers elle, nu à l'exception d'un crucifix en or pendu à son cou, puis il s'approcha, posa le bras sur son épaule, la main sur son genou. Le seul pénis d'homme qu'elle ait jamais vu bourgeonnait au bout de sa tige comme un bouton de rose sur le point d'éclore. Elle savait où il irait, dans cet endroit qui était fait pour l'accueillir, et se demanda s'il allait éclore en elle, si elle sentirait les pétales se déployer contre la tendre chair de son intimité. Elle lui posa la question, il sourit et répondit que non, il n'y aurait pas de pétales.

— Dommage.

— Des graines, rectifia son mari.

— Des graines ? Ah, oui, bien sûr.

Anna ne parvenait pas à détourner le regard, non pas que ce fût beau ou laid, mais c'était étrange et vivant, cela appartenait au seul homme au monde et était fait de cet élément qui l'avait fait craindre de le toucher pour une raison qu'elle ne pouvait lui expliquer — elle portait en elle ce même élément, et le monde ne survivrait peut-être pas à leur puissance combinée. La peur s'était estompée, mais elle savait à présent que quand les gens évoquaient le bien et le mal, l'obscurité et la lumière, ils mentaient.

Ils gardaient secret un troisième extrême, cet extrême à propos duquel l'amour était un terme bien trop faible, dérisoire.

— Attendrez-vous un peu ? demanda Anna, posant la joue sur sa cuisse.

— Si vous le désirez.

Anna vit comme cela palpitait, comme le sang battait fort à l'intérieur, et elle caressa la tige du bout des doigts.

— Il est toujours dressé comme ça ?

— Non, rien que pour vous.

— Rien que pour moi ! s'amusa-t-elle, et elle embrassa le bourgeon. Pouvez-vous le faire redescendre ?

— Pas maintenant.

— Oh. Mais il est à moi, rien qu'à moi ?

— Oui. Il vous appartient.

— Quelle générosité, murmura-t-elle, caressant distraitement son présent tout en fixant son amant dans les yeux. Je ne sais que vous offrir en retour.

— Moi, je sais. Je vous montrerai.

Il se signa, baisa son crucifix, chuchota une prière et dénoua la chemise de nuit de sa femme.

— Je veux tout ce que tu as. Je te veux toute, tout ce que tu as été, tout ce que tu es, tout ce que tu seras.

— Prends. Je prendrai ce qui me revient.

Et elle prit.

Peu après leur lune de miel, le régiment fut envoyé à Kiev.

Anna donna naissance à un fils, Alexei, Alyosha, Lyosha, Lyosh. Elle se sentit libre d'acheter un nouvel appareil photographique et se remit à faire des portraits, en échange d'une petite somme d'argent ou pour rien, juste parce qu'un visage l'intéressait. Elle passait au moins une journée avec ses modèles, parfois des semaines entières. Elle parvint à convaincre son mari de poser nu pour elle, fit une série d'autoportraits. Ils se querellaient à propos de l'insistance qu'il mettait à assister à la messe, à respecter les périodes de jeûne et les jours saints, ou quand elle s'absentait avec son appareil pour se rendre dans un village retiré ou chez un inconnu. Mais leur mariage était des plus heureux. Ils se souciaient peu de ce que pouvaient bien penser les autres officiers ou les autres artistes, et Anna ne perdit jamais sa curiosité, ni son mari son désir et son assurance, quand ils échangeaient leurs présents.

Quand les Autrichiens attaquèrent la Serbie et que le tsar mobilisa l'armée, Anna dit à son mari qu'elle ne le laisserait pas partir à la guerre. Elle l'avertit qu'elle paierait des hommes de main pour le ligoter, l'enfermer dans une malle et l'envoyer par bateau en pays neutre. Il rit d'abord puis ne rit plus, commençant à croire qu'elle ne plaisantait pas. Le vacarme de la guerre, expliqua-t-elle, serait insoutenable. Une nuit, il couvrit Alyosha de baisers à l'insu d'Anna, lui demanda d'être un homme bon, de prendre soin de sa mère en son absence et de respecter Dieu. Comme il ne savait pas mentir, il avait confié à Anna sa crainte de voir ses camarades le prendre pour un lâche s'il demandait une affectation à l'arrière et Anna pensa que telle était la raison de son anxiété, cette nuit-là. Il partit au petit matin, elle dormait encore. Quand elle arriva à la gare, le train du régiment était déjà loin. Trois semaines plus tard, un télégramme lui annonça que son mari était porté disparu.

Anna rangea son appareil, se vêtit de noir et s'assit dans une chambre aux volets fermés, sans un mot ni un pleur, jusqu'à ce qu'on lui apporte Alyosha. Alors, elle pleura toutes les larmes du monde, car elle avait perdu le seul homme qu'on y pût rencontrer. Son esprit était vide. Elle pleura des jours entiers puis cessa soudain, étonnée d'être encore vivante quand il n'y avait plus rien en elle. Son mari disait vrai : l'enfer existait, elle venait d'y tomber, entraînant avec elle, pour d'obscures raisons, son propre fils. Il ne lui restait plus qu'à essayer de le protéger jusqu'à ce qu'il s'en échappe. Débuta alors une vie sans couleur, à l'exception d'Alyosha, et de peu de mots, sauf ceux qui lui étaient destinés.

Quatre mois après le télégramme, une épaisse enveloppe lui parvint, qui contenait plusieurs feuillets. Elle s'enferma seule pour la lire, puis il y eut un cri étouffé et elle entra dans la cuisine, où le cuisinier était en train de discuter avec un soldat. Souriante, Anna demanda au cuisinier un grand couteau bien aiguisé. Le soldat parvint à le lui arracher des mains avant qu'elle ne s'inflige de sérieuses blessures, mais le sang coula. Le cuisinier fut pris d'une violente crise de nerfs ; Anna était allongée à même le sol, inconsciente, en sang. Le soldat courut chercher un docteur. Comme il était soûl, cela lui prit un temps fou et, quand il ramena le docteur, Anna et Alyosha avaient disparu en emportant quelques affaires. On craignit pour les vies de la mère et du fils. On pensa qu'Anna avait perdu la raison, même si on ne prenait pas le soldat très au sérieux quand il affirmait qu'au lieu de se taillader le poignet ou de se plonger le couteau en plein cœur, elle avait essayé de se trancher un sein. L'inquiétude retomba le jour où on apprit qu'Anna et Alyosha étaient sains et saufs. Dans une lettre adressée à l'avocat de la famille, Anna s'excusait pour le souci qu'elle avait causé et assurait que sa blessure avait été soignée et n'était que bénigne. Elle donnait des instructions concernant sa propriété et ses biens, elle semblait en pleine possession de ses moyens. En revanche, elle n'expliquait pas les raisons qui l'avaient poussée à s'installer avec son fils à plusieurs milliers de kilomètres à l'est, en Sibérie, près de la rivière Iénisseï, dans la bourgade de Jazyk.

Mutz quitta la place en direction de l'est, vers le petit pont qui menait chez Anna Petrovna, sur la route de la gare. On distinguait de la lumière dans certaines des maisons, brillantes taches de babeurre derrière les vitres des doubles fenêtres. Il se demanda où les Russes s'approvisionnaient en pétrole. Pas auprès de la Légion. Ils le partageaient, à coup sûr. Le partage était leur spécialité, à ceux-là. Ils ne se contentaient pas de partager leurs biens, leur kérosène, leurs haches et leurs pommes de terre, ils partageaient même leur temps. Mutz marchait sur une chaussée de rondins stables, au-dessus de la boue qui n'était pas l'œuvre d'un seul homme, ni d'une troupe de bagnards.

Que pouvaient-ils bien lire à cette heure de la nuit, à la lumière de leurs lampes, derrière les épais rondins de ces murs sombres percés de blanches lucarnes ? La Bible, évidemment. Ou peut-être mettaient-ils en conserve des montagnes de concombres en les plongeant dans une saumure parfumée de fenouil, à moins qu'ils ne les embaument comme on le ferait de cadavres ; ou peut-être rapiéçaient-ils dans la lumière les coudes et les genoux de leurs habits. Et puis non, ils étaient sans doute trop exaltés après une telle cérémonie pour ne pas étudier le Verbe, s'en saisir, l'ouvrir en grand, s'en repaître. Mutz, qui n'était pas croyant, avait essayé dans le temps de lire le Livre d'un bout à l'autre, intégralement, apocryphes compris. Quand il calait, il feuilletait, sautait des pages. L'Ancien Testament contait de belles histoires, mais dans l'ensemble on aurait dit une vaste contrefaçon, visant à faire passer les juifs pour des guerriers absurdes, loufoques et beaux parleurs, avec leur Dieu de carnaval juché sur un char grinçant. Le

Nouveau, lui, glissait sans cesse, subrepticement, d'une humble simplicité à de sombres intrigues dont les ressorts étaient l'argent, l'administration ecclésiastique ou des miracles opérés en échange de la foi. En même temps, il avait compris comment les contradictions, les ambiguïtés et la force de ce livre pouvaient attirer ceux qui ne se satisfaisaient pas du monde tel qu'il était, et surtout de sa caractéristique la plus harassante : son perpétuel changement. Ils y trouvaient un univers immuable, qu'ils pouvaient opposer au monde réel. Pour ceux-là, la Bible était inépuisable ; ce qu'on ne comprenait pas exigeait d'être lu et relu à l'infini ; ce qu'on comprenait, on revenait sans cesse y puiser une vérité éternelle, quand tout au dehors n'était que ténèbres et chaos. Mutz se demanda si le shaman avait lu la Bible, puis se souvint qu'il était analphabète.

En traversant le pont, il aperçut la maison d'Anna Petrovna. Il s'arrêta. Rien ne le forçait à entrer. Tout l'encourageait à faire demi-tour pour aller se coucher. Il était tard, dix heures peut-être, comment le savoir ? Le signal horaire ne leur parvenait d'Irkoutsk que par intermittence, lorsque le télégraphe voulait bien fonctionner. Demain, il lui faudrait rendre compte à Matula de la mort du shaman, et le capitaine serait toujours à la recherche des chevaux manquants. Anna Petrovna se moquait bien qu'il vienne ou pas. S'en moquait-elle vraiment ? Ce doute le blessait, l'effrayait. Une douleur moins aiguë que du temps où elle n'avait pas encore cédé à ses avances, c'était alors la douleur d'être en vie. Là, la douleur était autre. Sept fois il s'était glissé dans ses draps, quatre fois il était resté dans son lit jusqu'aux premières lueurs du jour, trois fois il s'était glissé dehors en pleine nuit, se guidant à tâtons contre les murs et le mobilier, soucieux de ne pas réveiller Alyosha. Il avait entendu Anna étouffer un rire quand une latte du plancher avait craqué sous son pied, puis il l'avait fait craquer de nouveau pour le simple plaisir de l'entendre rire. Après la septième fois, elle lui avait dit qu'elle ne voulait plus qu'il reste chez elle, désormais. Non, elle ne pouvait plus, voilà ce qu'elle avait dit, sans plus d'explications.

Un chien aboya. Mutz décida de compter jusqu'à dix. Si le chien aboyait avant qu'il n'ait fini, il irait plus loin. Il compta jusqu'à dix. Le chien resta silencieux. Il continua, comme il savait qu'il le ferait de toute façon. Il était déjà bien assez captif comme cela, pour ne pas devenir le prisonnier des chiens.

Il fit le tour de la maison, ouvrit la grille qui donnait sur la cour. La porte de derrière n'était pas verrouillée, il pénétra dans la chaleur de la cuisine illuminée. Broucek était assis au bout de la petite table, mains jointes autour d'une tasse de thé, son fusil posé contre le mur comme un balai. Anna se tenait assise en face de la porte, dans une robe bleu foncé. Elle sourit et salua Mutz sans décroiser les bras. Broucek posa la tasse et se leva. Mutz referma la porte derrière lui. Il n'aurait jamais dû venir.

Anna contourna la table et vint l'embrasser sur les joues.

— Broucek était en train de me parler du visiteur.

Mutz dévisagea Broucek.

— Depuis quand parlez-vous si bien le russe ?

Broucek lui adressa un large sourire en haussant les épaules, ramassa son fusil qu'il mit en bandoulière.

— N'en faites pas une histoire, dit Anna à Mutz. Les gens trouvent toujours une manière de communiquer. Asseyez-vous.

Mutz prit la chaise de Broucek. Le bois était encore chaud. Brouchek vida sa tasse, remercia Anna Petrovna, posa le doigt sur sa casquette pour prendre congé de Mutz, qui hocha la tête, puis sortit.

— Visiteur, ce n'est pas le mot, dit Mutz.

Anna posa une tasse devant lui, il la prit dans ses mains pour la porter à ses lèvres. Soudain conscient qu'il était en train d'imiter Broucek, il reposa la tasse sans l'avoir bue.

— Eh bien, dites-moi alors.

Anna se rassit sur sa chaise et se pencha vers lui. Mutz essaya de rassembler ses esprits. Comme c'était étrange, plus on pensait à un visage et plus on était troublé chaque fois qu'on le voyait.

— Il s'appelle Samarin. Kyrill Ivanovich.

— D'où vient-il ?

— De l'ouest des monts Oural, à l'origine. Une région de terres noires. Aux environs de Penza, je crois.

— Quel âge ?

— La trentaine, j'imagine.

— Quel piètre enquêteur vous faites. De quoi a-t-il l'air ? Est-il intelligent ? Il doit être mort de faim après une si longue errance dans les bois. Pas étonnant que ce soient des prisonniers qui aient fait la révolution. Je serais devenue révolutionnaire si on m'avait mise en prison.

— Si vous parlez des bolcheviques, ceux qui ont fait la révolution ne sont jamais allés en prison. C'étaient des exilés. Ce n'est pas la même chose. À en juger par son apparence, il a tout de l'homme à femmes.

Anna se frappa le revers de la main avec sa cuillère.

— Ne vous moquez pas de moi.

— Il est grand et svelte, reprit Mutz. Je l'ai vu se transformer. J'ai vu en lui un forçat brisé, à bout de forces. Et soudain il était quelqu'un d'autre. En un instant. Un orateur passé maître dans l'art de la manipulation. Un homme d'action, ou plutôt : qui pousse les autres à agir.

— Poursuivez.

Mutz marqua une pause. Il rechignait à en dire plus au sujet de Samarin et regrettait déjà ce qu'il avait dit.

— Comment savoir lequel des deux était le vrai Samarin, lequel n'était qu'un rôle ? reprit-il.

— Peut-être était-il vraiment les deux ?

— Peut-être aucun des deux.

— Vous ne l'aimez pas.

Mutz vit qu'elle avait raison mais refusa de l'admettre.

– Vous pourrez le voir demain, si cela vous chante, poursuivit-il. Une audience aura lieu en présence de Matula. Samarin devra s'expliquer. Il vous faudra d'abord obtenir l'autorisation de Matula.

– Beurk !

– À vous de voir.

Anna joua avec son alliance.

– J'irai. Je lui apporterai à manger.

Mutz disparut au fond de sa tasse et sentit monter en lui quelque chose d'agréable, d'indéfinissable, qui avait à voir avec le portrait, dans la poche de sa veste.

– Ainsi, vous n'avez jamais rencontré Samarin ? demanda-t-il.

Anna resta à le dévisager, sans comprendre. Il ne put s'empêcher d'éprouver pour elle une tendresse distante. Comme dans un numéro de magie, quand un spectateur qui s'amusait si bien jusque-là est appelé sur scène et qu'on peut lire la crainte sur son visage. Il comprenait, mais trop tard, ce quelque chose en lui : de la pure méchanceté. Elle allait forcément demander pourquoi et il faudrait lui répondre.

– On a trouvé sur lui un portrait de vous. Une photographie.

Mutz la sortit de sa poche et la lui tendit. Elle pâlit en la découvrant, porta la main à sa bouche.

– Où ce forçat l'a-t-il trouvée ?

– Il dit qu'il l'a ramassée dans la rue. L'aviez-vous perdue ?

– Pas en Sibérie. Avez-vous vu Gleb Alexeyevich ce soir ?

– Balashov ? Oui. J'ignore pourquoi, mais il s'inquiétait pour vous.

– Vous l'avez vu avant ou après l'arrestation de ce Samarin ?

– Après. Oui, c'était après. Pourquoi donc ? (Anna posa le portrait sur la table, s'appuya sur ses coudes et passa la main dans ses cheveux, le regard vague.) Je suis désolé, Anna... j'ai l'impression de vous avoir blessée.

Il tendit le bras pour lui effleurer l'épaule.

— Ne me touchez pas, dit-elle, repoussant doucement sa main.

— Il n'est peut-être pas nécessaire de tout me dire.

— Cette photographie appartenait à mon époux. Elle ne le quittait pas. Je pensais qu'elle s'était perdue lorsqu'il est mort, au cours de son ultime bataille. C'est un tirage unique. J'ai détruit le négatif. La dernière fois que je l'ai vue, c'était il y a cinq ans.

— Anna, je vous en prie. Si vous me dites que vous ne connaissez pas Samarin, je vous crois. Je ne tiens pas à réveiller le souvenir de votre mari.

Anna hochait la tête, elle ne l'écoutait plus. Il était tellement habitué à ce qu'elle refuse d'évoquer ce qui s'était passé entre la mort de son époux et l'arrivée des Tchèques à Jazyk que de la voir à présent ruminer l'histoire de cette vieille photographie, associée à des aspects de sa vie dont il ne savait rien, lui fit sentir qu'elle ne l'avait aimé qu'à moitié, que toutes ces nuits de murmures, de plaisanteries, de confidences et de souvenirs partagés, les bruits et les mouvements qu'elle avait faits avec lui dans ce lit n'étaient qu'une version abrégée, adaptée à un amant profane.

— Mais il n'y a rien dont vous ne puissiez me parler, ajouta Mutz, éperdu. Plus elle s'égarait, plus il brûlait qu'elle le désire de nouveau.

Anna leva les yeux, un sourire vide aux lèvres, puis elle emmena Mutz dans le salon. La chaleur de ses paumes, de ses doigts, la distante attraction de son corps lui firent oublier le présent. Elle qui le prenait par la main, l'asseyait sur le divan, se jetait sur lui pour l'embrasser sur la bouche puis se redressait brusquement dans un éclat de rire, lui qui cherchait sa bouche, plongeait la main sous sa jupe, entre ses cuisses, voilà comment tout avait commencé, sous l'hideuse peinture qui représentait son époux en uniforme de hussard, avec un ruban noir dans un coin du cadre en signe de deuil. À présent, c'était comme une répétition maladroite, bien après la dernière représentation. Il se retrouva seul sur le divan, à observer Anna. Assise devant le bureau à l'autre bout de la pièce, elle posait la photographie sur ses genoux puis l'approchait de son visage, fascinée. Bouche entrouverte, sourcils froncés, elle éloignait l'image, la rapprochait doucement, l'éloignait de nouveau.

Anna se remémora l'insoutenable chaleur de l'éclairage. Un ami lui avait permis d'utiliser l'un des tout nouveaux projecteurs électriques de l'opéra de Kiev avant qu'il ne soit installé. Une lampe énorme, dont le faisceau brûlant convergeait sur son visage dans l'atmosphère suffocante d'un réduit minuscule. Elle n'arrêtait pas de l'allumer et de l'éteindre pour soulager la sensation de brûlure sur sa peau, respirer un peu. Après bien des essais d'expositions et de poses, seul celui-ci avait fonctionné. Voilà pourquoi elle souriait : elle savait qu'elle tenait l'instant où dans l'infinie palette des vérités de la lumière et de l'ombre, de la peau et du regard, elle avait capturé celle qui éclipsait toutes les autres. Elle avait offert le portrait à son mari juste avant que la guerre n'éclate. Elle se demandait s'il avait fallu attendre ce soir-là pour que d'autres que lui la voient.

— Qu'en dites-vous ? demanda-t-elle à Mutz, certaine qu'il louerait son talent.

— Une sublime œuvre d'art, s'empressa-t-il de répondre.

— Et qu'a dit le prisonnier ? Samarin ? Qu'en a-t-il pensé ?

Mutz resta silencieux, cherchant à comprendre pourquoi Anna s'en souciait. Elle nota son hésitation. Mutz répondit :

— Une beauté.

— Une beauté, c'est ce qu'il a dit ?

— Oui, comme s'il s'agissait d'une fonction. Comme si vous étiez la beauté du village qui passe son temps en tournée.

— Mmm. Quelle arrogance ! Pensez-vous que je sois la beauté du village, Josef ?

De la part des femmes qu'il aimait, de telles invitations au compliment facile le rebutaient toujours. Anna attendait sa réponse. Elle se demandait si Mutz avait dressé un portrait exact du prisonnier ; sinon, pourquoi aurait-il menti ? Un jeune homme russe cultivé débarquant parmi eux, tel le messager d'un monde plus normal.

— C'est tout ce qu'il a dit ? insista-t-elle. Mutz hésita de nouveau, plus longuement cette fois. Ainsi, il en avait dit davantage.

— Il m'a chargé de vous transmettre ses félicitations, ajoutant que votre photographie nous survivrait à tous.

Anna hocha la tête, essayant de lui cacher combien tout cela l'enchantait. En vain. Elle se surprenait elle-même par son manque d'indifférence. Elle se surprenait à trouver si pénible, si gênant que Mutz éprouve toujours un tel désir pour elle. Elle baissa les yeux vers cette photographie d'elle prise cinq ans plus tôt, que son mari avait emportée avec lui et, comme par réflexe, elle porta son pouce à sa bouche. Alors, elle comprit que le tiroir du bureau recelait un formidable pouvoir, capable de résoudre à lui seul la situation. Il ne lui était jamais venu à l'idée d'y avoir recours, de le considérer comme autre chose qu'une malédiction.

Mutz aperçut cet imperceptible mouvement de son pouce venant au contact des dents, s'y appuyant l'espace de quelques secondes, puis se retirant sans hâte tandis que l'idée s'installait en elle. Elle se tourna vers lui, comme pour s'assurer qu'il était toujours là. Mutz se sentit stupide – sa mémoire offrit spontanément un enregistrement au cours duquel il suppliait Anna de partir pour Prague avec lui – puis triste, et enfin terrifié. Un événement épouvantable était sur le point de se produire. Il était prêt à tout pour en retarder l'échéance, mais ne savait que faire. Raconter une histoire ? Prendre la fuite ? Se précipiter sur Anna et l'embrasser, même si elle se débattait ? Tomber à ses genoux ?

— Josef, reprit Anna. Je ne vous ai jamais raconté ce que vous vouliez savoir, pourquoi je suis ici, pourquoi j'ai cessé de vous recevoir.

Elle était en train de sortir une clé. Elle était en train d'ouvrir un tiroir. Mutz savait qu'elle allait le confronter à un mal dont elle l'avait protégé jusqu'alors, et dont il serait à jamais incapable de se débarrasser. Il se leva.

— Anna. Il fit quelques pas en avant, se figea : Anna. Ma chérie. Je vous en prie. J'ignore de quoi il s'agit, mais rien ne presse.

Anna ne lui prêtait aucune attention. Elle avait plongé la main dans le tiroir pour se saisir d'une épaisse liasse de feuillets. Elle se retourna.

— Quand vous aurez lu ceci, vous comprendrez ce qui m'a amenée ici, peut-être pas ce qui m'a poussée à rester. Elle ne put réprimer un sanglot, secoua la tête, sourit, avant de poursuivre : il a bâti ce secret, mais c'est moi qui me suis enfermée dedans, comme s'il m'était seulement possible d'y vivre, comme si j'étais capable d'y *changer* quelque chose. Quelle idiote ! En ce qui vous concerne, Josef, cela rend bien sûr honteux ce que nous avons fait, mais ce n'est rien comparé à sa propre disgrâce. Au fil du temps, j'ai éprouvé pour lui tantôt de la pitié, tantôt du mépris, j'ai même eu honte de moi. Notre aventure a eu lieu à un moment où je le méprisais, mais le retour de la pitié n'explique pas à lui seul ma volonté de rompre avec vous. (Elle marqua une pause.) Écoutez-moi. Je parle avec une telle ferveur qu'on dirait sa voix. Mais il n'y a rien de mal à cela, n'est-ce pas ?

— Non, répondit Mutz, qui avait la sensation que toutes les cellules de son corps s'étaient soudain désaxées.

— Ce qui importe par-dessus tout, c'est qu'Alyosha n'apprenne rien. J'aimerais qu'il n'en sache jamais rien. C'est bien compris ? Vous me le promettez ?

— Je vous le promets.

— Il vous aime bien. Je crois que vous aussi, vous l'aimez bien, n'est-ce pas ? Ne lui parlez jamais de cela. Enfin. Tenez. Je ne veux pas être là pendant que vous lirez. Le lirez-vous ?

Mutz acquiesça en silence. Il était incapable de prononcer un mot.

— J'attendrai dans la cuisine, dit Anna en quittant la salle.

Mutz prit l'épais manuscrit et en parcourut l'écriture soignée.

L'ÉPOUX

Très chère Anna, mon étoile,

J'ai brûlé des dizaines de pages – rien ne doit subsister que d'autres pourraient lire – cherchant en vain la manière la plus juste de vous dire en quoi j'ai changé. Voici le récit auquel je me tiendrai. Il vous semblera confus, sans doute ne comprendrez-vous pas certains passages. Au début, je ne pensais pas tout vous dire, mais j'ai décidé de ne rien vous cacher, quelle que soit la difficulté que j'éprouve à écrire ces lignes et celle que vous aurez à les lire. Ces mots sont pour vous et ils sont pour moi. Même aujourd'hui, dans le flot de ce qui est écrit, lu puis oublié, l'écriture confère aux choses un caractère sacré.

Me pensiez-vous mort ? Je le regrette. Oui, cela, je le regrette et j'implore votre pardon. Je vois votre visage bien-aimé marqué par ce douloureux deuil, je voudrais être près de vous, vous montrer que je suis en vie, et plus qu'en vie, bien plus ! Je regrette. Quand je vous aurai dit en quoi j'ai changé, je crains que cela ne vous semble encore pis que la mort. (Ne soyez pas effrayée.) Mais il vous faut comprendre que je ne saurais vous demander pardon pour ce que j'ai fait, car seuls les péchés exigent d'être pardonnés et ce que j'ai fait n'est pas un péché aux yeux de Dieu. Bien au contraire, c'est le moyen d'échapper au péché. Mon regret ne tient pas à la manière dont j'ai changé, mais au temps qu'il m'a fallu pour comprendre en quoi je devais changer. Et je regrette d'avoir été contraint de vous abandonner en chemin, Alyosha et vous. Je me sens comme le rescapé d'un naufrage dont les proches n'ont pas encore été secourus, qui les imagine en train de se débattre dans l'eau glacée, appelant à l'aide sans savoir d'où elle viendra. Il faut que je vous dise que nous, moi et ceux avec qui je vis à présent, appelons "Nef" notre communauté.

Anna, je vis parmi les anges, désormais. Cela me semble naturel, comme le fait d'écrire que, moi aussi, je suis un ange. Mais en relisant ces mots, je réalise que vous penserez sans doute que j'ai perdu la tête. Il faut donc tout vous dire, sans peur ni honte.

Vous n'avez jamais ignoré combien j'étais croyant, combien je croyais en chaque mot des Évangiles, comment j'étais persuadé que, quand les paroles des apôtres et des prophètes semblaient contradictoires, c'était parce que je n'avais pas la sagesse suffisante pour les appréhender pleinement. Je crois que vous saviez combien je croyais au paradis, un paradis céleste et terrestre à la fois, celui d'Adam et Ève avant qu'ils ne goûtent au fruit défendu. C'est ce paradis-là que je m'imaginais, l'Éden, pas les cieux où vous et moi marcherons main dans la main sous le regard bienveillant de Dieu, où nous foulerons une prairie sans fin, escortés par les anges. Je ne crois pas que vous ayez compris le trouble qui était le mien à voir notre monde si éloigné de l'Éden, à nous voir si différents des anges, vous et moi. Je ne pouvais supporter que les paysans se croient destinés à vivre dans la misère pour l'éternité ; de les voir se soûler et se battre, avoir faim, de voir leurs bébés mourir de maladie ou de famine au sein de leur mère, de voir tous ces gens parcourir des centaines de kilomètres à travers la boue noire pour aller embrasser une icône de renom. Je ne supportais pas que nos usines transforment les paysans en autant d'engrenages de leur vaste machine. Je ne supportais pas le mensonge généralisé ; les avocats mentaient parce que c'était leur travail, les bureaucrates mentaient quand ils se préten- daient honnêtes, les prêtres quand ils se vantaient d'être vertueux, les docteurs quand ils affirmaient être capables de guérir les malades, et les journalistes colportaient des men- songes sur les autres menteurs. Je ne supportais plus que les hommes maltraitent leurs chevaux. Ils semblent tellement plus dignes que nous, plus proches des chevaux d'Éden que nous ne le sommes de l'homme, de la femme d'Éden. Ils savent être humbles sans perdre leur fierté, au contraire de nous.

Le colonel aimait beaucoup les chevaux. Il les traitait bien, s'assurait que ses hommes en fissent de même. Il est mort, le saviez-vous ? Du jour où j'ai rencontré les hussards pour la première fois, j'ai voulu devenir comme eux. Leurs chevaux et leurs uniformes étaient si beaux, et leurs visages – ils semblaient davantage faits pour l'amour que pour la guerre. Un amour féroce, avide de conquête, mais de l'amour quand même. Je n'avais que dix-sept ans, c'était le genre d'amour que je voulais coudre à ma bannière pour la brandir aux yeux du monde. J'étais un ignorant, un imbécile. Je croyais vraiment qu'il n'y aurait plus de guerre ou que, s'il y en avait, ces hussards magnifiques et leurs chevaux superbes étaient trop raffinés pour tomber sous les balles. Plus tard, j'ai découvert que bon nombre d'entre eux étaient des buveurs, des joueurs et des brutes avec les femmes. Malgré tout, je croyais à l'époque que le tsar était proche de Dieu, plus proche que les prêtres et moi-même ne l'étions, que servir le tsar c'était servir Dieu, mieux qu'en se faisant moine. En outre, si j'avais été moine, jamais je n'aurais pu être avec vous.

Vous vous souvenez sûrement de Chernetsky, cet officier avec lequel je passais le plus clair de mon temps. Il prétendait qu'il avait des ancêtres mongols, lui qui était blond aux yeux bleus. Nous l'avions invité à un pique-nique, vous rappelez-vous ? La prairie au bord de la rivière, couverte de buissons et de fleurs. Il jurait qu'il allait se tirer une balle dans la tête, pour avoir renversé du vin sur votre robe. Nous avions beaucoup ri, je m'en souviens. Ou plutôt, devrais-je dire, vous, Chernetsky et celui que j'ai été avaient beaucoup ri. Je crois que je ne ris plus autant depuis que je suis un ange. Rien que des rires de joie, et non plus de moquerie.

Il y avait un autre homme dans notre régiment, dont je ne vous ai jamais parlé. Chanov, le maréchal-ferrant. Il était petit, fin mais puissant, il avait le visage mat, de hautes pommettes et une moustache réduite à un fin duvet. On n'aurait su dire l'âge qu'il avait, ni si les rides qui lui irradiaient le visage de part et d'autre de l'arête du nez étaient l'effet du soleil, de la vieillesse, ou des deux réunis. Il venait de Sibérie. Il travaillait à la forge de l'aube au crépuscule, parfois même au-delà, ce qui, associé à sa prodigieuse connaissance des chevaux, lui valait de n'être jamais puni en dépit de nombreux écarts. Jamais il ne saluait un officier, alors on le cachait quand un général nous passait en revue. Il refusait de se faire épouiller avec les autres hommes, de se déshabiller avec eux dans un cabanon pour être traité et douché. Il parlait peu. Des rumeurs circulaient, on disait qu'il avait été condamné pour meurtre à dix ans de travaux forcés, qu'il avait perdu femme et enfants lors de la grande famine, qu'il n'était ni orthodoxe, ni juif, ni catholique, ni musulman, mais appartenait à l'une de ces étranges sectes mystiques dont parlaient les journaux. On disait qu'il était khlyst, "flagellant", qu'il se frappait et tournait sur lui-même, comme une toupie, au cours de cérémonies secrètes qui s'achevaient en orgies. Je savais qu'il était végétarien et ne buvait pas, ce qui est le propre de ces non-conformistes, mais il ne manquait aucune messe orthodoxe.

Je l'ai d'abord vu de loin, un matin que je promenais Hijaz autour de l'enclos jouxtant sa forge, avec le reste de l'escadron. La forge et l'enclume se trouvaient dans une cour couverte, où il était en train de marteler un fer. Il faisait froid, on le distinguait à peine à travers la brume que soulevait le souffle des hommes et des chevaux, mais je l'observais, lui et la lueur rougeâtre de sa forge. Le martèlement cessa, je le vis qui se redressait et regardait droit vers moi. Il me suivait des yeux. J'eus l'impression qu'au moment exact où le marteau s'était tu, j'avais été arraché à l'anonymat de la troupe, comme si le bruit des sabots d'Hijaz sur l'herbe gelée, sa respiration, le cliquetis de son harnachement avaient attiré l'attention de Chanov, alors que tous les autres faisaient le même bruit. Un corbeau croassa, des hommes passèrent entre le forgeron et moi, me dissimulant à sa vue, à mon grand soulagement. Au bout de quelques secondes, j'entrai de nouveau dans le champ visuel du forgeron, qui ne m'avait pas quitté des yeux. Il ne reprit son marteau qu'après qu'Hijaz et moi fûmes sortis de l'enclos. Vous souvenez-vous, Anna, notre première rencontre, quand je vous ai décrit comment on pouvait apercevoir les bonnes âmes à distance, comme des lumières dans la nuit ? Je sais à présent que c'est cela que cherchait Chanov. À l'époque, j'avais peur de lui. J'évitais de le rencontrer. Jusqu'au jour où Hijaz perdit un fer. Tous mes hommes étaient occupés, je dus aller le voir moi-même.

Il confia le cheval à ses aides, ôta son tablier et me demanda si je voulais bien lui faire l'honneur d'accepter un thé. Il s'adressait à moi cérémonieusement, comme un sergent à un officier, en toute sincérité, mais l'expression de son visage, le ton de sa voix n'étaient pas ceux d'un subalterne. C'était lui qui me dirigeait et je le suivais, docile, comme Hijaz se laissait guider hors de son box le matin.

Nous sommes entrés dans l'atelier. Un établi occupait le centre de la pièce, simple bloc de chêne criblé d'entailles et d'éraflures. Les murs étaient tapissés d'un enchevêtrement de pièces de fer noircies, avec çà et là des éclats d'acier et de cuivre. Au fond se trouvaient un poêle et des planches posées sur des caisses de munition, de part et d'autre d'une belle table en fer forgé. Chanov me confia qu'elle était l'œuvre d'un apprenti. Il servit le thé dans des verres. De minces feuilles de cuivre ciselées faisaient office de porte-tasses. Sur le cuivre étaient imprimées des gravures à l'eau-forte, dont les lignes ternies contrastaient avec la brillance du métal poli. J'ai demandé à Chanov si les porte-tasses avaient été confectionnés par ses apprentis, il m'a répondu que non, qu'il les avait faits de sa main. En les observant de plus près, j'ai distingué des figures humaines. Elles avaient un je-ne-sais-quoi de lourdaud, de païen, avec leurs grosses têtes posées sur de maigres corps. Il y avait un arbre, des fruits. J'ai aussitôt compris. C'était le jardin d'Éden, et Dieu était là, sous l'arbre, il parlait à Adam et Ève ! Les passions étaient si fortes en moi, alors, que je tournais nerveusement la tasse dans mes mains, comme on feuillette un livre. Le thé s'est répandu à mes pieds, le verre s'est fracassé sur le sol.

Chanov a ramassé les débris, coupant court à mes excuses, avant de me tendre un autre verre. Il m'a dit de ne pas m'inquiéter, de ne pas avoir peur. Il avait entendu dire que j'étais pieux, respectueux des Évangiles et il voulait me rencontrer. Il venait de Jazyk, en Sibérie, entre Omsk et Irkoutsk. Il n'avait jamais séjourné au bagne, était sans famille ; orphelin, il avait été adopté par le forgeron de Jazyk et, à la mort de ce dernier, avait repris son affaire. Il n'était pas flagellant même si, comme tous les habitants de Jazyk, il appartenait à une secte. Il refusa d'en dire plus, si ce n'est que les membres de sa congrégation vivaient déjà au paradis, un paradis terrestre, ici-bas.

Anna, très chère Anna, je suis un bien piètre écrivain, j'aimerais tant posséder le don de saint Paul, de saint Jean, pour décrire à quel point les paroles du forgeron étaient chargées de vérité, de conviction, lorsqu'il évoquait ces événements extraordinaires. J'ai toujours prêté une oreille patiente aux fous du Christ, aux prêcheurs exaltés des grandes villes, mais jamais je n'aurais perdu mon temps à écouter un homme affirmant que le paradis existe ici-bas. Pourtant, j'ai écouté Chanov. Il y avait une telle certitude dans le ton, tant de joie, de chaleur, de douceur dans le regard souriant qu'il posait sur moi, une telle grâce dans les mouvements des mains qui marquaient le rythme de son discours, bien loin des battements brutaux de ses bras au-dessus de l'enclume. Il parlait d'une voix calme mais cadencée, comme s'il chantait.

Bien sûr, j'ai voulu savoir comment on pouvait accéder ainsi au paradis, sans attendre la mort. Le ton s'est fait plus grave et il m'a répondu que chacun devait entreprendre seul ce long voyage. Il fallait pour cela, ajouta-t-il, brûler les clés de l'enfer. Il ouvrit le poêle et jeta sur les braises ardentes un morceau de charbon, qui s'enflamma aussitôt. Il se passa les mains sous l'eau chaude du samovar pour nettoyer la poussière de houille.

J'ai demandé ce qu'étaient les clés de l'enfer, il m'a répondu que nous en parlerions une autre fois, puis il est retourné à son *enclume. Je suis resté un long moment assis devant le poêle, à faire tourner le porte-tasses vide dans le creux de ma main. J'avais espéré qu'il me l'offrirait, pour sceller cette promesse qu'il me restait bien des choses à apprendre de lui.*

Par la force des circonstances, je ne devais plus le revoir pendant des mois. Nous partîmes en manœuvres, on m'accorda une permission – rappelez-vous, nous avions rendu visite à votre mère – et, quand je revins pour lui parler, les apprentis me dirent qu'il était occupé dans son atelier. Je commençai alors à me demander s'ils n'habitaient pas eux aussi au paradis. Il y avait en eux quelque chose d'un autre monde ; leur peau lisse, leurs voix si douces, leurs traits sans âge. Comme vous l'imaginez, j'ai longtemps cherché à comprendre comment des hommes pouvaient vivre au paradis tout en donnant aux autres l'illusion de séjourner parmi eux, dans ce monde de mensonges, de souillure et de cruauté, de déceptions et de laideur. Tant de questions me tourmentaient, je ne vous en ai jamais rien dit. J'ignore pourquoi. Je pressentais peut-être déjà ce qui arriverait, que cela nous séparerait l'un de l'autre. Peut-être était-ce le mot "seul" qui m'empêchait de vous parler du forgeron. Mais j'étais tendu, impatient. Vous l'avez peut-être perçu. Je sentais qu'un puissant secret me serait bientôt révélé.

Par une belle nuit d'été, alors que le régiment était en manœuvres près de Poltava, j'étais assoupi dans ma tente. Un soldat est venu me réveiller, annonçant qu'on voulait me voir. J'ai enfilé mes bottes. L'un des apprentis m'attendait dehors. Au lieu de se mettre au garde-à-vous pour me saluer, il a posé sa main sur mon épaule et m'a parlé d'Hijaz, que je leur avais envoyé dans la journée pour changer sa ferrure. Il n'eut pas le temps de terminer sa phrase. Le soldat l'a attrapé par l'épaule avant de l'assommer d'un coup de poing au visage, criant qu'il allait lui apprendre à respecter ses supérieurs. J'ai demandé au soldat s'il avait conscience de ce qu'il venait de faire, et il m'a dévisagé comme si j'étais devenu fou. Soudain, j'ai compris. En frappant un ange, ou du moins un habitant du paradis, le soldat se condamnait lui-même aux flammes de l'enfer, mais ce qu'il avait fait était absolument normal dans le monde de l'armée, et ce n'était pas le moment de m'opposer à eux.

J'ai ordonné au soldat d'accompagner l'apprenti à l'infirmerie. Je crois qu'il lui avait cassé une dent. Puis j'ai marché vers le campement des forgerons.

Leurs tentes et leurs chariots se trouvaient à l'autre bout du camp, en lisière d'un bois. La forge et l'enclume de campagne étaient installées à l'ombre d'un abri de toile, pour protéger les forgerons des ardeurs du soleil. Un apprenti était à l'ouvrage. Je lui ai demandé où était Hijaz. Il a désigné un enclos de chevaux, m'a dit qu'Hijaz était prêt et que je pourrais repartir avec lui dès que j'aurais vu Chanov, si cela me convenait. J'acquiesçai de la tête, incapable de parler tant mon cœur battait fort. L'apprenti a posé ses outils pour m'emmener à l'arrière de son atelier.

L'abri était planté au pied des premiers arbres. De grands hêtres, aux troncs gris et fins. J'ai suivi l'apprenti à l'intérieur de la forêt. Il devait être vingt-deux heures. Le soleil venait de se coucher mais il faisait encore jour. L'apprenti m'a conduit jusqu'à une tente plantée en travers d'un cours d'eau ; la toile était solidement arrimée sur les rives, mais l'eau coulait sous la tente, les piquets s'enfonçaient dans le lit caillouteux du ruisseau. L'apprenti m'a demandé de bien vouloir ôter mes bottes, je me suis exécuté, dévoilant les bandes de tissu de mes chaussettes russes. Je me suis engagé dans l'eau froide qui m'arrivait à la cheville. Il a fait demi-tour, me laissant remonter le courant en direction de la tente.

Chanov était assis en face de moi sur un tabouret en toile. Les pieds du tabouret et ses propres pieds nus baignaient dans l'eau qui jaillissait autour de lui dans un agréable bruissement. Je n'avais cessé d'imaginer cette rencontre, de préparer questions et réponses. Pourtant, sa première remarque me prit au dépourvu. Il me demanda pourquoi Hijaz était entier. Vous savez ce qu'est un entier, Anna, n'est-ce pas ? Un étalon qui n'a pas été castré. Je balbutiai que c'était un bon cheval, obéissant, puissant, volontaire, rapide quand il le fallait.

Obstiné lorsqu'il était plus jeune, mais à force de discipline, d'honnêteté et d'amour, j'étais parvenu à adoucir son caractère, comme sait le faire un maître d'équitation. En outre, les hussards n'aimaient pas les hongres, affirmant qu'ils manquaient de fougue au moment de charger.

J'espérais que le forgeron prononcerait enfin des paroles sensées, mais il hocha la tête avant de poser une question plus étrange encore. Pensais-je qu'un cheval était susceptible de commettre le péché ? Je lui répondis que je n'y avais jamais songé, mais que non, j'imaginais qu'un cheval ne pouvait pas pécher, qu'aucun animal ne le pouvait.

Chanov sourit et hocha de nouveau la tête. Il dit que j'avais raison, qu'aucune bête ne pouvait pécher. Seul l'homme pouvait commettre le péché. "L'homme est le maître du cheval, ajouta-t-il, mais personne n'est le maître de l'homme si ce n'est l'homme lui-même, comme Dieu l'a voulu." Dieu attendait de l'homme qu'il devienne son propre maître, qu'il trouve le moyen de retourner à l'obéissance, à l'innocence et à l'amour, de redevenir un ange du paradis. Ce qu'on tolérait chez l'étalon ne pouvait l'être en l'homme, car l'obstination de l'homme était effroyable et cruelle, ses désirs et ses ambitions empreints de méchanceté.

Chanov se leva, déboutonna ses bretelles et ôta sa chemise. "Je vais au bain." Il me dit de rester là à l'écouter. Bien plus tard, j'ai réalisé que si quelqu'un l'avait entendu parler de la sorte à un officier, on l'aurait fouetté et dégradé. Mais sur le moment, il ne me vint pas à l'idée de remettre en cause son autorité. Il m'interrogea, d'un ton qui n'appelait aucune réponse, sur ce qui rendait les hommes si avides, cruels. Qu'est-ce qui les poussait à voler, à s'exploiter les uns les autres, à se faire la guerre, à violer et à maltraiter les femmes et les enfants, à mentir, à tricher, à pavoiser comme des paons, à torturer les animaux, à mutiler la nature ? De quel fardeau Dieu les avait-il chargés pour avoir goûté au fruit défendu, fardeau qui les poussait à se mépriser eux-mêmes, à vivre dans la culpabilité, la honte, la crainte de la vieillesse et de la mort ?

Il me tourna le dos et fit glisser dans l'eau ses hauts-de-chausses. Il était nu dans le ruisseau, à l'exception de la chaîne en or qu'il portait au cou.

Il dit : "Je me suis débarrassé de ce fardeau." Il fit volte-face. Il ajouta : "On a fait de moi un ange."

Il faisait sombre sous la tente, mais je vis qu'il n'y avait rien entre ses jambes, rien qu'un vide. On l'avait castré. Ses parties génitales avaient été tranchées.

Chanov s'accroupit pour s'asperger d'eau. Il me dit qu'il avait brûlé les clés de l'enfer, qu'il avait monté le cheval blanc. Il dit que quand viendrait la guerre, il serait là pour me sauver. Il prononça bien d'autres paroles que j'ai oubliées. J'en avais assez entendu. Je quittai la tente et ramassai mes bottes pour m'enfuir en courant. Peut-être suis-je tombé dans l'eau, je ne sais plus. J'ai rejoint Hijaz et chevauché pendant des heures, jusqu'à ce que j'aperçoive les lumières de Poltava.

Des semaines durant, j'ai vécu dans l'angoisse. Il me coûte de l'avouer aujourd'hui, bien plus que vous ne pouvez l'imaginer, mais je pensais vraiment que Chanov était fou, qu'il avait l'âme dérangée. J'étais tellement déçu ! Un coup de couteau, rien de plus. J'avais l'impression d'avoir été trompé. J'avais imaginé, en accord avec ma foi, qu'il me révélerait un secret éclatant, une longue et profonde prière s'accompagnant peut-être d'une période de jeûne, de sacrifice. Mais cela, la castration, c'était ridicule. Pour être tout à fait honnête, même à cette époque où le doute m'habitait, une partie de moi était fascinée par son courage, par l'idée que sa croyance au monde devait être d'une force inouïe pour qu'il ait renoncé à cela. Quelle singulière faculté nous avons à devenir plusieurs lorsque nous sommes en proie au doute. Comme si toute une assemblée siégeait sous notre crâne et qu'une autre partie de nous restait debout dans son coin, se bouchant les oreilles pour ne pas entendre.

Je pensais à vous, bien sûr, à Alyosha, au fait qu'il n'aurait jamais vu le jour si j'avais été l'un des castrats du forgeron, que vous n'auriez pas pu m'aimer, encore moins m'épouser, si j'avais été un hongre docile. Ce qui est étrange, c'est que l'été dernier, avant que la guerre n'éclate, le monde m'apparaissait vraiment plus proche du paradis que de l'enfer. Peut-être est-ce pur hasard. Peut-être, après mon entrevue avec Chanov, était-ce tout simplement ce que je désirais y voir. Quand je suis rentré à cheval de Poltava, tous les gens que je croisais sur le chemin du camp semblaient me saluer de bon cœur. J'ai vu un paysan rafraîchir son vieux cheval de trait dans l'eau d'une rivière, lui flatter l'encolure en murmurant à son oreille. J'ai vu des enfants qui allaient et venaient dans les alignements d'un champ de tournesols. Ils se poursuivaient les uns les autres, avec toute l'insouciance du jeu. Ils riaient aux éclats.

Vous avez été surprise, me semble-t-il, quand je suis rentré à la maison quelques jours plus tard et que je vous ai entraînée dans notre chambre. Vous n'en aviez pas très envie. Vous aviez chaud, vous étiez fatiguée et vous vouliez d'abord faire votre toilette, mais je ne vous ai pas laissée faire et vous m'avez suivi. Dieu était-il cruel au point d'avoir conçu ces clés de l'enfer qui nous donnent tant de plaisir ? Voilà ce à quoi j'ai pensé. Puis je me suis dit que vous aimiez l'usage que j'en faisais. Je me suis demandé alors si Chanov n'était pas un agent du prince des Ténèbres, de l'Ennemi. J'étais au comble de l'excitation ce jour-là, vous en souvenez-vous ? Mes lèvres et ma langue se sont éternisées dans le creux de vos cuisses, ma semence s'est répandue en vous, puis une seconde fois sur votre langue, vos lèvres. Je voulais que vous me sentiez pénétrer chaque ouverture de votre corps. Je voulais m'enfoncer dans vos oreilles, vos yeux, votre ventre, vos fesses. Et comme j'aimais le goût que vous aviez, la saveur de sel au sommet de vos jambes.

Puis la guerre a éclaté, Chanov s'est volatilisé. Non seulement lui, mais ses apprentis. Cela fit un scandale terrible. L'état-major apprit que le colonel avait fermé les yeux sur les nombreux manquements à la discipline dont Chanov s'était rendu coupable, et seule l'urgence de la situation lui épargna une sanction. Quoi qu'il en soit, on embaucha un forgeron ukrainien pour remplacer Chanov, avant de nous embarquer dans des trains qui partaient vers l'ouest, vers la frontière autrichienne.

Aux premiers jours de la guerre, tout m'était étranger, mais je ne ressentais pas cette peur diffuse à laquelle je m'étais préparé. Assis dans le compartiment, j'avais l'impression de partir en voyage – c'était une voiture de luxe, comme celles que l'on emprunte pour partir en Crimée ou à Pétersbourg, les wagons de deuxième classe étaient réservés aux soldats, aux chevaux. Nous étions vêtus de kaki, certes, mais chacun racontait ses meilleures plaisanteries. La tournure qu'allaient prendre les événements, jusqu'où nous irions et dans combien de temps, nous n'en avions aucune idée. Nous pensions que bientôt, peut-être, nous entrerions à cheval dans les rues de Vienne. Ou, pourquoi pas, Berlin. "Paris !" s'exclama une voix, et chacun se joignit au chœur, rivalisant d'imagination. Nous nous prîmes à rêver d'une colonne de hussards russes parcourant au petit trot les rues de New York, Rio de Janeiro, Bagdad. Pourtant, sabres et pistolets pendaient à nos ceintures, et nous étions entraînés à leur maniement.

Lorsque nous sommes arrivés à destination, dans une minuscule station située à une trentaine de kilomètres du front, de mauvaises nouvelles nous attendaient. Le colonel était parti en reconnaissance dans une voiture de l'état-major, en quête de fourrage et d'un endroit où cantonner nos troupes. Un avion autrichien les avait pris pour cible, et la voiture avait quitté la route. Les bombes étaient tombées assez loin, mais le chauffeur avait paniqué. Tous les passagers avaient péri dans l'accident.

Nous établîmes notre campement près de la station. Le colonel fut remplacé par son second, moins populaire auprès des hommes. Il était issu d'une noblesse de plus haut rang que celle du colonel et avait toujours su qu'il commanderait un jour le régiment, même si cet homme paresseux ne savait pas faire grand-chose, à part punir les subalternes au sang moins prestigieux que le sien. Vous vous souvenez certainement de lui, un homme corpulent, pâle de visage, avec la barbe noire *et les yeux injectés de sang. Rumlyan-Pechersky, c'est ainsi qu'il s'appelait. Il nous annonça que nous nous mettrions en marche au petit jour, que l'attaque était imminente.*

Dans le train, je pensais à vous. J'ai promis d'être honnête, Anna : au campement, quand la nuit est tombée, je pensais surtout à Chanov. Pour la première fois de ma vie, j'entendais au loin les tirs de l'artillerie. Les gens disent souvent qu'ils ressemblent au bruit du tonnerre, et c'est vrai. Sauf qu'ils ne s'arrêtent jamais. Toute la nuit, des trains lourds et poussifs se succédèrent, convoyant hommes, obus et chevaux, du moins je l'imaginais : je ne les voyais pas, je n'entendais que leurs grondements, leurs hurlements, leurs sifflements, des bruits de sabots et de pas sur le sol, les roues grinçantes des chariots. Et ils avaient des avions ! Anna, souvenez-vous du jour où nous avions emmené Alyosha au champ d'aviation pour regarder les avions décoller et disparaître au firmament. C'étaient de véritables merveilles. En admirant dans le ciel bleu les reflets éclatants du soleil sur leurs ailes immaculées, je pensais que l'homme allait enfin dans la bonne direction, que nous étions à l'aube d'une ère nouvelle. Et voilà qu'ils servaient à envoyer des bombes. Ma carrière d'officier avait beau être longue, je n'avais jamais été confronté à cette agitation autour de moi, à cette formidable organisation, à cette multitude tournée vers un but qui m'était inconnu, mais dont je n'attendais rien de bon. Je ne parvenais pas à comprendre ce que tout cela avait à voir avec les idées de Chanov. C'était absurde.

Tard dans la nuit, je partis à la recherche de Chernetsky. Il faisait noir. Des officiers de son escadron jouaient aux cartes à la lueur d'une lanterne dans la tente de Chernetsky, qui n'était pas là. Aux piles de billets amassées sur la table, je vis qu'ils jouaient gros. Ils me lançaient des regards où se lisait ce mélange d'acceptation et de méfiance qui m'était familier. Je les avais tous aidés à dresser leurs chevaux, à un moment ou à un autre, mais je n'avais jamais bu ou joué avec eux, je ne les avais jamais accompagnés dans les cafés. Vous savez tout cela. Vous m'avez été d'une grande aide. Ils vous aimaient bien. Quand je les ai interrogés au sujet de Chernetsky, ils se sont regardés, puis l'un d'eux m'a répondu qu'il était de l'autre côté de la route, après les wagons des cuisines. Ils m'ont confié la torche électrique de Chernetsky, un présent de sa tante. J'ai traversé la route. Arrivé aux wagons, j'ai demandé aux cuisiniers s'ils avaient vu un officier. Ils ont pointé le doigt sur l'obscurité, vers un endroit où je distinguai à grand-peine un bosquet. Comme je m'approchais, j'ai entendu une voix féminine et une main s'est posée sur mon bras. La femme m'a demandé si je me sentais seul, si j'avais envie de passer un peu de temps avec elle. J'ai répondu non en la repoussant, pas trop brutalement j'espère. Les arbres étaient tout proches, j'ai aperçu une silhouette, cigarette à la main. J'ai allumé la torche. C'était Chernetsky. Une petite fille était agenouillée devant lui. Dans le faisceau de la lampe elle a retiré quelque chose de sa bouche, d'un geste vif, puis s'est tournée vers moi, main dressée devant elle, éblouie. Sous mes yeux, Chernetsky a repoussé son membre à l'intérieur de ses hauts-de-chausses. Ni lui ni la fille ne semblaient disposés à faire le moindre geste supplémentaire. Chernetsky a posé sa main sur la tête de la fille. De l'autre, celle qui tenait la cigarette, il a fait de grands gestes dans ma direction, poussant des jurons en m'ordonnant d'éteindre la lumière. Il ne savait pas que c'était moi, jusqu'à ce que je parle, bien sûr. Éteignant la torche, je lui ai dit qu'elle n'était qu'une enfant. Le bout de la cigarette décrivit un arc de cercle jusqu'aux lèvres de mon ami et rougeoya tandis qu'il inhalait. Il répondit qu'elle avait quatorze ans, signifiant par là, j'imagine, qu'elle était assez grande pour qu'un homme l'achète. Il laissa retomber la cigarette et je la vis rougeoyer de nouveau quand la fille en aspira une bouffée. Elle n'avait pas l'air d'avoir quatorze ans. Je ne sais quel âge elle avait. Douze ans ? Dix ? Mais c'était une enfant, quelle qu'ait pu être son expérience de ce commerce. Je crois avoir ajouté autre chose, qu'il lui fallait trouver une fille plus âgée. Sans doute lui ai-je offert de payer pour lui. Je n'ai pas fait un pas de plus. Je ne voulais pas. Puis j'ai entendu la voix de la fille dans la nuit. Elle demandait : *"Qui c'est, celui-là ?"* Chernetsky lui a dit de la fermer et de faire son boulot. Il m'a appelé par mon prénom et m'a dit : *"Tu n'es pas fait pour ça."*

Quand j'ai rapporté la torche à la tente de Chernetsky, ils m'ont demandé si je l'avais trouvé. J'ai prétendu que non. Deux d'entre eux se sont exclamés en chœur : *"Il l'a trouvé !"* J'ai demandé pourquoi il fallait que ce soit avec une fille si jeune. Ils étaient mécontents de ma remarque. Lashmanov déclara, avec tout le sérieux du monde, que nous serions peut-être tous morts demain, que chaque homme devait prendre ce qui lui tombait sous la main, fille, femme, grand-mère, garçon. J'ai rétorqué que si nous étions sur le point de mourir, il valait mieux prier Dieu afin qu'il pardonne nos péchés. Ils éclatèrent de rire, déclarant que je n'en avais jamais commis. Et Lashmanov ajouta – Anna, très chère Anna, vous savez à quel point ces mots me répugnent, mais j'ai promis de ne rien vous cacher et nous voilà très proches de la transformation – il ajouta : *"Un hussard boit, baise et se bat, et ensuite il prie. Puis il boit, baise et se bat."*

Au petit matin, les officiers ont reçu leurs ordres. Le régiment allait attaquer. Notre corps tout entier, toute notre armée et d'autres armées russes encore allaient attaquer. Nous serions en première ligne, nous le savions, mais nous avions le sentiment d'appartenir à une foule innombrable, des villes entières de guerriers se lançant à l'assaut. Nous nous sentions forts. Le fait que les officiers supérieurs possèdent des cartes détaillées de l'endroit où nous allions, alors qu'il se trouvait hors du territoire russe, nous étonna et redoubla notre courage. Ce qu'ils refusaient de nous dire, c'était si nous allions attaquer les Allemands ou les Autrichiens. Les Allemands nous faisaient peur mais les Autrichiens, pensions-nous, prendraient sans doute leurs jambes à leur cou. Nombre d'entre eux n'étaient pas autrichiens, mais tchèques, slovaques, croates, bosniaques, ruthéniens, polonais. Il y avait même de grandes chances qu'ils rallient notre camp. Nos pistolets étaient chargés, nos sabres affûtés. Ce que je craignais le plus, c'était de devoir frapper un ennemi à coups de sabre. J'étais entraîné à cela, bien sûr, mais l'idée de me retrouver assez proche d'un homme pour pouvoir l'embrasser ou lui serrer la main et d'abattre sur lui mon sabre pour le trancher en deux était effroyable. Je me sentais bien incapable de puiser en moi une telle haine envers un inconnu, même s'il essayait de me rendre la pareille. C'était la même crainte que j'avais éprouvée le jour où nous nous étions rencontrés, devant l'usine. Revivant cette peur, j'ai repensé à vous. J'ai pensé à Hijaz, ce superbe animal qui supportait mon poids et allait de l'avant, aux paroles de Chanov, quand il m'avait demandé si un cheval pouvait commettre le péché. Je me suis demandé si je n'étais pas avec lui aussi coupable que Chernetsky avec la fille : davantage, même, car la fille n'était peut-être pas totalement innocente mais Hijaz, si. Je n'arrêtais pas de repenser aux derniers mots de Chernetsky. "Tu n'es pas fait pour ça." Comme j'étais tourmenté, tandis que nous chevauchions en direction du front ! Ce jour-là, nous ne devions jamais apercevoir l'ennemi. Mais à la tombée de la nuit, tous les hommes, tous les chevaux du régiment étaient morts, ou presque.

C'était la fin du mois d'août, la chaleur était accablante. Je garde en mémoire l'odeur des primevères sur le bas-côté qui étouffait parfois celle du fumier quand nous longions des wagons de marchandises. Nous avons doublé des colonnes de soldats qui s'étendaient sur des kilomètres. Plus d'un chantait au rythme de la marche. L'impression de participer à une étrange excursion de masse renaissait peu à peu. Elle ne dura pas. Nous croisions à présent des gens qui avaient fui leurs maisons. Nous étions toujours en Russie, mais une Russie d'un autre genre, en laquelle les gens qui vivaient là ne croyaient guère. Dans les villages juifs, ceux qui avaient le courage de sortir pour nous voir passer nous regardaient comme s'ils espéraient que nous ne reviendrions jamais ; dans les villages des catholiques grecs, on nous encourageait sans que le cœur y soit. Nous longions les lieux saints de cette religion, avec leurs christs à l'agonie sur la croix, leurs madones satisfaites et placides. Je me souviens avoir pensé combien c'était étrange, toutes ces armées sur le point de s'affronter, tous ces soldats qui croyaient que le Christ était envoyé par Dieu pour être le dernier homme martyrisé par ses semblables et qui pourtant se tenaient là, prêts à se massacrer les uns les autres par dizaines de milliers. Les seuls à ne pas partager cette croyance étaient les juifs, qui ne se battraient pas.

Vers midi, nous sommes arrivés en vue de la ligne d'artillerie. Ils n'avaient pas encore commencé à tirer, mais ils s'y préparaient. La route dominait une batterie de plus d'une vingtaine de canons Howitzer. Des centaines d'hommes s'agitaient autour d'eux avec une énergie, une résolution que je n'avais encore jamais observées dans le maniement de ces engins. Anna, vous savez que je ne suis pas doué pour les métaphores, je ne suis pas poète, mais je me souviens avoir pensé que les hommes donnaient l'impression de servir les canons comme si ces derniers avaient été leurs maîtres, à l'égard desquels il fallait redoubler d'attention. La scène m'a remis en mémoire ce film que nous avions vu, sur Louis XIV, le Roi-Soleil. Vous souvenez-vous ? L'acteur gros et gras qui jouait le rôle du roi restait absolument immobile, ne faisait que bâiller pendant que des dizaines de serviteurs s'affairaient autour de lui, l'habillaient, le baignaient, lui poudraient le visage. Et le roi ne prêtait aucune attention à eux ni à ce qu'ils faisaient. Tel était son pouvoir. Les machines, ces gros tubes noirs hideux avec leurs manivelles, leurs leviers et leurs pistons régnaient sur les hommes. Au pied de chaque canon se dressait une pyramide d'obus en cuivre plus haute qu'un cheval. Sa nourriture.

Nous n'étions plus qu'à quelques centaines de mètres quand les artilleurs se figèrent, tels les acteurs d'un tableau vivant[*], et les canons laissèrent échapper un éclair fulgurant, accompagné d'un nuage de fumée noire, puis ils reculèrent brutalement avant de rebondir. L'espace d'un instant, leur

---

[*] En français dans le texte. (NdT)

silence me stupéfia. Puis le son nous atteignit, effroyable enchaînement de craquements sourds. J'imagine que notre préparation était insuffisante. Je n'avais jamais été confronté à un tel nombre de canons, d'aussi près. Il faut que vous compreniez, Anna. Cela n'a rien à voir avec un bruit assourdissant, celui d'un hurlement, d'un train, d'un orchestre au plus fort d'une symphonie. C'est un choc physique, qui ne vous brise pas seulement les tympans mais vous frappe en pleine poitrine, si fort que votre cœur, vos poumons semblent avoir rompu leurs attaches. La plupart des hommes eurent du mal à retenir leurs montures. Certaines firent un écart, mais aucune ne s'emballa. Hijaz avait réagi bien mieux que moi. Au bout d'un moment, je me suis rendu compte que j'étais plié en deux sur ma selle, les yeux fermés, le souffle aussi court que si j'avais soudain refait surface après avoir échappé de peu à la noyade, les genoux serrés si fort autour d'Hijaz qu'il avait ralenti l'allure et était sur le point de s'arrêter. Les tirs avaient cessé, on entendait de nouveau le martèlement des sabots sur la route, les trilles des alouettes au-dessus des champs. Je me suis calmé, j'ai ouvert les yeux et talonné Hidjaz pour le faire avancer avant qu'il ne finisse par bloquer le passage au reste de l'escadron.

Au moment où je dépassais les canons, ils firent feu de nouveau. L'éclair, la fumée, le recul et l'explosion furent simultanés. Le bruit ne pouvait pas être beaucoup plus fort que la première fois mais il en donnait l'impression. Je n'ai pensé qu'à moi, à rester en un seul morceau. Une sensation profonde, intime. J'avais le sentiment qu'un étranger venait de surgir devant moi, m'avait frappé de toutes ses forces en pleine poitrine, froidement, sans aucune raison. Inconsciemment, j'ai lâché mes rênes, mes pieds sont sortis des étriers comme de leur propre gré, je me suis recroquevillé, les genoux collés au pommeau, les mains sur le visage. Une nouvelle fois, la terreur a fini par se dissiper, j'ai réalisé ce que j'étais en train de faire et j'ai ôté les mains de mes yeux, tout doucement. Je ne comprenais pas ce qui m'arrivait, j'avais l'impression d'être à l'ombre, alors qu'il n'y avait aucun arbre en vue ; et Hijaz continuait de marcher comme si rien ne s'était passé. Je me suis redressé, j'ai enfilé mes bottes dans les étriers. Au moment où j'avais essayé d'échapper au bruit des canons, quatre cavaliers de mon escadron, les plus grands, s'étaient portés à ma hauteur pour me cacher à la vue du reste de mes hommes et avaient empoigné mes rênes. Ils ne posèrent pas un regard sur moi, ne prononcèrent pas une parole. Leur intervention fut si prompte, si discrète, qu'elle semblait préparée. J'étais stupéfait, plein de gratitude, mais je n'ai rien dit, rassemblant mes forces pour la prochaine salve, mâchoires serrées, les rênes glissant de sueur dans la paume de mes mains. Il n'y eut pas d'autre salve avant que nous nous fussions éloignés de plus d'un kilomètre, là où c'était plus supportable. Je ne sais pas ce qui s'est passé ; peut-être mes hommes m'avaient-ils vu trembler au cours des exercices et se tenaient-ils prêts, à moins que le colonel ne leur en ait parlé. Il m'avait interrogé au sujet des canons, par le passé, et j'avais prétendu qu'ils ne m'effrayaient point. L'orgueil, Anna. Quoi qu'il en soit, l'attention dont mes hommes avaient fait preuve me touchait, me réconfortait. Que serait-il advenu si tout le monde m'avait vu réagir ainsi ? On m'aurait ramené vers l'arrière, honteusement, et accusé, sans doute, de lâcheté. Peut-être m'aurait-on fusillé. Je n'aurais peut-être jamais revu Chanov. Les voies du Seigneur sont impénétrables.

Nous avancions toujours. Les tirs cessèrent au bout d'un moment, tout était de nouveau paisible, même si je me rappelle avoir remarqué que nous ne croisions plus que de rares civils.

Nous étions sur la route de Lemberg. Nous avons rassemblé le régiment dans un village abandonné où nous avons bu et mangé. L'état-major avait établi son quartier général dans la maison d'un paysan aisé. On était en train d'y installer les téléphones de campagne, l'estafette allait et venait sur sa motocyclette. De nouveau se dégageait une impression d'ordre, de résolution, le sentiment d'obéir à un pouvoir plus impérieux, plus distant que celui que nous avions servi jusqu'alors. Vers seize heures, on donna l'ordre aux escadrons de combat de se mettre en selle, de former plusieurs colonnes pour couper à travers champs.

Les sous-officiers eurent vent de ce qui s'était dit au sein de l'état-major. Il ne s'agissait pas de la grande offensive ; celle-ci viendrait plus tard. On nous envoyait tester les défenses ennemies. Des montgolfières, des avions, des espions et des éclaireurs avaient détaillé les lignes autrichiennes – il s'agissait en fait des Autrichiens – mais l'état-major désirait mieux connaître certaines positions, sur lesquelles le doute subsistait. En particulier dans une vallée encaissée, couverte de forêts. Le plan, c'était que le régiment pénètre dans la vallée à flanc de coteau. Rumlyan-Pechersky était dans l'embarras, car nous étions censés l'avoir fait la veille. Il commençait à se faire tard, nous n'avions guère plus de cinq heures de jour devant nous, alors qu'il fallait se rendre sur place, effectuer notre reconnaissance et revenir jusqu'au camp, mais il insista pour que nous nous mettions en route sans tarder. Les officiers des escadrons se montraient réticents à l'idée d'engager le régiment tout entier au cœur d'une gorge encaissée entre deux massifs forestiers, longue de cinq cents mètres, avant de déboucher sur une zone à découvert qui menait à la vallée proprement dite. Rumlyan-Pechersky refusa de les écouter, soulignant que l'état-major avait promis d'envoyer un bataillon d'infanterie pour sécuriser les abords de la gorge. Nous partîmes donc, avec le soleil dans les yeux, comme si nous avions délibérément choisi d'offrir cet avantage aux Autrichiens.

Une heure plus tard, nous étions en vue de la gorge. Les escadrons avançaient en colonnes, à quatre de front, sur les chaumes du blé fraîchement moissonné. L'idée était de traverser la gorge le plus rapidement possible, puis de changer brusquement de cap pour gagner ventre à terre les hauteurs de la vallée. L'adjudant de Rumlyan-Pechersky observait la gorge à travers ses jumelles. Nous n'en avions pas besoin pour distinguer les drapeaux que l'on agitait à l'orée des bois, signalant que l'infanterie avait rempli sa mission. Le clairon sonna le galop et nos montures allongèrent la foulée. Nous avons dégainé nos sabres, et pourtant Dieu sait que nous ne nous attendions pas à en avoir besoin. Cette pesanteur acérée à bout de bras, c'était juste un moyen de nous sentir forts. Et nous nous sentions forts, tandis que le sol grondait sous nos sabots, nous étions jeunes et notre multitude paraissait invincible, près d'un millier d'hommes, irrésistible flot de puissance équine, dont le souffle faisait battre le kaki de nos uniformes. On apercevait les dents des chevaux et des hommes, aux lèvres déformées par la vitesse. Le plat de nos sabres était enduit de graisse pour glisser hors du fourreau sans bruit ni résistance, pour ne pas miroiter au soleil, mais les lames de certains soldats étincelaient au milieu de cette horde guerrière. Je les ai vues briller.

J'étais aux avant-postes du second escadron. J'ai vu le premier escadron ralentir devant moi au moment où les hommes sont sortis de la tranchée pour se retrouver à découvert et ont obliqué en direction de la vallée. J'ai entendu un bruit étrange, à peine perceptible, comme une tapette à mouche fendant les airs avant de frapper sa cible. Presque aussitôt, Khigrin, le lieutenant qui chevauchait à mes côtés, a porté la main à son cou avec le genre de grognement qu'on pousse lorsqu'un insecte vient de nous piquer. Alors, il est tombé de cheval ! Je me souviens avoir pensé qu'il serait drôlement gêné, lui, un des meilleurs cavaliers du régiment, chutant à cause d'une malheureuse piqûre. Il m'apparaît à présent que j'ai eu le temps de penser tout cela avant même de distinguer, dominant le bruit sourd de la cavalcade, le tintement des armes et des harnais et les remous chuintant de l'air, les détonations d'une mitrailleuse. Même à ce moment-là, j'étais incapable de comprendre que ses balles, peut-être, nous étaient destinées. En me retournant, j'ai vu que ma colonne laissait derrière elle de petites masses sombres qui jonchaient, comme des tas de fumier, l'éclat immaculé des chaumes. Le soldat Bilenko me regardait avec l'expression d'un chien à l'agonie, épuisé par un long combat. Son corps était plié à angle droit, sur le côté, comme celui d'une marionnette ; le genre de mouvement qu'un homme est incapable de faire à moins que sa colonne vertébrale ne soit brisée en deux. Il m'a crié quelque chose, j'ai entendu le premier mot – "Ils" – avant que son cou ne se brise en deux comme un morceau de caoutchouc trop tendu, que des torrents de sang ne noient le souffle de sa voix. Les gouttelettes chaudes m'ont frappé au visage au moment où le cheval de Bilenko s'est effondré sous lui, mort, catapultant le cadavre de son cavalier par-dessus l'encolure. Me redressant sur ma selle, j'ai essuyé du revers de ma main le sang de Bilenko qui coulait sur mes yeux. J'ai vu le premier escadron se faire réduire en pièces juste devant moi. Les contours nets qu'il avait quelques secondes auparavant étaient toujours là sous mes yeux, mais remplis à présent par des hommes, des chevaux morts, déchiquetés, tandis que les rares survivants, les blessés, se sauvaient en tous sens, coupés en morceaux dans leur fuite.

J'ai aussitôt compris que l'escadron devait se rassembler, charger de front en direction de la forêt, d'un côté ou de l'autre. J'étais dans un état de grande confusion. Cela eût été la meilleure décision à prendre, si j'avais été un bon officier, gardant la tête froide dans l'action, puisqu'on nous tirait dessus depuis la crête et qu'il était trop tard pour faire demi-tour. Mais j'étais dans un tel état que je n'arrêtais pas de penser combien les bois étaient sombres, abrités, combien il serait facile de s'y cacher. Ce qui est encore plus étrange, c'est que, bien plus qu'à moi et aux hommes de mon escadron, c'est à Hijaz que je pensais. La chose la plus importante à mes yeux, à ce moment précis, était qu'Hijaz ne soit pas touché. J'avais le sentiment qu'en quelque sorte, ma propre vie en dépendait.

D'après ce que je pouvais voir, aucun autre officier n'avait survécu, pas plus que le clairon. Alors, j'ai tiré sur mes rênes, j'ai fait volte-face, sabre dressé, puis j'ai crié mes ordres, en regardant l'arrière de la colonne. J'ai d'abord pensé que les hommes, désespérés, essayaient d'échapper au feu en se terrant

face contre terre ou derrière le corps des chevaux morts. Il y
en avait tellement allongés sur le sol, si peu tenaient encore
debout. Il était inconcevable que nous ayons perdu la moitié
de l'escadron en si peu de temps. Et pourtant, tel était bien le
cas. Les survivants ont commencé à changer de direction, sans
pour autant cesser de tomber, instantanément, sans panache.
Les balles prenaient possession de leurs corps, l'instant d'après
ils n'étaient plus. Pas même l'espace d'un cheveu entre vie et
mort. Une sorte d'incantation montait crescendo dans ma
tête. À qui elle était destinée je ne saurais le dire, elle suppliait
que tout cela ralentisse un peu, suspende son vol, laisse un
semblant de place à la pitié, à la dignité, nous permette au
moins d'assister à chaque exécution, même si les témoins eux-
mêmes devaient y passer à leur tour. Plus le sang coulait, plus
les hommes tombaient autour de moi, et plus l'incantation
se faisait assourdissante, comme si une partie de mon être
sentait que j'étais vraiment capable, à défaut de mettre fin
au massacre, au moins de le freiner un peu, ou bien de tout
faire reprendre au début, afin que nous soyons prêts à faire
face. Je pensais sans doute à quelque chose de semblable au
football, attendant que l'arbitre siffle pour rétablir l'ordre,
l'équité. J'ai aperçu Chernetsky, endormi sur les chaumes, la
veste maculée de sang frais, la tête posée sur le poitrail haletant
de son cheval mutilé, à l'agonie ; endormi, alors qu'un soldat
dont les jambes avaient été réduites en pièces par une rafale
lui hurlait à l'oreille de se lever. Soudain, juste au moment
où nous allions nous engouffrer dans la forêt, il y eut un son
atroce, comme si une nuée de sorcières hurlantes s'abattait sur
nous, et le ciel vola en éclats. Je me trouvais dans la caisse d'un
tambour aussi grand que le monde martelé de coups par un
gosse dément, la détonation et l'explosion en même temps, les
obus explosant juste au-dessus du sol. J'ai su que j'étais sourd
dès la première salve mais mon corps tout entier entendit
encore les explosions suivantes. Je n'étais pas touché, mais
j'avais l'impression que mes os allaient être disloqués par l'onde
de choc. J'ai basculé à terre, sur un cadavre de soldat, j'ai

dégringolé, je me suis redressé en titubant et j'ai rouvert les yeux juste à temps pour voir un énorme éclat d'obus cisailler mon cheval de l'encolure jusqu'à la croupe, réduire en lambeaux ses entrailles, les articulations de ses membres. Il est resté debout l'espace d'une seconde, fier et inébranlable, a secoué la tête dans ce geste d'irritation qu'il avait quand les mouches le harcelaient. Puis ses pattes se sont pliées et il s'est effondré. J'ai dégainé mon pistolet et j'ai rampé vers lui mais son cœur avait cessé de battre. Passant mes bras autour de son encolure, je me suis blotti aussi fort que je le pouvais, enfouissant mon visage dans le bouclier chaud et obscur de sa poitrine, sous sa crinière, et j'ai pleuré comme un bébé. Oui, Anna, comme un bébé, je connaissais l'expression bien sûr, mais je m'entends encore brailler à travers mes sanglots, hurler encore quand les larmes se furent taries, jusqu'à ce que ma gorge soit à vif.

Au bout d'un moment, quand mes cris eurent cessé, toujours à l'abri dans mon nid, j'ai compris que les bombardements avaient cessé, que les tirs avaient changé de nature. Je ne parvenais pas à comprendre que les hommes puissent encore se battre, mais dans la lumière déclinante du soir – j'ouvrais les yeux de temps à autre, l'espace d'un instant – je les entendais qui hurlaient leurs ordres, appelaient au secours, tiraient. Des chevaux passaient ventre à terre, un par un ou par petits groupes. J'entendais des explosions dans le lointain, des coups de fusil isolés, les cris des hommes en train de charger, un aéroplane survolant la scène. Puis la nuit est tombée.

J'ignore encore ce qui s'est passé, si nous avons pris leurs drapeaux pour les nôtres, ou si les Autrichiens ont capturé nos hommes et leur ont fait avouer nos signaux. Je ne sais même pas si ce sont les obus des Autrichiens ou les nôtres qui nous ont frappés. Je ne crois pas que cela importe. Sur le moment, ça n'avait aucune importance. Je me suis redressé dans le noir, pour me mettre à genoux. Je distinguais autour de moi les morts déchiquetés. J'ai senti du mouvement, des ondulations, des convulsions. Tous n'étaient pas morts. J'ai entendu le souffle malade d'un cheval puis la voix d'un homme, douloureux murmure. J'ai posé mes mains jointes sur le ventre raide d'Hijaz, j'ai baissé la tête, prié Dieu de tous nous pardonner.

L'étrange sensation d'avoir été touché ne me quittait pas. J'ai détaché le fourreau de mon sabre, mon pistolet, toutes mes ceintures, mes bretelles, et je les ai jetés. J'ai enlevé ma veste, je m'en suis débarrassé, avec tous mes papiers et, Anna, les photographies de vous et d'Alyosha. Je m'en suis souvenu après, quand il était trop tard. J'ai regretté de les avoir perdues. Mais sur le moment, c'était comme si j'avais accédé à un tout autre monde. J'ai passé les mains sur mon visage, ma poitrine, mon dos du mieux que je le pouvais, mes jambes, mon ventre. J'ai senti sur moi le sang d'autres hommes, mais je ne saignais pas. Je n'étais pas touché.

Je me suis levé pour me diriger, à moitié accroupi, vers l'endroit où l'homme parlait. Ses paroles étaient à leur manière aussi un genre de prière, on aurait dit qu'il dressait la liste des gens qu'il connaissait. Je l'ai rejoint et je lui ai dit qui j'étais, il a répondu qu'il s'appelait Yantaryov. C'était l'un des soldats qui m'avaient pris sous leur protection la veille. Il voulait savoir si les nôtres l'avaient emporté. J'ai eu bien du mal à comprendre ce qu'il entendait par là. J'ai répondu que je ne savais pas. Il m'a demandé si les nôtres viendraient nous chercher et j'ai répondu que oui. Yantaryov était éventré. Il devait souffrir le martyre, mais ne le montrait pas. De quoi sont faits les hommes de sa trempe ? Il venait des bords de la Caspienne, je crois. Astrakhan. Il voulait savoir où j'étais blessé, je n'ai pas répondu. Il m'a demandé d'achever son cheval pour lui. Je lui ai dit que son cheval était déjà mort. Il m'a demandé si je voulais bien l'achever, lui. Il disait qu'il n'en avait plus que pour quelques heures, ce qui était vrai, et que ça faisait mal. J'ai déclaré que je ne pouvais pas le tuer. Que ce serait un péché. Il a reconnu que j'avais raison, s'est excusé, puis m'a demandé de l'eau. Sa gourde était vide, je suis allé chercher la mienne. Comme je la tirais de son étui, j'ai entendu une détonation. J'ai couru jusqu'à Yantaryov, je l'ai retrouvé mort, son pistolet dans la

159

bouche, son propre doigt sur la gâchette. Une âpre lumière a envahi les cieux. Une fusée éclairante flottait à mi-hauteur. Je me suis jeté à terre. Les mitrailleuses se sont remises à tirer. Je suis resté allongé pendant un bon moment, jusqu'à ce qu'il n'y ait plus de fusées. Alors, à quatre pattes, je me suis traîné jusqu'aux bois. J'ignorais ce que j'étais en train de faire, où j'allais. J'ai sans doute pensé que, quitte à être tué, autant aller au-devant de mes bourreaux. De nouveau, je me représentais la forêt comme un abri, une cachette. À aucun moment je n'ai songé à faire demi-tour pour rejoindre le régiment. Cela faisait de moi un déserteur, un hors-la-loi, mais sur le moment cela ne m'est même pas venu à l'idée.

Il devait bien y avoir des soldats, quels qu'ils soient, dissimulés derrière les arbres, mais sans même le vouloir je les ai évités. C'était au tout début de la guerre. Je n'ai pas suivi de près l'actualité de ces derniers mois, vous l'imaginez, mais je sais que les troupes ont à présent tendance à creuser des tranchées et à construire des fortifications dès qu'ils le peuvent. Ils avancent plus lentement, avec davantage de prudence. La cavalerie a mis pied à terre. Ils sont devenus plus sages. Ce qui ne les empêche pas de mourir, évidemment.

J'ai marché pendant des heures, m'efforçant de faire le moins de bruit possible, de m'enfoncer au cœur de la forêt. La nuit était chaude. Je me suis roulé en boule sur un lit de feuilles tombées l'automne passé et je me suis endormi entre deux racines. Je me suis réveillé en plein cauchemar juste au moment où le jour commençait à poindre. J'avais revu en rêve les événements de la bataille – bataille ? Appeler cela une bataille ! Une tuerie, rien de plus – tels qu'ils s'étaient déroulés, exactement, à un ou deux détails près. Le premier, c'était que vous, Alyosha et le colonel étiez présents, comme par enchantement, mais vous nous tourniez le dos. L'autre, que quand les obus ont commencé à exploser, j'ai eu l'impression d'être piqué par un petit animal vicieux, de l'intérieur, comme s'il allait jaillir de sous ma peau. Je me suis levé en hurlant dans une pluie de feuilles mortes, j'ai ôté mon gilet pour passer mes mains sur mon corps. *Aucune marque nouvelle, pas même une éraflure. J'ai enlevé mes bottes, le reste de mes vêtements, et je me suis assis nu sur une racine, pour tenter de localiser la blessure qui, j'en étais sûr, m'avait été infligée. Je n'ai rien trouvé. Au plus profond de moi, cela ne m'étonnait guère, car j'avais la sensation de n'avoir rien perdu de mon intégrité, ni chair, ni sang. J'avais plutôt l'impression que quelque chose m'avait été donné, quelque chose que je n'étais pas censé posséder, qui n'était pas là avant. J'avais vu la majeure partie de mes deux cents camarades et de leurs chevaux fauchés comme l'herbe sèche en l'espace de quelques minutes, et je m'en étais sorti sans une égratignure. J'aurais dû me jeter à genoux, des jours durant, pour remercier Dieu de Sa miséricorde. Mais je ne me sentais pas sauvé. Je me sentais sali au plus profond de moi, j'avais l'impression que mon âme était souillée à tout jamais, que les jeûnes, les prières n'y pourraient rien changer. Je ressentais une pesanteur qui interdirait à tout jamais à mon âme de s'élever hors de ce monde de tueries aveugles.*

Une branche a craqué, tout près, et j'ai bondi derrière la racine, empoignant mes habits. J'ai aperçu une silhouette sombre qui avançait entre les arbres à quelques centaines de mètres. C'était un cheval sans cavalier. J'ai enfilé mes affaires, mes bottes. Je me suis soudain rendu compte à quel point j'étais assoiffé, je me suis dit qu'il me faudrait trouver de l'eau. J'ai décidé de suivre le cheval. Ce n'était pas difficile. L'animal s'arrêtait de temps à autre, comme pour réfléchir ou écouter. Une ou deux fois, il a tourné la tête dans ma direction.

En m'approchant, j'ai vu que c'était un cheval de cavalerie. Il portait le tapis de selle de notre régiment. Je l'ai reconnu : Dandy, la monture du soldat Shtekel. J'aurais pu essayer de l'attraper, mais je n'avais aucune idée de ce que j'allais faire, je me sentais si coupable à l'égard d'Hijaz que j'étais prêt à m'abaisser devant ce cheval en me laissant guider par lui. J'en mourais d'envie. Jamais plus je ne pourrais me permettre de monter à cheval, me disais-je, et rien qu'en y pensant j'avais une boule au fond de la gorge

Un kilomètre plus loin, un fracas de course s'est fait entendre sur notre droite. J'ai aperçu un museau sombre qui m'était familier, celui de Lyotchik, le cheval gris. Je ne me souvenais plus de son cavalier. Il était mort, sans doute, et j'étais gêné de ne pas me souvenir de lui. Nous avons continué tous les trois, deux chevaux guidant un homme à travers la forêt. Plus rien ne me surprenait. Au bout d'une heure, j'ai senti l'odeur d'un feu de bois. Nos pas nous avaient menés à une clairière au milieu de laquelle se dressait une cabane de charbonnier. Quatre hommes étaient assis sur des rondins autour d'un feu de camp. De la fumée s'élevait de la cabane, non loin de là. Quand nous sommes entrés dans la clairière, l'un d'eux, un homme que je connaissais, s'est levé pour prendre les chevaux en bride, me saluant de la tête. Les trois autres me dévisageaient. Je les connaissais également. Je les ai rejoints. Chanov m'a fait asseoir en face de lui. J'ai demandé un verre d'eau. L'un des apprentis m'a apporté une coupe pleine, puis une seconde quand elle fut vide.

J'ai dit à Chanov qu'il avait cruellement manqué. Il m'a répondu qu'il ne pouvait pas participer à cela. En prononçant "cela", il pointait son doigt vers l'endroit d'où je venais. Il m'a demandé où était le reste du régiment. Je lui ai appris que la plupart des hommes avaient péri. Il a hoché la tête, ajoutant qu'on parlerait quand même de victoire.

J'ai voulu savoir ce qu'il entendait par là. Il a répondu que ceux qui commandaient, le tsar, ses maréchaux, les grands capitalistes et autres financiers, ne réfléchissaient pas en termes de vie ou de mort de simples individus, pas plus qu'ils ne comptaient les roubles et les dollars en coupures unitaires. En affaires, à la table de jeu, ils perdaient des milliers pour gagner des millions ; et quand ils perdaient des millions, il leur en restait bien d'autres en réserve. Ils dépensaient les hommes de la même manière. Un régiment d'un millier d'âmes était une mise insignifiante. Mais il me fallait saisir cette vérité que même le tsar ignorait : lui et ses généraux, ses nobles et ses capitalistes, et le kaiser, et l'empereur autrichien, et le roi d'Angleterre, et le président français, leurs courtisans, leurs états-majors et leurs places boursières, aussi riches et puissants fussent-ils, n'étaient eux-mêmes que des mises dans les mains d'un plus grand joueur, engagées dans une partie qui les dépassait. Chanov m'a demandé si je sentais la présence de cette main toute-puissante. J'ai répondu que oui. Chanov m'a demandé si je savais son nom. J'ai dit : "Satan, n'est-ce pas ?" Il a acquiescé : "Oui, l'Ennemi." Il ajouta que Satan avait entraîné l'humanité dans cette guerre car c'était sa meilleure chance de contrarier les plans de Dieu. Le diable avait travaillé sur nous depuis des décennies pour en arriver là, et cela lui était facile, car il tenait les hommes enchaînés à son grand trousseau de clés. Satan était une lune diabolique, capable de régir le flux de la semence des hommes, comme l'astre nocturne préside aux marées.

"Vous, il ne vous atteint pas", dis-je. "Pas moi. Je ne suis pas un homme. Je me suis reconstruit moi-même à l'image d'un ange. Je me suis débarrassé du poids des clés de l'enfer, je les ai jetées dans le brasier. En faisant cela, je suis retourné dans ce paradis que Dieu avait créé pour l'homme au commencement. Voilà où j'habite à présent."

Chanov ajouta que Dieu lui avait dit de traverser l'Oural avant que n'éclate cette guerre inéluctable, de s'engager dans l'armée afin d'y rassembler ne serait-ce qu'une poignée d'âmes capables de comprendre dans quelle prison elles se trouvaient et comment il leur était possible de s'en évader. "Je devais me le représenter, dit-il, comme un ange qui aurait voyagé jusqu'en enfer pour tenter d'en sortir toutes les âmes pures qu'il rencontrerait, à condition qu'elles soient à même de reconnaître leur vraie nature et acceptent ainsi de partir."

J'ai voulu savoir comment un homme pouvait vivre en même temps sur terre et au paradis, et il a répondu que le paradis des colombes blanches — c'est ainsi qu'il nommait les castrats — était comme une nef, qui était sur la terre mais y flottait libre, touchant terre à certains endroits mais sans jamais y faire escale, échappant à jamais aux lois et aux frontières des territoires mortels, quels qu'ils fussent.

*Je lui ai demandé comment Dieu s'adressait à eux, il a dit :
"Nous tournons." Il a posé sa main sur l'épaule d'un apprenti.
L'homme s'est levé, s'est mis debout sur une roche aplatie à l'orée
de la clairière. Il a tendu ses bras sur les côtés, à l'horizontale,
puis il s'est mis à virevolter sur un pied, atteignant bientôt une
vitesse telle que les contours de son corps sont devenus indistincts,
comme ceux d'une toupie, lui faisant perdre toute apparence
humaine. Il semblait d'une substance plus légère que celle du
monde autour de lui, immobile. J'ai pensé un instant qu'il
allait s'élever au-dessus du rocher, flotter parmi les arbres de la
forêt. Un second apprenti s'est approché de lui et, après quelques
minutes de cette ronde folle, la silhouette s'est mise à ralentir,
retournant à sa substance terrestre. Enfin, elle s'est effondrée,
couverte de sueur, les yeux clos, marmonnant, sourire aux lèvres,
dans les bras de son compagnon.*

*Chanov tenait à ce que je lui décrive la tuerie et, même si
cela me coûtait, je lui ai tout raconté, avec autant de détails
que je le pouvais. Il m'a demandé si j'étais blessé et j'ai répondu
que non, je n'avais pas été touché, et que je ne parvenais pas
à comprendre pourquoi Dieu m'avait choisi, moi, parmi
mes camarades, et m'avait permis de me relever sain et sauf.
Pourtant, au moment même où je parlais, j'avais l'impression
d'avoir rapporté du champ des morts un fardeau qui me
tiendrait enchaîné aux instants du massacre pour toujours.*

*Chanov a repris : "Sais-tu le nom de ce fardeau, sais-tu
où il se trouve ?" Je l'ai regardé et j'ai compris quel était ce
fardeau, j'ai posé les mains dessus, je l'ai senti qui pendait là,
comme une tumeur. Une peur est montée en moi, mais je crois
qu'elle venait de mon corps, car mon âme s'éclairait d'une joie
nouvelle, immense. Je me voyais, avec la clarté de l'évidence,
embarqué sur un navire amarré à des terres en flammes, je
voyais une épée trancher la corde retenant captif le navire,
puis je flottais, libre, sur les eaux apaisées du large. J'ai pensé
à vous, à Alyosha. Vous n'apparteniez pas à ma vision. C'était
comme si vous étiez d'un tout autre monde, une Russie qui se
trouverait de l'autre côté du massacre, désormais inaccessible.*

J'étais envahi par une joie croissante, par la peur aussi, mais la joie l'emportait. Voilà pourquoi Dieu m'a sauvé, pensais-je : cette épreuve. Comment, sinon, aurais-je trouvé Chanov ?

Chanov ajouta que pour ceux qui n'étaient pas des colombes blanches, pour ceux qu'il appelait les corbeaux, la misère et la cruauté du monde semblaient éparpillées en millions de fragments, sans lien apparent. La colère, l'avidité, la luxure, les instincts guerriers, l'ambition qui amenaient les hommes à piétiner leurs semblables, l'appât du gain qui se nourrissait du mensonge, l'égoïsme, la tristesse qui gagnait même le riche à la tombée de la nuit, ils ne voyaient pas que tout cela relevait d'un même élan diabolique. Ils étaient aveugles. Si l'homme faisait la guerre, amassait des richesses, poursuivait les femmes, n'était-ce pas pour soulager cette semence qui le démangeait ? N'avais-je pas deviné sur le visage des hussards chevauchant vers le front, menant à une mort certaine leurs montures innocentes, cette même faim insatiable qui était la leur à la table de jeu, ou quand ils convoitaient les biens, les femmes d'autrui ? Le levier dont usait le diable était bien trop puissant pour que les commandements du Seigneur suffisent à lui résister. Les clés de l'enfer montraient par leur forme même combien elles étaient liées au sortilège du serpent, au fruit de l'arbre de la connaissance : un tronc, deux fruits. L'Ennemi nous les avait rendues si chères qu'il n'y avait qu'en les détruisant que l'homme échappait à leur emprise. Ne m'étais-je pas dit, quand il m'avait montré son corps angélique dans l'eau du ruisseau, qu'il avait fait un sacrifice plus grand encore que s'il s'était coupé les mains, tranché la gorge ? N'était-ce pas ce que j'avais pensé ?

J'ai reconnu qu'il disait vrai. J'ai déclaré que j'étais prêt. Il a répondu que je n'étais pas prêt. Nous nous sommes répété ces mots l'un à l'autre, plusieurs fois de suite, puis je lui ai demandé ce que disaient les Écritures. Chanov a récité les paroles de Matthieu : "Si ton œil droit est pour toi une occasion de péché, arrache-le et jette-le loin de toi : car il est préférable pour toi qu'un seul de tes membres périsse, plutôt que ton corps tout entier ne soit jeté en enfer." Puis il récita

Jean : "N'aimez pas le monde, ni les choses qui sont dans le monde. Celui qui aime le monde, l'amour du Père n'est pas en lui. Car tout ce qui est dans le monde est concupiscence de la chair, et concupiscence des yeux et orgueil de la vie, et ne vient point du Père, mais du monde."

Je me suis levé, le suppliant de m'emmener au paradis. Il s'est mis debout, a posé sa main sur mon épaule en hochant la tête, déclarant qu'il ne pouvait pas. Je l'ai supplié de nouveau. J'ai répété plusieurs fois ma requête puis il m'a demandé si je voulais vraiment cela et j'ai dit que oui, joie et douleur toujours plus fortes en moi. Il m'a conduit à la cabane de charbonnier, s'arrêtant à chaque pas pour s'assurer de ma résolution.

Il faisait une chaleur suffocante à l'intérieur de la cabane. Une chaise en bois était posée sur la terre battue, dans l'éclat rougeâtre d'un fourneau grand ouvert. Chanov m'a dit de me déshabiller. Il a précisé qu'à tout moment je pourrais l'arrêter avant que le couteau ne fasse son office en criant : "Je refuse !"

Dehors, quelqu'un affûtait la lame. L'espace d'un instant, la peur s'est emparée de moi, puis je me suis dit que, comparé à cette tuerie dont j'avais été le témoin, à ce que mes camarades avaient enduré et endureraient encore, ce n'était pas grand-chose. Chanov m'a assis sur la chaise, m'a demandé d'écarter les jambes. Il m'a dit que, pour le moment, il se contenterait de trancher les fruits, pas le tronc. Cela s'appelait "le premier sceau" et "monter le cheval pie" ; "monter le cheval blanc" viendrait plus tard. Il m'a dit que, quand il en aurait fini, il me faudrait les prendre et les jeter dans le brasier.

Les apprentis sont entrés dans la salle. Celui qui avait tournoyé souriait encore, le regard vitreux. Un autre apportait un couteau à la lame courte et acérée, qu'il a tendu à Chanov, une serviette blanche et une bouteille d'alcool débouchée qu'il a posée par terre.

Les quatre hommes se sont agenouillés face à moi pour prier. À intervalles réguliers, ils me dictaient les réponses que je devais prononcer. Ces phrases, Anna, je ne puis vous les dire ; ce sont les mots les plus secrets. Les hommes se sont levés.

Un apprenti me tenait les bras dans le dos, les deux autres ont saisi les chevilles de mes jambes écartées. Chanov s'est penché sur moi, a soulevé mon membre de sa main gauche, de l'autre abattant promptement le couteau. À cet instant précis, Dieu m'a semblé se détourner de moi, la peur a étouffé la joie. J'ai repensé à Alyosha, heureux d'avoir participé à sa venue au monde, et j'ai pensé à vous et moi dans le train pour la Crimée après notre mariage, comment vous revendiquiez une part de mon être et comment je vous l'avais offerte, comment à présent je reniais cette promesse. Le couteau était fort tranchant. Il coupa à travers la chair, les vaisseaux, jusqu'à buter sur le bois de la chaise, en une seconde à peine, bien avant que je ne commence à sentir la douleur. Je ne pense pas avoir crié. Sans que je sache pourquoi, je me suis efforcé de ne pas le faire. Peut-être m'étais-je vidé de mes cris sur l'encolure inerte d'Hijaz. J'ai senti les apprentis relâcher leur étreinte, le jaillissement du sang chaud entre mes cuisses, le choc de l'alcool versé sur la plaie, et la serviette qu'on me tendait pour l'appuyer dessus. Puis Chanov a posé le sac qu'il venait d'amputer dans la paume de ma main, chaude partie de moi-même qui n'en était plus une. J'ai marché jusqu'au fourneau et je l'ai jeté dans les flammes, où il a grésillé avant de disparaître. Je me suis écroulé.

Anna, ce qui est fait est fait, il est impossible de revenir en arrière. J'ai bien d'autres choses à vous dire et je vous écrirai bientôt. Je voulais que vous sachiez, même si j'étais censé ne rien vous dire. Je voulais que vous sachiez. Ne dites rien à Alyosha. Mais je voulais que vous sachiez que je suis un déserteur et un ange, que j'ai été castré et que je suis heureux.

Avec les vestiges les plus purs de mon amour pour vous,
Ne m'en veuillez pas pour toujours,
Votre mari légal,
Ancien lieutenant Gleb Alexeyevich Balashov

Jazyk
Le 20 décembre 1914

La lecture achevée, Mutz déposa la lettre sur le divan. Il leva les yeux vers le portrait de cet homme dont il savait à présent qu'il s'agissait de Balashov, cadeau du père d'Anna à l'occasion de leur mariage. Aucune ressemblance avec le commerçant de Jazyk, bien sûr. Tel était le talent du père. Un portrait pour Alyosha. D'avoir lu la confession de Balashov, Mutz se sentait souillé comme jamais jusqu'alors. Il frissonna au contact de la lame, il était impossible de ne pas la sentir entailler ce même petit cordon de chair au creux de ses jambes. Il se redressa, fit craquer les articulations de ses doigts, jeta un regard circulaire sans savoir ce qu'il cherchait. Il transpirait, n'arrêtait pas d'avaler sa salive, se demandant s'il n'allait pas vomir. Il aurait dû aller parler à Anna Petrovna, mais regarder le visage de cette salope lui était insupportable. Des sueurs froides l'envahirent au moment où il entendit son esprit former ces quelques mots, comme surgis de quelque contrée inconnue de son for intérieur : le visage de cette salope. C'était le premier éclat d'une fureur dont les flammes désordonnées l'assaillirent peu à peu, le plaquant contre le divan, immobile, irradiant de leur chaleur sa peau, son corps tout entier. La colère qu'il éprouvait envers lui-même pour n'avoir pas vu qu'il s'agissait d'une communauté de *skoptsky,* de castrats, n'était qu'une infime partie de cet incendie. Cette fureur se nourrissait du prosaïsme aveugle, ignorant, de Balashov, borné comme un animal, de la rage irascible qu'exprimait un tel acte, de l'impossibilité pour un esprit aussi sain que celui de Mutz de franchir l'espace séparant ces deux extrêmes, la douleur physique et psychique la plus grande d'un côté, et de l'autre la plus grotesque des farces dont un homme puisse se rendre coupable à l'égard de son propre corps. La rage naissait de l'aveuglement, de la naïveté dont avait fait preuve Anna Petrovna, confiante en l'équilibre mental d'un hussard obsédé par Dieu, au point de le laisser partir à la guerre. Elle était exacerbée par l'égoïsme de cette femme, qui avait suivi le dément au fin fond du monde, comme s'ils pouvaient encore être mari et femme sous quelque forme que ce fût, laissant son fils se languir dans un exil dérisoire, et qui, après lui avoir laissé croire qu'elle l'aimait, lui avait révélé l'existence de son bouffon d'eunuque, comme si ce dernier pouvait être ne serait-ce qu'en partie la raison de sa froideur soudaine.

Mutz ressentit un besoin de frapper. Rien ne le retenait plus ici. Il sortit précipitamment par la porte de devant, la claqua derrière lui, puis s'éloigna à grands pas sur la route en direction du pont. Juste avant le pont se dressait une haie de sorbiers des oiseleurs : il empoigna un tronc et le secoua en hurlant jusqu'à ce qu'une pluie de baies crépite sur l'herbe mouillée, à ses pieds. Une branche craqua. La violence du bruit l'arrêta net. Il essaya de se souvenir pourquoi il s'était rendu chez Anna Petrovna. Le bandit meurtrier de Samarin. Le cannibale.

Mutz fit demi-tour. Le même chien que tout à l'heure aboya. Il se souvint de son hésitation, de sa peur, de l'espoir qui l'habitait en arrivant chez Anna Petrovna une heure à peine auparavant et de la facilité avec laquelle le cannibale de Samarin était sorti de son esprit. Pourquoi ? Ses entrailles se figèrent. Parce qu'il avait réfléchi avec cela même dont Balashov s'était débarrassé. Pour qui ne croyait ni en Dieu ni au diable, n'était-ce pas pis encore de se laisser mener par cela ? Qui donc tenait le trousseau de clés auquel il était enchaîné ?

Mutz, docile et tendre à présent, se glissa par la porte principale, retira la clé du verrou intérieur, verrouilla la porte de l'extérieur et poussa la clé sous la porte. Il fit le tour de la maison, regarda par la fenêtre de la cuisine. Anna Petrovna s'était assoupie, tête posée sur la table. Il n'avait aucune intention de la réveiller. Peut-être l'aimait-il d'une manière qui n'avait rien à voir avec ce que lui dictaient ses reins. Comment le savoir ?

Il verrouilla le portail de la cour puis s'allongea sur la paille, dans la puanteur chaude de la modeste étable. C'était Balashov, bien sûr, qui s'était inquiété pour Anna Petrovna. Pour sa femme, maudit soit-il. Il s'était fait du souci. Le souci était-il une forme d'amour ? De quelle utilité l'amour d'Anna Petrovna pour son mari était-il désormais ? Il avait réglé leur divorce d'un seul coup de couteau, plus prompt que tous les avocats. Et bien moins cher. Mutz se rendit compte qu'il souriait. Il se sentit soudain misérable, puis parvint à se persuader que c'était le signe que le dégoût et la rancœur qu'il éprouvait à l'égard de Balashov étaient en train de se changer en pitié. Tout ce que voulait Balashov, comme du reste tous les membres de sa congrégation d'anges amputés, c'était qu'on le laisse vivre en paix. Il devait bien subsister, émergeant à la surface de cette folie qui s'était emparée du mari d'Anna Petrovna, quelques îlots de sentiments humains ; le sens du devoir, peut-être. Mutz trouverait le moyen d'atteindre ces îlots et de s'y attaquer. Était-il donc si stupide de croire que Balashov était tout ce qui empêchait Anna Petrovna et Alyosha de quitter Jazyk avec lui ? Il parlerait à Balashov, lui expliquerait pourquoi il lui fallait persuader sa femme et son fils de partir, pour ne plus revenir jamais. Il comprendrait. Cela entrerait dans la logique de sa démence. Il ne resterait plus alors qu'à convaincre Matula de relâcher les Tchèques prisonniers de *sa* folie et à entreprendre le long périple jusqu'à Vladivostok. Ce ne serait pas facile à obtenir, mais c'était cohérent. Il ne pouvait pas abandonner les Tchèques. Ils étaient son peuple, même s'ils pensaient le contraire. Mutz s'endormit.

Viktor Timofeyovich Skachkov, chef du canton de Jazyk, prenait le petit-déjeuner seul dans la salle à manger quand son épouse, à l'étage, cria le nom de Dieu trois fois, de plus en plus fort, avant de pousser un hurlement interminable qui se déploya de l'aigu jusqu'au grave, s'achevant dans un gazouillis de pur bien-être, semblable au rire d'un nourrisson. Les sons résonnaient sans obstacle à l'intérieur de la maison. Du bout des lèvres, le chef de canton lécha sur sa fourchette la pâte feuilletée de sa rissole, en douceur, sans hésitation. Quand Elizaveta Timurovna se tut, la salle à manger était paisible et lumineuse, une fenêtre de chaque côté, la poussière flottant dans les rayons de soleil, le tic-tac d'une pendule et le bruissement du tissu s'échappant au moment où la bonne, Pelageya Fedotovna, servit le thé.

– Quelle honte, murmura-t-elle.

Le chef de canton but sans bruit son eau chaude, mâcha sans ouvrir la bouche, sans que sa fourchette ne heurte l'assiette de porcelaine. Il officiait à l'autel du silence.

– Bonjour, Viktor Timofeyovich, prononça Mutz en s'arrêtant au seuil de la maison. Bonjour, Pelageya Fedotovna. Le capitaine Matula nous demande de venir partager son petit-déjeuner.

Le chef de canton poursuivit son repas comme s'il n'avait pas entendu, fixant un point du regard, à mi-distance de la longue table.

– Asseyez-vous donc, offrit Pelageya Fedotovna.

Mutz la remercia avant d'entrer, suivi des deux autres lieutenants tchèques, Kliment et Dezort.

— Pourriez-vous nous faire frire quelques pommes de terre avec un peu de bacon et du fromage fumé ? glissa Kliment à Pelageya Fedotovna en se redressant contre le dossier de sa chaise.

— Quelle arrogance ! répondit Pelageya Fedotovna. Nous avons des rissoles et de la *kaše*, du pain et du thé. Vous n'êtes pas à Karlsbad, ici.

— J'aimerais tellement vous y emmener, rétorqua Kliment, brisant un morceau de pain pour le porter à sa bouche. Je vous achèterais une robe bleue. Ça vous irait très bien.

— Pourquoi bleue ? marmonna Pelageya Fedotovna en disposant des assiettes devant les officiers.

— Et des diamants, ajouta Kliment.

— Qu'est-ce qui pourrait bien m'attirer à Karlsbad, dans votre folle Europe ?

— Vous en robe bleue, avec des diamants, descendant les marches de l'hôtel Bristol, et tous les messieurs et les dames à la mode qui s'exclameraient : "Qui est donc cette fascinante beauté russe ? Sûrement une princesse de haute lignée, à moins qu'elle ne soit la dernière protégée de Diaghilev ?"

— Que de sottises, répondit Pelageya Fedotovna. Tout cela est complètement idiot. Et pourquoi bleue ? Pourquoi pas jaune, par exemple ?

Kliment et Dezort éclatèrent de rire, Pelageya Fedotovna s'empourpra et leur dit d'arrêter, qu'ils étaient indécents, effrontés, impudents, impardonnables.

— Je suis allé à Karlsbad, dit le chef de canton.

Les autres avaient fini par croire qu'il faisait partie des meubles, que ses gestes et son absorption de nourriture étaient tout aussi dépourvus d'âme que le tic-tac de la pendule.

Le chef de canton poursuivit :

— Je me souviens que dans un de leurs théâtres, il y avait cette femme nègre tout de blanc vêtue qui prétendait communiquer avec Satan, mais il y avait un truc, nous n'étions pas dupes quand elle s'est mise à parler avec ces deux voix, l'une très aiguë, l'autre aussi grave que celle d'un ours. Elle essayait de nous effrayer, mais nous n'avions pas peur. Bien sûr, comme tous les Africains, elle avait des affinités avec l'Ennemi, alors j'ai posé ma main sur mon pistolet de poche. Je me rappelle que la nourriture était exécrable. Leur truite était insipide, rien à voir avec le poisson qu'on pêche par ici. Du poisson de première, à la chair rouge, aussi grand que cette table, riche comme du gibier.

— Votre Excellence, répondit Mutz, vous avez raison, le poisson d'ici est délicieux.

Les officiers fixèrent leurs assiettes pendant que Pelageya Fedotovna les remplissait d'une nourriture terne. Dezort se racla la gorge. Kliment chantonnait tranquillement, levant les yeux sur Pelageya Fedotovna, penchée au-dessus de lui. Il fit un clin d'œil, sa bouche se plissa en un rictus amer et son regard bondit de ses yeux à ses seins.

Le chef de canton reprit la parole, lentement, d'une voix monotone, regard baissé.

— Nous sommes allés au casino pour jouer à la roulette. J'ai perdu tout mon argent. J'ai misé sur le rouge mes boutons de manchette en or, le rouge est sorti. Le croupier a tiré d'un coffret deux autres boutons de manchette, j'en avais donc quatre au total. En forme de glands. Le croupier a dit que ce coffret était réservé aux Russes. J'ai expliqué à ma femme que si elle posait sa bague sur une case et que le nombre sortait, ils lui donneraient trente-six bagues. Mais elle a refusé de jouer. Elle a gardé sa bague, celle que j'avais achetée cinq cents roubles sur la perspective Nevski, cinq diamants incrustés autour d'une émeraude. Elle a gardé la bague. J'ai perdu les boutons.

— Très amusant, Votre Excellence, dit Mutz.

Kliment et Dezort laissèrent échapper de timides "Eh, eh" approbateurs. Le chef de canton ne sourit pas, ni ne rit,

ni ne leva les yeux. Cette histoire avait-elle jamais été drôle ?
Mutz et Dezort se concentrèrent sur leurs assiettes. Kliment
se redressa sur sa chaise, coude posé. Il ratissa délicatement
les fragments de *kaše*, du bout de sa fourchette.

— Il me faudrait de la moutarde, demanda-t-il.

— Il n'y en a pas, répliqua Pelageya Fedotovna. Il n'y
en avait déjà plus au moment du carême.

— J'en ai vu dans la cuisine, rétorqua le lieutenant
Kliment. J'ai aperçu un grand pot avec marqué "Moutarde", des coulures jaunes sur les côtés.

— N'importe quoi.

— Un grand pot de moutarde. À l'odeur, elle avait l'air
délicieuse et forte. Vous l'avez forcément remarquée, pas
vrai ? Vous aimez sentir ce goût fort et piquant sur le bout
de votre langue, n'est-ce pas ? Je sais que vous l'aimez.
Venez, je vais vous montrer.

— Vous avez tous perdu la raison. N'avez-vous pas
honte d'agir ainsi, comme des porcs ?

Elle se passa la langue sur ses lèvres, défroissa son
tablier, lança un regard à Kliment. Il se leva, s'étira et la
suivit sans se presser, en sifflotant. Il s'arrêta devant la
porte de la cuisine, se retourna pour saluer bien bas le chef
de canton. Il sortit du salon, suivi de Pelageya Fedotovna,
et la porte se referma derrière eux.

Dezort fourra une rissole dans sa bouche, posa sa
fourchette et, mains devant son assiette, se pencha vers
Mutz, de l'autre côté de la table. Il s'exprimait avec
lenteur, passant du russe au tchèque.

— Vous pensez que Kliment va lui faire sa fête dans la
cuisine ?

— Je n'en sais rien, répondit Mutz. Vous croyez qu'il
va trouver de la moutarde ?

— D'vez avoir une trouille bleue, en pensant à c'que va
dire Matula quand il saura, pour le shaman.

— Il sait déjà tout. Je lui ai envoyé un message, cette
nuit.

– Pensez qu'c'est l'bagnard qui lui a fourgué la bouteille ?

– C'est possible. Vous entendrez bientôt sa version des faits, non ? À moins qu'on ne vous confie d'ici là le recensement des aiguilles de mélèze.

Mutz se demanda combien de temps prendrait la déposition de Samarin, si Matula le jugerait coupable et le ferait exécuter, et si lui, Mutz, se sentirait coupable de ne pas avoir tenté de l'en dissuader. Il cherchait un moyen de se libérer pour rendre visite à Balashov, rongé par le sentiment d'avoir commis une terrible erreur en ne réveillant pas Anna pour lui parler de la lettre.

– Je me demande bien de quelle viande sont faites ces rissoles, dit-il.

– Peu importe, tant que ce n'est pas vous savez quoi.

Mutz tourna et retourna un petit morceau dans sa bouche, fronça les sourcils, plissa le nez, avala, posa son couteau et sa fourchette, prit une gorgée de thé.

– C'est du chat, dit-il.

– Dieu merci, répondit Dezort. Ça aurait pu être du cheval. J'ai passé la nuit dehors, à chercher ceux qui ont disparu. L'un d'eux était Lajkurg, la monture de Matula quand nous étions à Chelyabinsk. Un grand diable d'étalon blanc, qui a envoyé un palefrenier à l'hôpital, les côtes enfoncées. C'est pour ça que le train d'hier soir n'est jamais arrivé. Le chef du train était tellement terrifié par Matula qu'il s'est arrêté peu avant Jazyk pour vérifier que tout allait bien. Il s'est aperçu que les chevaux n'étaient plus là, qu'un de ses hommes s'était volatilisé. Ils se sont sauvés, ou bien il les a volés. En tout cas, le chef du train a paniqué, il est retourné à Verkhny Luk. De là-bas, ils ont envoyé un télégramme au sujet des chevaux.

– Je croyais que le télégraphe ne marchait plus.

Dezort écarquilla les yeux, comme il le faisait instinctivement chaque fois qu'il était sur le point de mentir, une des raisons pour lesquelles il ne ferait jamais un bon officier.

— Il avait été réparé. Maintenant, il est de nouveau coupé. Hier, Matula parlait du cheval comme si nous étions à la recherche de son fils unique. Ça, plus le shaman, il va hurler comme un beau diable.

— Pour l'instant, quelqu'un s'efforce de le rendre heureux, répliqua Mutz.

— Oh, s'exclama Dozent.

Il jeta un nouveau regard en coin vers le chef de canton qui ne mangeait plus, tête inclinée comme s'il dormait, mains à plat sur la table devant lui. Mutz se pencha plus prêt de Dezort.

— Vous savez très bien pourquoi le chef du train n'est pas arrivé à Jazyk. Ce n'est pas parce qu'il craignait Matula. Même Matula n'oserait pas s'en prendre à un train, pas encore. C'est parce que tous ceux qui se trouvent sur la ligne au sud d'ici le détestent.

— C'est un bon soldat.

— Seriez-vous prêt à mourir pour lui ?

— Je veux rentrer chez moi, bien sûr. Mais nous avons tout le temps, n'est-ce pas ?

— Seriez-vous prêt à abattre nos hommes quand ils vous diront qu'ils refusent de retourner au combat, qu'ils veulent rentrer à la maison ?

— Nous n'en arriverons pas là. La Légion est forte. Les blancs sont forts. Les Anglais, les Français, les Japonais sont avec nous, n'est-ce pas ? De notre côté. Je le sais.

— La Légion n'est pas une armée. Ce sont cinquante mille voyageurs qui attendent sur le quai d'une gare le train du retour. Il a du retard.

— Vous devriez faire preuve d'un plus grand patriotisme, Mutz. Vous savez que je ne suis pas d'accord avec ceux qui racontent que vous êtes un sale juif, mais il faut reconnaître que vous facilitez leur tâche. Certains de nos hommes sont persuadés que vous parlez avec un accent allemand.

— Dezort, ne comprenez-vous donc pas que les jours des blancs sont comptés ? Ils ont perdu leur tsar, la seule cause qui les guide est le désir de vengeance et ce qu'ils veulent pardessus tout, c'est se blottir au coin du feu, se faire servir un bon dîner par leurs domestiques, passer une bonne nuit et, au réveil, découvrir que tout est redevenu comme avant. Le problème, c'est que les domestiques ne pensent qu'à une chose : les tuer.

Dezort plissa les yeux. Il enfonça du doigt le coin de sa moustache dans sa bouche. Il mordit un poil et le déracina.

– C'est sacrément loin d'ici, reprit-il.

– Les rouges ont d'ores et déjà franchi l'Oural. Une fois qu'ils auront pris Omsk, il ne leur faudra que quelques jours pour être ici. Ils se souviennent de nous. Ils savent qui nous sommes et quels actes Matula nous a fait commettre. Ils ont déjà tiré un film de ce que nous avons fait à Staraya Krepost.

– Comment pouvez-vous le savoir ?

– Je ne sais pas comment vous pouvez supporter cette situation. N'avez-vous pas une femme à České Budejovice ?

– Si. Je pense à elle de moins en moins souvent. Pour être honnête, je ne me souviens plus très bien de quoi elle a l'air. Vous savez, c'est bizarre que vous soyez si pressé de partir alors que vous fréquentez cette veuve, près du croisement.

– Il n'y a rien entre nous, si ce n'est des rapports de courtoisie.

Dezort se pinça les lèvres, considéra Mutz et éclata de rire.

– Quel cul serré vous faites.

Ils entendirent un glapissement dans la cuisine, un fracas de casserole, les jurons de Pelageya Fedotovna et de Kliment. Kliment revint dans la salle à manger, reboutonnant sa tunique, puis il s'assit, le souffle court. Il se recoiffa de la main.

– Qu'est-ce qu'il y a de drôle ? râla-t-il, de la *kaše* plein la bouche.

– La veuve cause du souci à Mutz, répondit Dezort

— Qu'est-ce qui lui a fait croire qu'elle s'intéresserait à un juif ?

— Avez-vous trouvé la moutarde ? rétorqua Mutz.

— Oui, répondit Kliment en se léchant les lèvres. Elle était plus forte que je ne m'y attendais. Juste quand j'étais sur le point de... (il jeta un coup d'œil sur le chef de canton, immobile, tête penchée, à l'autre bout de la table)... sur le point de conclure l'affaire, elle se met à hurler, me roue de coups de pied. Moi, je me dis : elle aime vraiment ça. C'est là que j'aperçois un éclair de fourrure noire et blanche et du sang. Une martre zibeline ! Vous y croyez, vous ? Une zibeline s'est glissée par la fenêtre de la cuisine et l'a mordue à la cuisse pendant que nous étions en train de... vous voyez ce que je veux dire. Satané coin. Même les plus petites bêtes sont vicieuses. Des dents minuscules, mais acérées. Comme un maudit loup. Je croyais qu'elles mangeaient... je ne sais pas... des pommes de pin. Mutz, vous devriez écrire un article à ce propos, pour le *Quotidien tchécoslovaque*.

— Peut-être a-t-elle la rage, rétorqua Mutz.

Kliment cligna des yeux, laissa échapper sa fourchette et tira sur les boutons de sa tunique. L'habit se bomba, les coutures se tendirent lorsque la créature affolée piégée à l'intérieur ondula autour du torse de Kliment. Kliment bondit sur ses pieds, plongeant une main sous sa nuque, remontant l'autre sur le ventre, se tordant en tous sens, se cambrant, montrant les dents. Une boule de fourrure, musclée comme les gamins des rues, jaillit de sous sa tunique et s'engouffra sous le buffet, derrière Kliment.

Mutz cessa de rire. Reprenant sa contenance, il leur ordonna de se mettre au garde-à-vous. Dezort obéit promptement et Kliment fit claquer ses talons, maintenant d'une main sa tunique, le pouce de l'autre posé sur la couture du pantalon. Matula les contemplait depuis le seuil, avec sa chevelure rousse, la femme du chef de canton dissimulée derrière son épaule.

Les yeux sombres de Matula s'enfonçaient profondément dans son visage. La peau était ridée autour des yeux, la chair portait les marques grossières déposées au fil des années par le froid, la chaleur, les fièvres, les jaunisses, le scorbut. La croix tordue de la cicatrice laissée par une blessure mal recousue lui barrait le menton. Seule sa bouche avait été épargnée par le gel et les tueries de cinq ans de campagnes. Ses lèvres étaient douces et pulpeuses, rouges comme celles d'un enfant, comme s'il les avait déposées en lieu sûr dès que venait l'hiver ou qu'il partait se battre, comme si elles ne s'étaient jamais déformées dans les hurlements d'une charge, comme s'il ne les avait jamais serrées ou mordues quand sa langue avait ordonné aux hommes d'exécuter leurs prisonniers, comme s'il les avait réservées aux festins, aux jeux et aux baisers. Ses yeux avaient tout vu. Il avait vingt-quatre ans.

— Tous mes princes de Sibérie sont là, se réjouit-il en s'asseyant au bout de la table, à l'opposé du chef de canton. Mes chevaliers de la taïga. Quels territoires vais-je vous attribuer ? J'ai décidé que vous alliez tous épouser des femmes russes, fonder des dynasties. Sauf le lieutenant Mutz. Il épousera une femme juive et fondera un empire financier.

Kliment et Dezort éclatèrent de rire. Elizaveta Timurovna sourit, perdit son sourire puis le retrouva. Elle jouait avec ses cheveux et se suçait la lèvre en observant Matula. Elle portait une robe d'été blanche jadis réservée aux pique-niques. Ses faux plis, son odeur témoignaient encore qu'elle avait été rangée dans un coffre pendant de longues années. Ses joues étaient gonflées de sang, son regard brillait de l'éclat du désir. Elle avait attaché autour de son cou un ruban de satin blanc. Elle vint s'asseoir à côté de Matula, ignorant son mari.

— Il y a un rat sous le buffet, remarqua Matula.

— Une zibeline, monsieur, rectifia Dezort. Mutz pense qu'elle est peut-être enragée. Elle a mordu la jambe de Pelageya Fedotovna.

— Elle doit être enragée, alors, rétorqua Matula. J'ai mordu une femme ce matin. Je la mordrai encore.

Il fit une grimace à Elizaveta Timurovna, frôlant ses cuisses du bout des doigts sous la table. Elle s'écarta en se tortillant et émit un petit rire sot. Pelageya Fedotovna entra dans la salle de son pas boiteux et servit Matula. Tous les regards étaient braqués sur elle.

— Pourrais-je avoir un autre thé ? demanda Kliment.

Pelageya Fedotovna lui lança un regard assassin avant de venir prendre sa tasse en boitant.

— Ça fait mal ? demanda Kliment, levant les yeux vers elle, sa bouche se tordant en un rictus nerveux.

Elle serra les lèvres, reposa la tasse, plaqua les deux mains sur ses hanches puis lui cracha dessus et sortit de la salle clopin-clopant, en larmes. Un petit crachat imprégna la tunique de Kliment. Dezort rit, Kliment fit le geste de se lever. Matula le repoussa sur sa chaise.

— Asseyez-vous, dit Matula. Vous l'avez bien mérité. Pas vrai, Mutz ?

— Pourquoi me le demandez-vous, monsieur ?

— Vous passez votre temps à juger les autres. Voilà ce que vous êtes, n'est-ce pas ?, un juge. Je veux dire, nous savons tous que vous n'étiez guère qu'un modeste graveur à Prague, mais parmi nous vous êtes un juge. Vous êtes là pour nous dire quand nous faisons le bien, le mal. C'est drôle, j'ignore qui vous a nommé, pas moi en tout cas, mais vous avez travaillé d'arrache-pied pour nous juger, pour dresser la liste de tous nos péchés et tous nos crimes.

— Je n'ai dressé aucune liste, monsieur.

— Oui, je sais, tout est dans votre tête. Et vous ne prononcez aucune sentence, d'ailleurs, tout est dans la manière que vous avez de nous regarder. Comme c'est étrange, j'essaie de sauver nos vies, vos compagnons d'armes essaient tant bien que mal de rester heureux, et chaque fois que nous nous retournons, vous êtes là à nous regarder avec cet air de mépris. Vous délibérez sur le châtiment que nous méritons, n'est-ce pas, tout à fait comme un juge. Vous savez de quoi je parle, lieutenant Kliment ?

— Oui. Ou comme un policier. Comme s'il n'était pas de notre côté. Comme s'il était du côté d'une loi quelconque qu'il aurait apportée avec lui d'un pays étranger.

— Vous avez rendu votre jugement concernant le lieutenant Kliment ici présent, Mutz. Je vous ai vu le faire. Votre jugement était : coupable d'avoir abusé d'une fille asservie. Sans même prendre la peine d'écouter sa défense.

Matula avait posé les poings sur le rebord de la table. Il les souleva, les ouvrit et les secoua pour souligner son propos, souriant de sa bouche enfantine, dévisageant Mutz de ses yeux de vieillard.

— Cela fait déjà quelques années que vous nous jugez, lieutenant Mutz. Quand rendrez-vous votre verdict ? N'est-il pas temps de le faire ?

— Nous sommes en Sibérie, monsieur, répliqua Mutz. Voilà la sentence, à mes yeux.

— Ah, vous reconnaissez donc que vous nous jugez. Mmm. Mais qu'en pensez-vous, messieurs, madame, un juge ne se doit-il pas d'être plus vertueux que ses accusés ?

— Le capitaine a raison, répondit Kliment en se balançant sur sa chaise.

La zibeline grattait le dessous du buffet, attaquant le noyer à coups de griffes.

— Êtes-vous en droit de juger les camarades qui font la cour à des femmes russes, leur tournent des compliments, leur offrent des cadeaux, caressent la partie la plus intime, la plus tendre, la plus délicate (son regard se posa sur Elizaveta Timurovna) la plus humide et la plus délectable de leur... cœur... ?

— Ah ! Mon cœur ! souffla Elizaveta Timurovna.

— ... vous qui poursuivez de vos ardeurs une veuve, comment s'appelle-t-elle déjà, Lutova ?

— C'est exactement ce que je disais ! hurla Dezort.

— Je ne poursuis personne, protesta Mutz.

— Si, vous y employez même tout l'éventail de vos recettes cabalistico-hébraïques, répliqua Matula. Vous seriez prêt à vouer aux galères ce bon vieux Kliment pour cette histoire de bonne, alors que, dans votre coin, vous susurrez des chansons d'amour juives à l'oreille de votre chère veuve, vous lui dites que vous l'aimez et vous réfléchissez sans cesse au moyen de vous enfuir à Vladivostok.

— C'est ce que je lui ai dit ! s'écria Dezort.

— Anna Petrovna sait que les hommes veulent partir, monsieur, dit Mutz.

— Une horrible snob, cette Anna Petrovna, et qui n'a aucun goût, intervint Elizaveta Timurovna en se penchant en avant, bras croisés. Elle plissa le nez, découvrit ses deux dents de devant. Ce n'est pas comme si elle était de Pétersbourg, reprit-elle. Pauvre femme. Elle pensait qu'en venant en Sibérie elle pourrait regarder de haut des gens encore plus provinciaux qu'elle, mais elle n'en a même pas les moyens, avec ses robes trop serrées en grosse toile et ces ourlets ridicules qui lui remontent presque jusqu'aux genoux. On dirait qu'elle est fière d'être aussi maigre et plate de poitrine. Et comme les os ressortent de ses joues. Elle joue les intellectuelles, alors qu'elle n'a même pas de piano chez elle, sans même parler d'un gramophone. J'imagine qu'elle ne sait jouer de rien d'autre que de cette pauvre guitare qu'elle a, et je sais qu'elle ne peint pas aussi bien que moi. Au début, nous l'invitions ici pour jouer aux cartes et danser, après tout ce n'est pas une paysanne, mais elle passait son temps à bâiller d'ennui, à regarder par la fenêtre quand quelqu'un racontait une anecdote. Des manières exaspérantes. La façon dont elle bouge, dont elle détourne la tête quand on lui parle, tout doucement, comme si ce qu'on lui disait n'avait aucune importance et qu'elle avait tout le temps devant elle.

— Elle me rappelle l'actrice de ce film de Charlie Chaplin que nous avons vu à Kiev, dit Dezort.

— Il me semble qu'on prononce *Shaplá,* corrigea Elizaveta Timurovna, qui n'avait jamais vu de film. Sharl' Shaplá.

— *L'Immigrant* ? dit Mutz.

— C'est possible… répondit Dezort en fronçant les sourcils.

— Elle ne ressemble absolument pas à Edna Purviance, si c'est à elle que vous pensez.

— Purviance, c'est à elle qu'elle ressemble !

— Allons, Dezort, rétorqua Kliment. Vous ne vous souvenez même pas de votre propre femme.

— J'avais l'impression qu'elle ressemblait à quelqu'un, répondit Dezort. Quelqu'un dont je me souviens.

Elizaveta Timurovna poussa un cri, montrant du doigt le petit corps effronté qui les observait de sous le buffet, derrière Kliment et Dezort, crocs en avant, oreilles dressées, museau humide, regard brillant. Kliment dégaina son Mauser, fit volte-face, immobilisa sa chaise en équilibre sur un pied et, tendant le bras, fit feu deux fois en direction de la zibeline. Les plombs se fichèrent dans le sol et une odeur amère d'incendie s'échappa du canon de son arme. Les occupants de la salle restèrent sourds durant de longues secondes.

— Vous l'avez tuée ? demanda Elizaveta Timurovna, les yeux fermés, mains sur les oreilles.

— Non, répondit Kliment, posant son pistolet sur la table. Elle est maligne. Mais je l'aurai. Et ensuite je la dévorerai.

— Laissez la bête tranquille, intervint Matula. Sans dire un mot, Kliment rengaina son pistolet, reboutonna l'étui puis reposa sur le sol les quatre pieds de sa chaise.

Le silence se fit pendant que Matula mangeait. Mutz et Kliment se dévisagèrent puis détournèrent le regard. Dezort observait Elizaveta Timurovna, qui se faisait les ongles avec une lime et ses dents.

— Lieutenant Mutz, reprit Matula. Croyez-vous ce qu'on dit, que l'âme d'un shaman vit dans un arbre, dans la forêt, et quand le shaman meurt, où qu'il se trouve, l'arbre tombe ?

— Non, mais quand un shaman est soûl, je suis certain que tous les arbres se mettent à tanguer.

— Eh, s'exclama Matula.

Il ramassa des miettes dans son assiette et les déposa sur sa langue, du bout du doigt.

— Bien, Mutzie. Vous auriez au moins pu l'empêcher de se procurer une bouteille, non ?

— Je m'occupais de la nouvelle monnaie, monsieur, comme vous me l'aviez ordonné.

— Ah oui. L'argent. Pour certains, j'imagine que c'est de l'argent. Mutz, vous ne comprenez donc pas – vous et les vôtres ne comprenez pas, vous ne sentez pas ce que nous, Slaves, nous sentons, ce que le shaman sent. La sensation de la forêt. Nous autres, Slaves, avons tous une part de notre âme qui habite la forêt. Saviez-vous que les Toungouzes taillent leurs arcs de combat dans de l'ivoire de mammouth ?

— Monsieur, nous en sommes réduits à manger du chat. Nous ne sommes plus qu'une centaine, personne ne viendra nous aider. Les bolcheviques approchent. Ils nous tueront. Il faut partir.

— La forêt veillera sur nous. Notre destinée nous rend invincibles, ici. C'est la rencontre de notre culture européenne et de notre âme forestière d'Asiatiques. Pourquoi n'avez-vous pas pris soin du shaman, Mutz ? Hein ? C'était mon guide, il allait rallier les clans à notre cause.

— Il avait surtout un faible pour la boisson.

— Ses visions lui donnaient accès au monde d'en bas et au monde d'en haut ! s'emporta Matula, élevant la voix, avec ses lèvres d'ange, le regard vide.

Il se pencha, passa la main sous le buffet et attrapa la zibeline par le cou. La bête dansait au creux de son poing, les lèvres si grandes ouvertes qu'elle semblait avoir des dents plus longues que sa tête. Elle se tordit en un C brutal, tentant d'agripper le poignet de Matula de ses griffes furieuses. Matula tendit le bras vers Mutz et fit mine de le frapper au visage avec la gueule de la zibeline. Les mâchoires de l'animal ruisselaient d'écume.

— Quelle fut sa dernière prophétie ? hurla Matula.

— Je crois qu'il a été assassiné, monsieur, répondit Mutz, détournant la tête pour esquiver le battement des griffes et des crocs. Le bagnard politique, Samarin, nous a prévenus qu'un meurtrier était arrivé du nord, qu'il était parmi nous.

— Je vous ai demandé la dernière chose qu'a dite le shaman !

— Il a dit : "Chacun aura son cheval."

— Ah, s'écria Matula, le visage grimaçant, en se rasseyant sur sa chaise. Vous voyez ? (Il grattait la tête de la zibeline comme s'il s'était agi d'un vieux chien fidèle.) Vous voyez ? Il savait que les chevaux allaient arriver. Il l'avait vu. Ses trois yeux étaient encore bien valides, même s'il prétendait le contraire. S'il avait été sur le point d'être assassiné, Mutz, il vous l'aurait dit. Car il l'aurait su. Il avait dû cacher l'alcool au fond de sa niche. Vous avez fait preuve d'une grande négligence, lieutenant. Il faudra bien qu'une sanction disciplinaire soit prise. Kliment, allez dire à votre chère Pelageya Fedotovna d'affûter mon sabre. Je sortirai à cheval aujourd'hui.

— Vais-je enfin pouvoir rencontrer votre fameux cheval ? demanda Elizaveta Timurovna.

— Ça n'aurait aucun intérêt, répliqua Matula.

— Oui, mais ça me ferait très plaisir.

— Je veux dire, aucun intérêt pour le cheval.

Dans la cuisine, une lame raclait contre la pierre à aiguiser. Kliment vint les rejoindre.

— Hanak arrive, annonça-t-il. Il jeta un regard vers Mutz, à l'insu de Matula, et hocha la tête. La zibeline glapissait, gargouillait tandis que Matula la caressait, tout sourire. Le bonheur innocent de ses lèvres pourpres et ses yeux morts, noir basalte.

– On dirait qu'elle prépare un joli tranchant à cette lame, Kliment. La journée s'annonce merveilleuse.

Le sergent Hanak frappa à la porte, salua tout le monde en passant le seuil, entra dans la salle et posa un genou à terre à côté de Matula pour lui chuchoter quelques mots à l'oreille. Ce faisant, il mit sur la table une boîte de thé chinois en métal. Matula semblait parfaitement immobile tandis qu'il écoutait Hanak. Sa main avait cessé de caresser la tête de la zibeline, qu'il empoignait toujours fermement par la gorge. L'animal se débattait encore, mais de moins en moins fort. Matula regardait droit devant lui, statue jumelle du chef de canton, muet et silencieux à l'autre bout de la table. Comme Hanak chuchotait, les yeux de Matula s'emplirent de larmes qui ruisselèrent telles des gouttes de condensation sur un bloc de granit. Ses lèvres de petit garçon se contractèrent, furent prises de tremblements et il les serra fort l'une contre l'autre. Hanak acheva son rapport et se redressa. Matula respira profondément et chassa d'une longue expiration les velléités de pleurs de son corps.

– Ils sont tous morts, annonça-t-il. Lajkurg n'est plus. Tous les chevaux sauf un ont péri, et le cinquième a disparu. Ils les ont retrouvés dans le lit de la rivière. Quelqu'un a découpé un morceau de viande de mon cheval, juste pour le mâchouiller, avant de poursuivre sa promenade. Comment peut-on être cruel à ce point ? Lajkurg. De la viande découpée au couteau par une vermine humaine.

– Nous les trouverons et nous les tuerons, s'indigna Kliment.

– Qu'est-il arrivé à l'homme porté disparu ? demanda Mutz.

Elizaveta posa sa main sur l'épaule de Matula. Matula la repoussa et se leva, mâchoires serrées, puis soudain, dans un grognement rageur et douloureux, écrasa brusquement le crâne de la zibeline sur la nappe blanche. La tête vola en éclats comme la carapace d'un crabe, des particules de sang et de cervelle éclaboussèrent Elizaveta Timurovna et Kliment. Laissant tomber par terre le corps déchiqueté, Matula enfonça les poings dans ses yeux en grommelant. Pelageya Fedotovna vint les rejoindre avec le sabre, enveloppé dans un torchon. Matula la vit et prit le sabre, attrapa Pelageya Fedotovna par le col et la tira vers lui, en la regardant fixement.

— Mon Dieu, gémit-elle, puis elle ferma les yeux et détourna le visage. Matula brandit la lame acérée à vingt centimètres de sa joue, avant de la relâcher et de se rasseoir. Il prit congé d'Hanak, souleva un coin de la nappe ensanglantée, ouvrit la boîte de thé et fit tomber un peu de la poudre blanche qu'elle contenait sur le bois sombre et poli de la table. Maniant son sabre avec délicatesse, il s'en servit pour ratisser le petit tas, le diviser en lignes. Il posa l'arme en travers de ses genoux, tira un mouchoir de sa poche, se moucha, remit le mouchoir dans sa poche, sortit une paille en argent, inhala quelques lignes, puis il tendit la paille à Elizaveta Timurovna.

— Qu'est-il advenu de l'homme porté disparu ? insista Mutz.

— Mort, répondit Matula. Dans la rivière. Quelqu'un lui a coupé la main. De drôles de vermines rôdent dans la forêt.

Elizaveta Timurovna cligna nerveusement des yeux, gloussa, passa le doigt sous son nez et passa la paille à Kliment.

— Musique ! s'exclama-t-elle. Je vais remonter le mécanisme du gramophone. J'adore écouter de la musique au petit-déjeuner, l'automne, quand les arbres sont sur le point de s'endormir. Pourquoi ne pas tous rester à l'intérieur et chanter ? Tout le monde devrait chanter.

Elle entonna l'air des *Yeux noirs*. Une petite tache de sang et de cervelle coagulait au milieu de son front.

— Mutz, reprit Matula, arrachant la paille des mains de Kliment au moment où il semblait prêt à la proposer à Dezort. Vous aimez juger les autres. Je vous charge de mener l'enquête. Quand vous saurez me dire qui a tenté de manger mon cheval et que nous l'aurons embroché du trou du cul jusqu'aux orbites, nous partirons. Je vous en donne ma parole.

— Il faudra vous y tenir, j'y veillerai.

— Bien entendu, c'est votre spécialité. Soyez prudent, Mutz. Nous sommes inquiets pour vous. Vous semblez tellement seul. On dirait un homme perdu dans la foule de Vienne, mais sans la foule, ni Vienne.

Mutz n'avait rien fait pour arrêter ce qui s'était passé à Staraya Krepost. Comme d'autres parmi les Tchèques, il était resté à l'écart et s'était contenté de regarder, se détournant de l'action. Il avait entendu les cris et avait tellement désiré qu'ils cessent que c'était presque comme s'ils s'étaient tus, alors qu'en fait ils ne faisaient que commencer. Il avait fragmenté les événements de ces deux longues heures en des centaines de petites pièces qu'il avait enfoncées dans des niches minuscules, éparpillées aux quatre coins de sa vaste mémoire. Ainsi, il n'avait jamais eu à les rassembler en un tout cohérent. Plus tard, il avait sauvé la vie de Matula. C'était une des raisons pour lesquelles Matula le haïssait. Mais chaque fois que Matula le présentait comme un juge, c'était pour le mettre au défi de se souvenir de tout ce que le capitaine avait dit et fait ce jour-là. Matula voulait savoir qui avait mutilé son cheval et comment le shaman était mort, mais ces enquêtes n'étaient que de pâles reflets de celle qui concernerait Matula lui-même. Il ne pouvait se résoudre à ordonner à Mutz d'ouvrir cette enquête-là. Mais il était persuadé que tel était son destin et désirait ardemment que Mutz l'entreprenne, car il ne pourrait en aucun cas la lui laisser mener à terme, ce qui lui offrirait enfin une bonne raison de le tuer, celle qu'il attendait depuis si longtemps.

— Il est temps d'aller écouter la déposition du bagnard, monsieur, déclara Mutz. Matula ne répondit pas. Le soleil s'était éclipsé. Le ciel s'était fait plus épais, plus bas. L'odeur d'un feu de bois fit frissonner Dezort. Les restes du repas commençaient à puer. Assise par terre près du gramophone, Elizaveta Timurovna actionnait la manivelle en fredonnant les premières mesures des *Yeux noirs*, encore et encore. Kliment posa sa tête sur la table, collant ses narines en feu contre la surface du bois, à la recherche des derniers grains de cocaïne. Matula s'enfonça dans sa chaise, sabre en travers des genoux, la bouche parcouruc de mouvements brusques, tel un enfant qui rêverait de rires sans malice, à cet âge de la vie où le jeu précède le savoir. Ses yeux étaient aussi muets qu'un couple de pierres anonymes.

Sans faire un geste ni respirer, sans relever la tête, le chef de canton, qui était immobile et silencieux depuis plus d'une heure, prit la parole.

— Nous avons été trop indulgents. Trop gentils. Nous avions trop peur de la populace, des sans-grade, alors que c'est eux qui auraient dû nous craindre. Quand tout ce chaos sera terminé et que nous aurons renvoyé chez eux les étrangers, nous saurons quoi faire. Peu importe qui sera au pouvoir, un prince de sang ou un marxiste, du moment qu'il est russe et que les paysans ont peur de lui comme ils auraient dû avoir peur de nous. La crainte les éblouira comme une lumière vive, un soleil de peur s'élevant au matin, une peur réchauffant leur dos dans l'après-midi, une peur électrique les illuminant tout au long de la nuit, une peur claire et resplendissante, si bien que même si le nouveau dirigeant vient à mourir pour être remplacé par une autre mauviette, la terreur ne les quittera pas, eux, leurs enfants et leurs petits-enfants. Même quand l'origine de la peur aura disparu, ils continueront de la chercher du regard, ils ne pourront vivre sans elle.

Anna Petrovna ouvrit les yeux. Dehors, il faisait jour. Le soleil se posait déjà sur le toit de l'étable. Elle caressa du doigt les marques rougeâtres imprimées sur ses joues par les jointures de ses mains. Il faisait froid. Le poêle s'était éteint. Elle se peigna les cheveux du bout des doigts en traversant le salon dont les fenêtres étroites étaient baignées d'une lumière grise. Elle aperçut la lettre de son mari posée sur le divan. Elle avala une brusque bouffée d'air, ramassa les feuilles d'un geste vif, les plia puis les remit dans le tiroir. Mutz avait disparu. Avait-il mal compris ses intentions, au point d'aller se glisser sous ses draps ? Elle monta à l'étage pour en avoir le cœur net. Non. Elle trouva la clé de la porte, par terre, sortit en grimaçant dans la lumière glaciale, éblouissante, et vit que la porte de la cour était restée ouverte. Il était vraiment reparti. Elle ne lui avait pas montré la lettre dans le but de le chasser, mais elle avait dû l'effrayer.

Elle entra dans la cuisine, rassembla les cendres déposées au fond de l'âtre, les vida dans le seau, prit une poignée de copeaux frisés taillés dans l'écorce de bouleau, en fit un petit tas dans le foyer du poêle, ajouta des brindilles, des bûches, puis alluma la première langue de parchemin effilochée qui s'offrit à sa flamme. L'écorce prit feu, une chaleur jaune au centre du bûcher. Anna Petrovna laissa la trappe du poêle entrebâillée, écouta gronder l'appel d'air. Elle comprit que l'aversion que lui inspirait Mutz, qu'elle avait toujours refusé d'admettre, ou du moins avait fait semblant d'ignorer, portait un nom, une forme : l'ordre. L'obsession trop marquée que chaque chose soit toujours à sa place, et pas ailleurs. Une passion trop impérieuse pour les catégories, l'analyse. Même lorsqu'il lui disait qu'il l'aimait, bla-bla-bla, ce n'était ni de l'amour, ni même l'irrépressible désir de la pénétrer. C'était un amour qui jaugeait à distance, mains sur les hanches, hochait la tête, émerveillé, puis courait reporter ses observations quotidiennes dans un épais journal.

Anna se rendit à la pompe pour remplir deux seaux d'eau, qu'elle porta péniblement jusqu'à la cuisine, crispée par une douleur musculaire entre ses omoplates. Elle répartit l'eau dans quatre casseroles qu'elle disposa sur le poêle. Elle remit quelques bûches. L'acier cliquetait sous la chaleur. Que son mari ait pu, par un pur acte de volonté, passer du statut de hussard à pompons à celui de castrat sacré, cela dépassait le flamboyant entendement juif-allemand de Mutz, son esprit rationnel, éclairé. Il n'avait eu d'autre choix que de battre en retraite. Alors qu'il aurait pu lui demander. Elle lui aurait répondu que oui, la haine qu'elle vouait à Gleb Alexeyevich Balashov était pure, véritable et d'une insondable profondeur, que le culte des castrats lui inspirait le plus grand mépris ; que lui, Mutz, était un homme bon, qu'il avait été pour elle un amant fervent et dévoué. Mutz ne pouvait concevoir qu'une femme éprouve tout cela à la fois. Qu'il s'en aille ! Tous les Tchèques partiraient, et de voir la photographie lui avait soudain ouvert les yeux : il était plus que temps pour Alyosha et elle de regagner la Russie d'Europe, quel que soit le complot que les rouges puissent préparer. Son aventure avec Mutz avait été le substitut d'un départ de Jazyk, partager avec lui la raison pour laquelle elle restait lui permettrait désormais de s'en aller plus facilement.

Kristina Pankofska, une exilée polonaise qu'Anna Petrovna payait un rouble-or par mois pour faire le ménage et d'autres menues tâches, apporta un panier de *kaše* bien chaude et deux œufs frais. Elle vivait à Jazyk depuis cinquante ans. Sa plus grande réussite avait été de se forcer à oublier jusqu'à l'existence même d'un endroit répondant au nom de Pologne. Elle sentait le tabac et l'eau de Cologne et portait toujours un vieux collier de fausses perles, quelle que soit sa tenue. Parce qu'elle avait précédé l'arrivée des premiers castrats, elle ne s'était pas mutilé les seins pour ressembler davantage à un ange, ce qui était le cas de la plupart des femmes de Jazyk. En entrant dans la cuisine, elle émit une note longue et grave, réprobatrice. Anna n'aurait pas dû se charger elle-même des seaux d'eau. Elle glissa les œufs dans l'une des casseroles frissonnantes.

— C'est pour ma toilette, protesta Anna.

— Je sais, *golubchik,* rétorqua Kristina. Pour qui, la toilette ?

Elle était de petite taille et quand elle levait ainsi les yeux vers Anna, avec sa bouche édentée, elle avait l'allure d'une fille de quatorze ans. Anna empoigna la plus grande casserole et la porta à l'étage. Elle la posa par terre dans sa chambre, avant d'aller réveiller Alyosha.

— Eh, petit barbare. C'est l'heure.

Alyosha ouvrit les yeux, jaillit de sous sa couette comme un diable à ressort et se posa debout sur la descente de lit, titubant, en se frottant les yeux. Il avait l'air épuisé, même s'il avait dormi neuf heures, comme s'il pouvait encore dormir neuf cents heures. Si seulement elle avait pu le maintenir en cet état, s'il avait pu dormir jusqu'au printemps de 1920 ; le zéro final semblait un gage de renouveau. Elle l'allongerait dans une malle doublée de fourrure et, quand il se réveillerait, ils vivraient dans un lieu où il y aurait des trains, du courrier, des écoles et d'autres garçons.

— J'ai rêvé de politiciens, marmonna Alyosha, puis il bâilla.

— Des politiciens ? Quels politiciens ?

— Des politiciens à rayures.

— Oh, je vois. À rayures.

— Avec des cheveux et des ongles longs. Et des yeux rouges, comme les Allemands.

— Qu'est-ce qui te fait croire que les Allemands ont les yeux rouges ?

— Et puis papa est arrivé sur son cheval, avec les hussards, et ils leur ont coupé la tête.

— Il te faudrait de nouveaux rêves. Viens, mon beau. Maman a besoin de ton aide. Lave-toi le visage.

Anna monta les autres casseroles, mettant de côté les œufs, et disposa une bassine au milieu. Elle se déshabilla pour s'accroupir, nue, dans la bassine. Debout à côté d'elle, Alyosha écopait l'eau des casseroles à l'aide d'un broc. Il la versait sur elle en un épais filet, qui ruisselait de part et d'autre de sa colonne vertébrale.

— Vise le grain de beauté, lui dit-elle.

— Je *sais*, râla Alyosha.

— Mutinerie ?

— Pourquoi je dois le viser ?

— Les bons matelots... ?

— ... disent pas un mot ! l'interrompit le garçon, prenant la mouche.

Anna se releva et Alyosha lui tendit le savon. Il la regarda faire jusqu'à ce qu'elle glisse sa main dans la toison sombre entre ses jambes ; alors il se tourna et sortit de la poche de sa chemise de nuit un hussard en bois qu'il fit galoper dans les airs. Au bout d'un moment, elle lui chuchota de venir la rincer. Il remplit le broc et marcha vers elle. Elle le dévisageait, des silhouettes de mousse dérivaient à la surface de sa peau, elle se savait svelte. Elle replongea dans la bassine à son approche, tête baissée dans l'attente de l'eau.

— Que penses-tu du lieutenant Mutz ? demanda-t-elle tandis que l'eau coulait sur son dos.

— J'sais pas.

— Mais...

Mais quoi, Anna l'ignorait. Mutz était incapable de parler à Alyosha. Les enfants l'intimidaient.

— Je lui ai demandé de me montrer son pistolet, reprit Alyosha. Il a dit qu'il ne pouvait pas. Que c'était interdit.

— Merci, Alyosha. Descends prendre ton petit-déjeuner.

Anna s'essuya en frissonnant de froid, enfila un jupon propre, une culotte et une paire de bas noirs. Elle fouilla dans l'armoire, sans se faire d'illusions. Non pas que sa garde-robe fût vieille ou démodée, elle n'avait d'ailleurs pas la moindre idée de ce qu'était la mode ni d'où elle se faisait, le problème était que jamais rien ne changeait. Si un manteau de plumes ou une casquette de jockey blanche s'étaient matérialisés dans l'armoire, elle les aurait mis. Elle se brossa les cheveux. Elle aurait dû les laver, mais elle n'avait pas le temps. Elle s'obligea à se regarder dans le miroir. Pâle. Une marque, une tache : dommage. Elle ouvrit d'un coup sec le petit tiroir qui contenait sa vieille mallette de produits de beauté, juste pour voir quelle importance elle accordait à tout cela, et si elle s'en souciait vraiment. Le tiroir sortit de ses rails et tomba sur le sol. Le pinceau à khôl était prisonnier du fard durci, cuit par le temps, son dernier rouge à lèvres s'était asséché en un fragment de pierre ponce et les grains collés aux rebords du poudrier auraient à peine suffi à lui tamponner un minuscule point sur le front. Elle s'en souciait, en fait, mais cela ne dura guère. La maison regorgeait de petites bulles d'apitoiement sur son sort, toujours à sa disposition pour la réconforter.

Elle humecta son index pour se lisser les sourcils. Un passé autre défilait sous son crâne, sans qu'elle l'ait convoqué, un passé où elle s'enfuyait avec les communistes, douze ans plus tôt, au lieu de rester là à photographier les grévistes. Ne jamais avoir rencontré le doux cavalier qui se changerait un jour en eunuque sibérien. À l'époque, les communistes lui étaient apparus comme des lâches. À présent, plus vivace que jamais, le souvenir de leur pas jeune, alerte et sage dans la boue la rendait malade de regret. Le but qu'ils poursuivaient n'avait aucun sens pour elle, leur voyage demeurait obscur. Pourtant, elle ressentait la chaleur de leurs intentions d'une manière qui lui était totalement inconnue autrefois, leur volonté d'abattre les barrières ouvrant sur un monde nouveau. Anna ne croyait pas aux nouveaux mondes, mais elle ne pouvait s'empêcher de vouloir côtoyer des hommes, des femmes animés par cette foi, et elle le savait. Parmi les communistes en fuite de son souvenir se cachait une ombre factice, un homme qui n'avait jamais été là, qu'elle n'avait jamais vu. Samarin, soudaine apparition, intrus venu témoigner du choix qu'elle n'avait pas fait.

Elle descendit l'escalier, avala quelques bouchées de *kaše* et un thé brûlant, glissa un pain et une conserve de sprats dans son filet à provisions, embrassa Alyosha, mit ses bottes et son chapeau puis sortit. En refermant la porte, elle aperçut le visage de Kristina, qui l'observait, comme choquée par l'étrangeté d'un inconnu.

— Vous allez attraper la mort, proféra Kristina, absente, telle une divinatrice.

Des lambeaux de nuages déchiquetés, jaunes en dessous, menaçaient le soleil dans le ciel de Jazyk. L'eau stagnante des ornières passait furtivement de l'éclat à l'ombre sur la route de la place. Anna s'emmitoufla dans son chandail pour marcher contre le vent. La route était large mais les maisons de bois noires étaient pressées les unes contre les autres, comme si leurs habitants avaient voulu s'entasser sur un îlot, comme si les espaces infinis de la Sibérie étaient un océan qui risquait de les engloutir, ou de les rendre fous, s'ils ne restaient pas assez proches pour pouvoir s'étreindre dans la tourmente.

Pourtant, ils étaient bel et bien fous ; c'est pour cela qu'ils étaient venus. Les castrats étaient sans descendance.

Elle croisa des castrats qui suaient à grosses gouttes pour installer une lourde cabane destinée aux étourneaux sansonnets sur le terrain en friche où paissaient les oies, en face de la maison de Mikhail Antonovich. Elle les connaissait tous les quatre par leur nom. Ils hochèrent la tête et la saluèrent sans effusion. Menant au licol une vache maigre, ultime survivante de son troupeau, Bogomil Nikonovich souleva son chapeau, découvrant un crâne aussi lisse qu'une citrouille. Il dit bonjour et son regard s'attarda sur les jambes d'Anna Petrovna.

Anna Petrovna était "la folle". Elle ne se souvenait plus très bien quelle fable son mari avait inventée pour expliquer à ses chers castrats les raisons qui l'avaient poussée à venir s'installer ici. Il avait évoqué la photographie, le veuvage, un besoin hystérique de tranquillité, ce qui avait certainement fait de lui, aux yeux de la communauté, le généreux défenseur d'une femme qui avait perdu la raison. Elle était la nièce de Satan, mais ils toléraient sa présence. Elle fumait, buvait, mangeait de la viande ; elle ne priait jamais ; c'était une fornicatrice ; elle refusait de croire que l'amputation des organes sexuels changeât les mutilés en anges. Elle se souciait davantage de son fils que de son voisin. Elle organisait son temps avec avidité et égoïsme. Elle ne recherchait ni la perfection ni le paradis. Elle aimait le monde bien plus qu'elle n'aspirait au ciel ou ne craignait l'enfer. La Bible ne lui semblait pas plus propice à lui fournir des règles de vie qu'un roman de Victor Hugo. Elle était incontrôlable. Elle n'était pas seulement proche du diable, elle était l'Ennemi en personne. Et comme ils se montraient courtois à l'égard de cette folle, cette diabolique, qui vivait parmi eux ! Aux yeux des castrats, son âme était aussi dérangée que celle des pauvres clochards divaguant sur les trottoirs des grandes villes, qu'une simple bande de gamins pouvait jeter à quatre pattes, le visage en sang ; mais les gens de Jazyk étaient bien incapables de lui offrir ne fût-ce que ce plaisir que les clochards avaient à être martyrisés. Ah, ils auraient eu bien des choses à apprendre aux gens des villes, quant à la manière de traiter leurs marginaux avec miséricorde et dignité.

À l'approche de la place, elle vit un homme sortir de la maison de Timofei Semyonovich, un panier d'osier à la main. Il portait une casquette noire et plate, une veste noire par-dessus une blouse paysanne et des hauts-de-chausses.

Gleb Alexeyevich Balashov. Les rencontres avec son mari commençaient toujours mal et finissaient plus mal encore. L'apercevant, il s'approcha d'elle. Ils s'immobilisèrent à deux mètres l'un de l'autre et se saluèrent poliment. Leurs règles de conduite, clairement établies, remontaient au jour même de son arrivée à Jazyk, à la fin du printemps 1915.

— Les Tchèques m'ont convoqué à l'audience, expliqua-t-il. En qualité de dirigeant de la congrégation.

— J'y vais également. Un peu de distraction.

Balashov posa sur elle un regard qui exprimait un réel chagrin pour son âme. Un regard sincère, troublé, qui la dégoûta.

— Le capitaine Matula l'abattra peut-être à la fin, ajouta-t-il.

— Alors, il ira tout droit au ciel.

— Il est athée. Enfin, j'imagine.

— Si c'est le cas, une agréable surprise l'attend là-haut.

Ils marchèrent en direction de la place. Balashov demanda des nouvelles d'Alyosha.

— Il rêve de feu son courageux père, dit Anna.

— Son père n'est pas mort, répliqua Balashov avec humilité. Il a changé.

— Quelle jolie expression, rétorqua Anna. Elle oubliait toujours l'art qu'il avait de la rendre amère. C'était cet art même qui la mettait hors d'elle. La manière mielleuse dont son mari adaptait à chaque folle embardée de son esprit dévasté un petit cheptel de mots chastes.

— Vous dites "il a changé" comme si vous évoquiez un arbre rougissant à l'automne. Et pas un couteau tailladant votre chair. Ça saigne. Ça laisse des cicatrices. C'est douloureux.

- La vie est douloureuse. Plus on vit, plus on souffre.

— C'est faux.

Anna ne parvenait pas à se concentrer sur ce qu'il disait. Son esprit passa de l'arbre changeant de couleur au compartiment de train de leur nuit de noces et au bourgeon qui refusait d'éclore, puis à cette nuit, un an après son arrivée à Jazyk, où elle avait bu une demi-bouteille de cognac avant de se précipiter dans la nuit, le long de cette même route, jusqu'à la chambre de son mari, et d'arracher ses couvertures dans l'intention de le violer, tâtonnant dans le noir pour tenter d'enfoncer en elle les vestiges de son membre. Elle pensait moins aux cicatrices, à l'absence ou au fait qu'il refusait de se raidir, qu'à la soumission de son corps, au murmure grave et monotone de ses prières.

— Allez-y, dit-elle en s'arrêtant. Continuez. Je ferai semblant de ne pas vous voir, là-bas.

Balashov acquiesça du chef et se remit en route sans un mot. Il était impossible de croire qu'il ne savait pas ce qui la mettait le plus en colère.

— J'ai tout raconté à Mutz, cria-t-elle dans son dos. J'ai rompu ma promesse.

Balashov chancela puis, tout en marchant, la regarda par-dessus son épaule et répondit : "Je suis vraiment désolé", avant de poursuivre son chemin.

— Pourquoi m'avoir menti au sujet de la photographie ? hurla-t-elle. Vous disiez dans votre lettre que vous les aviez toutes abandonnées sur le champ de bataille. Pourquoi m'avez-vous menti ?

Gleb se figea, fit volte-face et dit, sans hausser le ton :

— J'avais honte de l'avoir gardée.

— Honte ? Honte de porter sur vous le portrait de votre femme ? C'est pour cela que vous l'avez jetée par terre, dans la rue ?

— Je suis désolé. Puis-je la récupérer ?

Anna chercha du regard une pierre pour la lui jeter au visage. Elle n'en trouva aucune et quand elle tourna la tête, Gleb s'éloignait déjà. Elle ne pouvait supporter la vue de cet homme. Debout sur les rondins de la chaussée, sans nulle part où s'asseoir, rien contre quoi s'appuyer, rien à voir qu'elle n'avait déjà vu mille fois, elle se sentit abominablement seule.

Au bout de quelques minutes, elle marcha vers le bâtiment de l'administration et entra dans la cour, au fond de laquelle la hutte du shaman avait l'air aussi abandonnée et maudite que les bottes d'un homme mort. Elle l'avait rencontré et avait essayé un jour de lui parler, car elle désirait utiliser l'une de ses dernières plaques pour lui tirer le portrait. Il avait gardé ses bras et ses jambes croisés, sa cheville enchaînée posée sur celle qui ne l'était pas, et avait secoué la tête, refusant de croiser son regard. Sans doute s'était-il dit qu'elle serait intimidée par le caractère distant et intouchable du représentant d'une religion ésotérique. Il existait des états dans lesquels même les shamans de Sibérie ne pouvaient s'imaginer ; ils étaient réservés aux paysans des terres noires, ou aux jeunes bourgeois élégants, bien éduqués, des provinces européennes.

Un attroupement s'était formé près de la hutte, les gens discutaient main dans la poche, en fumant, comme s'ils étaient sur le point de regagner l'intérieur d'un théâtre à la fin de l'entracte. Ils se retournèrent pour regarder Anna. Les Tchèques et leurs petites factions. Mutz donnait l'impression d'avoir été sur le point de parler à son mari au moment où il l'avait vue arriver. Il se tenait à l'ombre du sergent Nekovar, l'habile artisan qui avait réparé le poêle d'Anna et lui avait posé de drôles de questions, et qui voyait en Mutz à la fois un artisan comme lui et l'unique officier à être aussi déterminé que la plupart des soldats à quitter la Sibérie. Le sergent Bublik, qui se prétendait communiste mais n'avait jamais osé déserter pour rejoindre les rouges, était seul dans son coin. La destruction de l'ordre ancien, la mort du tsar et la prise de la ville par les Tchèques avaient frappé Skachkov – le chef de canton, qui restait la plus haute autorité civile de Jazyk, du moins sur un bout de papier conservé quelque part à la chancellerie des blancs, à Omsk – comme une attaque, après toutes ces années où il s'était acharné à refuser d'avouer, à lui-même et aux enquêteurs officiels de passage, que la ville était presque exclusivement peuplée d'apostats monstrueux, coupables d'un péché trop grotesque pour être nommé. Il était toujours capable de marcher, de parler, de boire et de manger sans l'aide de personne, mais chaque matin il s'asseyait à son bureau en face de celui des visiteurs qui ne viendraient plus, le regard perdu dans le vide, pris de tremblements, s'éclaircissant la gorge de temps à autre, puis il ajustait la pile de documents jaunis posés devant lui, afin que leurs bords soient toujours parfaitement alignés.

Matula se tenait au centre du groupe. La ville était devenue son jouet, à tel point qu'Anna s'étonnait qu'il n'en soit pas encore lassé. Le destin de Jazyk était-il assez vaste pour lui ? Il semblait se nourrir de cette sensation de ténèbres accumulées qui se dégageait des millions d'arbres alentour, comptant les ombres comme d'autres comptaient leur or. Il était entouré de son escorte, le sergent Hanak, dont la mâchoire inférieure et le nez avançaient de concert, comme le museau d'un chien, du pauvre lieutenant Dezort et de la femme de Skachkov, Elizaveta Timurovna, la maîtresse de Matula, qui en voulait à Anna de ne pas s'offusquer quand elle la prenait de haut. Il ne manquait que l'affreux Kliment.

Matula et Elizaveta Timurovna ricanaient tous les deux. Ils avaient l'air soûls, mais d'une ivresse étrange, frénétique. Matula demanda à Anna Petrovna si c'était son déjeuner qu'elle apportait là.

— J'ignorais si vous donniez à manger au prisonnier, rétorqua-t-elle. Vous n'avez pas pris soin du dernier.

Elizaveta Timurovna protesta bruyamment. Seul dans son coin, Bublik examina la conserve de sprats et marmonna :

— Bourgeoise.

— Je pensais que vous ne serviez que de la nourriture casher, Anna Petrovna, reprit Matula, sur un rythme effréné. Avons-nous perdu un shaman ? Oui, madame.

Dans le rayon de Mutz. Il perd sans arrêt des choses. Des shamans, des chevaux, la confiance de ses hommes. Je ne suis pas sûr que le prisonnier aura le temps de manger. Il sera peut-être déclaré coupable dans une minute. Clac ! Comme ça, nous pourrons tous nous partager le repas d'Anna Petrovna. Du pain et du poisson.

— Monsieur, l'interrompit Mutz, nous devrions commencer.

Tous allèrent s'entasser dans le vieux tribunal de Jazyk, une salle minuscule avec un banc des accusés, deux rangées de chaises et un fauteuil plus large, matelassé, posé sur une estrade, quelques centimètres au-dessus du sol. Matula se dirigea vers le fauteuil, évalua l'assise du bout des doigts, se vautra dedans, sortit son pistolet, ferma un œil, jeta un bref regard vers la barre, posa le pistolet sur ses genoux et fit un geste de la main à l'intention de Mutz. D'un hochement de tête, Mutz signifia à Nekovar qu'il pouvait amener le prisonnier. Les autres s'assirent. Au bout d'une minute de mouvements silencieux et de quintes de toux, un double bruit de pas se fit entendre. Samarin fit son entrée, suivi de Nekovar, fusil au poing. Samarin jeta un regard circulaire et salua de la tête l'assemblée. Anna lui renvoya un sourire, Bublik un salut cérémonieux, frère. Samarin fit mine de s'asseoir sur une chaise vide au premier rang, en face de Matula, mais Mutz s'interposa et le prit par le coude pour le mener au banc des accusés. Samarin eut l'air surpris, mais rejoignit gentiment sa place et s'y tint debout, observant autour de lui sans un battement de paupières. Ses yeux s'attardèrent un instant sur ceux d'Anna. Il lui sourit. Elle sentit le sang lui monter aux joues, comme une jeune fille.

— Au nom de... commença Mutz. Matula l'interrompit aussitôt.

— Quelque chose ne va pas ? demanda Matula.

— Ce sont mes cheveux, répondit Samarin.

— Vous n'en avez pas.

– C'est bien là le problème, répliqua Samarin.

Anna, Nekovar et Dezort éclatèrent de rire. Par deux fois, Samarin avait secoué la tête comme un cheval harcelé par les mouches ou un homme souffrant d'un grave tic.

– Ils m'ont rasé le crâne ce matin. C'est dur de s'habituer à ne plus avoir de cheveux au bout de neuf mois. C'est dur de s'habituer à être propre. Mais je suis reconnaissant à l'égard du sergent Bublick (il désigna de la tête Bublik, qui répondit par un grognement) et du soldat Racansky de m'avoir fourni de l'eau chaude, des habits et d'avoir brûlé mes cheveux.

Matula acquiesça de la tête, Mutz reprit.

– Au nom des autorités provisoires de Jazyk et du capitaine Matula, je déclare ouverte cette audience visant à élucider les circonstances exactes de l'arrivée de M. Samarin, hier soir, sans document aucun, à peu près à la même heure que la mort d'un certain shaman. Monsieur, voulez-vous bien nous communiquer votre nom complet, votre date de naissance, votre lieu de résidence permanent et votre situation ?

– Ai-je droit à un avocat ? demanda Samarin.

– Non, répondit Matula.

– S'agit-il d'un procès ? De quoi m'accuse-t-on au juste ?

– D'avoir une personnalité indéfinie, rétorqua Matula. Il gonfla les joues, expira et se pencha en avant pour se gratter le front sur le canon du pistolet, les yeux fermés. Sa frénésie commençait à retomber. Il se redressa et jeta un regard nonchalant sur Samarin : écoutez, mon vieux. Les bois regorgent d'espions rouges et nous n'avons pas la moindre idée de qui vous êtes. Mutz, ici présent, pense que vous avez refilé au shaman une bouteille d'alcool…

– Monsieur, je…

– Ne m'interrompez pas, maudit juif ! Et M. Mutz pense que vous représentez une menace pour la société. Il y a aussi le cas de mon brave et splendide cheval qui est mort, et que quelqu'un a tenté de… (Matula avait le souffle lourd. Il respira de plus en plus fort, jusqu'à l'explosion)… MANGER ! (Il laissa sa tête retomber en arrière, passant et repassant le canon de l'arme le long de sa lèvre inférieure.) Je fais la loi dans cette partie de la Sibérie, reprit-il d'une voix calme. Nous sommes prêts à écouter votre histoire. Si elle me plaît – je dis bien *plaire,* pas convaincre – je vous relâcherai peut-être. Si elle ne me plaît pas, vous aurez juste le temps de regretter de ne pas en avoir inventé une meilleure, avant d'aller vous expliquer avec les corbeaux.

— Je m'appelle Kyrill Ivanovich Samarin, déclara le prisonnier. Je suis né le 3 novembre de l'année 1889, en Karélie. À la mort de mes parents, je suis parti vivre chez mon oncle à Raduga, près de Penza. J'étais étudiant dans cette ville jusqu'à mon arrestation en 1914. Je n'exerce aucune profession. J'ignore ce qu'il est advenu de ma famille et de notre maison. Bien des choses ont changé, j'imagine.

Bublik et Racansky lui avaient déniché une blouse de paysan et des hauts-de-chausses, mais ils n'avaient pu lui fournir ni bottes ni manteau. Il portait les bottes défoncées dans lesquelles il était arrivé, une simple couverture posée sur les épaules. Tout en parlant, il l'enleva et la plia soigneusement pour la poser à cheval sur la barre. Son visage et son crâne avaient été rasés. Il perdit bientôt l'habitude de repousser sur le côté les cheveux imaginaires qui lui tombaient devant les yeux, mais Anna avait l'impression que le fait d'avoir été dépouillé de sa chevelure le mortifiait et le rendait plus méfiant. Pendant qu'il parlait, il avait cette manière unique de se tourner successivement vers chacun des membres de l'assistance et de poser sur lui des yeux écarquillés. "Vous, j'en suis persuadé, vous comprendrez ce dont je parle." Il n'omettait personne, pas même Skachkov, le chef de canton, qui ne regarda pas une seule fois dans sa direction et ne semblait même pas l'écouter. Il laissa ses yeux s'attarder plus longuement sur Anna. Elle fut heureuse de laisser ses yeux rencontrer les siens, jusqu'à ce que cela se transforme en une lutte qu'elle perdit, ou plutôt qu'elle refusa ; la première, elle détourna le regard.

– Vous m'avez confié hier soir que vous aviez été arrêté en tant que terroriste présumé, l'interrompit Mutz. Que vous transportiez une bombe. J'aimerais…

– Mutz, Mutz, Mutz, intervint Matula, se couvrant les yeux de sa main. Il se massa l'arête du nez. La main posée sur le pistolet s'agita d'un sursaut nerveux. Laissez notre homme raconter son histoire. Cessez de l'interrompre. Là, je suis vraiment à cran.

Mutz, qui se tenait debout entre Matula et la barre, serra les lèvres et fit un pas en arrière pour s'adosser au mur du fond. Samarin dévisagea les deux hommes, tour à tour.

– Avec votre permission et tout mon respect, reprit-il. Mesdames et messieurs, officiers et soldats de la Légion tchèque, Votre Excellence, camarade Bublik. Avec un art certain de la concision, le lieutenant Mutz vient de vous rapporter les motifs de mon arrestation. Il a mentionné la bombe que j'avais dérobée à une jeune amie pour la soustraire aux funestes conséquences de sa naïveté. À présent, je propose de vous dévoiler en partie ce que j'ai enduré dans le camp de prisonniers où l'on m'a envoyé, le Jardin blanc, ainsi que les raisons et le déroulement de l'évasion qui m'a mené parmi vous. Mais avant de commencer, il me faut renouveler la mise en garde que j'ai adressée au lieutenant cette nuit. Je suis certain que l'homme qui m'a aidé à m'échapper, le bandit que je ne connais que par son *klika*, le Mohican, m'a poursuivi jusqu'à ce sanctuaire, le premier que j'aie rencontré au cours de ma longue errance au cœur de la nature sauvage. Je suis persuadé qu'il est ici, maintenant, à Jazyk. Je suis sûr qu'il est responsable de la mort du shaman et de la mutilation – capitaine Matula, les mots me manquent pour vous dire à quel point je suis désolé d'apprendre cet acte ignoble – de votre cheval. Quel que soit le sort qui me sera réservé, prenez grand soin de vos verrous et de vos armes. Le Mohican… Non. Commençons par le commencement. Mes amis. Permettez-moi de vous parler d'abord de la rivière, du grand fleuve du milieu, la Iénisseï.

Tandis que Samarin déroulait le fil de son histoire, passant en revue ses auditeurs, Anna était émerveillée de constater à quel point son regard plaidant contrastait par sa vie et sa candeur avec la laideur des événements qu'il décrivait. Peu à peu, elle se rendit compte qu'elle avait déjà décidé de son innocence, que rien ne la ferait changer d'avis – innocent de ce que Mutz s'acharnait à lui faire avouer. Surprise d'avoir prononcé un verdict aussi immédiat, elle comprit que rien n'était plus convaincant qu'un homme capable de sentir toute la richesse du monde – ce qu'il avait de pire, si cela était concevable, mais également ce qu'il avait de meilleur – sans vendre son âme à aucune des parties de ce monde ni s'y attacher à tout jamais. Convaincant, ce n'était pas le mot. Elle pensait sans doute à la capacité qu'il avait à se faire aimer. Parfois, quand il abandonnait un instant ses interlocuteurs et semblait plonger au plus profond de lui-même pour en remonter des souvenirs, ou quand sa voix changeait et que de sa bouche sortait de l'argot, la mélodie des bagnards, elle sentait que cela lui était destiné ; que cet homme n'était pas seulement en train de marchander pour sauver sa peau, mais qu'il la prenait par la main pour lui montrer ce que c'était que d'être lui.

– Quand je suis arrivé à la tête de ligne de Iénisseï avec mes gardes, je pensais encore qu'on m'envoyait en exil dans un village de l'arrière-pays, reprit Samarin. J'imaginais le genre d'endroit où l'on envoyait les prisonniers politiques, quelque part à deux ou trois jours en aval du fleuve. De là, on pouvait sans doute rejoindre la tête de ligne en charrette, ou en traîneau l'hiver. Il y aurait une rangée de maisons alignées au bord du fleuve, avec un ponton, des pâturages et, en arrière-plan, la forêt. Il y aurait un magasin où autochtones et trappeurs s'approvisionneraient en boisson et en vivres. On m'attribuerait une chambre dans la maison d'un paysan, jouxtant l'étable, et de petites corvées comme fendre le bois, apprendre aux gens à lire, prendre le thé avec l'inévitable progressiste du coin, lui tenir compagnie l'hiver autour d'un verre de samogon*, débattre d'articles anciens publiés en Europe, se promener dans la forêt, prendre des notes pour de futures études consacrées à la faune et la flore. Ils attendraient de moi que j'essaie de m'évader. Ça ne serait pas bien compliqué. Il suffirait de partir, à pied. De toute façon je n'avais pas l'intention de m'évader. J'étais bien assez content d'avoir échappé à la pendaison. Jamais plus je ne toucherais à une bombe. Les empires s'autodétruisaient dans cette guerre, à l'ouest ; ils s'entre-déchiraient bien plus efficacement qu'un terroriste isolé n'aurait pu en rêver, et ils se trouvaient loin, de l'autre côté de l'Oural. Trois vastes fleuves me séparaient d'eux. J'attendrais que ça passe. Assis sur une caisse, au bord du quai, tandis que mes gardes comparaient leurs documents avec ceux de la police locale, je rêvais d'un destin semblable à celui du jeune Tolstoï ; la Sibérie serait mon Caucase. Quelque vieux *dyadya* m'emmènerait chasser dans les bois, j'aurais une aventure avec une fille du coin, ma peau serait tellement tannée par la chaleur et le gel que je sentirais à peine la piqûre des moustiques, juste assez pour me rappeler que j'étais en vie.

'C'était il y a cinq ans, un peu plus tard dans l'année, mais le soleil était toujours là, la Iénisseï déroulait devant moi ses flots majestueux, placides. Des poissons crevaient la surface. J'avais tout le temps. Mais soudain j'ai entendu la porte grinçante des bureaux de la compagnie des vapeurs s'ouvrir sans se refermer. Quelqu'un était sorti et se tenait sur le seuil, à m'observer, un homme gras portant l'uniforme de la marine à vapeur, plissant les

---

* Samogon : vodka artisanale, distillée illégalement. (NdT)

yeux et tripotant son collier. Il m'étudia pendant une longue minute puis, sans décoller les talons, il fit demi-tour dans l'obscurité de son bureau pour s'adresser à un interlocuteur invisible : 'Nous pourrions leur envoyer le prisonnier politique.' D'abord, personne n'a répondu. Puis j'ai entendu une voix, sans pouvoir discerner ce qu'elle disait. Le grassouillet s'est tourné vers moi et m'a demandé : 'Que fait votre père ?' J'ai répondu qu'il avait été architecte avant de mourir. 'Sans-grade', a déclaré l'homme en se penchant à l'intérieur, avant de cracher par terre. Il m'a dit : 'Ils devaient vous considérer comme une grande menace pour la société, pour vous envoyer en exil, eux qui ont tellement besoin de chair à canon pour les Allemands.'

"Ils m'ont embarqué sur un bateau à vapeur, avec mes gardes. À bord se trouvaient un géologue et trois membres d'équipage : le capitaine, le mécanicien et un matelot. Ils m'ont enchaîné la cheville à une main courante, m'ont laissé dormir sur le pont toute la nuit, sous la surveillance de mes gardes. Au petit matin nous montions vers le nord, portés par le courant. J'ai voulu savoir où ils m'emmenaient. L'équipage refusait de me répondre. Le géologue m'a confié que c'était un secret d'État. Les premières nuits, nous avons fait escale dans des hameaux isolés, au bord du fleuve. Chaque fois, je pensais qu'ils me détacheraient et me débarqueraient pour de bon, mais les choses prenaient toujours la même tournure. Une foule où l'on apercevait des vaches et des chiens nous attendait au bout du ponton. Ils observaient nos manœuvres d'amarrage comme s'ils avaient assisté, sans en croire leurs yeux, au retour de l'enfant prodigue. Puis le géologue, l'équipage et les gardes descendaient à terre, me laissant où j'étais, enchaîné comme un chien, avec une couverture, du poisson séché et de l'eau, les étoiles pour seule compagnie et la morsure du gel. Je voyais les lampes briller aux fenêtres des cabanes, j'entendais les gens chanter et porter des toasts, souhaitant la bienvenue à leurs invités à grand renfort de vodka. Parfois, les gardes m'apportaient de quoi manger. Ou bien un villageois m'offrait un verre de thé, une assiette de *kaše*, une saucisse, en général l'un de ces vieillards exilés dans le temps, ou bien de jeunes gens dont les parents l'avaient été. Ils posaient des questions à mon sujet, à propos de la politique, de la guerre. Tous avaient des fils ou des frères partis pour le front. Ils finissaient toujours par secouer la tête en gémissant 'Seigneur Dieu', puis s'éloignaient en chancelant comme des vagabonds. J'essayais tant bien que mal de m'endormir dans le froid avec pour seul bruit, une fois que les chanteurs s'étaient tus et que leurs bêtes dormaient, le clapotis du courant contre la coque.

"Les hameaux se faisaient de plus en plus rares, étriqués, au fur et à mesure que nous progressions vers le nord. Ils ont fini par disparaître. Les arbres et les nuits devenaient plus courts, la glace sur le pont ne fondait guère qu'en fin d'après-midi. Le géologue, Bodrov, était de plus en plus excité. Il ne quittait plus la proue du navire. Dès qu'il apercevait des falaises, il suppliait le capitaine d'accoster, son petit marteau à la main. Il voulait récolter des échantillons. Le capitaine faisait non de la tête. Plus nous approchions de l'Arctique, plus le capitaine était silencieux, sauf pour hurler au chef mécanicien, dans la chaufferie, de faire monter la pression. Il craignait que la rivière ne gèle, que le bateau ne se retrouve pris au piège sur la route du retour. Plus le capitaine se taisait, plus Bodrov parlait. Une nuit, il s'est mis à crier. Vers le nord étaient apparues des lueurs semblables à une pluie de poussière coulant à travers un trou de la Voie lactée. Il a passé les bras autour des épaules de mes gardes, qui ont couru voir ce qui se passait. Il leur a expliqué comment naissait une aurore boréale et a passé en revue les noms des étoiles formant les grandes constellations. Un jour, nous avons croisé un Toungouze monté sur un renne aussi grand qu'un cheval, qui nous observait depuis l'orée des bois, un harpon à la main. Bodrov lui a fait de grands gestes et l'a interpellé mais l'homme a fait faire demi-tour à sa monture, avant de disparaître dans les ténèbres de la forêt. Lorsque nous avons franchi le cercle Arctique, Bodrov a ouvert une bouteille de cognac français et nous a tous fait boire à la santé de l'étoile Polaire. Il chantait des chansons d'étudiant qui disaient : 'Nous irons jusqu'au pôle, les gars, les petites femmes toungouzes font de jolies épouses, nous vivrons sous la tente sans payer de loyer et nous mangerons de la neige jusqu'à en crever.'

"Le capitaine a avalé son cognac et marché jusqu'à un seau accroché à une corde qu'il a balancé par-dessus bord pour le remplir d'eau glacée, avant de le vider sur la tête de Bodrov. Tous, nous avons senti l'aiguillon du froid sur nos joues. Puis le capitaine a déclaré : 'Voilà la nature de cette rivière. Elle coule vers le nord. Elle est froide comme la mort, elle est la mort. Un désert où rien ne pousse. Pesonne ne devrait être forcé à vivre par ici.'

"Bodrov a essuyé l'eau qui coulait sur ses yeux, puis, passé un moment de confusion, il a éclaté de rire et s'est frotté le visage jusqu'à ce qu'il devienne écarlate. 'Regardez-le, votre fleuve ! dit-il. Plein de poisson ! L'air regorge d'oiseaux, la forêt d'élans et de zibelines. Les Toungouzes vivent ici par centaines dans leurs wigwams, armés de harpons et de haches, ils vivent heureux, et vous autres hommes civilisés vous enfuyez vers le sud au premier signe de gel. Les roches abondent en or, en diamants, en platine, en rubis, il y a du cuivre et du nickel, des océans de houille et des lacs de pétrole. Assez de pétrole pour illuminer le monde !' Sur ces mots, il s'est déshabillé et il a plongé dans le fleuve avant de refaire surface, le visage grimaçant, brandissant les poings. Le capitaine a poussé un juron, coupé le moteur et lui a jeté une corde. S'ils ne l'avaient pas remonté, il serait mort en quelques minutes. Ils l'ont porté dans sa cabine, emmitouflé dans une couverture, tout tremblant. Posant ses yeux sur moi, le capitaine a répété : 'Personne devrait être forcé à vivre par ici.'

"Le capitaine a obtenu qu'on m'enlève ma chaîne et qu'on me laisse dormir dans la chaufferie, qui empestait la fumée et le soufre. De toute ma vie, je n'avais jamais été aussi heureux que quand ils m'ont emmené à l'intérieur, à l'abri des assauts du froid. Il n'y avait rien de mou sur quoi m'allonger, le plancher était jonché de cendres, de scories et d'éclats de charbon. Mais il faisait chaud. La chaleur était si plaisante, comme un vieil ami qui se serait langui de moi, et qui se languirait de moi le jour où je repartirais.

"Un jour le matelot m'a réveillé en me secouant par les épaules et m'a tendu un balai, m'ordonnant d'aller déblayer la neige sur le pont. C'était le petit matin et le bateau courbait l'échine sous un épais blizzard. On distinguait à peine les berges à travers les nuées. Le visage du capitaine, dans la timonerie, était furieux, terrifié. Jamais il n'était monté si loin vers le nord aussi tard dans l'année. J'ai passé des heures à balayer la neige, me frayant un chemin d'un bout à l'autre du pont, jusqu'à ce que mon pauvre dos n'en puisse plus. Le blizzard s'est levé, les rafales ont cessé et la neige s'est mise à tomber en flocons gros et lourds. Soudain j'ai aperçu au bord de l'eau ce qui effrayait le capitaine. Des lames de glace courbes et délicates se cristallisaient au contact de la boue gelée, à demi-transparentes, fragiles et puissantes. Les arbres se faisaient rares, clairsemés, rabougris.

"Le lendemain, nous avons quitté le cours de la Iénisseï pour remonter un affluent qui partait vers l'est. Naviguer à contre-courant ralentissait notre progression. Le courant était fort, mais la rivière noire et profonde, ce qui empêchait la glace de se former. Le ciel a pris une couleur de cuir, un nouveau blizzard s'est abattu sur nous. Quand il a fini par se calmer, nous avons découvert des montagnes abruptes, formées de roches grises parsemées de névés. Bodrov, engoncé dans un chapeau en fourrure de loup et un sombre manteau en peau d'agneau, est tombé en extase. Il a déclaré qu'il s'agissait du Poutorana, un massif où était écrite toute l'histoire du monde.

"Ils l'ont débarqué près d'une cabane en rondins, lui promettant d'être de retour sous quatre jours. Il n'écoutait plus personne. Tout ce qu'il voulait, c'était descendre à terre avec son marteau, ses instruments et ses raquettes. En nous éloignant, nous l'avons vu gravir doucement les pentes enneigées derrière la cabane, traçant une piste parmi les arbres.

"J'ai demandé au capitaine ce qu'il adviendrait de Bodrov si le vapeur se retrouvait piégé par les glaces en amont de la rivière. Le capitaine a posé sur moi un regard aussi surpris que s'il s'était retrouvé nez à nez avec un chien jongleur. Il a répondu : 'Il apprendra à chasser, ou bien il mourra. Mais là où nous vous emmenons, vous ne vous inquiéterez plus pour lui.' Deux jours plus tard, juste après le lever du soleil, nous arrivions en vue du Jardin blanc."

"Le Jardin blanc est perdu au fin fond de la toundra, coincé entre la rivière et des monts rocheux, taillés en forme de cônes, les premiers contreforts du Poutorana. Ces monts sont creusés de profonds sillons, en dents de scie ; avez-vous déjà vu des coquilles de berniques ? Voilà à quoi ils ressemblent. Ils ne dépassent pas quelques centaines de mètres, mais dans le creux des sillons il reste de la neige jusqu'au cœur du mois d'août. Au nord de ces monts s'étendent la chaîne proprement dite, de grands glaciers, Taïmyr puis l'océan Arctique. La rivière décrit un méandre dominé par le promontoire du Jardin blanc, lequel est donc clos par la rivière à l'est, au sud et à l'ouest. Hormis quelques *chumas* tougouzes, il n'y a aucune présence humaine à des milliers de kilomètres à la ronde. En été, le sol se couvre de mousse, de baies et de fleurs, on voit des buissons, des buissons secs et épineux. Quand ils verdissent, quelques semaines par an, on dirait des feuilles germant sur du fil barbelé. Pas d'arbres. Pas d'herbe. La terre sous vos pieds gelée en permanence. En janvier, sur les glaces de la rivière, il fait moins soixante-dix degrés. Et encore, quand le temps n'est pas trop mauvais. Car si la *pourga* noire se met à souffler, elle peut former en l'espace d'une nuit des congères plus hautes que le mât d'un navire. Ce n'est pas notre monde. Quand j'étais étudiant, nous discutions parfois de la possibilité de construire une rampe assez haute pour propulser un train dans le cosmos, vers la Lune ou Vénus. Le Jardin blanc était un endroit de ce genre, le terminus d'un voyage entrepris depuis le sommet de toutes nos maisons empilées. Au plus fort de l'hiver, l'air n'est semblable à nul autre. Quand on le respire, il fait mal.

Le soleil disparaît pendant des semaines. Il faut donner des coups de pied dans les piliers de l'embarcadère pour croire qu'il existe un lien entre l'endroit où l'on est et l'endroit où l'on se trouvait. Même les bateaux hissés sur la terre ferme ressemblent à des embarcations tombées par inadvertance du plan astral. La rivière est si solidement gelée qu'elle semble plus dure, plus ancienne que les rochers eux-mêmes. Penser qu'elle pourrait fondre, redevenir liquide est un acte de foi plus extrême que ceux des croyants. Puis l'été arrive avec ses jours sans fin. Ce soleil qui ne s'en va jamais, c'est l'ultime étape avant la folie. Les baraquements étaient installés sur une étendue de gravier blanc. Du quartz qui reflétait les rayons du soleil des jours durant, au moment du solstice d'été, étincelant comme le trésor d'un dragon, comme un fer rouge gravant au fond des yeux un motif qu'on continuait à voir quand ils étaient fermés. Là-haut, à flanc de coteau, coulait une cascade. Quand elle n'était pas figée par le gel, elle déposait sur les rochers des traînées minérales, de gros cristaux blancs qui dessinaient des troncs et des branches, semblables à des arbres de Noël. En les voyant pour la première fois, on les trouvait jolis, mais on finissait par les détester, comme seuls les exilés sont capables de haïr, en découvrant que ces souvenirs d'une vie passée n'étaient que des faux. Les premiers Européens à s'aventurer là avaient vu l'éclat du quartz, les rameaux de cristal. Ils baptisèrent ces lieux du nom de Jardin blanc, persuadés d'y trouver de l'or. Ils nous ont forcés à fouiller, à creuser le flanc des montagnes à coups de pioches, de marteaux et de barres à mine, à la recherche de veines du métal précieux, ou de métaux quels qu'ils soient, fer, nickel. Nous n'avons rien trouvé. Nous n'avons fait que transformer des montagnes en monceaux d'éclats de roche. Chaque rocher brisé vous rendait plus fort ou plus faible. De toute façon, il vous rendait plus vieux.

"À mon arrivée, on m'a attribué une couchette dans un des baraquements que je partageais avec quarante autres bagnards et un chef d'équipe chargé de veiller sur mon travail, qui débuta dès le lendemain. Douze heures par jour, six jours par semaine. Le dimanche était jour de repos. Je n'étais pas prêt pour le Jardin blanc. Je suis entré dans le baraquement avec ma valise et mon carton de livres, le crâne rasé tel un bagnard, mais toujours vêtu de mon uniforme d'étudiant. Les autres prisonniers m'ont dévisagé comme si j'étais un portefeuille rebondi tombé d'une poche et qu'il n'y avait plus qu'à attendre que son propriétaire se soit éloigné. J'étais un criminel au regard de la loi, comme eux, mais je n'étais pas comme eux. Ils ne me haïssaient pas. La haine n'avait pas sa place au Jardin blanc. Ça n'avait rien à voir avec de la haine, sauf cette haine qu'il faut avaler d'un coup comme un alcool fort avant de frapper quelqu'un. Je ne comprenais vraiment rien, à tel point que je croyais, par exemple, que le commandant, un aristocrate qui se faisait appeler prince Apraksin-Aprakov, dirigeait le camp, qu'il s'appuyait sur les gardiens pour le contrôler. Bien sûr, il ne dirigeait pas le camp. Il en était le propriétaire. Les gardiens étaient là pour le protéger, pour veiller à ce que personne ne s'évade. La bonne marche du camp était confiée aux prisonniers vétérans, en particulier à trois autorités en matière de crime : Avraam l'Allumette, Serguëi la Mitrailleuse et le Mohican.

"J'ai fini par douter de l'existence même du prince Apraksin-Aprakov. Pendant toutes ces années, je ne l'ai jamais vu, même si l'on prétendait qu'il vivait là. Il possédait une maison en bordure du camp, adossée aux barbelés. La nuit, on distinguait la lumière des lampes, le son d'un gramophone. Les seules preuves de sa présence étaient ses décrets pervers. Un jour, c'était au moment de l'équinoxe d'automne, Pchelentsev, le chef des gardiens, nous a rassemblés pour annoncer que le prince avait le plaisir de nous faire l'honneur de sculpter dans la glace une réplique du pavillon royal de Brighton, en Angleterre. Pchelentsev voulait savoir si l'un d'entre nous était jamais allé là-bas.

Personne n'a bronché. Tolik le Rouquin, voleur de poules récidiviste originaire de Kiev, a répondu qu'il n'était jamais allé en Angleterre mais qu'il connaissait une fille, à Brovary, dont les dessous étaient importés de Manchester. Le lieutenant lui a donné vingt coups de *knout* avant de le mettre en cage pendant des jours, jusqu'à ce que la neige lui arrive aux chevilles. Il y laissa plusieurs orteils. Ils étaient devenus noirs, le chirurgien les trancha comme un cuisinier découperait des patates. Tolik disait que ça n'était pas si terrible, qu'il lui en restait huit, que le docteur lui avait fait boire une lampée d'eau-de-vie avant d'amputer chaque orteil, si bien qu'il l'avait supplié de les lui couper tous, doucement, en échange de cent grammes d'alcool par orteil, il s'accommoderait de la douleur en la noyant ainsi. Mais le docteur avait rétorqué qu'il lui restait tout juste assez d'alcool pour tenir jusqu'à la débâcle du printemps, qu'il ne saurait quoi faire de huit orteils parfaitement valides, maintenant que le sol était trop dur pour les y enterrer, qu'il lui faudrait les brûler. Il craignait que les orteils ne reviennent le hanter, huit fantômes d'orteils chrétiens sautillant autour de son lit les soirs de pleine lune. La sculpture de glace ne vit jamais le jour.

"Certains bagnards m'ont dévalisé, giflé, ridiculisé, d'autres sont venus à mon secours, mais la plupart m'ont ignoré. La première année, j'ai pu résister au dur labeur qui nous était imposé car il y avait suffisamment de nourriture, les vapeurs naviguaient tout l'été et des attelages de rennes faisaient le voyage depuis le sud quand venait l'hiver. Le prince imposait des quotas de travail, mais les chefs d'équipe étaient assez conciliants. La seule chose qui leur importait, c'était que votre pioche soit en train de frapper la roche lorsqu'ils passaient près de vous, que l'équipe dont ils avaient la charge ait abattu un pan de montagne à la fin de chaque journée de travail. Comme ils s'en souciaient, vos voisins aussi, qui gardaient toujours un œil sur vous.

"C'est à partir de 1916, me semble-t-il, que les choses ont changé. Une barge militaire est venue, ils ont embarqué les bagnards les plus forts et les plus généreux pour les envoyer se faire massacrer dans de jolis uniformes. Le prince reçut l'ordre de prospecter pour trouver des métaux de guerre, comprenne qui pourra. Il doubla ses quotas, alors que nous étions désormais moins nombreux. Dans le même temps, on diminua nos rations.

"Au début, quand je suis arrivé au camp, une cabane était affectée aux cuisines. Un groupe de prisonniers, qui s'étaient attiré les bonnes grâces des gardiens, préparait les repas et cuisait le pain, distribuant le tout au compte-gouttes. Ils nous donnaient à manger deux fois par jour, pain, *kaše*, soupe et thé, parfois un bout de saucisse pour fêter l'anniversaire du prince ou quelque jour saint. Les gardiens, eux, avaient le privilège d'être servis à l'intérieur. Nous, nous devions aller manger dans nos baraquements. Quand la pénurie de vivres a commencé à se faire sentir, la soupe est d'abord devenue moins épaisse, et il n'y avait plus beaucoup de *kaše* dans nos assiettes. Ils mélangeaient à la farine de la sciure de bois, de la poussière et de la mousse séchée pour allonger le pain. Les miches étaient grises, peu compactes. Quand ils essayaient de les couper, elles s'émiettaient comme du bois pourri. Quelquefois, ce n'est pas une tranche de pain qu'on vous servait, mais une poignée d'écailles et de miettes.

"Je suis devenu un article, une monnaie d'échange. J'appartenais à Allumette, qui a commencé à me vendre. Il me monnayait tantôt comme esclave, ce qui m'obligeait à travailler une demi-journée supplémentaire à la place d'un autre, tantôt il négociait ma ration de nourriture. Un jour, il fit les deux à la fois. J'ai failli en mourir. Seize heures à piocher dans la neige, et rien que de l'eau chaude en rentrant au camp. J'ai trempé dans l'eau la paille de mon matelas. Je sais que cela peut sembler absurde, mais je n'avais rien d'autre que cela pour épaissir ma soupe. Le jour suivant, j'ai mangé et travaillé normalement, mais j'ai traîné ce déficit des mois durant. Même aujourd'hui je sens encore ce repas en moins. Mon sauveur fut Mitrailleuse, du moins j'ai pu le croire. Ceux qui commandaient, comme lui, ne souffraient jamais de la pénurie ; ils cherchaient sans cesse de nouvelles manières de se divertir. Apprenant qu'il ne savait pas lire, j'ai aussitôt offert de lui apprendre, de lire pour lui, s'il me rachetait à Allumette. Ce qu'il fit. Il me fallait encore travailler mes douze heures quotidiennes, mais pas une de plus, et j'étais moins mal nourri. Mitrailleuse aimait poser des livres sur l'étagère, près de son lit, et je lui faisais la lecture. Il aimait par-dessus tout Pouchkine et le livre de la Révélation. C'était un sentimental. Il venait de Svanetia, dans le Causase, portait la calotte grise traditionnelle. Il avait dévalisé des banques. Il avait volé la mitrailleuse d'une unité basée à Kutaisi, qu'il avait installée à l'arrière d'un fourgon tiré par quatre chevaux. Il avait baptisé 'caviar' les munitions, et son engin la 'mère poisson' ou 'l'esturgeon'. Il entrait au grand galop dans les villes de Mengrélie, soulevait la bâche et armait la mitrailleuse en hurlant : 'Elle va pondre ses œufs !' Employés et clients se ruaient hors de la banque, jetaient l'argent par les fenêtres, mais ça ne servait à rien, une fois qu'il avait fait son annonce, rien ne pouvait l'arrêter avant qu'il n'ait vidé sur les murs de la banque sa dernière cartouche. Quand ils l'ont arrêté, il prenait un bain d'huile d'olive dans une baignoire en faïence, nu avec sa mitrailleuse. Il leur offrit de partir à la guerre avec son arme, pour massacrer de l'Allemand. Il déclara : 'Moi seul suis capable de faire pondre la 'mère poisson'." Mais ils l'ont envoyé, lui au Jardin blanc et sa mitrailleuse à la guerre. Je voulais lui lire du Bakounine. Je pensais que ça lui plairait. Mais il ne voulait entendre parler que de la dernière trompette et du *Prisonnier*. Vous savez, Pouchkine.

> *Oiseau de liberté, frère, brisons la cage !*
> *Il est l'heure à présent de prendre notre essor,*
> *D'avoir avec le vent cet espace en partage,*

Où blanchissent les monts derrière les nuages,
Où bleuissent les mers parmi les sables d'or.[*]

"Les deux premières fois que je le lui ai lu, il a versé quelques larmes en me prenant dans ses bras, m'a embrassé, puis il s'est endormi. À la troisième lecture, la chair de son visage m'a semblé se durcir comme de la pierre. Quand le poème fut terminé, il est resté un long moment allongé sur sa couchette, immobile, les yeux grands ouverts. Se levant brusquement, il s'est mis à faire les cent pas à l'intérieur du baraquement. Il a serré ses poings l'un contre l'autre et les a secoués en faisant des bruits de fusillade. Il arpentait le bâtiment d'un bout à l'autre, les bruits devenant de plus en plus assourdissants, et chaque fois qu'il revenait vers moi il me lançait un regard. Soudain, il s'est arrêté, a hurlé : 'Elle va pondre ses œufs !', et m'a frappé au visage de ses deux poings joints. C'était une force de la nature, je me suis écroulé aussitôt, il s'est assis sur moi et m'a martelé le visage, le cou, la poitrine. Des Akh-Akh-Akh-Akh-Akh-Akh-Akh-Akh-Akh résonnaient au fond de sa gorge, l'écume et la salive ruisselaient de sa bouche. Je crois qu'il… Eh bien, il a brusquement cessé et s'est vautré sur moi, plongeant son menton hirsute dans les boucles sanglantes de ma barbe. Il n'avait jamais eu de femme. Sa mitrailleuse lui manquait terriblement.

"De tous, j'étais celui qui croyait le moins en Dieu, mais j'étais le seul à croire que je méritais de vivre. Non pas seulement que je voulais survivre, mais que je le méritais, comme si quelqu'un d'autre l'avait décidé à ma place. Ils sentaient cela. Ça les rendait curieux. Ça les provoquait. Ils se demandaient qui pouvait bien être ce quelqu'un. Ils auraient voulu me mettre en pièces. Ils voulaient voir à

---

[*] Alexandre Pouchkine, "Le Prisonnier", *Anthologie de la poésie russe,* éd. de Katia Granoff, Paris, Gallimard, coll. "Poésie", 1993, p. 63.

l'intérieur. Mitrailleuse a demandé : 'Qu'est-ce qui te fait croire que tu vaux mieux que nous ?' J'ai répondu : 'Je ne crois pas cela, tous les hommes sont pareils.' Après m'avoir longuement regardé au fond des yeux, il m'a ordonné de me déshabiller. Il a dit : 'On va bien voir si tous les hommes sont pareils.' Deux jours plus tard, j'ai repris connaissance, couché sur le sol du baraquement. Je ne voyais pas grand-chose, mais il était là, je devinais les gros genoux formant saillie au-dessus de ses bottes aux bouts renforcés, il était accroupi et contemplait ce qu'il avait fait de moi. Il a demandé : 'Qu'est-ce que tu racontais, déjà, à propos du prolétariat ? C'était intéressant.' Puis : 'Sous le régime socia-liste, est-ce que j'aurai une mitrailleuse à moi ?' Je lui ai répondu qu'à l'avenir, il n'y aurait plus besoin de dévaliser les banques. Il a craché, rétorquant que je n'avais aucune idée de ce dont il avait besoin ou pas, et m'a laissé là.

"Après ça, Mitrailleuse ne me battait que rarement, mais il volait toujours ma nourriture. Les nuits où il n'arrivait pas à dormir, il s'agenouillait au pied de mon lit, glissait sa main sous ma couverture pour me caresser les côtes, il passait ses doigts dans leurs sillons, frottait la paume de sa main au fond du creux où mon estomac aurait dû se trouver, pétrissait le vide séparant les os de mes hanches comme un boulanger étale sa farine. Il disait : 'Tu veux savoir ce que je suis en train de faire ?' Je répondais : 'Non.' Il disait : 'Je cherche ton cœur.' Je restais immobile et je le laissais faire. Je voulais lui demander du pain. Je n'osais pas. Ses doigts étaient chauds et rugueux, les sanglots qui le secouaient se répercutaient au plus profond de moi, sous les os et la chair. Parfois, ses larmes tombaient sur mon visage et j'ouvrais grand la bouche. Dans l'obscurité, il ne voyait pas que je les buvais. Le matin, il prenait la moitié de ma ration. Il en volait aux autres, mais pas autant. Il me demandait : 'Qui donc veille sur toi, Intelligent ?', et je répondais : 'Personne.' Il ajoutait : 'Tu n'es pas un saint, n'est-ce pas, Dieu n'a que faire de saints qui ne croient pas en lui.' 'Non', disais-je. 'Alors, qu'est-ce qui te fait croire que tu mérites de vivre ? reprenait-il. Ça doit être le prolétariat.' Je rétorquais que le prolétariat ne se mangeait pas. Il disait : 'Eh, tu n'as pas besoin de le manger en entier' et il éclatait de rire. J'essayais de rire avec lui, en me disant qu'il me laisserait peut-être un peu plus de pain. J'avais remarqué à quel point Mitrailleuse était devenu plus tranquille, silencieux, se fondant dans la torpeur assassine qui s'emparait du camp au fur et à mesure que les vivres s'épuisaient, que les gardiens disparaissaient. Les bagnards et la garnison mouraient de faim. L'oiseau de faim était perché sur leurs épaules, attendant patiemment que la faim éclose, mère oiseau nauséabonde couvant une nichée de crânes blancs, qui bientôt de leurs becs se fraieraient un chemin, à l'aveuglette, hors de ces têtes ratatinées.

"Nous avions entendu parler des révolutions, de la paix signée avec l'Allemagne, de ces combats aux quatre coins du pays. En général, quand une révolution a lieu, on vide les prisons, pas vrai ? Pas le Jardin blanc. Nous étions trop loin pour qu'on se souvienne de nous. Le prince décida d'attendre. Sans doute pensait-il qu'il était plus en sécurité là-haut. Il nous confectionnait une actualité sur mesure. Il réceptionna un colis de nouvelles au début de l'été et nous les servit au compte-gouttes tout au long de la saison froide, les gonflant de mensonges destinés à maintenir au plus bas le moral de ses prisonniers et au plus haut la fidélité de ses gardiens. Là-bas, dans quelque chancellerie de Petrograd, un ministre quelconque, un révolutionnaire, ou même un ministre révolutionnaire, devait bien avoir signé l'ordre de dissoudre le camp, de libérer enfin le prisonnier politique que j'étais. Puis le ministre était sorti dîner en ville, car le Jardin blanc était à mille lieues de Petrograd, par-delà l'Oural, sur le tracé du Transsibérien, puis plus haut, toujours plus haut, jusqu'au bout du bout du monde. Il n'allait tout de même pas acheminer cette missive de sa propre main. Il est donc possible qu'elle se soit perdue. Peut-être avait-elle parcouru les fils du télégraphe avant d'être stoppée dans son élan lorsque la ligne avait été coupée par des partisans, peut-être avait-elle brûlé au cours d'une bataille dans quelque ville située sur sa route, ou bien un pillard s'en était-il servi pour rouler une cigarette, à moins qu'elle n'ait tout simplement été emportée par le vent, survolant les arbres de la taïga avant de se retrouver prise dans les branches d'un mélèze chétif, aussitôt convertie par un écureuil en garniture au fond de son nid. Ainsi, il y a deux ans de cela, nous avons appris qu'une révolution avait éclaté mais que, comme les révolutionnaires demeuraient fidèles au tsar et à la guerre, nous restions prisonniers. Puis l'an dernier, on nous a raconté que les révolutionnaires n'étaient pas fidèles au tsar et à la guerre mais que, puisqu'ils allaient bientôt être écrasés par les blancs, qui eux l'étaient, nous restions prisonniers. Et qu'il y aurait encore moins à manger, maintenant que la Russie était en guerre avec elle-même et plus avec l'Allemagne.

"Plus d'une fois, j'ai pensé que ce serait mon dernier jour. Un de ces jours-là, Mitrailleuse et Rouquin m'ont barré la route à la sortie des cuisines. Je rapportais leur pain et le mien : en tout, une ration complète abâtardie d'un plat de fanons de baleine, ramassés sur un squelette échoué au bord de l'océan Arctique, que des Toungouzes avaient traîné jusqu'au camp un mois plus tôt pour l'échanger contre une caisse de fusils et de munitions.

"Le seul avantage de la famine, c'est qu'elle m'avait débarrassé du moindre semblant d'amour-propre. Je me suis mis à genoux dans la neige, à leurs pieds, serrant le pain contre ma poitrine, et je me suis penché en avant jusqu'à ce que mon front touche la botte de Mitrailleuse. Je me suis incliné encore et encore, frappant de mon front sa botte, comme j'avais vu des paysans le faire devant le percepteur. Je l'ai supplié de me laisser mon pain. Je lui ai servi du 'Seigneur', du 'Votre Excellence', j'ai vanté ses mérites, lui, l'homme le plus respectable, le plus courageux du Caucase, le mitrailleur le plus habile au monde, ajoutant que j'étais une merde puante qui n'aspirait qu'à le servir, qu'à donner ma vie pour lui, puisqu'elle ne valait pas grand-chose, que je ne n'étais même pas digne de lui servir de paillasson, que j'étais le plus misérable, le plus faible pêcheur de la Création, qui méritait de ramper parmi les vers, les serpents et les scarabées pour le restant de ses jours, agrippant le sol de mes mains, implorant son pardon et priant pour la gloire éternelle du grand Sergueï Mitrailleuse Gobechia, un héros et un saint, qu'il me fasse grâce d'une malheureuse goutte de son infinie miséricorde, que d'un acte, un seul, il s'attache l'adoration suprême d'un homme qui déjà l'aimait et le vénérait comme un dieu parmi les hommes, qu'il veuille bien me laisser quelques miettes du pain que je lui tendais avec humilité, cette faveur je la lui paierais au centuple, en monnaie d'or, de sang ou de ce qu'il voudrait, une fois que la guerre et cet emprisonnement injuste auraient pris fin.

"Pendant que je prononçais ces mots, Rouquin m'a tiré en arrière par les cheveux et Mitrailleuse, sans rien dire, m'a arraché le pain des mains. Ils m'ont tout pris, avant de disparaître. J'ai aperçu quelques miettes par terre, je les ai ramassées pour les déposer sur ma langue. J'ai levé doucement la langue jusqu'à mon palais, où j'ai laissé fondre les miettes. Scrutant le sol à la recherche d'autres miettes, j'ai pris conscience d'un changement.

"Un homme m'observait, à vingt mètres de là. Il se tenait debout près de l'espace qui séparait deux cabanes, d'où pointaient les bottes de Mitrailleuse, à l'horizontale. Son visage était gris. Nous avions tous le visage gris mais son gris était celui du voile caressant les contours d'une sagesse taillée dans la pierre, pas le gris de la chair affamée, sans espoir. Son sourire était comme un appel bienveillant, un geste de pitié. Il avait l'air bien nourri, doux et réfléchi. Je l'ai rejoint et j'ai baissé les yeux vers Mitrailleuse, qui gisait à terre, la gorge tranchée. Le Mohican a déclaré : 'Il t'a volé ton pain', puis il m'a donné une pleine ration de pain et un bout de saucisse. En fourrant le tout dans ma bouche, j'ai recommencé à sentir le monde, ma douleur, et j'ai eu de la peine pour Mitrailleuse. S'il avait abattu et frappé des gens, c'est qu'il était incapable de leur parler. La violence était la seule langue que personne ne pouvait comprendre. Il n'existait pas de traducteur. Et il m'avait parlé plus longuement, plus douloureusement, qu'à quiconque.

"Le Mohican m'a dit : 'Je comprends. Et puisque je comprends, et que je comprends que tu comprends, je dois veiller sur toi. À chacun son lieu. Tu n'étais pas censé mourir ici.'

"Le Mohican a dit : 'Je lui ai parlé dans sa propre langue.'

"Les grands bandits se voient comme des êtres à part, des aristocrates qui vivent et ne respirent que par l'honneur et créent leurs propres codes. Ils se représentent les non-bandits comme une sorte de gibier qui n'a pour seul honneur que d'être leur proie. Ils divisent les femmes en cinq catégories. Leurs mères ; leurs grands-mères ; celles qui portent leurs enfants ; leurs concubines et les putains. Ils sont vaniteux, téméraires, impitoyables et sentimentaux. L'argent qu'ils volent, ils aiment à le dépenser en bouquets de roses, en parfums et en bijoux d'or destinés à des inconnues. Ils sont toujours prêts à parier tout ce qu'ils possèdent sur n'importe quoi ; leur vie, par exemple, sur le premier glaçon qui coulera au fond du verre. Leurs habits ont plus de valeur que leur maison, ils détestent le progrès, pensent que le monde a toujours été tel qu'il est, qu'il n'y a aucune raison de le changer. Ils mourraient plutôt que d'encaisser une insulte. J'ai appris tout cela au Jardin blanc. J'ai d'abord pensé que le Mohican était des leurs. Je me trompais.

"Le Mohican était un bandit, ce qui aux yeux des autres était tout à son honneur. Il avait dérobé une barge transportant de l'or et tué des soldats. Il maniait le fusil mieux que personne, le poignard aussi. On racontait que pour s'évader d'une prison, à Boukhara, il avait massacré tous les gardiens, un par un. Ou encore, qu'il avait fait sauter à la dynamite la maison d'un homme d'affaires de Taganrog et enterré vivante la famille tout entière. On disait même qu'il avait dévalisé une banque en Alaska avant de retraverser les glaces jusqu'à Chuchotka sur un traîneau esquimau tiré par des chiens. Il était plus redoutable encore que les autres bandits, car il ne partageait pas leur sentimentalité ni leur désir de s'entourer d'une cour de flatteurs. Il ressentait les passions humaines. Ou plutôt, il les manipulait. Il évaluait au toucher leur qualité, les reniflait, les goûtait et les frottait contre ses joues, mais il n'y avait en lui aucun espace où elles auraient pu se loger. Comme quelqu'un qui serait capable d'éprouver l'agonie du poison sans que ce dernier ne puisse le tuer, quelle que soit la quantité ingérée. Ainsi, il sentait la pitié parcourir son corps quand il apercevait l'enfant qui le regardait par la fenêtre d'une maison où il venait de placer ses bâtons de dynamite, sans que cela ne l'empêche de relier ses fils au détonateur, car en passant la pitié ne laissait en lui aucune trace. Ce qui en lui était le plus terrifiant, c'était sa certitude. Pour un homme de sa trempe, on tendrait à penser que la vie n'est qu'un jeu. Quand on n'a aucun idéal pour lequel se battre, aucun de ces irrépressibles désirs qui dirigent les hommes, on ne fait que jouer. Mais lui ne jouait pas. Entre lui et nous existait la même différence qu'entre écrire et dessiner. Nous, nous vivons comme on écrit. Le stylo se déplace sur le papier en lignes régulières. Le passé est écrit et il peut être lu, le futur demeure vierge, le stylo reste immergé dans ce monde en train de s'écrire. Le Mohican vit comme on dessine. Il pose ses traits de plume l'un après l'autre, mais les traits peuvent se poser n'importe où sur la feuille. Au premier coup d'œil, les touches ont l'air décousues, incohérentes, mais son esprit à lui voit le tableau complet, achevé. Complet, jusqu'à sa mort. Il ne lui reste plus qu'à remplir les contours. Voilà ce que vous êtes pour le Mohican. Une touche dans son tableau. Que vous soyez en marge ou au centre, que vous soyez une gorge tranchée, un minuscule détail, ou bien l'expression d'un visage qui viendra parachever le premier plan de son œuvre. Il est le seul à le savoir, mais il le sait. Il connaît cet ordre des choses, qui n'appartient qu'à lui.

"En janvier, peu après que le Mohican ait commencé à me nourrir, le Jardin blanc est tombé en lambeaux. Les derniers bateaux étaient repartis cinq mois auparavant, emportant les gardiens qui avaient les moyens d'acheter une place à leur bord. Nous étions coupés du monde et la débâcle n'interviendrait pas avant la fin du mois de mai. Au camp, pendant la majeure partie de l'année, les gardiens et le commandant étaient tout autant prisonniers que nous. Où diable auraient-ils pu aller ? Les montagnes, les glaciers formaient une enceinte coupant la route du nord. Même s'il avait été possible de la franchir, il n'y avait de toute façon rien de l'autre côté, à part la toundra, encore et toujours, et l'océan Arctique. Bien sûr, restait la solution de traverser la rivière gelée pour marcher vers le sud, ou même de la longer jusqu'au prochain hameau. Mais ils seraient morts de froid ou de faim avant que d'arriver. Il n'y avait au camp ni chevaux ni camions. Les Toungouzes vivaient dans les parages. Peut-être accepteraient-ils de leur vendre un renne, en guise de monture. Mais ils ne venaient guère à Poutorana avant le printemps et on n'était jamais certains de les trouver quand on partait à leur recherche, jamais sûr d'être trouvés par eux, ni même d'atteindre un jour ne serait-ce que la limite des arbres. Deux ou trois gardiens avaient tenté leur chance en novembre. Nous les avions regardés franchir la rivière, escalader l'autre rive et entamer leur pénible marche dans une neige épaisse. Le terrain était en pente et, tout au long des dernières heures de jour, nous les avions vus progresser lentement dans cette neige où ils s'enfonçaient jusqu'à la taille. Personne ne s'attendait à ce que la neige fût si molle, si profonde. À la nuit tombée, ils n'avaient toujours pas atteint la crête. Alors, un blizzard terrible s'était mis à souffler et le lendemain leurs empreintes étaient recouvertes, eux aussi sans doute. À ma connaissance, il est peu probable que les Toungouzes leur aient porté secours. Leurs troupeaux de rennes étaient décimés par les maraudeurs russes, les cosaques, les partisans rouges, bref, tous ces gens qui ne pensaient pas avoir à payer pour cela.

"Le chaos, c'était au dehors. J'étais à l'abri. Jamais je n'avais éprouvé une telle impression de sécurité, un tel bien-être. Le Mohican s'était aménagé un espace bien à lui, séparé du reste du baraquement par un rideau, avec quatre couchettes, une table, des chaises, un peu de vaisselle dans le buffet. Il possédait son propre poêle, avait tendu un drap devant la fenêtre. Il passait ses journées assis à la table, fumant, jouant aux cartes avec les autres bandits, les gardiens, et moi je m'asseyais sur la couchette du haut, pour lire ou écrire. Ils ne me prêtaient aucune attention. Ils apportaient des vivres au Mohican, qui les posait dans un coin, puis ils se mettaient à jouer. Quand ils étaient partis, le Mohican divisait tout en deux pour m'en donner la moitié.

"'Mange jusqu'à la dernière miette, Intelligent', me disait-il, comme si j'avais besoin qu'on me le demande. Je ne travaillais plus, il me l'interdisait. 'Alimente le poêle, disait-il. Tu ne mourras pas ici.' Pendant des semaines, je n'ai rien fait d'autre que lire, dormir, remettre des bûches dans le poêle, écouter le bruit du vent et les paroles des prisonniers tandis qu'ils jouaient aux cartes. Mes côtes ont disparu sous une solide couche de graisse et mon estomac grossissait à vue d'œil, mes hanches étaient redevenues plus larges que mes genoux, pour la première fois depuis des mois. Une phase de béatitude, qui ne dura qu'un temps. Car quand on est épuisé, gelé et affamé, on ne pense à rien d'autre qu'à avoir l'air de travailler beaucoup en en faisant le moins possible, qu'aux moyens de grappiller un peu de nourriture et de chaleur. Mais quand la fatigue, le froid et la faim relâchent leur étreinte, on se remet à penser à autre chose. On a le temps de rêver, et les rêves deviennent une torture. Les passions les plus vaines inondent de nouveau votre cœur, insidieuses, la peur de mourir, la haine des autorités qui vous ont jeté là, la solitude et même l'orgueil.

Avec le Mohican, nous ne parlions pas. Nous n'avions rien à partager. Il dormait, mais ne se reposait jamais. Son cerveau était en perpétuelle ébullition, même s'il ne s'arrêtait jamais pour réfléchir. Il était toujours en train de faire quelque chose. Moi, je n'avais que du temps libre. Je l'observais parfois, quand il n'était pas en train de jouer aux cartes, de dormir ou d'aiguiser son couteau, en me disant qu'à un moment ou à un autre, il serait forcément assailli par un souvenir, se figerait soudain, grimaçant. Qu'une pensée imprévue s'immiscerait dans son esprit, que cela se lirait sur son visage. Mais jamais je ne le pris en défaut. Jamais il ne fit rien de superflu. Combien d'hommes pourraient en dire autant ? Se gratter, faire jouer ses doigts sur la table, siffloter, bâiller, se frotter le menton, se mordre la lèvre ou hésiter avant de parler, il ignorait tout cela. Quand il se servait de ses yeux, c'était toujours dans un but bien précis. Jamais il ne contemplait un mur, le plafond ou bien le paysage à travers la fenêtre pour stabiliser son esprit pendant qu'il rêvassait ou que les choses se mettaient en place sous son crâne. J'en ai conclu que cet homme était extraordinaire. Oui, ce regard. Cet éclat, ce mystère, voilà sans doute ce que verrait un poisson contemplant le soleil d'après-midi à travers une fine couche de glace. Aux cartes, il n'avait besoin que d'une seconde pour passer sa main en revue. Quand il avait fini, que pouvait-il bien regarder ? Tout ce qui l'intéressait, c'était d'observer les autres joueurs, autour de la table. Leurs visages lui révélaient bien des secrets. Il ne pensait à rien d'autre en les examinant, rien qu'à eux.

"Je ne sais combien de temps s'est prolongée cette existence. Le camp au dehors était un murmure qu'interrompaient des cris, le choc des haches sur le bois. L'un des derniers éléments qui me soient revenus en étant convenablement nourri fut cette sensation d'être si loin du monde. Pour m'en accommoder, je laissais mon esprit divaguer. J'étais un explorateur du Grand Nord dont le bateau était piégé par les glaces. J'attendais l'arrivée des secours. Le camp tout entier était plongé dans la folie depuis bien des années, une folie plus profonde que la mienne, et que la faim rendait plus profonde encore. Mais j'avais oublié cet aspect des choses, sinon j'aurais sans doute compris que, quand les premiers éclats du soleil pointeraient de nouveau, pour la première fois depuis novembre, la lumière transpercerait de part en part le cerveau des bagnards, sectionnerait leurs nerfs comme un bistouri, menant le Jardin blanc à sa perte.

"Le matin où le soleil est revenu, j'étais assis devant la fenêtre, à manger du pain et du fromage en lisant Edward Bellamy. Quelque chose a traversé la fenêtre, un poing serré aux phalanges sanglantes, aux veines et aux tendons flétris, au bout d'un bras qui traînait derrière lui des lambeaux de vêtements. Une peau vivante, d'un bleu grisâtre, dont la transparence laissait deviner des muscles atrophiés. Le bruit de verre brisé, le choc du froid, la vue de cette peau grise parcourue de stries écarlates, tout cela surgit en même temps. Le livre m'a échappé des mains, j'ai bondi en arrière. La serre humaine s'est emparée de la nourriture, entaillant une artère du bras en se retirant à travers le trou déchiqueté de la vitre. Je m'en suis rendu compte en soulevant le drap, apercevant le camp au dehors, baigné par les premières lueurs du jour, pour la première fois depuis si longtemps. J'ai vu l'homme qui avait brisé la vitre pour se saisir de ma nourriture, j'ai vu le sang ruisseler de sa manche et se changer en glace écarlate dès qu'il touchait le sol, sans que l'homme y prenne garde, occupé qu'il était à fourrer la nourriture dans sa bouche affamée, tellement ratatinée autour de ses dents qu'elle n'avait plus de lèvres, rien qu'un trou et des dents. Les joues s'étaient flétries, elles aussi, ses pommettes faisaient saillie au sommet de ses joues, la peau de son front était fine et tendue, ses yeux étaient morts, profondément enfoncés dans des fosses obscures. Un crâne sur lequel on aurait cousu, sans la rembourrer, la peau d'un cadavre. Comme je l'observais, un second bagnard, autre squelette ambulant, a tenté de lui arracher la nourriture des mains. Dans leur lutte, ils se sont écroulés dans la neige, s'efforçant de s'entre-tuer avec le peu de force qu'il leur restait, cherchant à enfoncer leurs pouces dans les yeux l'un de l'autre, battant l'air de leurs jambes pour trouver un appui, même si elles étaient à peine plus épaisses que leurs os. Ils se battaient sans rien dire, sans pousser aucun cri, je n'entendais que leur souffle.

"À une vingtaine de mètres de notre baraquement, j'ai aperçu un cadavre dénudé, encore un squelette recouvert de peau, couché à plat ventre dans la neige et, au sommet du crâne, des cheveux, du sang mêlés par le choc violent d'une hache et la morsure du gel tout autour de la plaie. Un gardien emmitouflé dans son manteau en peau d'agneau est passé en courant, pistolet au poing. Il y a eu un coup de sifflet, une détonation.

"Des voix se sont élevées dans notre baraquement, de l'autre côté du rideau. Les autres chefs, Allumette et le Gitan, lequel avait pris la place laissée libre à la mort de Mitrailleuse, cherchaient à obtenir quelque chose du Mohican. Allumette déclarait : 'Vous devez le partager. C'est trop pour un seul homme.' Le Gitan protestait :

'C'est la fin, rideau. Il est temps de faire la noce, mon frère. Rien qu'un petit bout, un tout petit bout. Moi, je prendrai le cœur. Un cœur cru, encore chaud, tout ce que j'aime.'

"Le Mohican a déclaré : 'C'est la fin. Ce que j'ai, je le garde. Ce que je garde partira avec moi. Occupez-vous du prince et de ses hommes. Là-bas, il y a assez de champagne et de caviar pour vous tous, de quoi mener grand train jusqu'au printemps.'

"Le Gitan a rétorqué : 'Oh que non, mon frère. Ça ne se passera pas comme ça. Si vous voulez qu'on s'occupe du prince, très cher, joignez-vous donc à nous et traversez la cour à découvert, sous le feu de leurs jolis petits Mauser. Eh, vous connaissez sa maison, des murs en béton, épais comme ça ! Les rats ont déniché un trou bien confortable et nous, nous sommes quoi, soixante chiens trop affaiblis pour les en déloger.'

"Et Allumette a ajouté : 'Vous devez partager. Où iriez-vous avec lui ? Vous enfuir en plein hiver ? Vous ne ferez même pas dix kilomètres, vous et votre cochon.' Le Mohican l'a coupé net : 'Je vous ai déjà dit de ne pas employer ce mot ici.' 'Oh, regardez-moi ce grand homme, avec son petit couteau, a raillé Allumette.' 'Pas la peine d'en arriver là, mes frères, hein, est intervenu le Gitan. Que personne ne range son couteau avant de s'en être servi, occupons-nous de notre engraissé, prenons un verre et une bonne assiette de viande, puis nous nous mettrons en marche et nous occuperons du prince.' 'Celui-là, je m'en m'occuperai moi-même, rugit Allumette. Je le découperai avec art avant de le tuer.' 'Tu ne joueras pas les artistes, répliqua le Mohican. Tu n'en as pas l'imagination.'

"Assis près du poêle, l'oreille aux aguets, j'ai entendu le Gitan hurler. Je n'ai pas entendu le Mohican tuer Allumette. En soi, un poignard est une chose discrète. J'ai entendu le Mohican ordonner au Gitan d'emporter le corps, puis le Gitan s'enfuir, puis le Mohican s'approcher de moi. Il a repoussé les couvertures suspendues au plafond, son couteau sanglant à la main. Il a déclaré qu'il était l'heure de partir, qu'ils avaient cessé de distribuer les rations le matin même. Je lui ai demandé ce qu'Allumette et le Gitan avaient exigé de lui, et il m'a répondu : 'Ils voulaient quelque chose que je ne pouvais pas leur donner.'

"L'espace d'un instant, j'ai compris pourquoi les animaux ne parlaient pas – pas parce qu'ils en sont incapables, mais parce que la terreur les paralyse au moment exact où ils en auraient besoin pour supplier leur bourreau de les épargner, la peur et le désespoir s'abattent sur eux lorsqu'une créature bipède s'approche d'eux, avec ses doigts blancs lovés autour d'une lame acérée, étincelante, et qu'ils se rendent compte combien on les a gavés, à quel point ils sont lents et faibles, combien ils ont été gourmands et stupides. Ils savent que ni leurs sabots ni leurs griffes ne peuvent rivaliser avec les doigts, qu'ils sont surclassés, déjà morts, de la viande déjà. L'espace d'un instant, j'étais un animal. Un cochon prêt à me tortiller sous les mains du boucher, à hurler, mais incapable de parler. Puis j'ai réussi à agripper quelques mots. J'ai dit : 'Ce quelque chose, c'était moi ?' J'ai dit : 'Le cochon, c'est moi ?'

"Le Mohican a répondu : 'Écoute, l'intellectuel. Il reste quatre mois avant que la rivière ne dégèle, que nous ne découvrions quels sont les connards qui dirigent le pays à présent et que nous sachions s'ils se souviennent ou pas de l'existence d'un endroit comme celui où nous nous trouvons. Quatre mois, tu m'entends, et les seuls vivres qui restent sont dans le château fort du prince. Si tu restes là, le prince et ses chiens te tueront avec tous les autres plutôt que de vous donner ce qu'il a. Tu peux aussi tenter ta chance auprès du Gitan et de ses amis. Ils ont faim et tu n'es pas de taille à te battre. Mais il y a une autre alternative. Nous partirons ensemble, dès maintenant, rien que nous deux.' Il a ajouté : 'Le choix est-il si difficile, Intelligent ? Soit tu restes et tu seras abattu. Soit nous partons ensemble dans la forêt.'

"Il a léché un côté de sa lame, puis m'a tendu le couteau. J'ai fait non de la tête. Il a léché l'autre côté, a essuyé son couteau sur un chiffon, puis l'a glissé sous sa ceinture. Les claquements d'une fusillade se sont mis à crépiter à l'autre bout du camp, là où se dressait la demeure du prince. Je n'avais plus le choix. Il me fallait partir avec le Mohican, même si je savais qu'il n'avait qu'une seule bonne raison de m'emmener. En restant au Jardin blanc, mon avenir se réduisait à une mort prochaine. La mort était également plus que probable dans la toundra et la taïga, mais tant que nous marcherions vers le sud, l'espoir serait un peu plus qu'un simple symptôme de démence.

"Le Mohican avait préparé son coup. Il a extrait de diverses caches des manteaux et des mitaines en peau d'agneau, des chapeaux de fourrure et des bottes de feutre. Il a déballé un colt au long canon noir qu'il a fourré dans sa poche extérieure. Sous son manteau, il a dissimulé une hache. Il a sorti deux sacs de nourriture, une bouteille d'alcool, puis m'a dit d'emporter deux livres. Une fois habillés, nous sommes sortis. Nous avons franchi la porte du camp. Il faisait déjà noir, mais la lune s'était levée et nous connaissions le chemin menant à la rivière. Pas un gardien en vue. Ils se battaient, certains aux côtés des bagnards, d'autre contre eux, selon la hiérarchie des lieux, les accords de chacun. Même s'ils n'avaient pas été occupés à se battre, même si nous maintenir prisonniers avait eu pour eux la moindre importance, il n'y avait nul besoin de fils barbelés, de corps de garde ni de miradors. Si on s'évadait, c'était en mai, pas avant. En hiver, la toundra se présentait comme une muraille assez infranchissable pour dissuader quiconque de fuir.

"Nous sommes passés entre les coques des bateaux, puis nous avons enjambé la berge pour nous engager sur les glaces. Le Mohican a déclaré qu'il nous faudrait attendre d'être à quinze kilomètres du camp avant d'allumer un feu et de nous reposer. Je me suis souvenu des conversations que j'avais surprises autour de la table de jeu, un soir où le Mohican s'était absenté et que je faisais semblant de dormir, au fond de ma couchette. Une voix, que je crus reconnaître comme celle de Petya, cet incendiaire qu'ils surnommaient le Pompier, demanda si je dormais, et le Gitan répondit : 'Oh, celui-là, il dort tout le temps, sauf quand il mange. Il est bien mignon, les berceuses et les sucreries, c'est tout ce qui l'intéresse.' Petya ajouta qu'il s'agissait d'une bien sombre affaire, alors le Gitan répliqua : 'Chut, très cher, l'obscurité est propice aux affaires.' Les autres éclatèrent de rire. Pendant un moment, on n'entendit plus que le glissement des vieilles cartes, le tintement de leurs modestes mises, puis quelqu'un reprit : 'Kyesha, celui de Rostov, il travaillait en équipe au nord du lac Baïkal, il a emporté une vache avec lui quand il s'est évadé, avec deux autres gars de sa connaissance. La vache était jeune, ignorante, la peau douce. Kyesha et les autres l'ont tuée avant même que leurs vivres ne soient épuisés. Ils n'ont pas allumé de feu de peur qu'on les voie, ils lui ont tranché la gorge, ont bu son sang et ont découpé les reins pour les manger tout chauds.'

"Je marchais dans les traces que le Mohican laissait dans la neige, sur la rivière. Le vent avait formé de hautes congères contre les rives, mais la neige était bien moins profonde au milieu des glaces, trente centimètres tout au plus. La lune éclairait la surface plate et courbe de la rivière, qui coupait à travers les marécages gelés de la toundra. Je savais que jamais personne n'avait réussi à s'évader du Jardin blanc, que personne ne s'y serait risqué en plein hiver, lorsqu'il fallait dix ou vingt bonnes journées de marche pour atteindre la limite des arbres, bien davantage encore jusqu'aux premières traces de vie humaine ; à cette période de l'année, même les Toungouzes plantaient leurs *chumas* beaucoup plus loin au sud, où ils emportaient leurs troupeaux. Je savais tout cela, et je savais qu'après m'avoir engraissé, le Mohican avait l'intention de me tuer, de me découper puis de continuer sa route les poches pleines de viande, ma viande, rejetant mes os dans la nature au fil des semaines. Mais j'entendais la fusillade se poursuivre à l'intérieur du camp, derrière nous, et se remettre en marche, raccourcissant ainsi la distance qui nous séparait du cercle polaire puis, au-delà, des terres plus chaudes, c'était déjà un peu comme trouver refuge en lieu sûr. Il ne faisait pas plus froid que vingt degrés en dessous de zéro, et à marcher à pas forcés dans le manteau en peau d'agneau et les bottes de feutre, seul mon visage subissait la morsure du gel. Au cours des premières heures, la rivière m'apparaissait comme une glorieuse route du retour, aussi longue qu'elle pût être, une route généreuse et facile, large de plusieurs centaines de mètres. Le vent avait formé des vaguelettes à la surface de la neige, dont les crêtes tranchantes dessinaient des zones d'ombre à la lumière de la lune. Le Mohican parlait à peine, mais tandis que je regardais ses pieds marquer de leur empreinte l'immensité déserte et inviolée, posant les miens dans les creux qu'ils laissaient derrière eux, la peur et la confiance qu'il m'inspirait suivaient chacune leur propre chemin. L'effroi, l'idée de me réveiller un matin pour découvrir l'une de ses mains agrippée à mon menton et l'autre faisant glisser une lame sur ma gorge tendue. Et en même temps l'amour, l'amour d'un fils envers le père qui lui montre la voie, qui le guide hors du royaume des morts, pour le ramener, qui sait, dans celui des vivants.

"Nous avons parcouru nos quinze kilomètres. La première information fiable que possédait le Mohican concernait l'endroit où le bateau d'une ancienne mission d'exploration s'était échoué. Il avait déjà été abondamment pillé et l'essentiel de ce qu'il en restait était prisonnier des glaces, mais nous avons rassemblé assez de bois pour allumer un feu en faisant flamber la moitié des pages de mon

Bellamy. Nous avons mangé et nous sommes allongés l'un contre l'autre, enlacés, pour résister au froid. Je l'entendais respirer au creux de mon oreille. J'ai murmuré que nous pourrions pêcher ou chasser quand nos vivres seraient épuisés. Il n'a pas répondu, pendant un long moment. J'ai cru qu'il s'était endormi. Alors, il a déclaré : 'Le jour où les vivres seront épuisés, l'Intellectuel, je te montrerai ce qu'il faut faire. Et maintenant, dors.'

"Quand nous avons ouvert les yeux, il faisait noir. Le gel nous avait soudés l'un à l'autre, mes mitaines à son dos, les siennes au mien, il nous avait scellés au niveau du torse et des jambes et avait tissé en une barbe unique nos poils respectifs. Nous nous sommes séparés, tirant chacun de notre côté, nous avons empilé du bois sur les derniers tisons, avant de nous accroupir de part et d'autre du foyer, orteils enfoncés dans les cendres, en nous penchant si près des flammes que nous avons failli tomber dedans. Après avoir mangé, nous avons repris notre marche vers l'amont.

"La deuxième journée fut plus froide que la précédente. Le jour s'était levé, mais le ciel et la terre formaient un enclos gris, les berges de la rivière étaient barbouillées de brume, les rochers, la glace, l'horizon, les contours des choses les plus solides se dissolvaient dans un air aussi dur que l'acide. Mes mains et mes pieds me brûlaient puis, peu à peu, la sensation de brûlure s'est estompée. L'extase de cette fuite loin du Jardin blanc s'était évanouie, comme la peur que m'inspirait le Mohican. Tout ce que je voulais, c'était m'allonger dans la neige molle, ouatée. Le bruit régulier de nos pas me berçait, mais mon souffle importun, haché, me gardait éveillé. J'observais la berge pour me repérer aux roches, aux monticules de glace. La promesse de les voir se rapprocher me traînait vers l'avant. Les dépasser, les laisser derrière moi, cela voulait dire que j'avançais encore. Quand cet effort est devenu trop pénible, je me suis concentré sur le dos du Mohican. J'ai appris par cœur les motifs dessinés par le givre dans les plis raidis du sac, sur son épaule. Au bout d'un moment, c'est devenu trop difficile, alors j'ai baissé la tête pour fixer mon regard sur ses traces de pas dans la neige, devant moi, marques blanches sur fond blanc, la seule couleur qui ne perdait pas sa substance au milieu du brouillard. La forme des empreintes ne changeait jamais, un parfait ovale blanc, le contour d'un visage sans traits, serein, heureux, privé de nez, d'oreilles et de bouche. J'ai contemplé ce visage, le bruit de ma respiration et la berceuse de nos pas se sont peu à peu éloignés. Alors, j'ai décidé d'embrasser le visage, de perdre l'usage de mes sens. Je me suis allongé dans la neige, à plat ventre, le nez fourré dans l'empreinte. Je mourais, savourant les joies du sommeil.

"Le Mohican m'a arraché au froid mortel. En ouvrant les yeux, j'ai aperçu un arbre. Une vision magnifique. Je n'en avais pas vu depuis plus de deux ans. C'était un pitoyable mélèze. Ils étaient quelques-uns, blottis comme par miracle au creux d'un méandre de la rivière, bien au-delà de la limite des arbres. Ses branches, son tronc m'ont émerveillé comme s'il s'était agi d'or vivant. Le Mohican m'avait porté jusque-là, allongé sur un tapis de branches, il avait allumé un feu, construit un abri de fortune. J'ai hurlé de douleur en retrouvant la sensation de mes mains et de mes pieds. J'ignore comment j'ai pu ne pas perdre de doigts. Le Mohican a saupoudré de neige un morceau de pain et l'a approché du feu pour faire fondre la neige, puis il l'a déposé au fond de ma bouche, morceau après morceau. Il a dit : 'Il faut que ton envie de vivre soit plus forte qu'elle ne l'est.'

"J'ai voulu savoir pourquoi. Afin qu'il puisse manger un repas chaud ? Il a répondu : 'L'Intellectuel. Tu fais trop appel à ton imagination. Quand un bandit rencontre un civil, le bandit l'emporte toujours, parce tout ce que le civil est capable d'imaginer, c'est l'aspect de sa gorge quand elle sera tranchée. Pendant ce temps-là, le bandit est en train de la lui trancher. Pense moins, l'Intellectuel, respire davantage. Respire. Il faut que ton cœur batte plus fort. Le sang doit circuler. L'hiver. Le gel. Voilà ce qui cherche à te manger, au moment où je te parle.'

"J'étais couché sur le flanc, devant le feu. Le Mohican s'est allongé derrière moi, serrant son corps contre le mien. Il m'a raconté son hold-up en Alaska, comment il l'avait mis au point avec un groupe de hors-la-loi esquimaux vivant en Russie et en Amérique, comment ils avaient traversé en canot le détroit de Chuchotka, passé plusieurs mois dans une cabane du côté américain, attendant patiemment que le temps change, que les glaces envahissent le détroit. Alors, ils étaient entrés dans une ville de chercheurs d'or le jour de Noël, avaient percé à l'explosif l'un des murs de la banque, fait sauter le coffre-fort, inscrit à la craie sur le mur 'RELLO AMERIKA', et ils avaient entassé le butin sous leurs manteaux de fourrure avant de traverser les glaces, dans l'autre sens, sur des traîneaux à chiens.

"Quand je me suis réveillé, la lune s'était levée, pleine. Du feu ne subsistaient que des braises mourantes. Le Mohican était verrouillé autour de mon corps, sa poitrine écrasée contre mon dos, ses jambes contre les miennes, les bras enroulés autour de mon torse. Je commençais à perdre de nouveau la sensation de mes mains et de mes pieds. Je tremblais de froid. Le paysage avait changé. Les arbres nous protégeaient davantage qu'au moment où nous nous étions endormis, mais ils me semblaient étrangement attentifs, vigilants. De l'autre côté du feu se trouvait une souche que je n'avais pas vue avant, couronnée d'un entrelacs de brins de givre qui projetaient sur elle les reflets de la lune. Alors, la souche a cligné des yeux ! C'était un jeune Toungouze, avec des cheveux blancs et les lèvres gercées, enveloppé dans une peau de renne et la fourrure d'un ours, qui nous observait pardessus les dernières lueurs du feu.

"J'ai poussé un cri et me suis libéré de l'étreinte du Mohican avec toute l'énergie de ma peur. L'albinos a bondi à travers les arbres pour s'éloigner de la rivière. Il courait dans la neige comme un ours, se servant de ses bras comme d'une seconde paire de jambes. La neige m'arrivait au genou. J'ai essayé de courir, je me suis effondré et, quand je me suis relevé, des paquets de neige sont tombés de mon manteau et de mon visage. Je savais que le Mohican était derrière moi. J'étais son animal, l'agneau égaré qu'il fallait ramener à la bergerie, pour prendre soin de lui jusqu'au jour où il irait à l'abattoir. L'heure viendrait où il m'endormirait de ses mots enjôleurs, me coucherait sur un rocher pour me trancher la gorge, récolterait mon sang dans un récipient, le boirait, puis me découperait en morceaux. Sans hâte ni haine il me couperait la tête à la hache, m'ouvrirait du cou jusqu'au nombril, m'étriperait, mettrait de côté le cœur, les poumons et les reins, dévorerait mon foie pendant qu'il serait encore chaud, découperait les articulations de mes bras et de mes jambes, puis le reste de ma carcasse en petits morceaux, avant d'emballer la viande gelée dans son sac et de reprendre son voyage vers la tête de ligne. Je me suis imaginé en nourriture, j'ai vu ma tête nue dans la neige, un œil, une oreille, la moitié de la bouche et du nez, la moitié d'un cou écorché qui dépassait au-dessus d'elle. J'avais tant de peine pour ma tête, abandonnée par un cannibale au fin fond de l'Arctique, seule dans le noir, sans rien pour la recouvrir. Après avoir perdu de vue l'albinos, j'ai suivi des yeux sa trace, d'étranges empreintes superficielles, comme s'il foulait la neige d'un pas aérien, tel un oiseau marin sur la crête des vagues au moment de l'envol. Mon pas n'avait pas la légèreté du sien, et l'éventreur était derrière moi. J'ai levé mes jambes avec l'énergie de celui qui va être mangé au moment où l'égorgeur s'avance, me lançant dans un galop nerveux et maladroit. Alors, j'ai aperçu une lumière devant moi. Une lumière jaune, dans l'ouverture d'une *chuma*. J'ai couru dans sa direction. Des rennes étaient attachés dehors, deux grandes femelles de monte et des animaux de bât. J'ai jeté un coup d'œil par-dessus mon épaule. Je suis entré dans la tente.

"Des peaux étaient étalées sur la neige, une lampe à huile à la flamme régulière était suspendue aux perches du toit. L'albinos était assis en tailleur sur une peau de renard crasseuse. Face à lui se tenait un shaman vêtu de peaux de daim ornées de chevaux en métal, avec une bosse au milieu du front, sur laquelle un œil était tatoué. C'était le malheureux que vous connaissez tous et, j'en suis persuadé, la première victime du Mohican dans ce village, hier soir. Autour d'eux étaient disposées des sacoches de bât en peau de daim, des objets taillés dans la corne, des tas d'écorce et d'herbes, des baguettes divinatoires en ivoire, des brides, un vieux pichet de vin de messe vide, un petit tambour. Dans la tente régnait une infâme puanteur, mais il y faisait chaud comme au cœur de l'été. J'avais envie de hurler ma joie. Je me suis accroupi près de la lampe pour leur demander s'ils parlaient russe. Le shaman m'a demandé : 'Apportes-tu la boisson des *avakhis* ?' J'ai répondu que non. *Avakhi* est le mot toungouze qui désigne le 'démon', c'est-à-dire tous ceux qui ne sont pas toungouzes. Le shaman voulait savoir si je venais du Jardin blanc, s'ils avaient des boissons fortes là-bas. Je lui ai dit que l'endroit était dangereux, qu'il ne fallait pas y aller, car les hommes s'y entre-tuaient pour de la nourriture. Le shaman a dit : 'J'ai vu tout cela. D'abord le vieux est mangé par le faible, puis le faible par le fort, puis le fort par le plus malin.'"

Samarin se tut. Un bruit atroce, humain, résonnait au dehors, mélange de sanglots et de haut-le-cœur. Mutz marcha vers la petite fenêtre couverte de givre qui donnait sur l'arrière du *stáb*, l'ouvrit. Les membres de l'assistance l'entendirent discuter à voix basse avec quelqu'un, à l'extérieur. Il se tourna vers eux. Il voulut parler mais n'y parvint pas, tant sa gorge était sèche. Passant la langue sur ses gencives, il fit une seconde tentative. Il annonça :

– C'est Racansky. Il était à la recherche du lieutenant Kliment. Il l'a trouvé. Kliment est mort. Il semble qu'on l'ait tué. Assassiné, j'entends. Je… il n'est pas loin d'ici. Je suppose que nous devrions… ajourner.

– J'ai de la peine pour vous tous, dit Samarin. Maintenant, nous savons qu'il est parmi nous.

– Ajourner ? Comme vous êtes ridicule ! lança Matula à Mutz en se levant de son siège. Je dirais plutôt que cette audience n'aurait jamais dû commencer.

Mutz se précipita hors de la salle, derrière Matula et Dezort. Quand il passa devant Anna Petrovna, elle l'entendit crier à Nekovar de ramener Samarin à sa cellule.

– Attendez ! hurla-t-elle dans leur dos, mais leur cacophonie pressée de bottes officielles était déjà hors de portée. Hanak et Balashov suivirent les officiers. Nekovar poussait Samarin hors du tribunal, du bout de son fusil. L'empoignant par l'épaule, Anna lui demanda ce qu'il était en train de faire. Nekovar se dégagea et lui intima l'ordre de quitter le bâtiment.

– Mais il n'est coupable de rien, protesta-t-elle. Et ce pays n'est pas le vôtre.

– La Russie n'est pas notre pays, c'est exact, Anna Petrovna, reconnut Nekovar avec politesse. Il saisit son prisonnier par le col et s'arrêta un instant. Mais n'oubliez pas que nous venons à peine de fonder notre propre pays. Et nous n'avons pas encore eu le temps d'élaguer les branches mortes.

– Je ne vous laisserai pas le garder une nuit de plus dans votre prison, répliqua Anna Petrovna. Sans lui prêter aucune attention, Nekovar poussa en avant Samarin et ils se remirent en marche. Anna entendit Samarin l'appeler par-dessus son épaule, la remerciant par son prénom.

Mutz, Matula, Dezort, Hanak et Balashov emboîtèrent le pas à Racansky qui descendait la rue menant au pâturage où les castrats faisaient paître leurs troupeaux, vers le sud. La forêt s'éclaircit peu à peu, seuls des groupes de bouleaux isolés rompaient à présent la plate monotonie du décor. Depuis que les occupants avaient abattu le troupeau, la prairie s'était couverte d'une herbe misérable, négligée. Les cris des corbeaux toisaient la vacuité des lieux, sous un ciel de plus en plus sombre. Un vent humide et froid agitait l'herbe jaunie du bas-côté. Leurs bottes sur la route faisaient un vacarme extraordinaire, comme si, malgré la vastitude de ces espaces déserts, les éclaboussures, les raclements, les frottements de leurs semelles sur la poussière résonnaient contre d'invisibles murs menaçant de se refermer sur eux.

Racansky imprimait à la troupe une allure confuse, courant sur quelques mètres dans un brusque sursaut, avant de retomber tout à coup dans un pas lent et hésitant. Il leur parla par-dessus son épaule sans interrompre sa marche. Mutz se réjouit que quelqu'un vienne enfin briser le mutisme de leur progression.

— Il m'a affirmé qu'un des fermiers lui avait parlé d'un étranger qu'il avait vu traverser les champs en courant, un grand sauvage à la peau toute ridée sur son gros crâne. Comme un loup qui poursuivrait un élan, il a dit.

— Qui a dit ça ? Kliment ? intervint Mutz.

— Oui, Kliment, évidemment, répondit Racansky. Il m'a raconté ça ce matin. Nous avons quitté le *stáb* ensemble, je terminais ma garde de nuit auprès du prisonnier et Kliment se rendait à la gare pour voir si le télégraphe fonctionnait. Je lui ai parlé du tueur qui allait venir, à en croire le prisonnier. Le Mohican. Voilà. Il est ici.

Les traces d'une charrette quittaient la route pour plonger dans un champ fraîchement labouré. Le corps de Kliment gisait sur le dos au bord d'une ornière profonde, le bras enfoncé dans l'eau jusqu'au coude. Une traînée sanglante s'était répandue sur son torse, noircie sur les bords, poisseuse et cramoisie au milieu.

— Je l'ai retourné, expliqua Racansky, qui resta en arrière. J'ai un peu de son sang sur mon manteau.

Sa voix s'était muée en chuchotement. Balashov était tombé à genoux, mains jointes, les yeux fermés, et priait à voix haute.

— Mon Dieu, regardez son front ! gémit Dezort.

Mutz, Matula et Hanak se penchèrent au-dessus du visage de Kliment, empreint d'une sérénité que ne brisaient plus désormais ni les rêves ni le souffle et qui le rendait plus aimable qu'il ne l'avait jamais été de son vivant, même endormi. Quatre entailles étaient tracées à la hâte au sommet de son front, qui dessinaient la lettre M.

— Le Mohican ! s'exclama Dezort.

— Ou bien Marx, ou Maniaque, ou Meurtrier, ou Maman, répliqua Mutz.

— Pourquoi pas Matula, hein, Mutz ? railla Matula. Pauvre Klim. Sortez-lui le bras de l'eau, Hanak. Il est encore chaud, non ? Il n'était pas encore mort quand on l'a poignardé, n'est-ce pas ? Un repas chaud, une petite baise, un rail de poudre blanche et un coup de poignard entre les côtes. Voilà ce que j'appelle une matinée bien remplie. Vous vous rappelez, quand il s'arrêtait en plein no man's land pour allumer une cigarette, et les hommes qui tombaient comme des mouches autour de lui, bam, bam, bam ? Si j'attrape ce Mohican, je jure de l'écorcher vif.

— *Car c'est à Toi qu'appartiennent le règne, la puissance et la gloire*, psalmodia Balashov.

Mutz vit comment Matula regardait autour de lui, l'air ailleurs. L'inutilité du mort déjà l'impatientait. Il était excédé de voir les rangs de sa minuscule armée se rétrécir encore, ressentait comme une offense ce rappel de sa propre mortalité. Mutz avait déjà constaté combien Matula se souciait peu de ses morts, mais à quel point il détestait perdre l'un de ses officiers. Une telle perte entamait l'empire de ses rêves ; aussitôt, il se mettait en quête de nouveaux hommes auxquels transmettre ses ordres. Voilà comment Mutz s'était retrouvé promu au rang de lieutenant.

— Racansky, demanda Mutz. Comment avez-vous su qu'il était ici ?

— Je vous l'ai déjà dit. Nous avons quitté le *stáb* ensemble. Quand je lui ai parlé du Mohican, il s'est souvenu de l'étranger que quelqu'un avait vu traîner par ici et m'a dit qu'il allait y jeter un œil. En me réveillant, il y a une heure, je me suis rendu compte que je n'aurais jamais dû le laisser venir ici tout seul, alors je suis parti aux nouvelles. Je l'ai trouvé, allongé là, avec une blessure dans le dos.

Mutz approuva de la tête. Il repensa à Kliment en train de jeter des cailloux sur Bublik et Racansky, quelques semaines auparavant, à la sortie d'une de leurs réunions politiques. Il les avait traités de "fiers de lance" de la révolution. L'une de ses pierres avait atteint Racansky juste au-dessus de l'œil.

— Venez, ordonna Mutz à Racansky. Aidez-moi à le retourner.

Racansky secoua la tête et fit un pas en arrière. Dezort contemplait le cadavre, bras ballants, mâchouillant la commissure de ses lèvres. Balashov entreprit de réciter une troisième fois le Notre-Père.

— *Que ton règne vienne...*

— Eh, toi, l'autochtone ! l'interrompit Matula. Assez. Nous avons notre propre aumônier.

— Il est mort du typhus l'année dernière, répliqua Mutz.

— Hanak ! ordonna Matula. Retournez Kliment. Voilà, comme ça. Un méchant coup de poignard. Fin de l'autopsie. Hanak, vous êtes luthérien, non ?

— Dans le temps, monsieur, je passais mes soirées à boire avec eux.

— Si vous arrivez à arracher les galons de Kliment, je vous nomme lieutenant et aumônier provisoire. Allons-y, Racansky, et vous, sortez-le d'ici. Dezort, accompagnez-les. Trouvez-lui une caisse. Et un drapeau ! Des drapeaux, nous en avons. Vous, l'autochtone, fichez le camp. Moi et M. Mutz devons nous entretenir de certaines choses.

— Balashov, rétorqua Balashov. Gleb Alexeyevich. Il s'inclina devant Matula. À cet instant précis, Mutz aperçut et comprit le Balashov d'avant, l'homme de cavalerie, la fine lame, fier devant les hommes, pitoyable esclave devant Dieu. Il comprit qu'à la guerre, un tel homme aurait pu se révéler bien plus terrible encore que Matula et son absence d'humilité envers qui ou quoi que ce fût. Cela ne dura qu'un instant. Balashov s'éloigna d'un pas modeste, Hanak et Racansky hissèrent sur leurs épaules le sac de chair, pas encore raide, qui avait contenu Kliment, Hanak s'évertuant d'une main à détacher les galons. Mutz et Matula se retrouvèrent seuls.

— Regardez-moi ça, Josef, soupira Matula. Une si bonne terre laissée à l'abandon. Imaginez un peu ce que des fermiers tchèques seraient capables d'en faire.

Il n'appelait Mutz par son prénom que quand ils étaient seuls et qu'il s'apprêtait à le persécuter d'une manière particulièrement vicieuse.

— Cette terre n'était pas à l'abandon, monsieur, avant les guerres, rétorqua Mutz. Ils expédiaient leur beurre jusqu'en Angleterre.

— Vous pensez être un honnête homme, mais l'honnêteté n'est qu'un moyen pour vous de parvenir à vos fin, déclara Matula.

Il fourra les mains dans ses poches et donna un coup de pied dans une motte de terre. Mutz savait que si la motte planait compacte, comme une pierre, la sérénité reprendrait sans doute le dessus. Si elle volait en poussière, cela annoncerait un changement d'état.

La motte se dispersa en gros fragments boueux, salissant le bout des bottes de Matula, que Pelageya Fedotovna avait nettoyées la veille. Matula regarda ses pieds et frappa doucement ses bottes l'une contre l'autre.

— Pourquoi êtes-vous un aussi irrémédiable raté, Mutz ? demanda-t-il. Hein ? Je vous ai chargé du transport des chevaux. Vous étiez de garde hier soir quand le shaman a bu jusqu'à en crever. Vous avez mené l'interrogatoire de Samarin, il vous a mis en garde contre le Mohican et, au lieu d'envoyer nos gars ratisser le village, vous nous avez gardés toute la matinée dans une salle de tribunal, à écouter un bagnard nous servir ses histoires d'horreur. Vous êtes censé être malin. Un palefrenier, un indigène et l'un de vos frères officiers ont été tués en moins de vingt-quatre heures, moi je ne trouve pas cela très malin. Allez au diable, mon petit juif ! Pas étonnant que l'empire d'Autriche se soit effondré, en ayant pris des gens de votre espèce au sein de son armée. La seule chose que je ne parviens pas à comprendre, c'est si votre sale tribu souffre de déficiences mentales, ou si tout cela participe de votre conspiration, comme cette bande de juifs brandissant la bannière rouge à Petrograd. Laquelle de ces deux hypothèses est la bonne, hein ? (Il s'approcha de Mutz, menaçant, lui empoigna le menton et le tourna sans ménagement d'un côté puis de l'autre, afin d'examiner son profil. Puis il repoussa violemment sa tête en arrière.) Vous n'êtes qu'un dégénéré, gronda-t-il en crachant par terre. À croire qu'un autre que moi vous a offert cette promotion. J'ai peine à le croire, mais je vais quand même vous laisser une chance de tout remettre en ordre.

Les doigts de Matula s'étaient enfoncés profondément dans la mâchoire de Mutz. Il y avait trois "univers

Matula", là, devant lui, imbriqués les uns dans les autres, celui qui se trouvait à l'intérieur était le plus secret. Jusqu'alors, Matula ne s'était exprimé que depuis le plus superficiel des trois. À présent, il entrouvrait une porte par laquelle Mutz pouvait, s'il l'osait, pénétrer à l'intérieur du second niveau, plus dangereux.

— Remettre en ordre, monsieur ? (Il avala sa salive et entra.) Entendez-vous par là enfouir tout ce qui traîne et le recouvrir de terre ? Ou bien déterminer qui est responsable ?

— Qu'est-ce qui vous arrive ? répliqua Matula. (Sa respiration était sonore.) Peu importe si je vous tue, c'est ça ?

La froideur dont avait fait preuve Anna Petrovna au cours de l'audience, où elle n'avait pas daigné lui adresser un seul regard tout en soutenant celui du prisonnier, poussait Mutz à ne plus se soucier de rien. Mais il doutait que Matula soit prêt à perdre deux officiers en une seule journée. Bien sûr, Matula pouvait toujours être tenté de réduire son visage en bouillie.

— Nous ne savons toujours pas qui est Samarin, reprit Mutz. Nous ne savons pas qui a tué Kliment ni le shaman, ni même ce qui est arrivé aux chevaux.

— Espèce de vipère gluante, s'emporta Matula. Je les connais par cœur vos éjaculations nocturnes israélites, je les vois bien avant vous. Vous, ramenant mes petits Tchèques à la maison, loin de ce monde sauvage, en me laissant enterré ici.

— Rien ne nous retient plus ici, sauf vous.

— J'obéis aux ordres de Prague.

— Personne n'en a vu la couleur. C'est agréable d'être roi de la Sibérie, monsieur, je comprends cela. Ne serait-ce que d'une toute petite partie de la Sibérie. Que vous ne teniez pas à redevenir représentant de commerce d'un fabricant d'ampoules électriques dans le sud de la Bohême, cela n'a rien d'étonnant. Quelle chance vous avez de vous approprier ainsi femmes, richesses et territoires, de pouvoir vous imaginer que vous régnez sur la forêt, que vous êtes le Pizarro tchèque, bâtissant un empire avec une poignée de soldats. Mais ici, monsieur, les Aztèques ont de l'artillerie lourde, des mitrailleuses, plus que nous n'en aurons jamais, des missionnaires bien plus persuasifs que nous ne le sommes. Je dégaine mon pistolet aussi vite que vous, monsieur.

La main de Matula s'était rapprochée de l'étui. Il ouvrit grand la bouche, laissant apparaître ses dents, poussa un cri perçant, moitié hurlement, moitié beuglement, et se précipita sur Mutz. Mutz recula à toutes jambes et trébucha avant de s'écrouler dans la boue. Il essayait tant bien que mal de se redresser pour dégainer son pistolet quand Matula se figea sur place.

— Comme deux cow-boys, hein ? Un jour ou l'autre, ça sera pour de vrai. (Il tendit la main pour aider Mutz à se relever.) J'allais vous tuer, mais je vous laisse une nouvelle chance, pour m'avoir sauvé la vie là-bas, sur la glace. Vous savez, tout le monde meurt un jour ou l'autre. Nous trouverons ce Mohican. Faites juste une chose pour moi, voulez-vous ? Allez là-bas, jusqu'au pont, enterrez mon cheval et le Tchèque qui a cassé sa pipe. Dressez des croix quelconques, trouvez un chrétien pour prononcer quelques mots pour eux. Je veux que ce soit un endroit où je pourrai aller de temps en temps. Plus tard, j'y dresserai un monument. C'est tout ce que je vous demande.

— Monsieur, répondit Mutz. Il sentait l'humidité s'infiltrer jusqu'à sa peau à travers ses vêtements. Puis-je vous demander, monsieur, de garder Samarin prisonnier jusqu'à mon retour ? Évidemment, il n'a pas pu tuer Kliment, mais j'ai noté des incohérences dans sa déposition.

— Incohérences. Incohérences. Voilà un vrai mot à la Mutz, n'est-ce pas ? Soit, comme vous voudrez. Je vous trouve bien dur après tout ce qu'il a traversé. Allez, regagnons la route. (Mutz suivit Matula jusqu'à la route déserte. Matula l'attendait, debout face à lui, à quelques mètres.) Maintenant, dit-il, nous allons tous les deux sortir nos pistolets, tout doucement. (Les deux hommes dégainèrent leurs armes. Matula se mit à marcher à reculons.) Pour qu'il n'y ait pas d'incohérences. Vous voyez, Josef. Je peux marcher à reculons sans incohérence aucune. Ne me suivez que quand vous m'aurez perdu de vue.

Mutz le regarda marcher ainsi sur deux cents mètres, trébuchant par deux fois, avant de se retourner. Mutz rangea son pistolet. La boue sur ses vêtements était déjà en train de sécher et il put en enlever sans peine la plus grande partie, du revers de la main. Il retourna s'asseoir sur un tronc d'arbre couché, près de l'endroit où avait reposé le corps de Kliment. Kliment n'avait laissé aucune empreinte qui pût se distinguer de celles des charrettes, des sabots, des pas et de la pluie. Les nuages à l'horizon avaient une allure grégaire. Il n'était pas trop tôt pour qu'il neige. Voilà à quoi toutes les guerres civiles devaient ressembler, les champs abandonnés, les pâturages sans troupeau, dont les hautes herbes bonnes ou mauvaises dissimulaient de vieux sillons, des masses indistinctes au loin, là où les gens avaient coupé un peu de foin pour leurs vaches parquées. Le laisser-aller plutôt que les blessures ; un pays devenu chauve, ridé, sale et boiteux. Assailli par un éclair de mémoire gustative, Mutz éprouva soudain une folle envie de vin rouge. Il sortit de la poche de sa chemise une liasse de papiers froissés et lut en diagonale le brouillon d'un rapport sur les actes perpétrés par la compagnie du capitaine Matula dans la ville de Staraya Krepost six mois auparavant, l'origine de cette peur la plus intime qu'aucun des deux hommes n'avait osé mentionner, même si c'était de cela qu'ils avaient parlé en réalité. La plus grande partie des ajouts et ratures se trouvait au même endroit que dans les versions précédentes, là où Mutz s'efforçait d'*expliquer*, ou plutôt de *justifier*, ou plutôt de *défendre*, ou, c'était cela, de *rendre compte* du massacre de la population civile, en faisant référence à des "incidents préalables" lors desquels des prisonniers tchèques avaient été exécutés ; où il tentait de "caractériser les opinions politiques" des habitants – "un vaste échantillon de sympathisants rouges et blancs", *sympathisants* remplacé ensuite par *activistes* – et où il décrivait ce que lui-même avait fait. "Ai essayé de les empêcher", *empêcher* barré et remplacé par *raisonner*, la phrase tout entière rayée et "craignant pour ma propre vie, je n'ai à aucun moment tenté d'intervenir de manière significative" ajouté à la place. *De manière significative* barré.

Trois grands "boum !" résonnèrent vers l'ouest, trois coups bien nets frappés sur un monde creux. Des tirs d'artillerie, à un peu plus de vingt kilomètres. Jamais personne n'avait entendu ce son ici. Mutz écrasa les feuilles qu'il tenait dans sa main en une boule compacte qu'il jeta par terre. Il frotta une allumette et s'accroupit pour s'assurer que le papier se consumait bien en écailles noircies qu'il piétina pour les enfouir dans la boue.

Mutz rentra vers Jazyk, stupéfait par la variété des formes de menace et d'imbécillité auxquelles il avait été exposé depuis la veille. Dans un grenier paisible de son esprit, un homme essayait de réfléchir, tandis qu'autour de lui les voisins se précipitaient par les fenêtres, s'immolaient par le feu et s'étranglaient mutuellement. Il n'avait aucune confiance en Matula ; la confiance, avec le capitaine, n'était applicable qu'après coup. On pouvait affirmer avec confiance qu'il ne vous avait pas tué, pas qu'il ne vous tuerait point.

À mi-chemin du village, Mutz croisa Balashov qui fouillait le sol au pied d'un taillis. Balashov sortit des fourrés pour le rejoindre et lui serra la main.

– Je voulais vous parler, dit-il. Je faisais semblant de cueillir des champignons. Je craignais Matula. Je suis désolé pour votre ami.

– Kliment ? Ce n'était pas un ami, merci quand même.

– Comment vais-je annoncer cela à ma congrégation ? Un meurtre comme celui-là semble encore plus horrible en période de guerre. Vous avez entendu les canons ?

– Oui, répondit Mutz, scrutant son visage à la recherche d'échos, jetant un coup d'œil furtif au fond de ses yeux, comme s'il avait pu y trouver la clé de son geste, flottant dans le formol. Les rouges ont dû prendre Verkhny Luk et mettre en branle leur artillerie lourde juste pour nous effrayer.

Il marqua une pause. Les deux hommes étaient timides. Mutz avait pu constater que le désir charnel et la peur des obus étaient de puissants remèdes à la timidité, qui agissaient à présent.

– Vous aviez déjà entendu les canons lourds, Gleb Alexeyevich. Anna Petrovna me l'a dit.

– Je sais.

– Elle m'a fait lire votre lettre. Cela vous met-il en colère ?

– Non.

– Y a-t-il quelque chose qui vous mette en colère ?

Balashov laissa échapper ce petit rire qu'ont certaines personnes quand elles se souviennent soudain des pires malheurs qui leur soient arrivés.

– Quand vous me posez ce genre de question, j'ai l'impression d'être sur une estrade, devant un parterre de professeurs.

– Je suis désolé.

– Avez-vous un patronyme ?

– Pardon ?

– Comme dans Gleb Alexeyevich, Gleb le fils d'Alexei. Je me sentirais plus à l'aise ; vous parlez très bien le russe, j'aimerais pouvoir employer votre prénom et votre patronyme. Vos titres évoquent quelqu'un d'impie. *Pán* ceci, lieutenant cela.

– Josef, c'est le nom de mon père.

Puis-je vous appeler Josef Josefovich ?

– Si vous voulez, répondit Mutz, qui se sentait manipulé d'une manière étrangement douce.

– Josef Josefovich, je voulais vous parler de promesses. Écoutez-moi jusqu'au bout. Je ne vous parle pas d'un marché, où l'on soupèserait les promesses, où certaines auraient plus de valeur que d'autres. Celui qui rompt sa promesse ne sera pas traîné devant un tribunal. Pas dans ce monde-ci, du moins. Tout ce qu'on peut faire, c'est demander puis espérer. Je lui ai promis de ne pas aider d'autres hommes à faire ce qu'on m'avait aidé à faire. J'ai promis que je ne manierais pas le couteau. J'ai promis de ne jamais me rendre chez elle sans qu'elle m'y ait invité, de faire tout ce qui était en mon pouvoir pour empêcher qu'Alyosha ne découvre qui je suis. Elle a promis qu'elle ne dirait jamais à personne ce que j'avais fait. Qu'elle ait rompu cette promesse me fait souffrir. Qu'elle estime, ou que vous estimiez, que je n'ai aucun droit de me sentir blessé, ceci est une autre question. Mais je ne crois pas qu'une promesse qui a été rompue une fois devient vaine. Cette promesse comporte alors deux parties, tenues par deux personnes, et je ne vois aucune raison pour que l'un de vous deux la rompe à nouveau.

Mutz rougit et éprouva de la tendresse pour Balashov car, au-delà de sa volonté de préserver son secret, il devinait une peur plus intime, la crainte qu'on se moque de lui.

— Anna Petrovna a fait une autre promesse, Josef Josefovich, reprit Balashov. (Il croisa ses bras dans le dos et fixa soudain Mutz dans les yeux. Mutz aurait voulu ne pas lui avoir dit le nom de son père, du moins pas son vrai nom. Ce regret rendait Balashov plus froid.) Au sujet des hommes.

— Elle a promis de ne pas voir d'autres hommes ?

— Elle a promis qu'elle le ferait.

— Ah.

— Je ne peux rien y faire. Que ce soit vous, ou n'importe quel autre. Je ne veux pas que cela arrive, je sais que cela arrive et je ne peux rien y faire.

Mutz avait imaginé un homme humble, encore sous le choc de ce couteau, cinq ans auparavant, un peu simple d'esprit. Il avait prévu que sa propre aversion, née de la lecture de la lettre de Balashov, resterait bien vivace à la lumière du jour, qu'elle lui donnerait un surcroît de force pour convaincre le castrat. Il avait pensé qu'il dominerait cet homme. Rien ne se passait comme prévu. Sans que rien ne lui en donne le droit, Balashov était en train de l'humilier. Mutz commençait même à regretter de ne pas l'avoir mieux connu jusque-là. Mais le grondement des événements emplissait ses oreilles d'un tel vacarme qu'il n'eut d'autre choix que de s'en tenir à son plan, sous peine de sombrer dans la folie. Il était obligé de lui présenter sa requête.

— Je suis désolé de vous voir souffrir, dit Mutz. Je vois que vous savez, pour Anna Petrovna et moi. Cela rend plus facile ce que j'ai à vous demander.

— De quoi s'agit-il ?

— Vous devez dire à votre femme de partir, d'emmener votre fils avec elle.

— Plus facile ?

— Lui dire qu'elle est libre ne suffira pas. Il faudra la supplier de vous quitter si elle refuse de partir.

— Anna est ma femme et Alyosha mon fils, répliqua Balashov d'un ton ferme. Pourquoi devrais-je les supplier de partir s'ils ne veulent pas s'en aller ?

Il redressa le menton et Mutz vit un éclat monter au fond de ses yeux. Où était donc l'humilité ?

— Je ne voudrais pas vous froisser, rétorqua Mutz. Mais vous ne pensez pas que vous vous êtes rendu assez ridicule comme ça ? (Dans sa colère, il entendit sa propre voix devenir plus claire, plus forte.) Leur seule raison de rester ici, c'est vous, et vous avez fait de votre mieux pour être un mari, un père désastreux. Vous avez fui votre famille, vous vous êtes mutilé afin de ne plus jamais être capable d'aimer une femme ni de lui faire l'amour. N'êtes-vous donc pas capable de comprendre que ce qui retient Anna Petrovna ici n'est que de la pitié ? Pourquoi en avez-vous besoin ? Pourquoi avez-vous besoin d'elle, à présent ? Pourquoi avez-vous besoin d'un enfant ? Vous n'êtes plus un homme.

Une femme, un enfant sont des choses d'homme. Vous devez leur dire de partir et vous devez leur dire de ne jamais revenir.

— Je n'ai pas à le faire ! Je n'en ferai rien. Ce n'est pas moi qui ai demandé à Anna Petrovna de venir ici, ce n'est donc pas à moi de lui dire de partir. Vous, les hommes, répliqua Balashov, et son corps se raidit de fierté et de peur, vous les hommes avez ce fardeau qui pend entre vos jambes, ce fruit lourd et acide, ce petit tronc d'arbre venimeux, et vous pensez que sans lui, il n'y a pas d'amour. (Sa voix se fit plus calme. Son visage redevint placide et il planta ses yeux dans ceux de Mutz, souriant presque, grave et déterminé.) Pensez-vous vraiment que ce monde soit si atroce que l'amour puisse en disparaître d'un simple coup de couteau ? Pensez-vous que les chirurgiens aient le pouvoir d'en venir à bout ? Je vous dégoûte. Mais ne vous dégoûtez-vous pas vous-mêmes, vous qui croyez que seules la raideur d'un bâton dans vos reins et la fièvre vous poussent à aimer votre fils, vos amis ou une femme ?

— Tout ça, c'est de la sophistique, rétorqua Mutz. Le sang lui monta au visage. Il se sentait humilié d'une manière qu'il ne pouvait nommer. Certaines formes d'amour…

— Vos baisers auront toujours en eux la morsure.

Comment Mutz avait-il pu penser qu'un homme capable de traduire ses idées en actes de manière si extrême se laisserait convaincre par des arguments rationnels ? Il répliqua :

— Ils ne sont pas en sécurité ici. Vous avez entendu comme moi les canons des rouges. Je n'imagine pas Matula se rendre sans combattre. La ville sera détruite. Anna et Alyosha seront pris au piège et tués.

Balashov ne l'écoutait plus. Il attendait que Mutz en ait terminé, les yeux étincelants, droit et vertueux.

— Si vous aimiez ma femme, dit-il, sans doute la protégeriez-vous au lieu d'essayer de la dérober. Si j'étais un homme, voilà ce que je ferais.

Anna Petrovna se tenait debout sur la place, près du kiosque où l'on vendait du poisson salé. Elle attendait que Matula en finisse avec son défilé militaire pour exiger que Samarin soit relâché. Elle avait froid. Kira Amvrosevna, la poissonnière, lui avait prêté un châle.

— Voilà de quoi ils auront l'air le jour du Jugement dernier, déclara Kirapassant, passant en revue les poissons de l'étal de la pointe inquisitrice de son couteau, les uns après les autres. Le sel rendait rugueuse la surface de leur peau grise, écailleuse. Des poissons fins comme du parchemin, durs comme le bois vert. Les pêcheurs, tous autant qu'ils sont. Les fornicateurs et les imposteurs, tous les plus grands menteurs. Tous ces… faibles d'esprit d'étrangers avec leurs fusils, qui sont d'un autre sang. Le Christ passera une aiguille à travers leur crâne pour les suspendre à un fil, comme ces poissons, la bouche grande ouverte, les yeux exorbités, incroyants. Alors, le Jugement pourra commencer. Si j'étais vous, je ferais en sorte d'être propre à l'intérieur, Anna Petrovna, car le Christ vous incisera de son couteau à vider. Il vous jugera selon ce qu'il trouvera là-dedans.

— Laissez-moi tranquille, soupira Anna.

Elles entendirent le son des canons rouer de coups le monde.

— Seigneur, reprit Kira. On dirait bien que la fin du monde est proche.

Anna plongea sa main dans son sac, en retira une cigarette et des allumettes. À supposer qu'Alyosha ait hérité de son père la peur panique des canons ? Si cela pouvait lui faire passer une bonne fois pour toutes l'envie de devenir soldat, ce serait un moindre mal. Elle alluma sa cigarette. Ses mains tremblaient. En imagination, elle avait déjà placé Samarin dans sa maison, pour lui servir de bouclier. Il n'était pas capable de les protéger face à tous les guerriers, mais il serait peut-être l'envoyé des lumières des grandes villes par-delà la forêt, de l'agitation, des discussions et de la réflexion qui s'y déroulaient. Elle ne s'imaginait pas le toucher. Elle ne les imaginait pas, elle et lui, se toucher. En fait, elle y avait peut-être pensé, si tant est que lui caresser la joue du bout des doigts soit toucher, quand il l'avait regardée dans les yeux.

— Pas question que vous fumiez cette saleté ici, protesta Kira.

— Laissez-moi fumer en paix.

— Vous finirez comme ça, menaça Kira, brandissant un poisson devant son visage.

Une sonnerie de clairon s'éleva du toit du *stáb*. Un cliquetis déterminé de pièces métalliques se fit entendre tout là-haut et le canon de la mitrailleuse Maxim surgit au-dessus de la gouttière. Smutný et Buchar se préparaient à couvrir le défilé. Des soldats tchèques surgis des quatre coins de la place dérivaient sans hâte vers le *stáb*. L'un d'eux passa lentement devant Anna, fixant la cigarette qu'elle avait à la main. Elle pensa qu'il était boiteux, mais ce n'était pas cela. Il n'avait qu'une seule botte.

— Vous avez perdu une botte, dit-elle.

— Non, répondit le soldat, j'en ai trouvé une.

Elle lui tendit sa cigarette, qu'il prit avant de s'éloigner.

Une fois rassemblés, les Tchèques formèrent un rang incurvé, ébréché, devant l'entrée du *stáb*. Quand ils avaient quitté Prague en 1914, ils étaient cent soixante et onze. Ils avaient perdu Hrubý, Broz, Krejčí, Makovička, Kladivo et Král en Galicie, en 1916, alors qu'ils recevaient encore leurs ordres des Autrichiens et que les Russes étaient passés à l'offensive. Puis les Russes avaient abattu Návratil au moment où ils faisaient prisonniers les hommes de la compagnie, croyant qu'il était sur le point de leur lancer une grenade. Il voulait juste prendre sa gourde. Slezak et Bures succombèrent à leurs blessures sur la route du camp de prisonniers. Leurs compagnons les enterrèrent dans un modeste cimetière des bords du Dnieper. La compagnie fut contrainte de travailler dans une ferme de la région de Moscou, et Hlavacek assassiné après que le contremaître l'eut surpris au lit avec sa femme. Les trois frères Kriz, acrobates de métier, furent envoyés dans un cirque turkmène et užička, le charpentier, trouva du travail à la ville. Les Russes diminuèrent les rations, Chalupn'k fut exécuté pour avoir volé une vache. Une fièvre se déclara dans les baraquements, la compagnie perdit Stojespal et Kolinsky. La compagnie partit vers Kiev rejoindre la Légion tchèque, mais Tesaík, Rohlíček, Žába, Boehm et Kaspar refusèrent de combattre avec les Russes contre leur propre peuple, préférant rester en arrière comme prisonniers de guerre. En février 1917, quand éclata la première révolution russe et que personne ne savait plus qui dirigeait le pays, le pain vint à manquer. Le jeune Černý mourut d'une fièvre, bientôt suivi par Lanik et Žito. Dragoun et Najman moururent de froid la seconde nuit, ils avaient caché une bouteille d'eau-de-vie et étaient montés la boire sur le toit du train pour ne pas avoir à la partager. Ils s'étaient endormis là-haut et le gel était sévère. Il fallut avoir recours à la barre à mine pour décoller leurs corps, quand le train s'arrêta près de Chernigov. Kratochvil, Jedlíčka, Safar, Kubes et Vasata, qui s'intéressaient depuis toujours à la politique, formèrent un soviet dans le wagon de queue, qu'ils désolidarisèrent du reste du train au beau milieu de la nuit. À son arrivée à Kiev, la compagnie fut intégrée à un nouveau régiment. La situation s'améliora pendant un moment, ils étaient bien traités par les Ukrainiens. Bilovsky séduisit une fille de Brovary qui tomba enceinte. Il fut rendu à la vie civile avec les honneurs lorsque le père de la jeune femme offrit à Matula son meilleur cheval. Vrzala, qui s'éclipsait la nuit pour se rendre dans les casinos, devint revendeur de cocaïne. Quand ils atteignirent enfin le front, ils avaient pris du gras et n'étaient plus si mal en point. Les Russes inclurent la compagnie dans leur grande offensive. Le vieux Černý, frappé par une balle au moment où il bondissait hors de la tranchée, s'écroula sans un bruit. Matula hurlait à ses soldats qu'il leur fallait se tailler un chemin jusqu'en Bohême par la force des armes. Chaque fois qu'il regardait l'un de ses hommes, celui-ci tombait mort. Matula courait encore et toujours, et sa compagnie le suivait. Il dit à Mutz de ne pas se baisser, qu'il donnait le mauvais exemple, Mutz se tint bien droit sous les balles. Tous se tinrent droits et Strnad reçut tant de balles dans le cou que sa tête sauta en arrière comme le bouchon d'une bouteille de bière. Outre Černý et Strnad, la compagnie enterra Vavra, Urban, Mohelnicky, Vlcek, Repa, Precechtel, užička, Procházka, Zahradník, Vavrus et Svobodník. Knedlik et Kolář devaient mourir plus tard des suites de leurs blessures. Puis la révolution bolchevique eut lieu, les Russes postés à Kiev demandèrent à la compagnie de les aider à combattre les bolcheviques. Kadlec fut assassiné par une femme en manteau de cuir. Quand les Ukrainiens prirent la relève, la compagnie se joignit à eux pour réquisitionner des vivres dans les villages de la rive gauche du Dnieper. Après que la compagnie eut abattu des paysans, Buchta et Lanik traitèrent leurs camarades de sales fils de putes réactionnaires, avant de déserter pour rejoindre les rangs bolcheviques. Biskup et Pokorný, qui se plaignaient depuis longtemps de n'être pas payés, partirent dévaliser une banque à Odessa et le bruit courut que, devenus riches, ils avaient traversé la mer Noire pour s'installer finalement à Batumi, où ils avaient trois femmes adjares chacun et une belle villa en bord de mer avec un jardin où de petits cochons noirs trottinaient autour des palmiers. On racontait aussi qu'ils avaient été pendus.

Puis les Tchèques de l'Ouest décrétèrent que la Légion devait rejoindre le front occidental pour affronter les Allemands. La seule manière d'y parvenir était de faire le tour du monde, de prendre le Transsibérien jusqu'à Vladivostok, de traverser le Pacifique, l'Amérique puis l'Atlantique jusqu'à la France. La Légion entreprit donc un long voyage vers l'est. Quand Trotski tenta de réquisitionner leurs armes, Matula et les autres officiers pensèrent que les Russes projetaient de les livrer aux Allemands et ils se soulevèrent. La Légion s'empara de tout le Transsibérien, si bien qu'à un moment donné l'unique Tchécoslovaquie qui fût libre et indépendante mesurait plus de 9 000 kilomètres de long sur deux mètres de large, de l'Oural jusqu'au Pacifique. Lorsque le conflit éclata, la compagnie se trouvait à Irkoutsk, où les employés du rail étaient on ne peut plus rouges. Elle passa tout l'été à combattre ces rouges dans les tunnels de chemins de fer et autour du lac Baïkal. Skounic, Marek et Žába périrent dans un train que des partisans avaient fait dérailler et Brada, blessé dans un affrontement en forêt, succomba à la gangrène. Myska rejoignit les rouges. Quand la compagnie le captura, plus tard, Matula se chargea en personne de l'abattre d'une balle dans la tête. À l'automne, des partisans rouges tendirent une embuscade à la compagnie sur les bords du Baïkal, tuant Martinek et Vasata. Matula se mit en colère, la compagnie prit le chemin de la ville de Staraya Krepost. Matula ordonna que l'on rassemble tous les ouvriers de l'usine et leur famille sur la grand-place, où la compagnie fusilla des hommes par dizaines. Après quoi Kubec et Koupil désertèrent. Les rouges placardèrent des affiches présentant Matula comme un boucher assoiffé de sang, doublé d'un ennemi du peuple. Ils attaquèrent le cantonnement de la compagnie, Benisek fut tué, mais les socialistes révolutionnaires arrivèrent juste à temps pour aider Matula et ses hommes à repousser les rouges. Le Baïkal était gelé. La compagnie apprit que les partisans étaient en train de traverser les glaces. Ils se lancèrent à leur poursuite mais ne purent les trouver dans le noir et la glace commença à céder, car il était encore tôt dans la saison. À l'aube, ils s'aperçurent qu'Hajek s'était noyé. Alors qu'ils étaient en train de recenser les victimes de gelures, les rouges ouvrirent le feu depuis la rive, tuant Zikan, Noha et Smid. Matula reçut une balle en pleine poitrine, sa gorge et sa trachée se remplirent de sang, l'empêchant de respirer. Mutz lui sauva la vie en lui perforant le cou de la pointe de son couteau. Jahoda, qui avait ramené les hommes jusqu'à la terre ferme, fut abattu au moment où ils atteignaient la berge. Mutz porta Matula sur son dos. La seconde balle semblait avoir transpercé de part en part le cœur de Matula, sans parvenir à le tuer. C'est après cela que la compagnie avait été envoyée à Jazyk. Avec le meurtre de Kliment, ils n'étaient plus que cent un.

En 1914, quand ils avaient gagné la gare de Prague au pas cadencé, ils portaient des uniformes flambant neufs, taillés dans un coton couleur nuage d'orage, des bottes neuves, et leurs insignes et leurs ceinturons étincelaient au soleil. Même s'ils ne croyaient pas vraiment en ce qu'ils faisaient, ils prenaient soin de rester en rangs, à la fois parce que la mutinerie était alors un pas bien trop vaste à franchir et parce que c'était l'été, qu'ils étaient innocents, vierges de tout sang sur leurs mains, que des filles les regardaient passer dans la rue et que le pas cadencé évoquait une danse.

Dans ce dépôt ferroviaire de Sibérie, cinq ans plus tard, la mutinerie pendait aux branches de l'arbre, trop mûre pour qu'on eût besoin de la cueillir. Elle tomberait d'elle-même, bientôt. Les uniformes rapiécés des soldats, reprisés avec du fil volé ici et là, s'étaient abâtardis du fruit de leurs pillages, les hauts-de-chausses d'un cosaque sous une tunique kaki de l'armée anglaise, des chemises

américaines maculées de sang, de vin et du jaune des œufs
crus ramassés sur la paille et gobés encore chauds deux
ans auparavant, après avoir été délicatement percés par la
pointe d'une baïonnette ; un ceinturon fabriqué à Khiva,
rapporté dans les neiges du Nord par un conducteur de
train qui devait mourir aux commandes d'une machine,
laquelle avait démarré dans un bruit de tonnerre au
moment où le printemps naissait au cœur de l'Asie centrale, avant de remonter vers l'hiver sans fin du Nord, au
cours des mois qui séparèrent les deux révolutions ; un
uniforme tchèque tout entier, tel que l'intendant l'avait
distribué là-bas, en Bohême, lorsque son propriétaire était
encore citoyen de feu l'Empire austro-hongrois. Mais
il y avait tromperie, car chaque manche, chaque ourlet,
chaque quartier de tissu avait été remplacé au fil du temps.
Rien ne subsistait de l'original que la simple idée de son
identité passée. Une centaine d'hommes portaient sur
eux les fragments éparpillés de deux douzaines d'armées,
certaines fort anciennes, disparues, d'autres formées puis
disséminées en l'espace d'un mois dans ce continent aux
limites incertaines, ce monde d'herbe, de neige et de
rochers aux confins de l'Europe et de la Mandchourie ;
un joueur charismatique et généreux, violent et ambitieux
à l'occasion, était entré dans le magasin de quelque ville
dénuée de pavés, avait posé sur le comptoir un sac flasque
contenant toutes sortes d'objets en or, avant de ressortir
avec des tenues de cavalier ornées de broderies écarlates,
des fanions de lance et des rubans de crinière destinés à
une cohorte de guerriers arbitraires et à leurs montures.
Un mois plus tard, après une attaque sans lendemain,
une beuverie de vodka ou une simple dispute, ces parures
étaient revendues, ou bien elles gisaient dans la boue,
ensanglantées et durcies par le gel, attendant qu'un autre
les ramasse. Certains fusils des hommes de Matula étaient
entachés des premières stries orangées de la rouille ; sur
tous, le vernis des boiseries était pelé par endroits. Leurs

chapeaux composaient un bestiaire de peau, de laine et de fourrure. Le soldat Habadil, lui, avait échangé sa montre à Omsk – la sienne, pas un butin de guerre – contre une casquette ressemblant au scalp dégarni d'un vieillard aux longs cheveux roux qui, lui jura le vendeur, provenait d'une espèce d'homme-animal vivant dans les montagnes de l'Altaï. Leurs bottes témoignaient de longues années d'errance et redoutaient l'arrivée d'un sixième hiver, avec leur cuir ridé comme la peau d'un arrière-grand-père, leurs semelles de fortune taillées dans le bois, les pneumatiques de camion, l'écorce, semant derrière elles les débris de paille, les lambeaux de tissu, de peau ou de fourrure bourrés autour des pieds pour apporter un peu de chaleur, alors que le froid, le vrai, ne s'était pas encore emparé de Jazyk. Une centaine d'hommes pour un total de 945 orteils, le reste formant le lourd tribut payé aux gelures, et 980 doigts ; 199 yeux, 198 pieds ; 196 mains ; des estomacs attaqués par les microbes ; un sur dix atteint de syphilis, et la plupart d'entre eux en proie aux premières morsures fétides du scorbut.

Matula vint à leur rencontre, son sabre nu glissé sous sa ceinture, accompagné de Dezort, quelques pas en retrait. Le sergent Ferko rappela les hommes à l'ordre. Ils crachaient, éternuaient, reniflaient, ramenaient leurs pieds l'un contre l'autre en raclant le sol, portaient leurs fusils sur l'épaule, si bien qu'ils penchaient dans toutes les directions. Ferko et Matula échangèrent leurs saluts, et Matula prit la parole, regardant chacun de ses hommes dans les yeux, à tour de rôle. Quand son tour venait, chaque soldat détournait les yeux et les posait sur ses pieds. Certains préféraient même les garder fermés plutôt que de faire face au charme cocaïné des lèvres du capitaine, à l'âme cadavérique de ses yeux.

– Hommes, déclara Matula. Mes camarades. Mes amis. Voilà cinq ans déjà que nous combattons ensemble. Nous nous sommes battus pour l'empereur des Autrichiens contre l'empereur des Russes. Nous avons combattu pour l'empereur des Russes contre l'empereur des Autrichiens. Nous avons combattu pour la Terreur blanche des monarchistes contre la Terreur rouge des bolcheviques. Nous avons combattu aux côtés de socialistes révolutionnaires et de cosaques contre des cosaques et des socialistes révolutionnaires. Et je suis fier de pouvoir vous dire aujourd'hui que jamais nous n'avons trahi nos idéaux. Voilà cinq ans que nous combattons ensemble. Nous avons combattu pour d'autres. Il est grand temps de nous battre pour nous-mêmes. Je sais que vous êtes las. Je sais que vous n'avez plus envie de vous battre. Je sais que vous voulez rentrer chez vous.

Les hommes étaient restés silencieux jusque-là, mais quand Matula prononça les mots "chez vous", leur silence changea soudain de qualité. Il devint plus tendu, se raidit. Il s'arc-bouta. Il devenait crucial de ne pas le laisser exploser.

— Je pourrais vous proposer de faire nôtres ces lieux, plutôt que de rentrer chez nous, en Europe, reprit Matula. Je pourrais vous rappeler quelles opportunités s'offrent aux hommes de bonne volonté dans ce territoire vierge, si peu colonisé, traité avec tant de laisser-aller par les Russes, nos frères slaves. Je pourrais vous convaincre que ce nouveau pays qui est le nôtre au cœur d'une Europe surpeuplée, ce pays nommé Tchécoslovaquie aura besoin d'un empire, de colonies, comme toutes les grandes nations européennes modernes, blanches et civilisées. Mais vous voulez rentrer chez vous. Vous voulez retrouver la sécurité de cette petite patrie verdoyante. Moi, votre chef, je déclare : je ne m'y opposerai pas. Bien qu'aucune instruction nous ordonnant de partir ne nous soit parvenue du président Mazaryk, et même s'il serait honteux de déserter ces terres vierges et fertiles sur lesquelles nous avons versé tant de sang, je ne vous empêcherai pas de rentrer chez vous.

"Mes hommes, un dernier obstacle s'oppose pourtant à votre départ. Il s'agit d'un officier de cette compagnie, le lieutenant Josef Mutz. Il n'est pas ici. Il est parti en mission du côté de Verkhny Luk. Prions pour que rien de fâcheux ne lui arrive en chemin. Le lieutenant Mutz est d'avis que nous ne devons quitter Jazyk sous aucun prétexte, tant que nous n'aurons pas reçu l'ordre formel d'évacuer les lieux. J'ai bien essayé de le raisonner : je lui ai fait remarquer à quel point vous étiez impatients de partir. Il m'a regardé avec une expression… je ne dirais pas froide, je ne dirais pas bureaucratique, je ne dirais pas zélée, diabolique serait trop fort, sans-cœur également… quoi qu'il en soit, il m'a prévenu qu'il se chargerait de dénoncer auprès de l'état-major général basé à Omsk et Vladivostok tout soldat ou officier qui tenterait de quitter Jazyk avant que l'ordre ne nous en soit donné. Sa dureté m'a surpris. Certes, il n'est pas comme nous ; sa langue maternelle est l'allemand, pas le tchèque ; il appartient à la race de ceux qui clouèrent sur la croix le Christ notre Seigneur, qui continuent encore aujourd'hui à se livrer à leurs rituels privés et mystérieux ; aux heures les plus éprouvantes de notre campagne, il est resté en arrière pour nous observer à distance, comme s'il préparait déjà en secret un dossier à notre charge pour le présenter à l'avenir devant un tribunal ; mais jamais jusqu'ici je n'avais pensé de mal de lui. Aucun doute, si l'on s'en tient à la lettre de notre nouveau code militaire, qu'il semble, étrangement, mieux connaître que nous, il a raison, même si son entêtement viole les règles les plus élémentaires de la justice naturelle. Mes hommes, les faits sont là : nous ne pourrons quitter Jazyk tant que le lieutenant Mutz sera vivant, à moins bien sûr qu'il ne change sa manière de penser. Par conséquent, en attendant, remplissons donc nos devoirs un petit peu plus longtemps. Cela signifie, tout d'abord, qu'il nous faut défendre cet endroit contre la menace rouge, dont vous avez sans doute entendu les tirs d'artillerie. Ne soyez pas inquiets : je puis vous assurer que les rouges d'ici ne disposaient que de trois obus qu'ils ont déjà tirés. Peut-être, en défendant Jazyk, apprendrons-nous à aimer cette forêt généreuse.

"Mes hommes, je sais que vous êtes déçus. Je sais votre frustration. Je vous enjoins de ne pas retourner votre colère contre le lieutenant Mutz. Il s'est sans doute coupé du reste de ses camarades. Et il est indéniable que si l'un ou plusieurs d'entre vous le capturaient dans un lieu isolé, par exemple la ligne de chemin de fer, il serait impossible, même au prix d'une longue enquête, d'identifier l'auteur du coup de feu fatal. Ne cédez pas à la tentation. C'est tout."

Ferko donna l'ordre de rompre les rangs. Anna Petrovna s'approcha de Matula, qui s'entretenait avec Dezort et Hanak. Les dos des trois hommes formaient un triangle fermé. Ils étaient conscients de sa présence, mais l'ignoraient. Les yeux d'Hanak croisèrent furtivement les siens, puis se détournèrent aussitôt. Il avait déjà cousu sur ses épaulettes les galons arrachés à Kliment. Anna aperçut les lambeaux du manteau du mort qui pendouillaient, libres. Anna se planta derrière Matula et, d'une voix forte, déclara :

– J'exige que vous relâchiez M. Samarin.

Matula se tourna vers elle, sans hâte, adressant quelques mots en tchèque à ses lieutenants. Il hocha la tête, reprit le fil de sa conversation. Il la fit attendre dix minutes puis se tourna de nouveau vers elle, un sourire faux sur sa bouche enfantine, les yeux fidèles à leur absence de toute tendresse visible, et posa lourdement la main sur l'épaule de la femme. Elle s'en débarrassa d'un haussement d'épaules et la repoussa.

– Allez-vous le libérer ? Vous voyez bien, maintenant, qu'il n'est pas un tueur.

– Mais j'ai promis à votre ami juif de le garder prisonnier jusqu'à son retour.

– Le lieutenant Mutz se trompe sur tout un tas de choses.

— Anna Petrovna ! s'exclama Matula. Il referma ses mains sur la sienne, qu'il maintint d'une poigne ferme tandis qu'elle tentait de se libérer. Ses mains étaient chaudes. C'est ce que j'ai toujours dit ! Quel bonheur que vous soyez d'accord avec moi.

— Il ne s'agit pas d'être d'accord avec vous sur quoi que ce soit, rétorqua Anna Petrovna en rougissant. Elle réussit à lui arracher sa main, fit un pas en arrière.

— Il faut le libérer.

— Pour le voir errer de nouveau au fond de la forêt ? L'abandonner dans cette nature sauvage ?

Anna baissa les yeux au sol.

— Il pourra venir chez moi, dit-elle. Elle regarda Matula dans les yeux. Je serai responsable de lui.

Matula se lécha les lèvres en secouant la tête. Son sourire s'élargit.

— Comme c'est intéressant, répondit-il. Si je comprends bien, vous voulez rompre vos relations avec le juif et le remplacer par le prisonnier ? Vous en êtes certaine ? Ne devriez-vous pas plutôt choisir l'un de mes hommes ? Je crois pouvoir vous en trouver un qui n'ait jamais fait de prison, et aucun d'eux n'est juif. Certains sont même catholiques, le croirez-vous. Peut-être seront-ils davantage à votre goût ?

Le cœur d'Anna battait à tout rompre, l'idée de frapper Matula lui traversa l'esprit. Elle imagina le contact de sa peau rugueuse et de la cicatrice sous sa main. Elle envisagea de lui cracher dessus, mais cela demandait une certaine adresse.

— Vous n'arriverez pas à me mettre en colère, répliqua-t-elle. Je vous connais trop bien. Raillez-moi toute la journée si cela vous chante, mais relâchez cet homme.

— Je ne peux pas faire ça, répondit Matula. Son sourire avait disparu. Ça s'appelle la "liberté sous caution". Quelle garantie aurai-je qu'il ne s'enfuira pas avant que je n'aie décidé ce que je veux faire de lui ?

— Je vous promets qu'il ne s'enfuira pas.

— Vous en porterez-vous garante ?

— Je ferai en sorte qu'il ne parte pas.

— Qu'est-ce que vous dites de ça ? S'il s'enfuit, je vous tuerai.

Anna haussa les épaules, méprisante.

— Vous pensez que je me sens en sécurité, au moment où je vous parle ?

Le sourire de Matula refit son apparition et ses yeux sautèrent, comme une foreuse passant d'une veine de houille à la suivante.

— Le lieutenant Mutz sera déçu quand il reviendra ce soir et qu'il trouvera son amie Anna Petrovna installée avec un prisonnier qui ne lui inspire aucune confiance. Mais peut-être escomptez-vous qu'il ne reviendra pas.

— Si cela veut dire qu'il a enfin trouvé le moyen de retourner chez lui, à Prague, alors, oui, je l'espère. Croyez-vous qu'il ne sait pas que vous avez incité vos hommes à le tuer ?

— Quelle froideur ! Vous avez les yeux si agités, tant de sang dans les joues, et vous faites preuve d'une telle froideur à l'égard de ce bon vieux Mutzie. Allez, prenez donc possession du malheureux et occupez-le bien, si vous ne tenez pas à faire de votre garçon un orphelin.

On fit attendre Anna devant la porte du *stáb* pendant qu'ils amenaient Samarin. Celui-ci ne paraissait pas surpris qu'elle ait obtenu sa libération. Il lui serra la main, lui exprima sa gratitude. Elle ne mentionna pas les termes de sa libération sous caution, se contentant de lui dire qu'il ne pouvait quitter Jazyk sous peine de l'exposer, elle, à des conséquences déplaisantes. Ils marchèrent jusqu'à sa maison. La route semblait plus courte, l'air moins froid. Anna se sentait propre et légère, comme si elle s'était enfin débarrassée de quelque tache lourde et poisseuse. Elle évoquait sa ville d'origine par phrases courtes et prudentes. Elle n'était qu'à une nuit de train de celle où Samarin avait grandi. La manière dont parlait Samarin ressemblait à la sienne, plus que celle des Tchèques avec leurs accents, que celle des castrats avec leurs bavardages bibliques, que celle du chef de canton et de sa maisonnée, avec l'importance qu'ils accordaient à la classe et au rang social. Ils avaient le même âge. Samarin voulut savoir pourquoi elle était venue s'installer à Jazyk après la mort de son mari. D'abord, Anna se montra surprise et agacée, avant de comprendre que sa question était fondée, qu'elle devait être posée et le serait à chaque fois qu'Anna rencontrerait de nouveaux étrangers. Elle inventa l'histoire d'une maison ayant appartenu à un grand-oncle défunt, un besoin de paix et de solitude, et le désir d'échapper à ces temps troublés que traversait la Russie d'Europe.

Samarin ne dit rien qui pût suggérer qu'il ne la croyait pas et ils poursuivirent leur chemin en silence. Anna Petrovna se tourna vers lui, le dévisagea l'espace d'une seconde, puis détourna les yeux. Il lui demanda ce qu'il y avait.

— Ce n'est rien, répondit-elle. Je vous expliquerai plus tard.

— Vous aurez oublié.

— C'est idiot.

— Eh bien ?

— Je m'attendais à vous voir plus impatient de retrouver votre liberté. Je pensais que vous me feriez comprendre combien vous aviez envie de partir loin d'ici. Que vous seriez plus en colère.

— Je pourrais être en colère. Aimeriez-vous que je le sois ?

— Non.

— Si j'ai bien compris, votre maison est censée devenir ma nouvelle prison, et vous ma nouvelle geôlière. Est-ce bien cela ?

— J'imagine, répondit Anna dans un éclat de rire.

— Un prisonnier expérimenté, quand on le change de prison, en dira et en fera le moins possible jusqu'à ce qu'il ait exploré son nouvel environnement et évalué la sévérité de ses nouveaux gardiens. C'est ce que feront tous les prisonniers, même les plus redoutables.

— L'êtes-vous ?

— Oui, répondit Samarin.

Anna lui jeta un bref coup d'œil, pour voir s'il souriait. Si sourire il y avait, il était caché.

Une présence humide et glaciale se posa sur la nuque d'Anna, dans le duvet soyeux au creux de ses tendons, là où prenait racine la colonne vertébrale. Il neigeait. Un flocon atterrit sur son œil, elle cligna des paupières puis garda les yeux grands ouverts, bravant la brûlure. Elle leva la tête pour observer les petits morceaux gris qui dégringolaient du ciel blanc, vers eux, en tournoyant. Un fragment de neige s'arrêta sur sa bouche. Elle passa la langue dessus, goûtant sa saveur de nuage, granuleuse et pluvieuse, qui avait fait un long voyage.

Ils franchirent le portail pour entrer dans la cour, derrière la maison. Alyosha prenait des poses martiales, imitant le fracas de l'acier, son sabre en bois à la main, un bâton pelé avec une traverse qu'il avait fixée lui-même à l'aide d'une lanière. Anna l'appela, il l'ignora. Elle l'appela de nouveau, plus sèchement. Il se retourna, courut jusqu'à eux et, tendant le bras, toucha le sternum de Samarin de la pointe de son sabre.

— Rends-toi ! cria-t-il.

Samarin leva les mains en l'air.

— Lâche ! s'exclama Alyosha.

Anna le prit par les épaules et le repoussa, le grondant pour son impolitesse.

— Je te présente Kyrill Ivanovich, dit-elle. Un étudiant. Il va passer quelque temps avec nous. Il a marché jusqu'ici, depuis l'Arctique. Il s'est évadé d'un camp de prisonnier fort cruel. Alors sois sage. Sois gentil avec lui.

Alyosha dévisagea Samarin. Son orgueil ne savait que faire de ces informations.

— Mon père a combattu dans la cavalerie, l'avisa-t-il. Il est mort près de Ternopol. Ils nous ont envoyé un télégramme. Il a tué sept Allemands avant qu'ils ne l'abattent. Il devait y avoir une médaille, mais elle n'est jamais arrivée. Certains des Tchèques ont des médailles. Où est la tienne ?

— Ici, répondit Samarin. Il s'accroupit afin que sa tête se retrouve au niveau de celle d'Alyosha, tapota la petite cicatrice qui barrait la jointure d'un de ses doigts. Elle a été décernée au bagnard de première classe Samarin, Kyrill Ivanovich, pour conduite exemplaire lors de sa longue marche après son évasion, où il combattit la faim, la soif, le froid et les bêtes sauvages, avec pour seules armes son intelligence et son fidèle couteau. Même s'il dut parcourir à pied plus de mille cinq cents kilomètres à travers la toundra et la taïga avant d'atteindre le premier lieu habité, le bagnard Samarin n'a rien perdu de son entrain, s'arrêtant de temps à autre pour échanger une blague ou un mot amical avec les élans et les rennes de passage. Chaque matin, après ses vigoureux exercices quotidiens, il chantait des airs patriotiques et récitait son catéchisme. Il se baignait deux fois par jour dans des torrents glacés, contraint de briser la glace avec des pierres et un système de levier de son invention. Au cours des premières journées de sa longue marche, il survécut aux jours les plus froids, de ceux où les oiseaux tombent des arbres raides morts, en rassemblant ses vêtements en un balluchon qu'il nouait autour de sa tête et en courant nu dans la neige tout en réalisant des mouvements de gymnastique grecque.

— C'est comment, la gymnastique grecque ? l'interrompit Alyosha. Un flocon vint se poser sur le bout de son nez. Il avança sa lèvre inférieure pour l'évacuer d'une brusque expiration, sans quitter des yeux le nouveau venu.

— Comme ça, répondit Samarin. Il se redressa, se pencha en avant, posa ses deux mains sur le sol, propulsa ses jambes dans les airs et s'immobilisa un moment en équilibre sur les mains, tête en bas, pieds en haut, avant de plier les coudes pour se propulser sur ses jambes.

— Ça, je sais le faire ! s'exclama Alyosha. Il laissa tomber son épée, prêt à se jeter dans la boue neigeuse.

Anna cria "Non !" et Samarin "Attends !", en même temps. Anna éclata de rire, Samarin posa sa main sur l'épaule d'Alyosha et déclara :

— Il faudra d'abord que tu apprennes à apprivoiser les loups jusqu'à ce qu'ils trottinent à tes côtés sous la lune et te protègent du blizzard avec leur fourrure, à dresser les ours pour qu'ils t'apportent des baies et du poisson. Tu devras être capable d'apprendre aux castors à faire tomber des arbres quand tu feras un petit bruit sec avec ta gorge, comme ça.

La pomme d'Adam de Samarin rebondit tandis qu'il faisait son bruit de gorge.

— Tu mens, répliqua Alyosha, sceptique. On ne peut pas leur apprendre à faire ça.

– Si, on peut. On peut faire des chaussures et des habits avec l'écorce des bouleaux, cousue avec des roseaux tressés et une aiguille taillée dans un éclat d'ivoire de mammouth. On peut boire de la liqueur de sève de bouleau et de baies de sorbier. Et sais-tu comment faire de la lumière la nuit, dans la taïga ?

Alyosha secoua la tête. Samarin se pencha en avant pour lui murmurer à l'oreille :

– Attrape un hibou et fais-le péter.

Alyosha pouffa de rire.

– Et comment obtiens-tu une flamme ?

– Résine de sapin, jeunes pommes de pin et le crâne d'une zibeline, répondit Samarin, comptant sur ses doigts. Je te montrerai.

– Tu ne pourrais pas allumer notre poêle comme ça. C'est dur. Il faut des allumettes.

– C'est plus facile avec des allumettes, bien sûr.

Alyosha fouilla la poussière du bout de son bâton.

– Viens avec moi sur le toit de l'étable, dit-il.

Samarin et Anna lui emboîtèrent le pas. Ils aidèrent Alyosha à traîner l'échelle sous les yeux de Marusya, la vache, et à la dresser contre le mur, près de la porte. Alyosha ouvrit la voie vers le sommet de l'étable, dont les planches tapissées de mousse étaient rendues glissantes par la neige fondue. Ils virent que le ciel tombait sur Jazyk, que ses copeaux grisâtres devenaient blancs dès qu'ils touchaient le sol, un voile virevoltant qui couvrait le visage de la forêt, une bousculade de grains agités troublant les contours du monde. Le monde rétrécissait à mesure que le blizzard devenait plus épais, le clocher de l'église abandonnée, les pâtures communales et les arbres disparurent.

Les laissant seuls tous les deux, Anna gagna l'intérieur de la maison, sa chaleur, son odeur de renfermé où se mêlaient des parfums de bois tiède, de linge et de duvet. Bientôt, il ferait noir. Elle entendit Alyosha crier dans la cour et Samarin gémir comme un ours frappé par sa balle imaginaire. Elle entra dans la cuisine, empoigna un tabouret pour ouvrir le garde-manger. Elle attrapa une jarre d'un demi-litre posée sur l'étagère du haut, frotta la poussière et les toiles d'araignée. La jarre avait le lustre sombre d'un lac par une nuit claire. Elle ôta le bouchon, saisit une cuillère, puis transvasa de la confiture dans trois assiettes. Les baies reposaient confortablement au fond de leur limon sucré. Elle jeta un coup d'œil par-dessus son épaule avant de lécher la cuillère. L'acidité la fit frissonner.

Alyosha ramena Samarin. Le garçon entra dans la pièce d'un pas lourd et bruyant, étincelant de froid, abandonnant derrière lui de petites pailles de neige tassée, puis jeta son chapeau sur une chaise, suivi par le prisonnier, grand et précautionneux. Anna avait allumé la lampe du salon, où ils s'assirent tous les trois en silence. Elle servit le thé et tendit à l'homme et à l'enfant des cuillerées de confiture comme si elle leur avait distribué des prix de dix kopecks.

La voie ferrée courait au milieu des arbres, de Jazyk jusqu'au pont, plane d'abord sur dix kilomètres avant de s'élancer vers les hauteurs de la gorge. Sur la première partie du trajet, Nekovar et Broucek s'étaient chargés seuls d'actionner les bras de la draisine à balancier. Mutz était assis à l'avant entre des rouleaux de corde, les pieds suspendus dans le vide, la main sur le frein. Quand ils atteignirent les premières pentes, la propulsion du wagon-net se fit plus laborieuse et ils ralentirent. Mutz ôta son pardessus pour empoigner le balancier aux côtés de Broucek, face à la route. Nekovar se dressait devant eux, poussant sur l'autre bras.

— Eh, Broucek, demanda Nekovar. Que pensez-vous de ces muscles ? Les muscles de l'épaule ? Sont-ils impor-tants ? Est-ce qu'ils plaisent aux femmes ? (Broucek ne répondit pas.) Vous est-il déjà arrivé qu'une femme palpe les muscles de vos épaules avant d'accepter de coucher avec vous ? Est-ce que ça l'a excitée ? Ses pupilles se sont-elles dilatées ? Sa respiration s'est-elle accélérée ?

— Il va neiger, déclara Broucek.

— Peut-être, estima Mutz.

— Il faut me dire, Broucek, reprit Nekovar. Ne pourrait-on pas imaginer que le mécanisme érotique de la femme soit remonté à bloc par la palpation des muscles de l'homme, tellement remonté que la douce enveloppe superficielle de sa peau se mettrait à palpiter et à s'échauffer en raison de sa résistance à la tension extrême du méca-nisme, provoquant ainsi le raidissement des mamelons et l'épanchement de fluides lubrifiants dans sa valve infé-rieure, dans laquelle le membre rigide du mâle pourrait alors se glisser facilement, libérant le ressort comprimé de son excitation sexuelle, qui à son tour déclencherait les tremblements et mouvements énergiques et violents du corps et des membres de la femme, qui eux-mêmes...

— Assez ! l'interrompit Mutz. Trêve de poésie.

— Non, frère, répliqua Nekovar. Je cherche juste à apprendre d'un maître en la matière comment elles fonctionnent.

— Les femmes ne sont pas des montres à gousset, rétorqua Mutz.

— Je sais bien que les femmes ne sont pas des montres. Les montres, je comprends comment elles fonctionnent. Je sais m'en servir. Je peux les réparer. Je pourrais même en fabriquer une. Je suis un homme pratique, qui essaie de s'améliorer. Frère, comprenez-vous comment les femmes fonctionnent ?

— Non.

— Eh bien, frère, je fais partie de ceux qui n'ont pas renoncé à le découvrir.

— Dans les maisons closes, vous effrayez les filles, intervint Broucek, sans méchanceté. Les hommes qui portent des lunettes les enlèvent avant de caresser les femmes. Vous, vous *enfilez* une paire de lunettes, vous retroussez vos manches, vous vous agenouillez devant elles, vous les tournez dans un sens puis dans l'autre, vous examinez leur intimité avec votre doigt pour voir comment elles sursautent, quel genre de cris elles poussent, comme s'il s'agissait de réparer une motocyclette en panne.

— Par quel autre moyen pourrais-je comprendre le mécanisme ?

— Ce n'est pas un mécanisme ! s'emporta Broucek, commençant, après des années passées à acquérir de la patience, à la perdre.

— Les gars, intervint Mutz. Les gars. Le tunnel.

Le long tunnel qui menait au pont descendait en pente douce. Le wagonnet prit de la vitesse, Nekovar et Broucek cessèrent de manœuvrer le balancier. Quand ils débouchèrent sur le pont, Mutz actionna le levier du frein. La draisine s'arrêta dans un jaillissement d'étincelles. Un vent froid soufflait dans la gorge et les nuages prenaient une teinte jaunâtre. À la sortie du tunnel gisaient les restes d'un cheval. Sa carcasse avait été nettoyée en une nuit, sa crinière et sa queue abandonnées sur place, pompons rougis de sang sur une armature vide, grimaçante.

Nekovar attacha une corde à l'une des poutrelles du pont et la laissa filer dans l'écoutille, entraînant ses boucles dans sa chute. Mutz descendit le premier, passant la corde dans son dos pour se ralentir et se poussant des pieds contre la paroi. Il s'arrêta à mi-chemin, tendit le cou pour examiner la surface de la roche et la toucher du doigt. Il faillit lâcher la corde, retrouva son équilibre puis se laissa glisser jusqu'à la berge de la rivière. Sous le pont, là où les rives se redressaient brusquement et se rapprochaient l'une de l'autre, le bruit de l'eau était aussi assourdissant que le souffle joint d'un million d'hommes, et les flots impétueux étaient hachés, brisés en vaguelettes aiguisées et trapues.

Les cadavres reposaient au bord de l'eau, non loin des premiers arbres. Un bout de la patte avant droite de Lajkurg avait été découpée, des mouches pondaient leurs œufs sur la carcasse de l'animal. Pour le reste, le cheval était encore entier, intact, même ses yeux n'avaient pas été crevés à coups de bec. Pas plus que Lukac, le soldat mort n'avait été rongé par les charognards depuis la veille. Il ne gisait pas à l'endroit de sa chute. Son corps tuméfié, devenu gris, dessinait un angle droit avec la rivière, bottes au contact de l'eau, bras le long du corps. On avait amputé sa main droite avant de la poser près de la souche, paume contre terre. Sur le ventre du mort, on avait posé quelque chose, enveloppé dans un chiffon. Mutz regarda le pont, derrière lui. Broucek avait atteint le bas de la corde, Nekovar se trouvait encore au milieu de la paroi. Mutz fit signe à Broucek d'ôter le fusil de son épaule et de surveiller la forêt.

Mutz se baissa pour ramasser le paquet. Il était humide. Il entendit Broucek faire claquer la culasse de son fusil pour charger une cartouche. Le paquet était lourd, rigide. Mutz appuya dessus. Résistant sous ses doigts, le paquet exhala une odeur nauséabonde de viande avariée. Mutz dénoua le tissu. Un ongle humain, posé sur un pouce humain gris sombre qui puait horriblement, était pointé vers lui. Mutz lâcha un *"Fick !"* qui resta coincé au fond de sa gorge et laissa échapper le paquet. Il se frotta furieusement les paumes contre ses hauts-de-chausses, avant de se laver les mains dans l'eau de la rivière.

C'était une troisième main, un demi-crabe putride aux doigts repliés, dont la pâleur des tendons ressortait sous la peau tendue des articulations, comme le noyau jaunâtre des pieds de poulet. La partie autrefois la plus charnue de la main, cet endroit que les diseurs de bonne aventure nomment le mont de Vénus, entre le pouce et le mont de la Lune sur l'autre versant, avait été rongée. Les bords durcis de l'épiderme portaient encore le motif déchiqueté des dents.

Broucek vint le rejoindre et baissa les yeux sur la main à moitié dévorée posée sur les galets, paume vers le ciel.

— Regardez la paume, dit-il. Voyez combien la ligne de vie est longue.

— Et qu'est-ce que ça veut dire ? répliqua Mutz.

— Ça veut dire une vie longue et heureuse.

Mutz s'accroupit près du corps de Lukac pour examiner la première main coupée, celle qu'il avait trouvée près du poignet du mort. La pluie de la nuit dernière l'avait mouillée, et pourtant elle était plus noire et sale que le bras auquel elle avait appartenu.

— Surveillez les arbres, ordonna Mutz.

— Surveiller quoi ?

— Je n'en sais rien.

Nekovar arriva et se posta à côté de Broucek, dos contre dos. Ils tournaient la tête d'est en ouest, puis d'ouest en est, balayant du regard la forêt disposée en gradins sur les escarpements de la gorge, de part et d'autre de la rivière. La profusion de couleurs, de mouvement et de formes excédait la capacité de leurs deux paires d'yeux, les baies de sorbiers écarlates et dodues sur leurs branches, les feuilles jaunies des bouleaux agitant leur face claire et bariolée, les bouquets d'aiguilles des mélèzes hochant la tête dans la brise. Le fond obscur sur lequel se déployaient ces couleurs, lui, restait immobile.

— Vous avez entendu ? s'inquiéta Nekovar.

— Non, répondit Mutz. Comment enterre-t-on une main, déjà ?

— J'ai cru entendre un bruit, dit Broucek.

Il avait peur. Les autres aussi.

Une pellicule de cristal aux contours incertains se posa sur la manche de Nekovar, qui jura : "Fils de pute." Du ciel jaune tombait la première neige, sombre, clairsemée, à peine gelée, pourtant ils en furent bientôt tout couverts de marbrures, comme un lichen foudroyant qui se serait attaqué à leurs tuniques en laine.

— Quelqu'un veille sur cet endroit depuis hier, déclara Mutz. Lukac n'est pas tombé dans une posture aussi voyante.

— Peut-être que celui qui lui a coupé la main, qui que ce soit, l'a installé comme ça avant de s'en aller, répondit Nekovar. Bon Dieu, je déteste voir la neige se poser sur ceux qui viennent de rendre l'âme.

— Quelqu'un a gardé les loups à l'écart de son cadavre et les corbeaux de ses yeux jusqu'à notre arrivée, reprit Mutz. Quelqu'un est ici, tout près.

— En tout cas, il n'a pas empêché les loups de mâchouiller cette main en trop, répliqua Nekovar.

— Les loups n'emballent pas leur nourriture, rétorqua Broucek.

— Dans le cas présent, le plus redoutable des charognards et le plus dangereux des prédateurs ne font qu'un, ajouta Mutz. Il a toutes les dents qu'il faut et marche sur deux jambes.

Mutz et Nekovar se turent. La neige leur caressait le visage. Broucek murmurait pour lui-même un Notre-Père. Leurs muscles fourmillaient à l'idée de servir de viande à un autre homme. Dans quelque recoin obscur de l'infinie taïga, un boucher assis en tailleur avait refermé ses mâchoires couvertes de croûtes sur une cuisse écorchée, serrant dans un poing la rotule blanche et disloquée, dans l'autre l'extrémité d'un fémur blanc et disloqué. Puis il avait repris sa route le long des chemins enchevêtrés, tapissés d'aiguilles, de ce labyrinthe de mélèzes, jusqu'au jour où toutes les pièces de choix, tous les morceaux charnus avaient été épuisés et qu'il ne lui était plus resté qu'une main à se mettre sous la dent.

— Que Dieu me pardonne si je manque de respect au défunt, reprit Nekovar. Mais si j'étais un cannibale, réduit à manger une main, que je tombais sur un cadavre encore frais et un cheval tout entier, j'en ferais un festin bien plus grand que ce qui s'est passé ici.

Mutz approuva de la tête. Broucek brandit son fusil, arma le chien et laissa échapper un soupir avant de s'écrier :

— Là-bas !

Mutz et Nekovar suivirent des yeux la ligne du canon pointé vers les arbres qui les surplombaient. Ils ne voyaient rien.

— Une créature blanche, souffla Broucek. Dieu miséricordieux, comme le fantôme du diable en personne.

— Quoi ? Un lièvre ? Un renard ? demanda Mutz.

— Un homme, la forme d'un homme ! À même pas cent mètres de nous. Blanc, avec des yeux rouges.

— Comment avez-vous pu distinguer ses yeux ?

— J'ai une bonne vue. Je n'y peux rien. Je vois bien, je suis né comme ça.

Alors, tous trois virent le mouvement. Une pâleur furtive bondissant d'ombre en ombre, quelque chose de grand qui se déplaçait avec légèreté.

– Ne tirez pas, ordonna Mutz. Pas tant que nous ne saurons pas ce que c'est.

– Et s'ils étaient une dizaine ? s'inquiéta Nekovar.

Un éclat sauta d'un rocher non loin de l'endroit où se tenait Mutz et l'air haleta au passage d'une balle. Peu après, ils entendirent la détonation. Mutz, Nekovar et Broucek se précipitèrent sous le couvert des arbres. Deux autres détonations les poursuivirent jusqu'aux bouleaux.

– Sur le pont, dit Broucek. Des rouges.

Mutz aperçut deux ou trois silhouettes qui se déplaçaient sur le pont, mais elles n'apparaissaient à travers la neige de plus en plus dense que comme de vagues formes noires et mouvantes.

– Vous en êtes sûr ?

– Je vois leurs chapeaux pointus, affirma Broucek. Leurs étoiles rouges. Je pourrais en éliminer un, au moins.

Il leva son fusil.

– Non, dit Mutz.

– Ils emportent le wagonnet.

Mutz vit la draisine glisser loin d'eux vers l'autre bout du pont, comme se mouvant d'elle-même. Les rouges étaient à moins de quinze minutes de Jazyk en train, une heure à cheval. Qui savait ce qu'ils voulaient faire de la ville ? Il en était naturellement arrivé à considérer le bolchevisme comme une force invincible dont les plans restaient obscurs à ses ennemis, mais qui avait de sa propre volonté une connaissance parfaite. Tout reposait sur cette volonté, ce désir de lutter qui sautait d'une cause à l'autre, de dirigeant en dirigeant, de peuple en peuple, de sorte que personne ne puisse le retenir. Pourtant, la volonté avait trouvé chez les rouges un réceptacle de longue durée, capable de faire se lever un géant composé de millions d'hommes, qui allait envahir la terre. Les morts tomberaient comme des cheveux sur son parcours, mais de nouveaux fidèles étaient sans cesse en germe, qui les remplaceraient bientôt.

— Il faut rentrer à Jazyk, déclara Mutz. Et nous ne pouvons emprunter le pont. Les rouges ne bougeront certainement pas avant demain. Il faut nous frayer un chemin à travers les arbres vers le haut de la gorge, le long des falaises, puis franchir les crêtes et, de là, gagner la voie ferrée.

— Il commence à faire noir, répondit Broucek. Quelque chose de terrifiant se cache dans cette forêt.

— Nous n'avons pas le choix, répliqua Mutz. Dégainant son pistolet, il ouvrit la marche. Il s'enfonça dans les bois, tournant le dos à la rivière.

Une partie de la neige atteignait le sol sans avoir fondu, comblant les marges tout autour des rochers. Le reste se prenait dans la ramure des arbres au-dessus de leurs têtes et fondait aussitôt, tombant à grosses gouttes sur leurs uniformes, qui ne tardèrent pas à être trempés. La forêt sifflait et crépitait d'eau ruisselante. Leurs bottes s'enfonçaient dans le sol couvert de mousse, de brindilles en décomposition, d'humus, elles piétinaient les vieilles aiguilles de mélèze, dans des craquements minuscules. Les roches étaient noires, luisantes d'humidité. Jamais Mutz n'avait eu aussi froid. Il avait laissé son pardessus dans le wagonnet. Tout ce qui lui restait, en plus de sa tunique, de ses hauts-de-chausses, de ses bottes et de son chapeau, c'était son pistolet, qu'il n'avait pas nettoyé depuis des jours. Il faisait de plus en plus sombre ; il n'avait pas la moindre idée de là où ils allaient, si ce n'est vers le haut.

Les rochers devenaient plus denses, laissant moins d'espace entre eux, et leurs parois verticales se faisaient plus hautes. Les arbres eux-mêmes étaient contraints de se dresser en équilibre sur de maigres racines paniquées. Mutz, Broucek et Nekovar se servaient désormais de leurs mains autant que de leurs pieds. Ils grimpaient par à-coups successifs ; Mutz escaladait avec son pistolet rangé dans l'étui, Nekovar avec son fusil en bandoulière, pendant que Broucek couvrait leurs arrières. Puis Broucek montait à son tour, tandis que les autres surveillaient la forêt et les rochers alentour.

— Prenez mon manteau, frère, proposa Nekovar à Mutz.

— Je suis très bien comme ça, répondit Mutz.

— Vous tremblez, frère.

— Trembler, c'est bien, ça empêche de se refroidir.

Ses vêtements, humides et froids, irritaient sa peau qui l'était tout autant. L'eau avait coulé dans ses bottes, s'immisçant à travers les craquelures du cuir. Ses mains le brûlaient, comme remplies d'eau acide. Il serra les dents pour les empêcher de claquer. La parcelle spongieuse sur laquelle reposaient ses pieds donnait envie de s'allonger, aussi glaciale et détrempée fût-elle. Il se demanda si Nekovar avait apporté des vivres.

Broucek siffla de là-haut, pour les prévenir qu'il était temps qu'ils grimpent.

— Je ne vois plus rien, murmura Mutz. La neige avait cessé de tomber, mais il faisait nuit à présent.

— Devant vous. Entre les rochers, un espace, des pierres en escalier. Voilà. Grimpez. Bon sang ! Je le vois.

— Ne tirez pas ! ordonna Mutz. Que voyez-vous ?

— La créature blanche. Elle nous a suivis comme notre ombre.

— Attendez-nous là-haut.

Mutz se glissa dans la fissure étroite, épaules plaquées contre les roches qui l'encadraient. Un filet d'eau ruisselait sur les traces de Broucek, qui semblaient aboutir à une paroi totalement lisse. Mutz projeta ses bras engourdis vers le haut, pour découvrir que le mur prenait fin quelque part au-dessus de lui. Dans un ultime sursaut, il agrippa le bord de la vire et se hissa en se tortillant dans la cheminée, prenant appui sur ses mains, ses épaules. Quand ses coudes se posèrent sur la poussière et les graviers, il sentit Broucek qui l'agrippait pour le tirer jusqu'à lui. Ils se penchèrent ensemble pour aider Nekovar à les rejoindre.

— Continuons, dit Mutz.

— Je n'ai trouvé aucun passage, répondit Broucek.

La saillie rocheuse sur laquelle ils se trouvaient, de la taille d'une pièce spacieuse, était couverte d'une couche de terre assez épaisse pour être boueuse et pour servir de socle à une poignée de mélèzes ténus. Elle était encerclée de murs verticaux dépourvus de toute prise assez sûre pour entreprendre une escalade de nuit. En bas, dans le lointain, résonnait encore le bruit de la rivière. Un bref éclat de lumière entre les arbres leur indiqua l'endroit où les rouges avaient établi leur position sur le pont. Ils ne pouvaient aller plus haut, mais ne pouvaient plus redescendre.

— Nous sommes coincés ici jusqu'à l'aube, déclara Mutz. En disant ces mots, il se remit à trembler, s'accroupit et referma ses bras autour de ses genoux.

— Sans abri, vous ne passerez pas la nuit, dit Nekovar. Prenez mon manteau.

— Il n'en est pas question.

— Prenez-le. Je vais faire quelques exercices.

Mutz le laissa draper ses épaules frissonnantes du lourd manteau imbibé d'eau, en se demandant si son corps n'était pas déjà trop froid pour que cela serve à quelque chose. Il entendit Nekovar attaquer les mélèzes à la hachette.

— Notre ami blanc ? s'enquit Mutz.

— Disparu, répondit Broucek. Je ne le vois nulle part. Avez-vous quelque chose à manger ?

— Non, dit Broucek en s'accroupissant près de lui. J'aimerais tant être au *stáb*, à Jazyk.

— Voyez plus grand, répliqua Mutz. Vous serez rentré chez vous d'ici un an, à boire de la bière en mangeant des pieds de porc et des boulettes à la sauce moutarde.

— Vous me faites du mal en disant ça.

Mutz essaya de se concentrer sur le bruit que faisait la hachette de Nekovar, le seul signal envoyé par ses sens qui pût contredire son irrépressible besoin de dormir. S'il s'endormait, comme Samarin sur la rivière gelée, il ne se réveillerait pas. Broucek lui posa une question irritante, en ce sens qu'elle l'obligeait à réfléchir au sujet des mains.

— Que dites-vous de cela ? Le cannibale arrive au moment exact où un train traverse le pont et l'accident a lieu, les chevaux tombent.

— Il arrive au pont, murmura Mutz. Portant sur lui la main de sa victime. Pas le meilleur morceau. C'est tout ce qui lui reste.

— Mais il aperçoit le train, les chevaux, comprend qu'il a enfin atteint les terres civilisées. Pourquoi diable ne se débarrasse-t-il pas de la main, pour faire comme si elle n'était pas à lui ?

Mutz avait de la peine à garder les yeux ouverts. Les ténèbres dansaient devant lui, ses os le faisaient souffrir. Il franchissait la frontière d'un rêve dans un sens puis dans l'autre. En repensant au cannibale, il voyait les rives de la rivière défiler au rythme de la marche, vers le pont, puis il était le cannibale, le Mohican, qui apercevait le train. Alors, Broucek lui secouait l'épaule, lui disant de ne pas dormir, et il entendait de nouveau la hachette de Nekovar.

— Je… il s'en débarrasse pour de bon, répondit Mutz. Mais c'est la seule chose qui lui permet encore de ne pas mourir de faim dans la forêt, ce morceau de viande chèrement payé. Il l'a bien mérité : l'un des deux devait mourir, et ce ne fut pas lui. Là, il découvre le pont. Voit le train. Le paquet qu'il transporte devient aussitôt le fardeau le plus diabolique, le plus hideux, le plus vil qu'aucun malheureux ait jamais porté. La main d'un homme assassiné, portant les marques de ses propres dents. Bien sûr qu'il s'en débarrasse. Le plus vite possible.

Broucek reprit la parole. Mutz, bien réveillé à présent, l'interrompit.

— Attendez. Soudain, il a peur que quelqu'un ne trouve la main. Peut-être la jette-t-il au fond de la rivière.

Mais que se passera-t-il si le courant la ramène sur la berge ? Si on parvient à établir un lien entre la main et lui ? Il n'arrive pas à retrouver la main qu'il a jetée. Mais il y en a une autre, sur place. L'homme mort, Lukac. Il tranche l'une des mains de Lukac et va l'enterrer dans la forêt, là où personne ne la trouvera. Donc, si quelqu'un découvrait la main de la victime, la vraie, on ne pensera pas qu'un monstre, dans cette forêt, a dévoré un être humain jusqu'au dernier morceau.

— Pourquoi...

— Quelqu'un l'observait. Pas depuis le pont, depuis les bois. La créature blanche, peut-être. Un autre homme, quel qu'il soit. Nous ne croyons pas aux fantômes, ni à l'homme-singe de Sibérie, n'est-ce pas ? L'observateur a récupéré les deux mains, les a posées là-bas sur le cadavre de Lukac, a veillé sur Lajkurg. Pourquoi a-t-il, ou ont-ils fait cela ? Ils savaient que quelqu'un comme nous viendrait. Ils pensaient que nous nous égarerions sans doute dans la forêt. Nous y sommes.

Nekovar vint les rejoindre, portant des fagots de bois qu'il étala par terre, au pied de la paroi. Il disposa des morceaux de tronc inclinés contre le rocher, qu'il recouvrit de branchages pour former un abri. Ils se glissèrent dessous, se blottirent les uns contre les autres. Une pluie glaciale se mit à tomber, Nekovar poussa un juron. Le toit improvisé les protégeait de la neige, mais la pluie coulait à l'intérieur, les trempant encore davantage, et de violentes rafales menaçaient de disloquer leur abri. Mutz décida qu'il ne dormirait pas. Il lui semblait plus facile désormais de rester éveillé, ce qui était bon, car s'il fermait les yeux, il était probable qu'il ne les ouvrirait jamais plus. Il se sentait léger, alerte. Il dormait déjà. Il rêvait.

Anna préparait une soupe et des pommes de terre. Samarin et Alyosha allèrent chercher des bûches sur le tas, dans la cour, pour les empiler près du poêle. Anna entendit Samarin ne prononcer que de rares mots, tandis qu'Alyosha parlait sans interruption de son défunt instituteur, des Tchèques, de la vache, de là où il avait goûté un ananas, du fait qu'au Mexique les chiens étaient dépourvus de pelage. Samarin le relançait d'une question, de temps à autre. Pendant le repas, il parla à peine. Ce ne fut ni pour la remercier, ni pour lui demander pourquoi elle avait accepté de l'héberger sous son toit. Il mangeait vite, sans être vorace. Quand elle demanda s'il en voulait encore, il répondit oui en tendant son bol. Pendant qu'ils mangeaient, elle l'observait. Parfois, il croisait son regard un bref instant avant de replonger les yeux au fond de son assiette. Il semblait bien plus apaisé que le prisonnier d'un camp aussi cruel n'aurait dû l'être, sans que son visage ne laisse transparaître la moindre arrogance. Pas plus qu'on y lisait de l'humilité. Dans son regard, on devinait une attente. Une invitation à dire ou demander tout ce qu'elle voulait, quand elle le jugerait bon, ce qui témoignait d'une courtoisie bien plus délicate que de simples remerciements, plus intimidante également. D'autant plus qu'il savait, sans impatience aucune, qu'elle l'interrogerait. Ses yeux ne montraient aucune curiosité, bien plutôt son désir empressé de dévouer tout son être, sa pensée, son souffle, ses sentiments à ce qu'elle allait dire maintenant. En d'autres circonstances, avec d'autres hommes, elle aurait trouvé ennuyeuse cette attente muette, mais elle ne parvenait pas à comprendre pourquoi il en allait autrement cette fois-ci, à moins qu'il n'y eût quelque chose de fascinant dans les traits de cet homme, comme une promesse.

— Voulez-vous fumer ? demanda Anna. Samarin acquiesça et ils allumèrent leur cigarette. Anna monta coucher Alyosha, lui fit avaler une grande bouffée de son tabac pour protéger ses poumons des infections, lui lut une page du *Tsar Saltan*, lui souhaita bonne nuit en l'embrassant, souffla la chandelle, puis descendit rejoindre Samarin, qui feuilletait un hebdomadaire de Saint-Pétersbourg.

— Il est vieux de deux ans, déclara Anna en désignant le magazine. Voulez-vous du cognac ?

— Volontiers.

— C'est tout ce que j'ai. Il n'y a rien de sucré pour l'accompagner.

— Je n'aime pas les sucreries.

Anna leur servit deux verres à liqueur et vint s'asseoir en face de lui, à la table de la cuisine. Elle hésita puis, voyant que Samarin n'avait pas l'intention de porter un toast, elle leva son verre :

— À la libération !

— Libération, reprit Samarin, avant d'effleurer son verre avec le sien. Elle fit s'entrechoquer les deux verres, mais pas lui. Il but la moitié de son verre, puis le reposa sur la table.

— Quand vous avez évoqué le Mohican ce matin, dit Anna, vous parliez de lui comme si vous l'admiriez, bien que ce soit un assassin. Et qu'il se préparait à vous dévorer.

— Savoir que quelqu'un a prévu de vous tuer pour vous manger ensuite, est-ce vraiment pis que de savoir qu'il va vous tuer ? Ce qui se passera après importe-t-il vraiment ?

Anna réfléchit un moment.

— Oui, bien sûr. C'est pis de savoir que votre compagnon vous considère comme de la nourriture et rien d'autre. C'est pis que d'être son ennemi. Car dans ce cas, au moins, vous sauriez qu'il vous considère encore comme un homme.

— À propos de nourriture, répliqua Samarin, je ne voudrais pas manquer de respect à votre ancien mari en disant cela, mais je suis sûr que vous avez déjà entendu l'expression "chair à canon". Je pense pour ma part qu'il est bien pis de jeter des centaines de milliers d'inconnus en pâture aux canons que de manger soi-même un homme que l'on connaît.

— C'est faux ! s'écria Anna. Sans savoir pourquoi, elle avait envie de rire, non pas de Samarin, mais de ce monde, de la manière dont il rendait absurde toute tentative de raisonnement.

— Attendez, reprit Samarin, levant discrètement les mains. Il ne faisait que peu de gestes. Bien sûr que j'avais peur du Mohican. J'aurais tant voulu croire que nous deviendrions trop proches l'un de l'autre pour qu'il se serve de moi ainsi, mais plus il me semblait que nous étions proches, plus le fait d'imaginer le moment où sa survie ne dépendrait plus que de moi devenait terrifiant. Là-bas, sur la rivière, quand nous nous sommes enfuis et que la nature tout entière s'acharnait à nous faire périr de froid, et même avant, au camp, quand il veillait sur moi et m'engraissait, le bien-être que me procurait le fait de le considérer comme un père l'emportait sur l'horreur que j'avais à penser à lui comme étant mon boucher. Ne pensez-vous pas qu'il en allait de même pour Isaac ? Le fils d'Abraham ? (Le ton de Samarin se faisait plus tranchant, comme si, à présent, il essayait de la persuader de quelque chose, même si elle était incapable de comprendre de quoi il s'agissait.) Isaac savait que son père allait le tuer. Pourtant, il a gardé confiance en lui, l'a cru et l'a aimé jusqu'au bout.

— C'était différent, répliqua Anna. Abraham obéissait à Dieu, Isaac le savait, si ma mémoire est bonne. Le Mohican n'était qu'un criminel, un bandit. Il n'était au service d'aucune cause supérieure. Rester en vie, rien d'autre.

— N'*est* qu'un criminel, la reprit Samarin. Vous avez dit "était". N'oubliez pas, il se trouve à Jazyk, j'en suis persuadé. Peut-être est-il en train de nous écouter. Dehors.

— Très bien. Maintenant, expliquez-moi en quoi le Mohican peut être comme Abraham. Vous croyez en Dieu ?

— S'Il existe, alors c'est un idiot.

Anna avait répondu plus sèchement qu'elle ne l'aurait souhaité. Maintenant, Samarin verrait bien qu'elle était mue par la rancune. Mais il ne fit aucun commentaire.

— Ainsi, vous ne croyez pas vraiment en Dieu. Pourtant, vous croyez qu'Abraham croyait, que cela justifiait le sacrifice de son propre fils ? Que cela lui donnait une raison d'agir ?

— Non. Un Dieu qui exige de tels sacrifices est un Dieu qui ne mérite pas d'être écouté. Je... je connais des gens qui ont... qui ont sacrifié leur propre chair, versé leur sang au nom de Dieu. Cela fait si mal, tellement plus mal, un mal plus profond que la douleur de la blessure. Mais je ne vois pas ce que cela a à voir avec le Mohican. Vous n'avez jamais prétendu qu'il était croyant. Vous n'avez jamais dit qu'il avait l'âme dérangée.

— Peut-être, répondit Samarin d'une voix lente. Peut-être le moment viendra-t-il de vous en dire plus sur les choses qu'il a faites.

— Que voulez-vous dire ?

Samarin ne dit rien, il se rassit au fond de sa chaise, les yeux un peu écarquillés, serrant ses lèvres l'une contre l'autre. En le regardant, Anna sentit ses entrailles se creuser et son cuir chevelu la démanger, elle avait la désagréable impression qu'il était prisonnier de lui-même. Elle voulait que cela cesse. Elle avala le reste de son cognac, se leva pour remplir leurs verres, but une gorgée du sien, reposa la bouteille sur la table, et cela cessa. Elle posa sa main droite sur la table, à côté du verre. Samarin avait repris le contrôle de lui-même. L'impression d'horreur se dissipait et Anna se demanda si elle n'avait pas été le fruit de son imagination.

Samarin se pencha en avant, posa ses mains sur les siennes et lui demanda s'il pouvait s'adresser à elle avec un *tu* plus familier. Elle acquiesça du chef, fléchissant les doigts de sa main pour les glisser entre les siens.

— Tu as raison, déclara Samarin. Le Mohican ne défend d'autre cause que la sienne. Je l'ai dit ce matin. Mais quelque chose m'intrigue. Si ce n'est pas le vol, si ce n'est pas Dieu, existe-t-il une cause qui pourrait justifier qu'un homme égorge et dévore son compagnon en pleine nature ? Je ne parle pas ici de ces tirages au sort, ceux que font les naufragés ou les explorateurs de l'Arctique amenés à choisir au hasard lequel d'entre eux doit mourir pour que les autres vivent. Je te parle d'un homme qui non seulement use de sa force brute de guerrier pour dominer son compagnon afin de le manger, mais qui élève ce compagnon dans ce but, comme un fermier engraisse son cochon.

— Je ne vois aucune cause qui puisse justifier cela. Finis ton verre.

Samarin but son verre d'un trait et ouvrit gentiment les doigts d'Anna pour en dégager les siens. Anna remplit de nouveau leurs verres. Le fait qu'il retire sa main l'avait choquée, pas le fait qu'il la pose sur la sienne.

Samarin reprit :

— À supposer qu'un homme, le cannibale, sache que la destinée du monde repose sur le fait qu'il s'évade ou non de sa prison. Suppose-le. Cet homme se dévoue corps et âme au bonheur du monde à venir, ce qui l'amène à se consacrer tout entier à l'élimination de tous les fonctionnaires cruels et corrompus qui tomberont sous sa main, à la destruction des bureaux dans lesquels ils pullulent, jusqu'à ce qu'il soit lui-même détruit. Suppose qu'il se soit rendu compte que la politique et même la révolution sont trop douces, trop modérées, qu'elles ne font que remanier légèrement ces gens et leurs fonctions. Non pas qu'il *voie* à proprement parler la vaste tribu perverse des bureaucrates, des aristocrates et des fouineurs d'argent qui font souffrir le peuple. Ces gens s'écroulent sur son passage et celui des hommes de sa trempe comme une ville s'écroule sous les assauts d'une coulée de boue. Il n'est pas un destructeur, il est la destruction, laissant aux survivants le soin de reconstruire un monde meilleur sur les ruines de l'ancien. Dire qu'il incarne la volonté du peuple est trop faible, c'est une plaisanterie, comme s'ils l'avaient élu. Il *est* la volonté du peuple. Il est les centaines de milliers d'imprécations qu'ils profèrent chaque jour à l'égard de l'asservissement qui est le leur. Juger un tel homme en vertu des mêmes critères que le commun des mortels serait incongru, tout autant que condamner des loups pour avoir tué un élan, ou qu'essayer d'abattre le vent d'un coup de fusil. On peut éprouver de la pitié envers l'innocent qu'il égorge, s'il est innocent. Mais le fait que la nourriture se présente sous une forme humaine n'est qu'un dommage fortuit. Il ne faut y voir aucune méchanceté. Ce qui semble être un acte démoniaque aux yeux d'une personne isolée est l'acte d'amour du peuple tout entier pour son être futur. Je dirais même qu'appeler cet homme un cannibale, c'est déjà se méprendre. Il est un ouragan appelé par le peuple, et les hommes bons n'auront pas tous le temps de trouver un abri pour lui échapper·

— C'est ainsi qu'était le Mohican ?

— Tout ce que je te demande, c'est d'imaginer l'existence d'un tel homme.

Anna était un peu ivre. Elle en avait conscience. Son imagination était embrouillée. Le terroriste-révolutionnaire-cannibale de Samarin ne l'effrayait pas autant qu'il l'aurait fait si elle avait été à jeun, capable de se le représenter clairement, à la lumière du jour, du sang plein la bouche, les yeux levés vers le ciel. Samarin lui parlait d'une voix chaude et vive, son regard la faisait se sentir importante, ce qu'elle appréciait bien davantage que les mots qu'il disait ne lui déplaisaient.

— Ton cannibale imaginaire me paraît terriblement futile, dit-elle. (Elle fit courir le bout de son index sur les articulations de la main de Samarin. Personne n'avait à payer aucun prix pour un acte de toucher aussi insignifiant. Elle se mit à jouer avec ses doigts.) Les hommes ne devraient pas commettre des sacrifices sanglants au nom de ce qu'ils sont incapables de connaître, comme Dieu, ou le peuple, poursuivit-elle.

— Les idéaux n'ont-ils donc pas lieu d'être ?

— Je croyais que tu étais le plus cynique des deux. Bon, parlons d'autre chose. Suis-moi au salon.

Samarin lui emboîta le pas. Il lui demanda :

— Parle-moi du lieutenant Mutz. Un ami à toi ?

Mutz émergea d'un rêve superficiel, complexe. Il était allongé sur un sol dur, en terre battue. À ses pieds luisaient les dernières braises d'un feu. Il se trouvait dans un espace clos ; l'air était immobile, une pâle lueur se reflétait au-dessus de sa tête et de part et d'autre de son champ de vision. Il distingua des odeurs de fumée et de laine mouillée.

— Il est réveillé, dit Broucek.

Mutz posa ses mains sur le sol pour se redresser en position assise, adossé à la roche, les bottes toujours pointées en direction du feu. Ils étaient dans une grotte. Le feu rougeoyait près de l'entrée. Un homme était assis en tailleur à côté du feu, qui contemplait les braises. Mutz ne distinguait pas ses traits, mais il ne s'agissait ni de Broucek ni de Nekovar, dont il devinait la présence à ses côtés.

— Qui est-ce ? demanda-t-il.

— La créature blanche, répondit Broucek. Nous n'avons pas réussi à vous réveiller.

— Un indigène ?

— Un Toungouze, acquiesça Nekovar. Un garçon à la peau pâle, avec des cheveux blancs.

— Parle-t-il le russe ?

— Oui, répondit l'homme assis près du feu.

À présent, Mutz le voyait un peu mieux. L'homme était bien tel que Samarin l'avait décrit, à mi-chemin de l'homme et du garçon, les cheveux blancs comme la lune. Des lunettes artisanales, avec des fibres tissées pour protéger les yeux, étaient remontées sur son front. Il était vêtu d'un manteau en peau de renne, de jambières et de bottes. Il tenait sur ses genoux un vieux fusil, de ceux qui se chargeaient par le canon.

— Nous étions en train d'essayer de vous tirer de votre sommeil, murmura Nekovar à l'oreille de Mutz, quand quelqu'un s'est mis à nous lancer des pommes de pin. En levant les yeux, nous avons aperçu la tête de l'indigène qui dépassait du rocher. Broucek voulait absolument l'abattre, mais je l'en ai empêché. J'ai tout de suite vu que c'était un Toungouze, pas quelque monstre des forêts, rien qu'un jeune gars. Pardonnez-moi de le dire comme ça, mais vous n'en aviez plus pour longtemps, frère, sans chaleur et sans abri. Alors, je lui ai demandé s'il avait fait un feu. Il m'a tendu la main pour me tirer à lui, jusqu'à une ouverture dans la paroi, au-dessus de la vire où nous étions coincés. Même Broucek ne l'avait pas vue, dans le noir. À nous trois, nous avons réussi à vous hisser là-haut. De là, il ne restait plus qu'une grimpette facile d'une centaine de mètres pour arriver ici.

— Les rouges vont voir le feu, souffla Mutz. Il se sentait faible, mais vif d'esprit et cruellement affamé. Ses os étaient de nouveau envahis par la douleur, au fur et à mesure que la chaleur revenait. Il fallait être idiot pour oublier ainsi son manteau. D'autant qu'il n'était pas bâti aussi solidement que Broucek et Nekovar, et qu'il n'y avait pas grand-chose à y faire, sauf se montrer plus intelligent. Il leur était reconnaissant, mais cette reconnaissance était aussi un fardeau.

— L'ouverture de la grotte est tournée de l'autre côté, dit Nekovar.

— Nous vous sommes très reconnaissants, ajouta Mutz, élevant la voix pour s'adresser à l'albinos. Auriez-vous de quoi manger ?

L'albinos descendit jusqu'à eux et fit passer un petit sac de coton crasseux, qui contenait de la viande de renne séchée. Mutz en fourra un morceau dans sa bouche. Il était trop dur pour être mâché ; cela aurait pu être du cuir de vache. Il le garda dans sa bouche pour le laisser se ramollir et se mit à le sucer de temps en temps. Ce n'était pas sans rappeler la nourriture.

— Votre shaman est mort, annonça Mutz.

— Je le sais, répliqua l'albinos.

— Comment le savez-vous ?

— Vous venez de me le dire.

Broucek éclata d'un rire franc.

— Attendez, reprit Mutz, posant la main sur l'épaule de Broucek tout en s'adressant à l'albinos. Vous voyagez avec lui, n'est-ce pas ? Je ne voudrais pas vous importuner avec mes questions, mais il y a là un élément important pour nous, qui concerne un autre homme. Pourquoi le shaman et vous êtes-vous descendus si loin au sud ? Pourquoi voyager chacun de votre côté ?

— Notre-Homme me laisse seul dans la forêt. Il continue vers la ville. Un mois, il me dit.

— Jazyk ?

— Oui.

— Pour y trouver à boire ?

— Pas seulement. Il veut un cheval. Il dit : "Viens dans un mois."

— Comment ça, il voulait un cheval ?

— Il les voit, il en veut un. Il veut atteindre le monde d'en haut. Le renne, il dit, est trop lent pour moi. Je suis trop lourd, il dit. J'ai besoin d'un cheval pour me porter jusqu'au monde d'en haut, moi et ma boisson. Il dit : "Si je ne suis pas revenu dans un mois, viens chercher mon corps."

— Mais vous auriez pu y aller tous les deux.

— Oui.

— Alors pourquoi ne l'avez-vous pas fait ?

— J'ai peur.

— Peur de quoi ?

— De l'*avakhi*.

— Pour vous, tous les Européens sont des *avakhis*, n'est-ce pas ?

– Non ! (L'albinos leva les yeux au-dessus du feu, et le rouge de ses yeux s'illumina à la lueur des braises.) Ce n'est pas un nom pour vous tous. Celui-là *est avakhi*. Celui-là est un démon. Il est du monde d'en bas. Nous le voyons. Nous le voyons, il nous chasse comme du gibier.

– Vous l'avez vu ?

– Dans la forêt.

– Qu'est-ce qu'il faisait ?

– Il tue son ami. Il le tue et le saigne. Il le pend à un arbre. Il enlève les habits de son ami. Il l'ouvre avec son couteau, de là jusque-là, prend le foie et le mange encore chaud, comme on tue un renne.

Nekovar et Broucek s'agitaient au fond de la grotte, invoquant la protection de Dieu, de tous Ses saints. Se sont-ils battus ?

– Non. Nous les suivons, nous voyons tout. Mais il nous voit.

– Qu'avez-vous vu ?

– Les deux marchent au bord de la rivière, vers l'aval. Ils mangent toute la nourriture qu'ils portent sur leur dos. Ils ont faim. Ils ne savent pas quoi chasser. L'*avakhi* tombe derrière. Les deux marchent lentement. Ils sont fatigués. L'*avakhi* lève la tête. L'autre ne le voit pas. L'*avakhi* sort un couteau. L'autre ne le voit pas. L'*avakhi* n'est pas fatigué. Il fait juste semblant. Il bondit en avant, une fois comme un chien, une deuxième fois comme un ours. Le bruit de ses pieds sur le sol fait se retourner l'autre. Il voit l'*avakhi*. Il lève les mains. L'*avakhi* est sur lui. Un bras pousse sa tête en arrière. L'autre bras passe le couteau sur sa gorge. Tout le sang coule. Le poids du corps de l'*avakhi* jette l'autre par terre. L'*avakhi* lèche son couteau. Il accroche le cadavre de son ami à un tronc d'arbre. Il le découpe. Il coupe chaque morceau. Il pend tout ça en haut d'un bouleau, pour sécher : les jambes, les bras et la viande des côtes. Pendant que tout ça sèche, il se nourrit des entrailles de son ami. Il enterre la tête et les côtes. Nous le surveillons pendant des jours. Il n'a pas peur. Il pense qu'il n'y a pas de gens tout près. Il fait du feu.

— Pourquoi ne pas l'avoir empêché ?

— Pourquoi aurions-nous dû ?

— Alors pourquoi l'avez-vous regardé faire ?

— Le shaman n'avait jamais vu une créature du monde d'en bas, pas sans champignons. Peut-être il va laisser tomber quelque chose d'utile pour nous. Ce n'est pas notre affaire quand un homme mange son ami. S'il veut manger l'un de nous, c'est autre chose. Alors, nous lui proposons d'acheter un renne à la place. Il y a beaucoup de rennes par ici. L'*avakhi* ne les sent pas. C'est étrange, pour un *avakhi*.

Mutz ressentait l'immobilité des deux Tchèques autour de lui. La révélation d'un acte de cannibalisme, qui avait eu lieu sur leur commune sibérienne, temporaire et sans limites, les avait choqués, écœurés jusqu'à la nausée. Mais, déjà, ils s'étaient accoutumés à cette idée. C'était comme ces faits divers que la presse à sensation éclairait toujours comme des événements sans précédent. En hommes modernes et progressistes, Nekovar et Broucek avaient apprécié cet éclairage l'espace d'un instant ; à présent, ils attendaient la suite, car les nouveautés de cet âge des merveilles avaient cette particularité qu'on était toujours sûr que, si elles n'avaient jamais eu lieu auparavant, il ne faisait aucun doute qu'elles se reproduiraient. Qu'est-ce qui pouvait bien le pousser à poser encore des questions, alors qu'il se sentait fiévreux, pris de vertiges et affamé, souffrant tel un vieillard perclus de rhumatismes ? Ainsi, ce n'était peut-être pas le Mohican qui avait tenté de manger Samarin, mais bien Samarin qui avait réussi à s'échapper de la colonie pénitentiaire, le ventre plein du Mohican. Au fond de lui, Mutz eut honte de découvrir qu'il considérait cela comme un léger avantage supplémentaire au bénéfice de sa propre classe, que l'intellectuel mange le criminel plutôt que le contraire. Pourtant, il mourait d'envie de prouver la culpabilité de Samarin. Les structures de la Russie avaient changé, elles s'étaient fissurées puis effondrées, mais quand même pas au point de ne plus pouvoir mettre en place un tribunal de fortune pour juger un cannibale. Il suffisait de rassembler trois personnes, que ce soit un rabbin, un cosaque et un bolchevique, ou un castrat, une veuve et un officier tchèque juif, ils tomberaient forcément d'accord pour dire que rien ne pouvait justifier un tel acte. Pouvait-il en être autrement ? Samarin resterait derrière les barreaux, bien gardé, jusqu'au retour de Mutz qui aurait sans doute les moyens de convaincre Matula de le garder en prison. À condition que les rouges patientent encore un peu. Elle l'enchantait, cette occasion de montrer à Anna Petrovna quel genre d'homme était l'étudiant-prisonnier : un menteur, un assassin et un mangeur d'homme. Le mensonge était ce qui ferait le plus de peine à Anna Petrovna. Une nouvelle fois, il perçut la méchanceté en lui et sa manie de toujours tenir les comptes, calculer les soldes, qui le firent reculer de dégoût. Devait-on admirer un homme qui, ayant reconnu une méchanceté latente en lui, savait comment la maintenir cachée et, en général, la contenir ? Ou bien, pour être un juste, fallait-il que la méchanceté fût totalement absente, même à l'intérieur ? La jeter au feu. Comme Balashov. Non, pas cela. Tel n'était pas l'endroit où elle reposait. Pas là.

— Comment s'est-il rendu compte que vous l'observiez ? demanda Mutz.

— Un matin, il n'est pas là, dans son camp où il dort, où il se nourrit de tripes d'homme. Parfois la nuit nous le voyons agiter des bâtons enflammés pour faire fuir les loups. Ce jour-là, il ne bouge pas. Nous ne le voyons pas. Nous voyons les membres et la viande de la poitrine de son ami qui pendent. La viande est sèche. Quand le vent souffle les morceaux bougent. Notre shaman dit qu'il va manger des champignons. Quand il mange des champignons, il voit clairement l'*avakhi*. Il mange des champignons, nous attendons. C'est le matin. Notre-Homme chante. J'écoute son chant. Je mange un champignon. Nous voyageons ensemble, Notre-Homme et moi, nous descendons la route qui mène au monde d'en bas. Nous rencontrons l'ami de l'*avakhi*. Il est en colère, car on l'a coupé en morceaux. "Regardez !" il dit. "Mes bras sont ici, mes jambes sont là-bas, ma tête et mon torse sont enterrés, mon cœur, mon foie, mes poumons, mes reins et toutes mes tripes ont été mangés. Tout ce qui est à moi se fait manger, ce qui reste va aux loups et aux corbeaux. Mon esprit arrive nu aux portes du monde d'en bas." Alors, nous entendons un bruit comme si le ciel nous tombait dessus. L'*avakhi* est debout devant nous.

— Était-ce un rêve ? demanda Mutz. Je veux comprendre. Vous avez pris des champignons hallucinogènes et vous avez rêvé que vous vous trouviez dans votre enfer, face à face avec le fantôme de l'homme mort. Samarin… L'*avakhi* était-il là dans votre rêve ou dans la réalité ?

L'albinos fit un signe de tête affirmatif.

— Oui. Il est avec nous là, dans le monde d'en bas. Il est furieux. Il est réel. Manger les tripes de son compagnon l'a rendu aveugle dans le monde d'en bas, il n'arrive pas à voir l'esprit de son compagnon. Il nous crie dessus. Il agite son couteau. Ses mâchoires sont pleines de sang. Ses dents sont noires et pointues. Son haleine pue la viande. Il est aussi haut que le ciel. Son couteau a la taille d'un arbre, il tranche le soleil quand il le lève. Le soleil saigne des nuages rouges. Il dit qu'il nous tuera. Il ne peut pas voir ce que nous voyons. Il écoute Notre-Homme raconter le voyage de l'esprit de son compagnon jusqu'au monde d'en bas. Il écoute Notre-Homme dire combien l'esprit de son compagnon est triste d'arriver sans corps dans le monde d'en bas. Notre-Homme dit à l'*avakhi* : "Votre ami est debout juste à côté de vous. Il demande s'il peut récupérer son corps. Il dit : 'Décrochez de l'arbre mes bras, mes jambes et la viande de ma poitrine, déterrez ma tête et mes côtes, et cousez-les ensemble.'"

"L'*avakhi* est très en colère. Ses ongles sont comme des pics rouillés. Ses dents comme des glaçons. Il prend Notre-Homme. Il le jette par terre. Il se met à genoux sur lui. Il taille dans son front avec son couteau. Il taille 'MENTEUR' dans votre langue. Notre-Homme crie. Son troisième œil ne voit plus. L'*avakhi* dit qu'il nous tue tous les deux s'il nous revoit un jour. Nous quittons le monde d'en bas par des routes différentes. 'Viens me chercher dans un mois, dit Notre-Homme, si je ne suis pas revenu. Maintenant, il me faut un cheval pour rejoindre le monde d'en haut.' Quand je quitte le monde d'en bas, quand le champignon est terminé, l'*avakhi* est parti. Il emporte sa viande. Notre-Homme est parti. Il ne peut pas trouver le monde d'en haut, vous comprenez. Il ne peut plus le voir. Il ne peut y aller sans cheval.

— Avez-vous vu l'*avakhi* ici, près de la rivière ? demanda Mutz.

— Je le vois jeter à l'eau ce qui reste de son ami. Sa main. Il coupe la main d'un soldat mort et l'enterre. Il mange un bout du cheval. Il escalade le pont. Il rencontre un homme sur le pont. Ils s'en vont. Je vais chercher la main…

— À quoi ressemblait-il, l'homme que l'*avakhi* a rencontré sur le pont ?

— Trop loin pour voir.

— A-t-il un nom, un nom russe, cet *avakhi* ?

— Oui.

— Comment s'appelle-t-il ?

— Je ne peux pas vous le dire. Il me tue. Il le jure.

Mutz plongea la main sous sa tunique et sortit de la poche de sa chemise un petit carnet en cuir et un crayon. Les pages étaient mouillées sur les bords, mais la majeure partie du papier était restée sèche.

— Pouvez-vous ranimer le feu, que j'y voie mieux ? demanda-t-il.

L'albinos souffla sur les braises, puis y jeta une poignée de brindilles vertes couvertes d'épines. Elles dégagèrent une odeur de résine et une couronne de petites flammes jaillit au-dessus du feu. Mutz se leva. Pris de vertige, il faillit s'écrouler. Reprenant l'équilibre, il vint s'accroupir près du feu. Il posa son carnet ouvert sur ses genoux, le tenant d'une main pour tracer une esquisse. Il dessinait à la manière d'un graveur, par séries de lignes parallèles qui en s'entrecroisant formaient des motifs sombres. Nekovar et Broucek s'approchèrent pour le regarder faire, bouches entrouvertes. Les flammes se reflétaient sur leurs visages, projetant un surcroît de lumière sur le papier. L'albinos regardait ailleurs, perdu dans la contemplation des ténèbres. Pendant un long quart d'heure, personne ne parla. On n'entendait que le sifflement, les craquements de la résine en ébullition, le grattement frénétique du crayon de Mutz et la respiration des hommes.

Quand il eut terminé, Mutz passa sur le dessin la tranche de sa main.

— Bien, apprécia Broucek. Il est très bon. C'est tout à fait lui.

Mutz avait dessiné deux têtes de Samarin, de trois-quarts face, l'une avec le crâne rasé et sans barbe, l'autre avec cheveux et barbe. Il les montra à l'albinos, qui regardait toujours ailleurs. Mutz lui effleura l'épaule. L'albinos jeta un coup d'œil au carnet, puis détourna la tête aussi loin qu'il put.

— Je vous en prie, regardez, dit Mutz. Est-ce lui ? Est-ce l'*avakhi* ?

L'albinos regarda une nouvelle fois. Il renifla.

— Oui, répondit-il.

Anna vint s'asseoir sur le divan, laissant de la place à ses côtés. Elle posa son verre et la bouteille sur le buffet, puis alluma une autre cigarette. Il ne lui en restait plus beaucoup, mais elle fumait rarement. Samarin l'imita, accepta la cigarette qu'elle lui offrait, se pencha de tout son corps au-dessus de l'allumette et prit place dans un fauteuil, à l'autre bout de la pièce. Une lampe solitaire brillait dans un coin. Elle les éclairait d'une lumière égale, même si Anna avait l'impression que le jeu des ombres et des surfaces la faisait luire d'un éclat plus brillant, oblique, sur le visage de Samarin, soulignant les creux de ses joues et de ses orbites. Il avait décidé de s'asseoir loin d'elle. Eh bien, rien ne pressait. Il était son prisonnier. Demain, elle prendrait une photographie de lui. Elle avala une gorgée de cognac, puis éclata de rire.

— Quel effet cela fait-il d'être mon prisonnier ? demanda-t-elle.

— C'est agréable.

Quelle était sa question ?

— Tu m'as posé une question à propos de Mutz. Il t'a parlé de moi ? poursuivit-elle.

— Il était furieux que j'aie trouvé une photographie de toi que quelqu'un avait laissé tomber.

— Il me rendait visite, autrefois. Passait la nuit ici.

Anna retint son souffle, cherchant à voir si Samarin réagirait. Il ne réagit pas.

— C'est un endroit bien solitaire, ici, pour une femme. Penses-tu que je sois une salope ?

— Non.

— Je ne refuse pas un verre. Je ne suis pas contre un peu de compagnie, parfois. J'aime quand je m'aime en me regardant dans le miroir. Je chante. Mutz, donc... je lui plaisais, c'est ce qu'il peut y avoir de plus attirant chez un homme. Il est gentil. Il a un bon visage. Je ne veux pas dire beau, même s'il n'est pas loin de l'être, je ne veux pas dire que son visage exprime de bonnes intentions, même si tel est le cas. Les deux sont inséparables ; sans doute serait-il laid sans ses bonnes intentions et aurait-il l'air d'un idiot sans ses traits élégants. Et si être civilisé, ce n'était pas se forcer à aimer les gens quelle que soit leur apparence, mais cesser enfin de se demander si leur apparence change quelque chose à votre amour pour eux ? Il est intelligent. Il en sait tellement sur tant de sujets. Oui, il est juif. Oui, un soldat juif en Russie, c'est comme un pingouin dans le désert. Savez-vous qu'ici, cela compte moins ? En Sibérie. Tout être humain a quelque chose d'exotique, ici. Aurais-je eu la force de rentrer en Europe avec un mari juif, d'affronter les calomnies, les soupçons de son peuple et du mien, et puis, j'imagine, les briques brisant nos fenêtres ? Je n'en sais rien. Peut-être cela m'aurait-il rendue amoureuse ? Mais ici, je ne le suis pas. Je ne sais pas vraiment pourquoi. Pas parce qu'il est juif. Il n'est pas croyant. S'il est un étranger parmi les Tchèques, c'est parce qu'à leurs yeux il est allemand, bien plus que juif. Et peu leur importe qu'il parle bien mieux le tchèque que la plupart d'entre eux. Ils se le représentent comme un Allemand. Et, d'un certain point de vue, ils ont peut-être raison. Même ici, même aujourd'hui, il continue de vivre dans un endroit qui n'existe plus, un empire où cohabitaient des langues, des nationalités de toutes sortes, mais dont les lois étaient écrites en allemand. On y parlait l'allemand dans les administrations, même les trains roulaient en allemand. À Prague, il travaillait comme graveur dans une maison qui imprimait des titres d'actions circulant à travers l'empire. En allemand, exclusivement. Je n'ai rien contre la langue allemande, ce que je veux dire c'est qu'il était profondément attaché à ce monde où régnait un certain ordre. Attaché comme nous ne devrions jamais le devenir aux organisations, même si tant d'hommes le sont. Son empire le traitait bien, sa disparition l'a rendu malheureux. Je crois qu'il a été déçu que l'Empire autrichien ne soit pas devenu les États-Unis d'Autriche. Cela me troublait de savoir que, derrière son idée de l'ordre, son besoin de mettre chacun à sa place et de toujours comprendre qui faisait quoi à qui, se trouvait le corpus de lois et de coutumes de ce monde disparu. J'étais furieuse quand les Tchèques ont tué l'instituteur. Celui que nous appelions l'instituteur était un exilé. Il a appris à Alyosha à lire, à écrire, à compter. Bien sûr, Josef aussi était en colère, mais il a prononcé cette phrase que je ne lui pardonnerai jamais. Il a dit : "Certaines de nos lois sont tellement stupides." Comme si le problème, c'était les lois, pas l'exécution. Tu comprends ?

— Oui, je comprends.

— Malgré tout, il était charmant. Il est charmant. Jamais il n'aurait parlé avec Alyosha comme tu l'as fait. Il a perdu toute sa famille lorsqu'il était enfant, de la plus étrange des façons. J'ai dit "perdu", mais pas dans le sens où ils seraient morts. Perdu. Égaré. Ses parents, ses frères et sœurs ont émigré aux États-Unis, et au dernier moment il est tombé malade. Ils avaient payé leur passage et, comme ils n'avaient pas beaucoup d'argent, ils ont confié Josef à un oncle et sont partis sans lui, avec le projet de le faire venir plus tard. La famille a débarqué aux États-Unis, puis elle a disparu. Qui sait ce qui a pu leur arriver ? Ils ont peut-être péri dans un incendie, un déraillement de train. Peut-être leurs lettres se sont-elles égarées ; il aura suffi de mal comprendre les règles selon lesquelles on adresse les lettres aux États-Unis. Dix ans après leur départ, à l'âge de vingt ans, Josef est parti à leur recherche, en Amérique. Il a passé trois mois à les chercher, dans la région de Chicago. Il ne les a jamais trouvés. Les gens n'en ont pas moins été stupéfaits de le voir rentrer à Prague.

Anna se tut, envahie par le sentiment d'avoir trop parlé. Elle progressait sur le chemin de l'ivresse, et Samarin assis là-bas avec ses yeux sans fond, qui semblaient devenir de plus en plus profonds au fur et à mesure qu'elle les remplissait de pensées décousues. Elle allait prendre un autre verre, et lui aussi. Il lui raconterait plusieurs histoires qui n'en feraient qu'une. Il détenait ce pouvoir. Elle se leva pour remplir de nouveau leurs verres, avant de se rasseoir. Elle croisa puis décroisa les jambes afin qu'il les regarde, et il les regarda. Elle se demanda s'il était vraiment propre. S'en souciait-elle vraiment ?

— C'est étrange que tu aies trouvé cette photographie, reprit-elle. Je l'avais offerte à un homme du village. Gleb Alexeyevich Balashov. Il tient le magasin, au coin de la place. Il m'a tellement cassé les pieds pour avoir un portrait de moi, et voilà qu'il le perd.

Samarin hocha la tête.

— Tu as fait preuve de générosité en lui offrant une telle photographie.

Anna rougit et répliqua brusquement :

— Balashov est gentil, mais c'est un vrai dévot. Tu savais que les gens d'ici n'appartiennent pas vraiment à l'Église orthodoxe, n'est-ce pas ?

— Non, je ne savais pas.

— Comme je regrette de ne pas avoir de gramophone ! Nous devrions écouter un peu de musique.

— Je vois une guitare, là-bas.

— Elle est désaccordée.

— Nous pourrions l'accorder.

— J'en joue très mal.

Samarin se dressa sur ses jambes, souleva la guitare par le manche, fit basculer la caisse sous son coude et passa son pouce sur les cordes. Il s'approcha d'Anna, lui tendit l'instrument.

— Elle est parfaitement accordée, déclara-t-il. Si tu as parlé de musique, c'est certainement pour que je te l'apporte. Joue.

— Eh bien, assieds-toi, répondit Anna, désignant de la tête la place laissée libre à côté d'elle sur le divan, avant de caler la guitare au creux de ses genoux.

Elle joua les cordes à vide, l'une après l'autre, et les fit vibrer en tournant les clés. Elle sentit le poids de l'homme s'enfoncer dans le divan. Le sang lui monta aux joues.

— Je joue très mal, répéta-t-elle.

— Tout le monde joue mal, rétorqua-t-il.

Elle lui jeta un bref coup d'œil. Il s'était assis au fond du divan, adossé au coin opposé, les mains derrière la tête, et il la regardait, un sourire aux lèvres. Un poisson d'argent frétillant la chatouilla depuis l'utérus jusqu'aux seins, laissant derrière lui un sillage pétillant. Elle tenta de lui dissimuler l'éclat de consentement qui brillait dans ses yeux, referma doucement ses dents sur sa lèvre inférieure pour ne pas trop sourire.

Elle égrena quelques accords. C'était une chanson d'hommes qu'elle chantait parfois à Alyosha et qu'elle s'efforçait à présent de jouer avec davantage de finesse, sans tomber dans la cadence lourde d'une marche militaire.

> *Votre Honneur,*
> *Cavalier en partance,*
> *Nous sommes frères depuis trop longtemps*
> *Pour savoir lequel de nous ment*
> *Une lettre dans une enveloppe,*
> *Non, attendez, ne l'ouvrez pas :*
> *La mort me laissera le temps*
> *De connaître l'amour vraiment*
>
> *Votre Honneur,*
> *Madame la Chance,*
> *Vous arrivez parfois à temps,*
> *D'autres fois, vous êtes retenue,*
> *Une once de plomb dans votre cœur ?*
> *Voyez votre doigt sur la gâchette, comme il doute :*

La mort me laissera le temps
De connaître l'amour vraiment

Votre Honneur,
Sa Majesté, dans vos voyages
Quand vous les étreignez si fort,
Je sais quel imposteur vous faites,
Je vois tous vos filets faits d'une soie si fine,
Mais attendez, écoutez-moi :
La mort me laissera le temps
De connaître l'amour vraiment

Anna arrêta de jouer, baissa la tête et rit.

— Il y a d'autres couplets, mais je ne m'en souviens plus, s'excusa-t-elle. Samarin souriait en l'applaudissant. Anna lui tendit la guitare.

À ton tour de jouer, dit-elle.

— Je ne connais qu'une seule chanson.

— Eh bien, je suis sûre qu'elle est très belle, répliqua Anna dans une grimace. Joue-la-moi.

Samarin posa la guitare sur ses genoux et joua aussitôt, sans essayer de gagner du temps en accordant l'instrument, en tapotant la caisse ou en faisant jouer ses doigts d'un bout à l'autre du manche.

D'une seule étoile le nom m'importe
Au cœur des mondes où sombre est la nuit
Non pas qu'en mon cœur je la porte
Mais à mes yeux, nul autre astre ne luit
Non pas qu'en mon cœur je la porte
Mais à mes yeux, nul autre astre ne luit

Et si la nuit je désespère
Je ne l'en glorifie pas moins
Elle n'apporte pas la lumière
Mais à vivre auprès d'elle, je n'en ai nul besoin

Elle n'apporte pas la lumière
Mais à vivre auprès d'elle, je n'en ai nul besoin

Anna bondit sur ses pieds pour l'applaudir. Puis, se rasseyant, elle passa nerveusement la main sur la tempe de Samarin, son épaule.

— Une autre ! s'écria-t-elle.

— Je te l'ai déjà dit, je ne connais que celle-là.

— Joue-la encore !

Les Tchèques dormirent au coin du feu à tour de rôle, deux heures chacun. Quand Nekovar vint le réveiller, Mutz se recroquevilla, tentant d'échapper à la main qui le secouait. Sa tête et son corps lui donnaient l'impression de sombrer, séparés l'un de l'autre, dans les profondeurs d'un vide dénué de surface. Nekovar insista, et Mutz fut contraint de s'asseoir, le dos bien droit. Ses yeux semblaient avoir reçu une pincée de sel, il avait la nausée. Le froid du dehors lui effleurait la nuque, insolent, le vertige ne le lâchait pas. Il dit à Nekovar qu'il pouvait dormir, puis il se rapprocha du feu. L'albinos avait apporté d'autres branches. Mutz les empila sur les flammes. À l'extérieur de la grotte, il s'était remis à neiger. Broucek dormait sous son manteau, la tête posée sur une pierre, l'air satisfait. L'albinos, lui, se reposait sur l'oreiller qu'il enveloppait de ses mains jointes. Jusque dans son sommeil, il s'arc-boutait, dans l'attente du prochain coup. Le shaman l'avait-il maltraité ? Mutz interrogea son cœur, le seul instrument dont il disposait pour examiner rétrospectivement la moralité du défunt, et en tira la conclusion qu'il n'en était rien. Il était stupéfait par la manière atroce dont eux, les Tchèques, avaient traité le shaman, par le détachement avec lequel ils avaient accueilli la nouvelle de sa mort, comme si son faible pour l'alcool avait été la seule cause du décès, comme s'il s'était tué lui-même. Rien qu'en regardant les visages du shaman et de l'albinos, on connaissait leur histoire, on savait que, s'ils festoyaient parfois emmitouflés dans de confortables fourrures, il leur était arrivé plus souvent qu'à leur tour d'avoir froid et faim, d'être traqués et pourchassés au cœur des forêts sibériennes. Alors, on se disait : ils sont habitués à cela. Voilà ce que pensaient ceux qui souffraient le moins à propos de ceux qui souffraient le plus, qu'ils étaient habitués, qu'ils n'en souffraient plus autant qu'eux. Mais personne ne s'y habituait jamais. Ils avaient juste appris à ne plus rien laisser paraître.

Dès qu'on attise ses flammes, la conscience produit une chaleur constante, dont se dégage infailliblement la culpabilité. Mutz pensa à Balashov, et la nausée l'envahit de nouveau à l'idée qu'il avait exigé de cet homme qu'il persuade sa femme et son fils de quitter la ville à tout jamais. S'il rentrait un jour à Jazyk, il supplierait Balashov de lui accorder son pardon. Il irait même plus loin. Il demanderait conseil à Balashov. N'était-il pas le mieux à même de répondre aux questions que Mutz se posait sur Anna, lui, son mari, qui l'avait aimé en tant qu'homme et qui, à présent, à l'en croire, l'aimait encore, tout non-homme qu'il était ? Il irait voir Balashov en toute humilité, il l'interrogerait sur ce qu'était l'amour. Tout le monde se moquait de Nekovar, de sa quête du ressort secret capable de déclencher le mécanisme sexuel des femmes, mais, à sa manière, Nekovar était en avance sur Mutz ; lui, au moins, interrogeait ses semblables.

Il deviendrait l'ami de Balashov. Ses ennemis étaient Matula et Samarin, les deux piliers jumeaux de la démence qui s'était emparée de Jazyk. Rien ne bougerait tant que Matula empêcherait les Tchèques de rentrer au pays et qu'Anna serait entichée de Samarin. Il semblait inconcevable qu'une femme dont le mari s'était émasculé au nom de Dieu pût tolérer un amant qui avait assassiné et dévoré l'un de ses compagnons de bagne. Mutz se rendit compte qu'il souriait. Ceux qui perpétraient les actes les plus extrêmes s'exposaient non seulement aux châtiments les plus radicaux, mais également au plus haut point du ridicule. La guerre venait à peine de prendre fin en Europe que déjà les plaisanteries fleurissaient au sujet des hommes démobilisés dont les couilles pulvérisées par les balles et les éclats d'obus fendaient l'air de l'hémisphère Nord. Que feraient les femmes de ces malheureux ? D'un certain point de vue, leur situation était plus délicate que celle d'Anna Petrovna. Non, vraiment, ça n'avait rien de drôle. Et ne pouvait-on pas imaginer que l'automutilation de son mari lui eût inoculé la terreur qui s'emparerait de l'imagination des autres lorsqu'ils apprendraient cette histoire de cannibalisme dans la forêt ? Samarin affirmerait peut-être que, comparé à la brutalité dont Balashov avait fait preuve envers lui-même et envers sa famille au nom de son bel idéal, le fait d'avoir tué et mangé le Mohican n'avait été que l'expression de son instinct de survie. Un criminel de la trempe du Mohican aurait mérité la potence. Quelque part à l'ouest de Vladivostok et à l'est de San Francisco, une société militant pour que l'on mange les criminels trouverait sans peine des souscripteurs enthousiastes. Plus moderne, moins de gaspillage. En Amérique, on les faisait griller à l'électricité. Non. Il ne s'agissait pas du cannibalisme en lui-même. Il s'agissait de ce que Samarin avait fait ensuite, tel que l'albinos l'avait décrit sous l'emprise de la drogue, quand il l'avait vu penché au-dessus d'eux, en plein jour, dans la forêt, sous la forme d'un démon hantant les territoires du monde d'en bas, jonchés de cendres et de mâchefer. Il avait découpé des lettres sur le front d'un homme. Mutz les avait vues de ses yeux. Mutz avait vu comment Samarin était capable de changer de façade à volonté, comment il disposait d'un cadran relié à la vaste palette de ses humeurs et dissimulait aux regards les dispositions de celui qui actionnait les touches. Malgré tout, il n'était pas facile de le créditer d'une telle sauvagerie. Mais si Samarin avait tué et avalé le Mohican dans le seul but de pouvoir s'échapper vivant du Jardin blanc, qui donc avait assassiné Kliment et taillé la lettre au milieu de son front ? Y avait-il eu un troisième homme dans la forêt ?

Toutes ces questions sur des hommes et des femmes connus de Mutz se trouvaient face à un élément, les rouges, qui avait bien changé depuis que Mutz l'avait rencontré pour la dernière fois. À l'époque, en 1918, les rouges étaient encore des hommes qui possédaient une Idée. À présent, c'était l'Idée elle-même qui possédait les hommes, les trains blindés, les territoires. D'après le peu qu'en savait Mutz, les hommes qui avaient autrefois possédé l'Idée n'étaient toujours pas tombés d'accord à propos de ce qu'elle était ; cela, il était peu probable que l'Idée le tolérerait longtemps, maintenant qu'elle avait pris possession des hommes, des trains blindés et des territoires.

Il était bien réveillé, à présent. Il secoua Nekovar, Broucek et l'albinos. Il demanda à ce dernier s'il avait l'intention de se rendre avec eux à Jazyk pour récupérer le corps du shaman. L'albinos acquiesça d'un signe de tête, engourdi.

— Mais avant de rentrer, il nous reste une chose à faire, déclara Mutz. (Il posa son regard sur Broucek et Nekovar. La confiance qui se lisait sur leurs visages était terrifiante.) Nous devons aller voir les rouges.

— Ils vont vous pendre au bout d'une corde, répliqua Broucek. Ne ferions-nous pas mieux de rentrer directement à Jazyk ?

— Vous ferez ce que vous ordonnera le lieutenant Mutz, intervint Nekovar.

Mutz reprit :

— Nous pourrions nous faufiler entre leurs lignes et rentrer à Jazyk, mais, sans leur accord, il nous sera impossible de quitter la ville. Ils tiennent le pont.

Broucek réfléchissait à la question, toujours confiant, sans éviter les yeux de Mutz, mais dans l'attente de nouveaux éléments.

— Ils pourraient très bien attaquer Jazyk quand bon leur semblera, ajouta Mutz. Le seul moyen de les en empêcher, c'est de leur parler.

— Eh bien, allons-y, frère, répondit Nekovar. Mais il faut d'abord savoir pourquoi nous y allons. Il n'y a pas que les rouges qui nous empêchent de nous en aller.

— Non, approuva Mutz. Je suis content que vous en ayez conscience. Vous comprenez, Broucek ?

Broucek garda le silence durant un long moment. Puis il dit :

— Je le tuerai pour vous. Ça ne me fait rien. Ça serait comme tuer un chien enragé.

— Vous ne faites pas cela pour moi, répliqua Mutz. Ne pensez surtout pas que ce soit pour moi.

Même si tel était le cas. Comme la trahison devenait aisée quand ce n'était pas un homme seul, mais plusieurs qui pensaient à la même manière de trahir, et que tous ouvraient leur cœur au même moment. À présent il voyait clair dans l'âme de Matula, parce que la sienne suivait le même chemin. Le temps et le lieu s'y prêtaient à merveille, pris entre guerre et loi, quand un fusil, un simple mot suffisaient à faire disparaître tout problème. Il avait semblé parfaitement naturel de sauver la vie de Matula, au milieu des glaces. Il semblait tout aussi naturel aujourd'hui de vendre sa dépouille aux rouges. Mutz ressentait l'impérieux besoin de franchir de nouveau les frontières d'une nation sensée, ou d'un empire comme celui dans lequel il avait vécu jadis, de claquer enfin la porte au nez de toute cette anarchie qui l'entourait. Mais la seule manière d'y parvenir, c'était de lâcher encore davantage la bride à ce chaos. Moïse ! Les dix commandements n'avaient aucune place dans cette nature sauvage. Ils seraient pour plus tard.

La neige tombait en flocons clairsemés, lourds, humides. Mutz portait toujours le manteau de Nekovar. Quitter la grotte était déplaisant, mais la neige n'était pas profonde et le sol blanchi facilitait l'orientation. Ils suivirent l'albinos le long d'une pente encaissée, sur plus d'un kilomètre, avant d'atteindre un affleurement rocheux qui surplombait la voie ferrée, à quelques centaines de mètres de l'entrée du tunnel. De là, ils pouvaient observer la ligne sans crainte d'être repérés. Le train des rouges émergeait du tunnel, sombre et immobile. Un engin pointait sa silhouette dense et ramassée au sommet d'une plateforme couplée à l'avant de la locomotive : leur pièce d'artillerie. Derrière le tender de la locomotive venaient des wagons de marchandises, d'autres plateformes équipées de mitrailleuses protégées par des sacs de sable, puis des voitures de passagers dont certaines fenêtres étaient obscures, tandis que d'autres laissaient entrevoir la lueur d'une lampe. Mutz sentit la fumée de charbon qui se dégageait des poêles, dans les wagons. Des sentinelles en pardessus étaient assises autour de petits feux de camp, par groupes de trois, fusils posés sur les genoux. Le groupe le plus proche se trouvait à une centaine de mètres à peine.

Mutz fit signe aux autres de monter le rejoindre.

– Ils ne sont pas prêts au départ, murmura Nekovar. Ils se contentent d'empêcher la locomotive de geler, mais ils n'ont pas fait monter la pression. Cela leur prendrait deux heures. Ils bougeront sûrement à l'aube.

– À quoi servent les fils ? s'étonna Broucek. Ils ont tendu des câbles entre le train et la ligne télégraphique.

– Il doit y avoir un télégraphe à bord, répondit Nekovar.

– Peut-être qu'il y a un restaurant aussi, répliqua Broucek.

– Je parie qu'ils servent des tartes rouges, chuchota Nekovar. Le principe du communisme, c'est que chacun ait la même part de tous les gâteaux, pas vrai, lieutenant, frère ?

– Oui, répondit Mutz. À moins qu'ils ne choisissent de vous descendre d'abord.

Ils se séparèrent en deux groupes. Broucek et l'albinos resteraient à l'arrière, cachés, pendant que Mutz et Nekovar iraient parlementer. Si les négociateurs étaient bien accueillis, Broucek et l'albinos partiraient les attendre dans un abri de service abandonné, plus loin sur la voie, à mi-chemin de Jazyk. Mutz observa une dernière fois le train. La neige avait cessé de tomber, le froid était plus vif. Des nuages perforés s'enroulaient autour de la lune. La neige déposée sur le sol et les ramures des arbres commençait à se couvrir d'une croûte scintillante. La formidable masse rivetée du train, auréolée du cercle luisant des feux de camp, jaillissait du tunnel et de la vaste toile formée par les rails et les fils télégraphiques tel un tentacule. C'était Mutz qu'elle visait. À Londres, Paris et New York, on considérait les rouges comme une menace anarchique, destructrice, turbulente, qui devait absolument être maîtrisée. Ici, dans l'obscurité de la forêt, en contemplant le cercle lumineux, Mutz voyait un ordre nouveau, un nouvel empire, venu prendre sa place au milieu de ses prédécesseurs. Ah, comme il désirait entrer à l'intérieur du cercle, ne pas rester à l'extérieur, avec les mangeurs d'homme, les anges faits main, les visionnaires narcophiles et autres seigneurs de la guerre bohémiens. Et quelle déchirure de savoir qu'Anna se trouvait à l'extérieur du cercle. Même si la sagesse en elle détestait ces lieux dévastés par la folie des hommes, Anna y avait découvert une source sans laquelle elle ne pouvait plus vivre. Même quand l'ordre du nouvel État se répandrait autour d'elle, ce qui était inéluctable, elle serait incapable de tolérer bien longtemps un homme qui avait fui avec tant d'empressement les extrêmes qu'ils avaient rencontrés ici. Et qui, bien pis, s'efforçait sans relâche d'expliquer l'extrême, d'en venir à bout.

Un loup hurla à la mort dans les profondeurs insondables de la forêt, derrière eux. Un autre se joignit à lui, puis un troisième. Plusieurs sentinelles tournèrent la tête. Aucune ne se leva. Mutz posa la main sur l'épaule de Nekovar. Ils échangèrent un bref regard, puis hochèrent la tête. Mutz ôta sa ceinture, l'étui de son arme et les tendit à l'albinos, qui les enfila avec une promptitude stupéfiante, prenant aussitôt des allures de boucanier spectral. Nekovar confia son fusil à Broucek, qu'il embrassa pudiquement. Mutz sortit de sa poche un mouchoir qui avait dû être blanc. Nekovar déplia une feuille de papier avec le schéma d'une femme artificielle fonctionnant à l'électricité.

Brandissant au-dessus de leurs têtes ces drapeaux blancs improvisés, ils escaladèrent les rochers avant de s'engager dans la pente, à la vue des sentinelles. La lune les éclairait, resplendissante.

Personne ne les avait remarqués. Mutz aspira une grande bouffée d'air glacial et hurla :

— Ne tirez pas ! Nous venons vous parler ! Ne tirez pas !

Comme sa voix dévalait le champ de neige et que les parois du train en renvoyaient un faible écho, les sentinelles se dressèrent, noires et indignées. Mutz entendit le craquètement des culasses de fusil qui allaient et venaient, vit les soldats rouges se précipiter dans leur direction, les pans de leurs longs manteaux tournoyant comme des jupes, fusils tendus devant eux comme une troupe de paysans chassant le diable à coups de fourche. Il cria de nouveau "Ne tirez pas !" et la voix de Nekovar se joignit à la sienne.

Une douzaine de Russes les encerclaient. Ils portaient toutes sortes de casquettes civiles, de chapkas et des bandeaux rouges enfilés sur les manches de leurs pardessus destinés autrefois à l'armée britannique. Le visage enflé et menaçant, imbus de leur bon droit, plusieurs d'entre eux hurlaient aux Tchèques de lever les mains encore plus haut. D'autres exigeaient de savoir qui ils étaient. De nombreuses mains les fouillaient, plongeant au fond de leurs poches, en retirant des documents, l'argent de Matula, des photographies. Un des rouges se saisit du papier de Nekovar et une foule secondaire se forma autour du dessin, grimaçant en abondance. Parmi eux, celui qui portait une veste en peau de mouton, une casquette en cuir et des bottes militaires tentait de repousser les curieux. Il appelait les soldats camarades et donnait des ordres. Il demanda à Mutz et Nekovar s'ils étaient armés.

Il les conduisit vers la porte ouverte d'une des voitures de passagers. La cohue des sentinelles vint les rejoindre pendant que leur chef disparaissait à l'intérieur. Les soldats gardaient leurs distances avec les Tchèques. Certains portaient des baïonnettes fixées à leurs fusils. Sur leurs visages, on lisait un mélange de suspicion et de curiosité. Ils étaient aussi impatients de tuer que de discuter. Les deux pourraient servir. Il y avait des femmes dans leurs rangs.

— Nous sommes tchèques, déclara Mutz. Nous venons de Jazyk, tout au bout de la ligne.

— Interventionnistes, asséna l'un des rouges.

— Vermine blanche.

— Contre-révolutionnaires.

— Ce sont des bourgeois ?

— Factionnalistes !

— Comment pourraient-ils être factionnalistes ? intervint un rouge dégingandé coiffé d'une chapka en écureuil, gratifiant d'un coup de poing l'épaule de son rival. D'autres rouges éclatèrent de rire. De la vapeur s'échappa de leurs bouches.

— Êtes-vous communistes ? demanda Nekovar.

"Communistes !" approuvèrent plusieurs "oui" sonores, qui grondèrent autour du demi-cercle.

— Nous sommes des cheminots, ajouta l'un.

— Eh, c'est un secret militaire !

— C'est vrai, ferme-la, abruti.

— Moi, je suis fier d'être communiste et cheminot, déclara un homme à la barbe blanche et au fusil bien huilé, s'adressant à toute l'assemblée comme s'il s'agissait d'un débat politique et que son tour était venu de monter à la tribune. Pas un des jeunes rouges n'eut le cœur de le faire taire. J'ai bossé trente ans dans le rail sans qu'ils me donnent rien. À la fin, le patron me parlait encore comme à un gosse. Ils ont envoyé mon fils à la guerre, il n'est jamais revenu. Ils m'ont donné une mauvaise maison. Petite. Humide. Ils avaient horreur de se défaire de leur argent, ces parasites. Ma femme a pris froid, elle en est morte. Une honte.

– Tu as raison, Styopa 'Xandrovich. Continue.

Styopa Alexandrovich se fraya un chemin jusqu'à Mutz et Nekovar, colla son visage aux leurs et les poussa du bout de son doigt. Il n'avait plus de dents.

– Ceci est un train du peuple, dit-il. Ceci (il donna une claque sur son fusil), ceci est un canon du peuple. Le peuple, c'est nous ! C'est marqué dans des livres.

– Nous avons descendu nos patrons. Tous des pourceaux.

– Ferme-la, Fedya.

– Vive Lénine le rouge !

Une bagarre éclata quand le rouge dégingandé entendit cela.

Un homme sauta du train. Le craquement de ses bottes sur la neige et le ballast fit taire les autres rouges, qui reculèrent de plusieurs pas. La bagarre cessa aussitôt.

Le président du soviet des cheminots de Verkhny Luk avait à peine vingt ans. Il portait une moustache blonde, nette et pleine. Même dans la pâle lumière de la lune, Mutz vit qu'il posait sur lui un regard brillant d'un espoir démesuré ; pas l'espoir que Mutz allait lui fournir ce dont il avait besoin, mais l'espoir immense de découvrir en chaque homme, en chaque femme qu'il rencontrait les messagers de la société nouvelle qu'il appelait de ses vœux, espoirs mille fois déçus, jamais abandonnés.

C'était le camarade Bondarenko, dans son grand manteau noir, avec son pistolet, heureux d'être le si jeune acteur d'une révolution, et conscient de l'être, d'où ses poses tout droit sorties d'un film d'actualités. Les autres rouges l'aimaient parce qu'il avait l'air jeune, beau, exempt de toute souillure, même s'il les avait menés dans une entreprise qui avait abouti à l'exécution d'administrateurs du rail restés fidèles aux blancs, ou du moins à l'ordre ancien fondé sur la propriété. Mutz vit les rouges contempler Bondarenko comme s'il avait été le dépositaire de leur vertu à tous, la garantie qu'au final leur honneur leur serait rendu, intact, quand le temps du massacre toucherait à sa fin.

Bondarenko donna l'ordre à ses hommes de leur lier les mains dans le dos, ce qu'ils s'empressèrent de faire, sans brutalité. Puis il grimpa dans le train, et l'on poussa Mutz et Nekovar derrière lui, suivi chacun d'un homme en armes. Le petit groupe traversa d'un pas traînant la voiture, le long du couloir qui longeait les compartiments de deuxième classe. Les portes coulissantes étaient restées ouvertes. L'intérieur du wagon était surchauffé. Il sentait le mauvais tabac, les pieds des hommes, la soupe maigre et les vieux bandages. Dans les compartiments, on apercevait des hommes qui fumaient, jouaient aux cartes, lisaient le journal, débattaient de sujets politiques ou dormaient du sommeil enviable de l'épuisement, leurs membres figés dans la position où ils s'étaient posés. L'un des compartiments était réservé aux malades et aux blessés. Deux hommes au torse nu, dont l'un avait le crâne bandé et l'autre le bras, étaient allongés sous des couvertures remontées jusqu'à la taille, main derrière la tête. Ils observaient les passants avec de petits yeux brillants et cette attention si particulière aux combattants irréguliers lorsqu'ils sont blessés.

On conduisit Mutz et Nekovar jusqu'à une pièce aménagée dans la moitié d'un wagon. Des rideaux beiges avaient été tendus aux fenêtres et le sol était recouvert d'une fine moquette verte encore neuve il n'y avait pas si longtemps de cela. Elle était toute froissée, des traces de pas la maculaient de boue noire, de fragments de neige. Des cartes techniques du réseau ferroviaire de Sibérie centrale étaient punaisées à des tableaux noirs, à côté d'un pupitre vide destiné à l'origine au dessin industriel. Dans un coin, à l'autre bout de la pièce, près d'une porte sur laquelle était placardé "ENTRÉE INTERDITE", se trouvait un bureau au plateau de reps vert. Une lampe posée sur le bureau se reflétait dans l'agitation captive du bois de noyer verni. Des tasses de thé sales et une pomme à moitié croquée enveloppée dans une feuille de papier journal chiffonnée étaient posées sur le bureau, et d'autres journaux, dont certains fraîchement imprimés à en juger par leur aspect, étaient empilés sur le sol près du bureau, le long d'une caisse ouverte qui contenait des grenades emballées dans de la paille. L'horloge murale indiquait 20h45. Bondarenko avait investi l'ancienne voiture officielle des patrons du chemin de fer avec un manque de soin délibéré. Il tenait à montrer par là combien il se souciait peu de l'apparat bourgeois si cher à l'ancienne bureaucratie, sans exclure pour autant la possibilité d'en avoir besoin à l'avenir. Non pas, devina Mutz au moment où le président s'asseyait dans le fauteuil capitonné et pivotant disposé devant le bureau, que Bondarenko fût cynique ; il fallait plutôt y voir le signe qu'il était assez humble et confiant dans la sagesse du peuple pour savoir que lui-même ignorait totalement à quoi les hommes s'attendaient à voir ressembler l'ordre nouveau, une fois qu'ils auraient gagné cette guerre. En le voyant, Mutz repensait à Balashov, au pieux guerrier qu'il avait été quand Anna l'avait rencontré en Europe, avant la guerre.

— J'ai une proposition à vous faire, déclara Mutz.

Bondarenko sourit, l'air intéressé, mais il secoua la tête et interrompit Mutz quand ce dernier voulut poursuivre. Alors, il raconta aux deux prisonniers la chute d'Omsk, deux jours plus tôt. Le savaient-ils ? L'armée rouge du camarade Trotski avait triomphé, les blancs avaient piteusement battu en retraite vers l'est, en direction d'Irkoutsk. La révolution avait gagné. Le train de l'amiral Kolchak, bondé d'ivrognes, de cocaïne et de butin, était coincé au beau milieu d'une débâcle qui s'étendait vers l'est sur des centaines de kilomètres, jusqu'au fin fond de la Sibérie, où les cosaques encerclaient des villages pour en faire le terrain de leurs jeux sanglants avant de repartir sans avoir fait quartier, où les riches offraient des boîtes entières de bijoux précieux pour pouvoir prendre place à bord d'un wagon de troisième classe à destination de Vladivostok ou de la Chine. Élèves-officiers blancs, putains, imprésarios, garçons de café, chanteurs de music-hall, changeurs de devises, négociants, ils gisaient par milliers le long de la voie ferrée, terrassés par le typhus. Les charognards les dépouillaient de leur or, de leurs fourrures et de leurs bottes.

— Nous comprenons que les blancs sont finis, que les rouges sont sur le point de l'emporter, répondit Mutz. Les Tchèques de Jazyk veulent juste rentrer chez eux. Voilà, en substance, ma proposition.

— Les Tchèques de Jazyk, répliqua Bondarenko, avec une tristesse dans la voix qui déplut à Mutz.

Le regard du président croisa une nouvelle fois celui de Mutz, puis se détourna. Un espoir sans bornes brillait encore au fond de ses yeux. Il vint à l'esprit de Mutz que cet espoir, qui lui avait d'abord paru si séduisant, se limitait peut-être à l'espoir que Nekovar et lui seraient des hommes assez accomplis pour comprendre qu'il appartenait à l'Idée, et pas à un vulgaire Bondarenko, de décider de leur sort, de leur vie ou de leur mort.

— J'aimerais vous lire un télégramme que notre soviet a reçu il y a un mois – *un mois* – du *stáb* de l'armée rouge dans l'Oural, reprit-il, sortant de l'un des tiroirs du bureau une feuille de papier. J'aimerais que vous me disiez si vous pensez que cela laisse en moi la moindre place au doute. Un instant.

Il posa le papier à l'envers sur la table, sortit son pistolet, fit sauter le chargeur, vérifia le nombre de balles, remit le chargeur en place, posa avec délicatesse l'arme sur la toile de reps, canon pointé vers les Tchèques, puis il reprit le document. Une substance amère se glissa dans la salive de Mutz, qui avala péniblement. Il tenta de déchiffrer les caractères sur le télégramme, par transparence à la lumière de la lampe, mais il ne distinguait que le dessin des bandes de ruban télégraphique collées sur le papier.

Bondarenko lu très lentement, en prenant soin de répéter les passages importants :

— Il est écrit : "À Bondarenko, président du soviet des cheminots de Verkhny Luk. À propos des Tchèques de Matula, à Jazyk. La voie secondaire de Jazyk n'a dans l'immédiat aucune importance stratégique. Cependant. *Cependant.* Eu égard aux actes bestiaux — *actes bestiaux* — commis à Staraya Krepost par cette unité, ordre est donné de libérer Jazyk dès que possible, par la force des armes, quel que soit le coût en vies civiles ou militaires. De plus, ordre est donné que tout Tchèque — *tout Tchèque* — fait prisonnier à Jazyk reçoive de vos mains le châtiment d'une justice révolutionnaire prompte et impitoyable, sous la forme d'une condamnation à mort — *condamnation à mort.* Tout Tchèque des troupes de Matula qui tentera de fuir ou de se rendre — *fuir ou se rendre* — avant que vous n'attaquiez devra être traité de la même façon. *La — même — façon.* Signé : Trotski. *Trotski* !"

— Tout ceci… commença Mutz.

Bondarenko le coupa aussitôt :

— Attendez. (Il retourna le télégramme.) Voilà. Vous lisez tous les deux le russe, non ? Lisez. Pourrait-on recevoir ordre plus explicite ? Venez.

Il ramassa le pistolet et se leva. Des mains soulevèrent Mutz et Nekovar par-derrière, pour essayer de les mettre debout. Les deux hommes résistèrent, mais on retira les chaises de sous leurs corps, si bien qu'ils s'effondrèrent sur le sol.

— Je me refuse à croire qu'un fidèle serviteur du peuple puisse commettre un tel acte, protesta Mutz.

— Pourquoi ? répliqua Bondarenko. Le ton de sa voix laissait entendre qu'il était offensé, déçu par le manque de compréhension dont Mutz faisait preuve. Le camarade Trotski est le commissaire du peuple.

Mutz l'entendit plonger la main dans les tiroirs de son bureau. Puis il vint s'agenouiller près de la tête de Mutz, qui reposait sur la moquette. Ses bottes craquèrent. Il tendit quelque chose sous les yeux de Mutz. Les papiers d'identité militaires de Bublik et Racansky.

— Nous avons déjà fusillé ceux-là, aujourd'hui, déclara Bondarenko. Nous les avons ramassés cet après-midi, en allant vers le pont. Ils nous ont affirmé qu'ils étaient communistes, déserteurs, qu'ils venaient rejoindre nos rangs. Pourtant, nous étions obligés de les exécuter. Voir le pouvoir du peuple à l'œuvre, c'est extraordinaire. Vos camarades donnaient l'impression d'être des hommes bons, mais la révolution n'avait nul besoin d'eux. L'un des deux, Racansky me semble-t-il, nous a confié qu'il avait tué l'un de ses propres officiers, ce matin même.

— Kliment ?

— Peut-être. Je ne m'en souviens plus. Assez parlé. Emmenez-les à l'extérieur.

On força les Tchèques à se relever. Cette fois, ils ne se débattirent pas. Une nouvelle fois, Bondarenko ouvrit la voie, suivi par tous les autres.

— C'est mal parti, frère, constata Nekovar.

Mutz se rendit compte que son esprit avait du mal à s'adapter aux événements qui étaient en train de se dérouler. Il était habitué à compter les pas en avant imaginaires vers de possibles futurs, puis à rapporter les nouvelles de ce qu'il avait vu. À présent, son imagination envoyait ses messagers, l'un après l'autre, le long de l'unique route envisageable, et aucun d'eux ne revenait. Comment pouvait-on se préparer à sa propre mort si l'on n'était pas capable de se l'imaginer ?

Maintenant que sa vie se mesurait en minutes, il aurait tant voulu qu'Anna sache ce qui lui était arrivé. À sa grande surprise, aucune prière ne perçait en lui, aucun dieu. Il était effrayé par ce moment où sa conscience ruissellerait dans l'océan de la mort et cesserait d'être. Ça n'avait rien à voir avec le sommeil. Mutz ne se sentait ni courageux ni fier, mais le président faisait preuve d'une telle amabilité qu'il aurait été vain de le supplier de leur laisser la vie sauve. Le plus inattendu, c'était cette colère qu'il éprouvait envers lui-même de n'être pas à même de rentrer à Jazyk prévenir Anna, les Tchèques et les castrats. S'il y avait bien un lieu où son imagination l'emmenait plus aisément qu'il ne l'aurait souhaité, c'était celui où la précieuse vie d'Anna, cette vie en elle qui était tellement plus intense que celle d'une personne ordinaire, prenait fin brutalement, dans la douleur et la peur. Il ne mourrait donc pas en paix.

— Dans combien de temps attaquerez-vous Jazyk, camarade Bondarenko ? demanda-t-il.

— Dans quelques heures, répondit Bondarenko, sans prendre la peine de se retourner. Ça ne prendra pas longtemps.

Samarin chanta de nouveau sa chanson, une fois, puis une autre, sur l'insistance d'Anna, mais refusa de la jouer une quatrième fois. Il posa la guitare avec délicatesse, l'appuyant contre le buffet afin qu'elle ne soit plus entre Anna et lui. Anna connaissait cette chanson, mais Samarin l'avait investie de sa propre vie.

Ils restèrent assis à se regarder quelques instants. Le cœur d'Anna battait à tout rompre. Elle mourait d'envie de tendre le bras, d'empoigner sa nuque et de l'embrasser, de le caresser. Elle se demandait comment il pouvait ne pas voir le désir, l'empressement en elle, et agir en conséquence. Sa beauté s'était-elle enfuie au cours d'une de ces dernières nuits, ou même une heure auparavant ? Était-elle vieille ? N'était-elle qu'une idiote ? Un changement se dessina sur les traits de Samarin. Il sourit et un Samarin plus jeune, plus ardent, apparut. Une libération plus réelle, Anna le comprit aussitôt, que celle qu'il avait dû ressentir en s'évadant du Jardin blanc ou en sortant de la cellule de Matula. Une prison intérieure venait d'ouvrir ses grilles, et il en restait stupéfait ; le monde au dehors se parait soudain d'un éclat d'autant plus grand qu'il lui était apparu sans prévenir.

— Pourquoi souris-tu ? demanda-t-elle.

— C'est toi, répondit-il. Je sombre dans ta curiosité. Une exigence tellement immense à satisfaire.

Anna haussa les épaules.

— Eh bien, plonge, dit-elle d'une voix rauque.

Il se pencha vers elle, l'embrassa sur les lèvres, posant les mains sur sa taille. Leurs têtes s'inclinèrent sur le côté, les extrémités de leurs langues se touchèrent. Anna prit dans ses mains la tête de Samarin, pour la maintenir à quelques centimètres de la sienne. Ses yeux parcoururent le visage de l'homme. Tant de choses à la fois. La tête de Samarin était chaude, elle sentait le battement de son pouls. Ses yeux étaient rivés aux siens.

— Qu'est-ce que tu fais ? murmura-t-elle.

— Ce que tu veux que je fasse, répondit-il.

— Sais-tu donc ce que je veux ?

— Oui.

— Ce n'est pas compliqué.

— Tu sais, cela fait longtemps. Peut-être ai-je oublié. Peut-être toutes les femmes sont-elles comme toi. Mais non, je ne crois pas avoir oublié. Et je ne crois pas qu'elles le soient.

— Tu n'arrêtais pas de me regarder, ce matin, au tribunal. Tu me regardais tout le temps. J'avais l'impression que tu me connaissais.

— Je te connais. Et je veux te connaître encore davantage. (Anna l'embrassa de nouveau. Elle entendit des pas dans l'escalier, les pleurs d'Alyosha qui la réclamaient.) Attends, dit-elle, puis elle monta les escaliers pour rejoindre le garçon.

— J'ai froid, gémit Alyosha. Je peux dormir avec toi ?

— Bien sûr que tu as froid, à sortir de ton lit pour te promener sans chaussons. Maman ne va pas se coucher maintenant. Ne me dis pas que le poêle s'est déjà éteint ?

Pendant qu'Alyosha se glissait sous les draps, Anna dut ranimer le minuscule poêle de la chambre, qu'elle allumait chaque soir au coucher du soleil afin qu'il diffuse lentement sa chaleur pendant le sommeil du garçon. Anna disposa le petit bois à la hâte, mais les bûches ne prirent pas du premier coup. Elle réprimanda Alyosha, le traitant de casse-pieds.

— Reste avec moi, supplia Alyosha. Le poêle du bas doit être éteint.

— Tu as des sottises plein la tête, répliqua Anna, plus sèchement qu'elle ne l'aurait voulu.

Le poêle finit par s'allumer. Elle se releva, se pencha au-dessus du lit. Il dormait profondément, la joue écrasée sur sa main. Il avait sans doute parlé en dormant. Rêverait-il d'une mère à langue de vipère, qui lui tournait le dos ? Eh bien, libre à lui. Il en entendrait de bien pires dans sa vie. Pourtant, cela la troublait. Elle lui donna un baiser avant de redescendre.

Samarin s'était levé. Il regardait les photographies accrochées sur le mur de part et d'autre du portrait de Balashov qu'avait peint le père. Certaines avaient été prises dans sa ville natale, quand elle était encore une jeune fille, d'autres en Ukraine.

— C'est toi qui les as prises ? demanda Samarin.

— Oui.

Elle attendit des compliments. Mais ce n'était pas le genre de Samarin. Il avait l'impression que l'intérêt qu'il leur portait était en soi un compliment, et au fond elle était d'accord.

— Qui sont ces gens ?

Il s'attardait sur la photographie d'une famille paysanne prise sur le quai d'une gare en 1912. C'était l'hiver. Le père et la mère, engoncés dans des couches de vêtements difformes, étaient courbés comme des collines au-dessus d'un bébé couché au milieu des baluchons ; ils resserraient de leurs gros doigts les langes dans lesquels l'enfant était emmailloté. Au premier plan, une fillette assise sur un autre paquet se détournait du nourrisson pour fixer l'objectif de l'appareil, le visage désespéré et fier, les yeux grands ouverts, indifférents, cerclés de poussière. Elle avait l'air affamée.

— Je n'en sais rien, répondit Anna. Je les ai pris, c'est tout. Je ne sais pas ce qu'il est advenu d'eux. Les paysans furent nombreux à transiter par cette gare, cette année-là. La récolte avait été désastreuse sur les terres nouvellement défrichées. J'ignore où ils allaient.

— Personne ne devrait être contraint de fuir quand la récolte est mauvaise, n'est-ce pas ? Ces gens devraient avoir le droit d'invoquer un fléau ravageur, pour que ce fléau détruise ceux qui ont de l'argent et ne leur en donnent pas.

Anna vit le Samarin d'avant refaire surface et une peur soudaine l'envahit. Mais Samarin décida de lui-même de changer de sujet.

— Je ne vois aucun portrait de ton mari.

— La peinture, s'empressa de répondre Anna. Elle est peu ressemblante. Mon père était un piètre artiste. Par ailleurs, mon mari m'a rencontrée un jour où je photographiais une manifestation. Il a empêché un cosaque de me battre et peut-être même de me tuer, qui sait ? De ce point de vue, on peut dire qu'il y a un peu de lui dans chacune de mes photographies.

— Et aucun portrait des habitants de Jazyk.

— J'en ai quelques-uns. Mais ils se soucient peu qu'on leur tire le portrait.

— Ils sont très pieux, disais-tu, comme Balashov, et ne sont pas orthodoxes. C'est bien cela que tu disais, non ? Tu m'as dit aussi que tu connaissais des gens qui avaient sacrifié leur propre chair, versé leur sang au nom de Dieu. J'ai trouvé cette expression fort inhabituelle. Balashov fait-il partie de ces hommes ?

— Qu'entends-tu par là ? demanda Anna, déjà résignée. Il savait, mais elle était obligée de faire semblant. Elle trouvait un certain réconfort dans le fait qu'il n'utilise pas ses informations pour la tourmenter et qu'il ne sache pas que Balashov était son mari. Ses questions étaient empreintes de tendresse ; elles n'étaient pas le fruit d'une curiosité malsaine pour les détails lascifs, ne visaient pas à la déstabiliser pour prendre l'avantage sur elle. Il cherchait juste à entrouvrir son âme pour se glisser à l'intérieur. Une partie d'elle-même était pourtant consciente que, si ses questions lui plaisaient, c'était parce qu'elle voulait toucher cet homme, l'embrasser encore, jouer avec son corps. Mais elle refusait d'écouter cette partie d'elle-même.

Samarin demanda :

— Balashov est-il un castrat ?

Anna fit un signe de tête affirmatif, détestant ce mot dans la bouche de Samarin.

— En quoi cela t'importe-t-il, qu'il soit ou non un castrat ? répliqua-t-elle. Laisse-le donc s'en repentir en paix.

Elle se rassit sur le divan, lèvres pressées l'une contre l'autre, contemplant ses doigts posés sur ses genoux en jouant avec son alliance.

— Je ne vise pas à connaître intimement Balashov ni personne parmi ces gens, répondit Samarin. Il vint s'asseoir sur le divan, se pencha vers Anna. L'agitation de Samarin l'excitait, mais son désir de parler encore des castrats le rendait déplaisant. Ne sois pas surprise de mon émerveillement. Tu vis ici. Tu as oublié qu'à l'ouest de l'Oural, la plupart des gens sont persuadés que les castrats n'ont jamais existé, ou bien qu'ils ont tous disparu depuis un siècle. Leur existence prouve qu'il reste un espoir.

— De l'espoir ? reprit Anna, levant les yeux vers lui. Elle éclata de rire. Cela faisait bien longtemps qu'elle n'avait entendu quelque chose d'aussi drôle.

— L'espoir de penser que l'homme moderne sera capable de tels sacrifices pour ce en quoi il croit, bien au-delà de ce qu'il peut toucher rien qu'en tendant le bras. De penser que tout ne se réduit pas à une transaction.

Anna sentit d'abord tout poids s'échapper d'elle, la laissant aussi légère, vide et triste qu'une lanterne chinoise solitaire ballottée par la brise. Elle voulut parler mais au premier son de sa voix, elle rougit et se mit à pleurer. Tandis qu'elle élevait la voix pour couvrir ses larmes, la colère s'empara d'elle.

— De l'espoir ! s'emporta-t-elle. De l'espoir ! Un pauvre clown qui met fin à sa vie d'homme au fond d'une forêt, avec un couteau, sur un simple signe de Dieu. Ça, oui, il se considère comme un homme admirable, là, debout, avec le sang qui coule à flots au creux de ses mains, il pense avoir accompli un acte de bravoure. Il a rempli sa part du contrat qui le lie à ce vieux pourceau assoiffé qui règne aux cieux. Mais le ciel est loin, très loin d'ici, tu m'entends, Samarin ? La route est si longue, le temps d'arriver là-bas, le sang a refroidi, il est tout sec et il ne circule presque plus dans les veines. On annonce à Dieu : "Regarde ce que j'ai fait pour toi !" Et Dieu répond : "Merci." On regarde alentour et on découvre toutes les têtes baissées autour de lui, les hommes par millions qui lui ont apporté l'offrande de leur sang, et tu sais quoi ? Dieu n'a pas le temps de s'occuper de chacun. Alors, on se dit : "Et si je ne l'avais pas fait ?" Si j'étais resté auprès de ceux que j'aimais, au lieu de faire tout ce chemin pour offrir mon petit sacrifice minable à Dieu, qui n'en a nul besoin, cela n'aurait-il pas été un meilleur sacrifice, plus difficile aussi ? Trop tard ! Ton cannibale ? Trop tard aussi. Bâtir un avenir resplendissant sur la viande de son compagnon ? Crois-tu vraiment qu'un homme puisse en manger un autre sans que cela ne laisse une empreinte sur tout ce qu'il fera par la suite, dans chaque conséquence de chacun de ses actes ? Crois-tu vraiment que la puanteur de cette trahison puisse ne pas se répandre sur toutes les actions entreprises par tous les anarchistes qui s'inspireront de lui ?

— Ça ne se passe pas comme ça, répliqua Samarin, d'un ton ferme.

Anna s'essuya les yeux du revers de la main et reprit la parole, plus douce.

— Quand j'entends un homme parler comme cela, il me fait penser à un enfant gâté, capable de tuer sa propre mère si elle ne le laisse pas sortir pour aller capturer l'arc-en-ciel.

Samarin tendit la main et la posa sur sa joue rougie, humide.

— Bon, dit-il. Et si ce cannibale imaginaire n'était pas, finalement, un anarchiste révolutionnaire ? (Il approcha son visage d'Anna, jusqu'à ce que ses yeux plongent dans les siens, distants de quelques centimètres à peine.) S'il tuait un homme et le mangeait par amour, cela te plairait davantage ?

Anna était tout étourdie d'avoir parlé si fort, si vite et avec tant d'insouciance pendant sa crise de larmes. Mais elle vit que quelque chose avait changé chez Samarin. Quand il s'approcha d'elle, son moi libéré était en train de s'évanouir, comme si la part plus dure et plus froide de son être enfermait de nouveau le Samarin jeune et ouvert dans une cellule de son for intérieur. Elle ne voulait pas que cela ait lieu.

— Me plairait davantage ? répéta-t-elle.

— S'il tuait un homme et le mangeait, tout cela par amour. S'il égorgeait son compagnon, le découpait puis le dévorait dans le seul but de vivre assez longtemps pour revoir la femme qu'il aime. Préférerais-tu cela ?

Samarin, le Samarin qu'Anna aimait, était sur le point de disparaître, elle voulait qu'il revienne, elle était prête à le poursuivre.

— Oui, répondit-elle. Je préférerais cela.

Elle posa ses lèvres sur sa bouche, qui s'ouvrit, elle jeta son corps en avant et ses seins se pressèrent contre le torse de Samarin. Elle posa sa main entre les jambes de l'homme et sentit sa raideur, heureux réconfort. Alors, comme si son espoir avait agi comme un aimant, il glissa sa main gauche sous sa jupe.

— Tu réfléchis ? Ne réfléchis pas, dit-elle. Je te plais. Elle le caressa du bout des doigts, remonta sur ses hanches sa jupe et son jupon, fit glisser sa culotte le long de ses jambes. Des deux mains, elle souleva la main de l'homme, glissée entre ses jambes, et la replia de telle sorte que seuls l'index et le majeur restent déployés. Puis elle la fit redescendre, enfonça les doigts dans sa fente, qui était mouillée depuis longtemps déjà. Elle posa les yeux sur ceux de Samarin, tout en se caressant avec ses doigts. Conformons-nous aux désirs l'un de l'autre, ajouta-t-elle. Cesse donc de penser.

Samarin sourit, acquiesça du chef. Anna vit qu'il s'efforçait de ne pas penser, même si quelque chose le repoussait sans cesse à l'intérieur de lui-même. Anna avait payé un jeune castrat pour qu'il lui fasse cela, une nuit qu'elle avait un peu bu et se sentait très seule. Il avait passé toute la journée à lui couper du bois. Il lui avait prêté ses doigts, mais n'avait pu se retenir de ricaner comme une jeune fille effarouchée.

Dans la salle de réunion des castrats, Drozdova s'écria devant la congrégation assemblée que Balashov était de retour du paradis. Les castrats l'accueillirent avec des cris de joie. Balashov avait de la peine à se tenir debout. Jamais il n'avait tournoyé aussi longtemps. Des gouttes de sueur crépitaient sur le sol à ses pieds. Il chancela avant de s'effondrer. Drozdova et Skripach l'aidèrent à se relever et restèrent près de lui. Il tremblait.

— Comme il a voyagé loin ! cria Drozdova.

— Loin, loin, répondit en écho la congrégation. Vérité !

Ils avaient l'air affamés. On pouvait lire sur leurs visages ronds et lisses l'impérieuse envie d'être nourris.

— Oui, murmura Balashov. Oui. (Dans un bruissement, les castrats se penchèrent pour l'écouter. À présent, il parlait plus fort.) Parfois, le voyage se fait plus ardu. Même les anges, les favoris de Dieu, doivent être mis à l'épreuve. J'ai passé une épreuve. Au cours de ce périple jusqu'au paradis, d'où je reviens à peine, Jésus-Christ notre Sauveur m'a privé de lumière, il m'a fallu trouver mon chemin dans le noir. J'ai dû trouver mon chemin. Même obscur, ce paradis reste paisible, on entend le chant des anges, l'eau vive, l'herbe foulée. Mais il n'y a pas de lumière. On entend des voix alentour, les battements d'ailes des anges au-dessus de soi, tout autour, mais on ne distingue personne. Dans le noir, le paradis se peuple d'âmes innombrables. Chaque voix pourrait être celle du Seigneur.

— L'Ennemi ! s'écria un membre de l'assemblée.

— Non, Kruglov, mon ami, l'Ennemi n'habite pas ces lieux. Il s'agit d'une épreuve, pas d'une ruse. Écoutez-moi :

j'ai parcouru les cieux ténébreux des heures durant, qui m'ont semblé des jours, avant d'apercevoir le Sauveur assis près d'une cascade, seul. J'ai aperçu les contours de son visage, qui se détachaient sur l'éclat phosphorescent de la cascade. J'avais entendu bien des voix, sans jamais savoir avec certitude s'il s'agissait de celle du Christ ; mais quand je l'ai vu, j'ai su que c'était lui. Il s'est tourné vers moi et, à la lumière de la chute d'eau, j'ai vu qu'il était profondément triste. Sans rien dire, il a tendu vers moi l'objet qu'il tenait dans ses mains, posé sur ses genoux. C'était une épée. L'épée s'est mise à rougeoyer. Elle brillait d'un éclat rouge incandescent, comme au sortir de la forge. Je voyais bien qu'elle lui brûlait les paumes, qu'il devait souffrir atrocement. Je savais qu'il me fallait lui prendre l'épée. Mais j'avais peur, je ne l'ai pas prise. Et je suis revenu vers vous.

La congrégation garda le silence.

— Pardonnez-moi, mes frères et sœurs, poursuivit Balashov. Je suis bien incapable de vous donner la signification de tout cela.

— Un signe favorable, frère, intervint Skripach. L'épée ardente, le plus haut pouvoir délégué par Dieu lui-même, l'arme confiée à l'ange pour veiller sur Éden.

— Oui, frère, peut-être, déclara Drozdova. À moins que ce ne soit le symbole de votre extraordinaire aptitude à convertir, le signe que, sur ces terres, une foule d'âmes en proie au doute monteront bientôt le cheval blanc par l'entremise de votre scalpel sacré.

— L'épée ressemblait à celle que j'ai portée jadis, dit Balashov. Lorsque j'étais soldat.

— Dieu nous protège, murmurèrent des voix dans l'assistance.

— Il ne s'agissait pas de vous, protesta Drozdova. Mais du corps d'un homme que vous avez abandonné le jour où vous êtes devenu un ange.

Elle entonna un chant. Skripach et la congrégation se joignirent à sa voix. Au bout d'une heure, les fidèles se dispersèrent. Balashov écouta les requêtes de chacun, leur dit à tous de bien fermer leurs portes, qu'un tueur rôdait au dehors.

Un peu plus tard, Drozdova était assise et lisait à haute voix des passages du livre de Job pendant que Balashov balayait le sol et que Skripach reportait des articles d'un livre de compte à l'autre, sur la table à tréteaux.

— Kruglov n'a plus de pétrole pour sa lampe, remarqua Skripach.

— Comme tout le monde, répliqua Drozdova.

— Il vit juste à côté des jumeaux Darov, dit Balashov. Combien leur reste-t-il de pétrole ?

— Ils en ont encore pour deux mois, pas plus.

— Qu'ils le partagent, conclut Balashov. Ils n'auront qu'à lire, écrire et réparer leurs chaussures sur la même table.

— Les Darov pensent que Kruglov n'est qu'un feignant.

— Qu'il les aide donc à calfeutrer leur toit. S'il refuse, j'irai lui parler.

— Les loups ont tué une de nos vaches, ajouta Skripach.

— Combien en reste-t-il ?

Skripach parcourut du doigt une colonne.

— Selon les Tchèques, quatre-vingt-dix. (Il ouvrit un autre livre.) À en croire ma liste, nous en avons encore deux mille quatre cent quatre-vingt-sept, cachées au fond des bois.

Balashov s'appuya sur son balai et baissa la tête pour s'adresser au plancher.

— J'ai bien peur qu'ils ne finissent par les trouver.

— Ils ne les ont jamais trouvées jusqu'ici, grâce à Dieu.

— Jamais les cieux n'avaient été plongés pour moi dans les ténèbres. Cela voudrait-il dire que vous allez devoir me chasser ?

Drozdova se leva précipitamment pour le prendre dans ses bras.

— Comment pourrions-nous vous chasser ? Vous êtes le meilleur d'entre nous, un ange parmi les anges.

C'était un signe favorable, même si vous n'avez pas su le comprendre.

— J'ai parlé avec le lieutenant Mutz aujourd'hui, dit Balashov. Je l'ai couvert de honte, car il essayait de me pousser à faire ce qu'il m'est impossible de faire. J'ai refusé, alors il est reparti en pensant que ses paroles n'avaient laissé aucune trace en moi. Mais il se trompait.

— Que vous a-t-il donc demandé ? l'interrogea Drozdova.

— De convaincre la veuve et son fils de partir.

— Je savais bien que cela avait à voir avec la veuve. Gleb Alexeyevich, quelle affection saugrenue éprouvez-vous donc à son égard ? Vous n'êtes plus un homme, désormais.

— C'est une femme vertueuse.

— Une courtisane peinturlurée, oui ! Les chaînes de la luxure la font exulter, comme autant de couronnes de fleurs ! Vous le savez. Gleb Alexeyevich, comment osez-vous me dire des choses pareilles, à moi ? Loin de moi l'idée de déprécier vos propres actes purificateurs, mais vous savez la douleur, le mal cruel que ressent une femme lorsque le couteau passe sur sa poitrine.

Elle se rassit sur sa chaise, en pleurs, et étreignit la Bible en se balançant doucement. Skripach releva les yeux, puis enfouit sa tête dans les livres de compte. Laissant tomber le balai, Balashov vint poser ses mains sur les épaules de Drozdova.

— Olga Vladimirovna, dit-il. Je le sais. Mais c'est exactement ce que j'ai dit au lieutenant Mutz. Si nous affirmions que la lame d'un couteau suffit à faire disparaître l'amour, quel genre d'anges serions-nous ? Mon amour pour Anna Petrovna ne diffère en rien de celui que j'éprouve pour vous, pour Skripach ou pour mon ami Kruglov.

— Il devrait être différent, répliqua Drozdova. Elle n'est pas des nôtres. Vous devriez m'aimer bien plus qu'elle. Comment cette affection a-t-elle donc vu le jour ? La connaissiez-vous déjà dans votre vie d'avant ?

— Un peu.

— J'en étais sûre. Le juif avait raison. Vous devez lui dire de partir. Elle n'est pas de notre côté, mais de l'autre. Nous l'avons laissée derrière nous. Qu'elle brûle.

— Peut-être suis-je celui qui mérite les flammes, déclara Balashov. L'épée qui ronge de son ardeur celui qui la tient : peut-être suis-je destiné à retourner là d'où je viens.

Les sanglots secouaient Drozdova.

— Vous ne pouvez plus revenir en arrière, soupira-t-elle. Vous vous êtes acquitté de l'acte. Vous vous êtes purifié.

— Un ange qui commet un péché mortel n'échappera pas aux flammes de l'enfer pour l'éternité, rétorqua Balashov. Après avoir jeté au feu toutes les clés de l'enfer, devons-nous tourner le dos à tous ceux qui ne l'ont pas fait, de peur de souiller notre pureté ? Nos rituels, les règles et les coutumes de notre vie commune suffisent-ils ?

— Oui ! Ils sont suffisants ! Nous sommes déjà si proches des cieux. Pourquoi faire demi-tour ?

— Dieu se réjouirait de voir un ange choisir de lui-même la damnation afin de mettre un terme aux souffrances d'un pécheur.

— Sottises ! Blasphème ! Mais où allez-vous ? Chez elle ?

— Non, d'autres missions m'appellent.

— Gleb Alexeyevich !

Drozdova se leva, les mains jointes, et l'interpella :

— Vous oubliez votre chapeau !

Balashov s'engagea sur le chemin qui descendait aux pâturages. La neige avait gelé, ses pas dessinaient des empreintes superficielles, libéraient un doux parfum de terre, la dernière terre molle de l'automne, bientôt étouffé par l'odeur de fumée qui se dégageait des poêles du village. Il se jeta par terre pour échapper à la vigilance d'une sentinelle qui sautillait sur place pour se réchauffer, avec des tortillons de papiers qui dépassaient du sommet de ses bottes, le visage enveloppé dans un foulard pour se protéger de cette première gelée. Balashov déboucha sur la route qui menait jusqu'aux champs et se mit à courir. À la lumière de la lune, les ornières profondes et anguleuses se détachaient sur les ombres de la neige. Ses pieds fracassaient la glace comme un ivrogne qui rentre chez lui en se heurtant aux vitrines. Il quitta la route pour suivre une rangée de bouleaux, puis marcha sur un kilomètre et demi jusqu'à une prairie, au fond d'une légère cuvette entourée de vieux pins hauts et faméliques. Une cabane, un puits et un édifice plus grand dépourvu de fenêtres étaient adossés aux arbres qui les dissimulaient aux regards.

Balashov alla jusqu'au puits et laissa tomber le seau. Il fit plusieurs allers-retours pour remplir aux deux tiers un tonneau disposé au pied d'un enclos, après avoir brisé la fine couche de glace déposée en surface. Il ôta ses bottes, ses vêtements, les accrocha à la barrière avant de hisser son corps pâle et décharné en équilibre sur la planche du haut. La lune faisait luire sa peau lisse de sa lumière tranchante, qui donnait aux vieux pins l'aspect de gardiens hiératiques. Tout en haut de ses jambes, il ne restait plus rien ; après que sa femme eut tenté de le prendre de force, il s'était infligé le couteau pour la seconde fois, afin d'aller plus loin dans son acte de purification. Il se laissa glisser dans le tonneau, rugissant à travers ses mâchoires serrées ; de brefs frissons le parcoururent au moment où il entra dans l'eau obscure, puis il arc-bouta ses mains contre les parois pour enfoncer la tête sous l'eau et resta immobile au fond du tonneau pendant quelques instants, chatouillé par les fragments de glace. Alors, il se ramassa sur lui-même et bondit en l'air, empoignant à deux mains le rebord du tonneau pour sauter par-dessus, avant de retomber à pieds joints sur le sol. Empoignant ses habits, ses bottes, il se précipita à l'intérieur de la cabane.

Dans l'obscurité résineuse et fuligineuse, il saisit une couverture grossière dans laquelle il s'enveloppa, puis il referma la porte avec soin, s'assurant que le volet de la fenêtre était bien fermé. Au toucher, par la force de l'habitude, il trouva la lampe et l'allumette posée juste à côté, alluma la lumière puis mit le poêle à chauffer. La pièce contenait une couche étroite et dure, deux coffres, le poêle et une table. Balashov plia la couverture et ses habits, puis les déposa en pile sur l'un des coffres. Dans l'autre, il prit une tunique et un pantalon blancs, des chaussettes russes. Il s'habilla et enfila ses bottes. Il peigna ses cheveux et sa barbe. Ramassant sur la table une paire de petits ciseaux, il se coupa les ongles des mains. Puis il rassembla les copeaux d'ongles en petit tas et les jeta dans le poêle.

Balashov prit la clé posée sur la table et éteignit la lampe avant de ressortir. Il parcourut le sol gelé jusqu'à l'édifice voisin, déverrouilla le cadenas puis entra. Un grand animal tiède remua ses sabots, s'ébrouant dans le noir.

— Bonjour Omar, dit Balashov.

Il alluma une lampe. Omar était un pur-sang arabe issu d'un élevage russe. Sa peau noire luisait dans la lumière. Il disposait d'une stalle dans un coin du bâtiment. Contre les épaisses cloisons de la stalle étaient empilées des bottes de paille. La chaleur du cheval dissipait la froideur de l'air. Omar posa son regard franc sur Balashov, fit quelques pas en avant et se frotta les naseaux contre les étançons de la stalle. Lui demandant avec douceur d'être patient, Balashov alla préparer sa ration. Pendant qu'Omar mangeait, Balashov resta debout à côté de lui, appuyé contre son flanc, passant le bras sur le dos du cheval pour le caresser.

— Mange, mon beau, dit-il. Comme je suis heureux que tu ne saches pas parler. Je sais que tu m'écoutes. Je ne pense pas que tu me comprennes. Enfin, je crois que tu comprends que parler, c'est ce que font les gens au lieu de vivre leur vie. Mais je sais que tu écoutes. Ce qui fait de toi mon miroir, Omar. Quand je te parle, ton silence me permet d'entendre mes mots tels que les autres les entendent. Tu sais, j'ai parlé à la congrégation, ma congrégation. Nous sommes des anges, vois-tu. Nous sommes libres de tout péché. C'est merveilleux. Nous sommes bons. Nous nous entraidons. Nous ne mangeons pas de viande, nous ne buvons pas, ne fumons pas et, bien sûr, bien sûr, nous ne tuons pas. Tuer est un péché mortel, qu'on soit soldat ou pas. Et il ne saurait être question de fornication, Omar, ni de procréation, car, comme les anges, au contraire de toi, nous n'avons pas ce qui permet de faire cela. J'ai tout coupé. Nous vivons au paradis. Pourtant il y a une chose qui me trouble, Omar. Voilà de quoi il s'agit : je mens tout le temps. Évidemment, tu ne sais pas ce que c'est. Les chevaux ne mentent pas. Ce serait amusant, s'ils mentaient. À propos de quoi mentiraient-ils ? "Non, ce n'est pas mon poulain" ? Ou bien : "Je n'ai pas touché cette jument" ? (Balashov éclata de rire.) Ce rire n'était pas celui d'un ange, pas vrai, Omar ? Un rire de moquerie, pas de joie. Et je ne pense pas que mentir soit très angélique. Voyons voir. Des mensonges. Ah oui, j'ai écrit une lettre à ma femme, où je lui disais que j'étais devenu un ange et où je promettais de tout lui confesser, et pourtant, pour une raison que j'ignore, je n'ai pas pu lui avouer que, comme mon ami Chernetsky, je suis allé voir une putain à dix roubles la nuit avant que mon régiment et mon cheval – Hijaz, Omar, tu l'aurais beaucoup aimé –, avant qu'ils ne se fassent massacrer. Souviens-toi, Omar, Dieu voit la fin de toute chose depuis son commencement et je crois que si Dieu m'a puni en laissant mes camarades se faire massacrer, c'est probablement à cause de ce mensonge, pas pour être allé voir cette fille. Tu sais, Omar, ce qu'il y a de magique avec les mensonges, c'est qu'ils engendrent d'autres mensonges. J'ai donc menti à ma femme et au lieutenant juif, en prétendant que j'avais tenu la promesse faite à ma femme de ne plus jamais purifier aucun homme ni aucune femme, alors qu'il y a deux jours j'ai castré un jeune homme de Verkhny Luk pour l'amener à Dieu. Ma propre main sur le scalpel. Pour protéger ce mensonge, j'ai dû en inventer un autre. Il m'a fallu mentir quand

Samarin a tué le shaman. Je ne pense pas être un ange très correct, alors qu'un ange se doit d'être parfait. Omar, mentir m'est devenu facile, même pour ménager mon orgueil, moi qui devrais n'en avoir aucun. Ce soir, j'ai eu la vision d'un paradis obscur et en revenant j'ai raconté que Christ m'avait tendu une épée incandescente. C'était la vérité. Mais j'ai dit aussi que son visage était triste. C'était un mensonge, Omar ! Christ riait aux éclats ! Il brandissait l'épée qui lui brûlait les mains et se riait de moi !

À la manière dont les cheminots prenaient place dans la neige, Mutz comprit que Bondarenko se chargerait en personne de les abattre et qu'il lui restait moins d'une minute à vivre. Le bruit de ses pas sur la neige lui était cher ; il lui semblait posséder ce bruit, ainsi que chaque particule de glace. Il fut pris d'une envie folle de goûter la glace.

— Attendez, dit-il, avant que vous ne tiriez.

— Nous n'attendrons pas, répliqua Bondarenko, qui s'arrêta et fit volte-face. Nous n'exaucerons pas le dernier souhait du condamné, ici.

Mutz pressentit sa rapidité. Cet homme tirerait tout de suite, dès qu'il aurait dégainé son pistolet. Pas un mot ne serait prononcé. Une fin précipitée.

— J'ai soif, insista Mutz. Laissez-moi déposer un peu de neige sur ma langue.

Bondarenko ne répondit rien. Comme sa main ne se dirigeait pas vers son arme, Mutz se mit à genoux pour recueillir dans le creux de sa paume un petit tas de neige. Il se releva, enfonça la langue dans la poudre froide. Les cristaux de glace lui blessèrent le palais, leur goût le pénétra au plus profond. Mutz le petit garçon et Mutz l'homme mûr se reconnurent mutuellement, et l'espace d'un instant une joie si intense l'envahit qu'il eut de la peine à rester debout.

Il entendit Nekovar qui parlait et voulait connaître l'ancienneté du télégramme. Nekovar visait juste. Il les ramènerait ainsi tous deux à la froide obscurité de la guerre, de cette voie ferrée, à la possibilité de vivre plus longtemps. Mutz savait qu'il avait raison, mais l'espace d'un instant, au moment de franchir le pas de l'ultime porte, il avait entrevu une manière d'appréhender la certitude de la mort et le grand mystère de la vie, de les confronter sans qu'aucun des deux ne rejette l'autre, chacun au contraire éclairant l'autre de sa lumière. La mort et la vie, la périphérie et le noyau saisis dans un même regard. La mort offrait à la vie la beauté de la finitude, la beauté d'une bordure clairement tracée. La vie, ne serait-ce qu'une seconde de vie, rendait la mort insignifiante. Mutz comprit que s'il parvenait à entrevoir cela à ce moment précis, plus tard il perdrait cette lucidité, ne s'en souviendrait plus ou bien n'y croirait plus. Et que, même si Anna, Balashov et Samarin ne s'en rendraient jamais compte, tous trois vivaient d'ores et déjà sur le pas de cette porte.

— Pourquoi ne pas leur envoyer un télégramme pour recevoir de nouveaux ordres ? demanda Nekovar à Bondarenko. Le sergent posa un regard embarrassé sur Mutz, afin d'obtenir son appui.

— Le télégraphe est cassé, répondit Bondarenko.

— Quelle marque ?

— Siemens.

Nekovar secoua la tête et se frappa la cuisse, son regard allant et venant de Mutz à Bondarenko.

— Je vous réparerais ça en moins d'une demi-heure.

— Il en est tout à fait capable, camarade commissaire, confirma Mutz.

— À quoi bon ? répliqua Bondarenko.

Il ne tenait pas à les tuer à tout prix, Mutz le comprit, mais il était si fatigué qu'il n'aspirait qu'à dormir, et le fait qu'ils soient toujours vivants le forçait à rester debout. En outre, il ne voulait montrer devant ses hommes aucun semblant d'hésitation.

— Camarade Bondarenko, reprit Mutz. Votre révolution a besoin de cartouches, d'obus. Vous avez des blessés. Bien sûr, si vous attaquez Jazyk, vous vaincrez les Tchèques, mais votre collectif en souffrira encore, vous gaspillerez des munitions. Tout ce que nous demandons, c'est l'autorisation de quitter la Russie depuis Vladivostok, pour fouler enfin le sol de notre nouvelle patrie. Je suis conscient que des actes diaboliques ont été commis à Staraya Krepost. Les ordres furent donnés par notre commandant, le capitaine Matula. C'est un tyran, un assassin, un fou. Si nous parvenons à vous le livrer en tant que prisonnier, vous devrez nous laisser regagner l'Ouest en paix, par la route orientale. Mon camarade Nekovar va réparer votre télégraphe, vous pourrez ainsi interroger vos supérieurs.

Bondarenko haussa les sourcils et se pinça les lèvres en se grattant derrière la tête avec la crosse de son pistolet. Il agita son arme sous le nez de Mutz en regardant Nekovar.

– Je pourrais aussi descendre le lieutenant, sans que cela ne vous empêche de réparer le télégraphe.

– C'est vrai, répliqua Nekovar, mais je n'en ferais rien.

– Ladno, s'exclama brusquement Bondarenko. Il rangea son pistolet et claqua des mains, adoptant une posture de détermination pour échapper au sommeil. Réunion immédiate du comité organisationnel.

Il s'éloigna un peu pour gagner le centre exact d'un demi-cercle de communistes, qui prirent la parole à tour de rôle. La garde de Nekovar et Mutz fut confiée à de petits hommes barbus aux manteaux mal ajustés qui, sans leur adresser un mot, les forçaient du regard à baisser les yeux. Au bout d'un moment, Bondarenko revint, suivi des autres membres du comité, par petits groupes.

– Après avoir examiné votre cas, nous sommes parvenus à une conclusion, déclara Bondarenko.

Tous les membres du comité avaient vu le film rouge intitulé *Sauvagerie*, qui retraçait les massacres de Staraya Krepost. Le camarade Stepanov estima qu'au vu de leur comportement dans le film, tous les Tchèques devaient être exécutés, sans quartier. Le camarade Zhemchuzhin remarqua que certains Tchèques, dont le lieutenant juif, Mutz, avaient tenté d'arrêter le massacre. Le camarade Stepanov avait rétorqué que le film étant une œuvre d'art, l'interprétation de Mutz qu'avait donnée l'acteur n'était qu'une représentation déformée de la réalité, en ce sens qu'il était parfaitement impossible qu'un officier juif pût être à ce point différent de ses hommes et s'opposer à eux sans que ces derniers n'essaient de le tuer. Le camarade Zhemchuzhin répliqua que si l'interprétation du lieutenant était fausse, alors peut-être ne pouvait-on pas faire confiance aux acteurs qui jouaient les autres personnages, peut-être ne disaient-ils pas la vérité sur ce qu'avaient fait les Tchèques. Le camarade Stepanov avait alors traité le camarade Zhemchuzhim de contre-révolutionnaire, coupable de calomnie à l'égard du cinéma rouge. Le camarade Titov s'était montré perplexe au sujet du capitaine Matula ; n'aurait-on pas dit le personnage d'un mauvais mélodrame, avec sa cruauté démente ? Pourquoi les Tchèques ne s'étaient-ils pas soulevés contre lui ? Le camarade Bondarenko était intervenu en rappelant que le nœud du problème était que le télégraphe soit cassé, qu'il serait d'une grande utilité de le faire fonctionner de nouveau. S'il n'était pas réparable, ils pourraient tout aussi bien fusiller les prisonniers au petit matin, avant d'attaquer Jazyk. Sa motion fut adoptée.

Bondarenko les ramena à son wagon d'état-major. Mutz se rendit compte que Nekovar n'arrêtait pas de se retourner en marchant, pour le contempler. Cela le mit mal à l'aise. Nekovar lui avait souvent témoigné son respect, sa solidarité, mais jamais un tel effroi mêlé d'admiration.

— Qu'y a-t-il donc ? demanda Mutz. Merci de m'avoir sauvé la vie. Pourquoi me regardez-vous donc ainsi ?

— Ils vous ont mis dans leur film !

— Ce n'est pas moi. Je n'ai jamais essayé d'arrêter la tuerie.

— Le film montre que vous l'avez fait, frère, ce qui est bon pour nous.

À bord du train, on envoya Nekovar, encadré par deux gardes armés, dans la salle du télégraphe, après l'avoir averti que s'il touchait aux livres de code, il serait abattu sur-le-champ.

— Bonne chance, frère, lui souhaita Mutz. Ce dernier mot lui laissa un goût âcre dans la bouche, comme un médicament pris pour la première fois.

— Une demi-heure, frère ! s'écria Nekovar en franchissant le pas du réduit faiblement éclairé.

Bondarenko apporta une chaise à Mutz et l'installa à quelques mètres de son bureau, contre une des fenêtres du fond. Un cheminot entra avec deux verres de thé, avant de prendre congé. Mutz referma ses mains frigorifiées sur le métal estampé du porte-verre. Que pouvait bien faire Balashov à l'heure qu'il était ? Les eunuques échappaient-ils en rêve à leur impuissance ? Bondarenko se pencha au-dessus de son bureau, baissant la bouche jusqu'à son verre, comme s'il était trop las pour le soulever. Le thé gargouilla entre ses lèvres. En se rasseyant au fond de son siège, il avait l'air non seulement épuisé, mais privé de satisfaction. À la grande surprise de Mutz, il prit la parole : alors, le commissaire exprima de la curiosité, même s'il paraissait en avoir honte.

— Les Tchèques, dit-il. Toujours prêts à s'entre-tuer. Pourquoi ? Mais vous n'êtes pas tchèque, bien sûr.

— Je suis citoyen de la République tchécoslovaque.

— Je n'ai pas réussi à comprendre pourquoi votre soldat Racansky avait tué votre camarade l'officier. Il était très excité et votre sergent, Bublik, encore davantage, il n'arrêtait pas de l'interrompre. Ils ne s'attendaient pas à être fusillés, pas par nous.

— Ils étaient communistes, comme vous.

— Ils n'arrêtaient pas de nous le rappeler. Une partie de ce qu'ils disaient était plutôt sensé. Mais ils étaient tchèques et nous avions reçu cet ordre. Et puis, avec leur accent, on ne comprenait pas très bien ce qu'ils disaient.

— Les avez-vous enterrés ?

— Ils sont sur une des plateformes du train.

— Ils ont de la famille, en Bohême.

— Nous avons tous une famille.

— Il faut que je leur écrive.

— Nous devons tous écrire des lettres de ce genre. Le soldat, Racansky, répétait sans cesse qu'il avait tué son officier. J'ai eu l'impression qu'il attendait de nous des louanges, ou même un poste à nos côtés. Et il parlait sans arrêt d'un grand révolutionnaire, à Jazyk. "Le tranchant acéré de la volonté du peuple", voilà comment il l'appelait. Élégant discours, venant d'un simple soldat, d'un étranger. Comme s'il avait cité quelqu'un d'autre. Avez-vous donc un grand révolutionnaire, à Jazyk ?

— Il y a un prisonnier évadé, intelligent, un étudiant. C'est de lui qu'il parlait.

— Un exilé ?

— Il prétend s'être évadé d'un camp de prisonniers dans l'Arctique, le Jardin blanc. Il s'appelle Samarin.

Bondarenko ne parut pas trouver l'information digne d'intérêt. Il bâilla en se balançant sur sa chaise, les mains jointes derrière la tête, le regard vague. Les deux hommes distinguaient à travers la porte le cliquetis des outils sur le métal.

— Pourquoi un camp de prisonniers ? répéta Bondarenko sans regarder Mutz. Voilà une manière grandiloquente de présenter la chose. Il n'y avait guère qu'une prisonnière là-bas, qui est morte aujourd'hui. Tout cela a été rapporté en détail dans le *Drapeau rouge*. (Il ramassa un journal posé par terre au pied de sa chaise et l'agita devant Mutz avant de le poser sur le bureau. Mutz sentit comme un poids au fond de sa poitrine, une menace terrifiante, proche, incompréhensible, ténue comme une aiguille, aussi imposante qu'une montagne.) Peut-être vous a-t-il menti, reprit Bondarenko. Notre scientifique, le grand universitaire Frolov, s'est rendu au Jardin blanc dans son aéronef, il y a quelques mois de cela. Vous avez certainement entendu parler de l'expédition Frolov. Non ? Un merveilleux périple autour de l'Arctique, dans les airs, dédié à la révolution d'Octobre et entrepris au nom du peuple. Le monde entier s'y est intéressé. L'universitaire Frolov a toujours été des nôtres. Pas comme ce chien du Jardin blanc, Apraksin-Aprakov. Le prince Apraksin-Aprakov, un géologue. Le Jardin blanc était le camp de son expédition dans la péninsule de Taïmyr. Il était persuadé qu'il trouverait de l'or, là-bas, et du nickel. Il avait construit des cabanes, où vivaient ses domestiques et d'autres géologues.

— La prisonnière, qui était-elle ?

— Une jeune révolutionnaire, chargée d'une bombe. Les gens du tsar l'avaient envoyée à Apraksin-Aprakov, pour qu'il profite d'elle.

— Profite d'elle ?

— Oui, profiter. Voyez la morale de ces gens. Quoi qu'il en soit, il semble que le ravitaillement ne leur soit jamais parvenu, avec la révolution, et ils sont morts de faim. C'est comme cela que l'universitaire Frolov les a trouvés. Morts de faim et de froid, leurs cadavres séchés comme des momies.

Mutz voulut savoir le nom de la prisonnière. Il entendit Bondarenko se saisir du journal puis, au bout d'un moment, tourner une page.

— Orlova, répondit Bondarenko. Yekaterina Mikhailovna.

— Camarade, annonça le garde. Il l'a réparé.

Mutz se leva au moment où Bondarenko se dirigeait vers la salle du télégraphe. Par-dessus les épaules, il entraperçut le visage de Nekovar, qui contemplait l'appareil, joyeux et attendri. Le télégraphe se mit à cliqueter, et il entendit les murmures et les rires des Russes. Bondarenko revint en tenant dans ses mains une bande de papier imprimée, qu'il agita devant Mutz avant de le prendre dans ses bras.

— Victoire ! s'écria le commissaire en lui serrant la main. Par-dessus son épaule, il ordonna : faites sortir le Tchèque de là-dedans !

Nekovar apparut, encadré par ses gardes. Il se fendit d'un large sourire, Mutz le gratifia d'une grande tape sur l'épaule avant de lui serrer la main. L'étreindre, ce n'était pas son style.

– Vous êtes un génie, déclara-t-il.

Nekovar haussa les épaules en se grattant le nez.

– Siemens, répondit-il.

– Camarade Bondarenko, dit Mutz. Je vous prie d'envoyer un message à vos supérieurs.

Le visage de Bondarenko se para de la même expression d'espoir qu'ils avaient remarquée en le rencontrant pour la première fois, comme si le triomphe de Nekovar sur la technologie allemande l'avait conforté dans sa certitude que le mouvement dont il participait ne pouvait être vaincu. Cependant, Mutz savait à présent ce que l'arrière-plan ténébreux sur lequel se dégageait cet espoir avait de fatidique.

– Notre télégraphiste est souffrant, répondit Bondarenko. En proie au délire.

– Le sergent Nekovar est apte à transmettre, remarqua Mutz.

– Ce message doit être crypté, rétorqua Bondarenko. Il est hors de question que je vous donne accès au livre de code. Moi seul suis habilité à l'envoyer. Ce sera plus long. Le peuple de Russie vous est reconnaissant du travail accompli, mais il est fort probable que nous serons obligés de vous faire fusiller et que Jazyk sera pris d'assaut bien avant qu'une réponse ne nous parvienne. Nous ne pourrons attendre de leurs nouvelles que jusqu'à l'aube. Après, il faudra nous mettre en route.

Mutz regarda l'horloge. Elle indiquait 21h30.

– Vous avez au moins neuf heures devant vous, dit-il.

Bondarenko posa sur lui un regard où se lisait toute sa ferveur, son désir que Mutz le comprenne.

– Nous sommes des cheminots, expliqua-t-il. Nos horloges sont réglées sur l'heure de Petrograd. L'heure locale est en avance de quatre heures. Si je n'ai rien reçu de ceux qui représentent le peuple au *stáb* de Trotski dans les cinq heures qui viennent, vous devrez être fusillés et vos camarades seront liquidés.

— Vous est-il donc si difficile de crypter et d'envoyer un bref télégramme ? demanda Mutz.

— Encore faut-il qu'il parvienne à destination. Il aura vingt circuits télégraphiques à parcourir d'ici jusqu'au *stáb*, qui traversent toutes les nuances de rouge et de blanc. Quelles sont les probabilités que chacun de ces circuits soit intact ? Nos partisans sont censés couper les fils télégraphiques que les blancs rencontreront dans leur retraite, et les blancs coupent certainement ceux qu'ils laissent derrière eux. Et même si les lignes sont intactes, quelles chances avons-nous de voir chacune des vingt stations télégraphiques relayer un message crypté dans notre code ? La plupart des télégraphistes sont de notre côté, dans leur cœur, jusque dans les zones blanches, mais pas tous. Je connais un centre télégraphique situé sur la route de l'Oural, dont l'équipe de jour hisse un drapeau noir, blanc et or en mémoire de Nicolas le Sanglant, que l'équipe de nuit remplace chaque soir par le drapeau rouge. Si le message finit par arriver au petit matin, quelqu'un devra le lire et rédiger une réponse. Laquelle devra encore parcourir tout le chemin en sens inverse.

Mutz se tourna vers Nekovar.

— Ne vous en faites pas, frère, lui dit Nekovar.

C'était tout ce qu'il avait trouvé pour le rassurer. Mutz comprit qu'il savait depuis le début ce que Bondarenko venait d'expliquer, il s'était résigné à mourir. Réparer le télégraphe n'avait été qu'un geste de défi envers un processus que Nekovar lui-même ne pouvait réduire à un simple problème de mécanique et d'électricité.

Bondarenko rapprocha son siège du bureau et inclina son corps au-dessus d'un bloc de formules télégraphiques, dans une attitude maladroite, enfantine. Il se mit à griffonner, parlant à voix haute tandis qu'il écrivait :

— J'explique que vous proposez de nous livrer Matula, mort ou vif, avant la tombée du jour, si en échange nous reportons notre assaut et laissons la vie sauve aux Tchèques pour leur permettre de gagner l'est du pays. Ça me semble plus que généreux.

Il déchira la page, se leva et se dirigea vers la salle du télégraphe. Mutz le remercia, Bondarenko ne lui répondit pas et entra dans la salle. Au bout d'un moment, ils entendirent un cliquetis, quelques clics, puis une longue pose pendant que Bondarenko consultait les mots de code. Nekovar et Mutz étaient surveillés par deux gardes qui les observaient, canons de leurs fusils baissés vers le sol, devant chacune des portes. La crasse accumulée sur leurs visages faisait ressortir l'éclat de leurs yeux. Nekovar demanda au garde le plus proche comment il se nommait. C'était le camarade Filonov. Il déplaça sa masse au moment de répondre, comme si le fusil était soudain devenu un encombrant fardeau. Sous sa barbe, le visage était travaillé par l'anxiété. Il donnait l'impression d'être intimidé.

— Alors, Filonov, vous l'avez vu, le film qui parle de nous ? demanda Nekovar en s'asseyant par terre à côté de Mutz.

— Pourquoi ?

— Vous rappelez-vous s'il y avait un acteur qui jouait le rôle d'un sergent tchèque ? Était-il bel homme ?

— Mais vous n'étiez même pas là, intervint Mutz. On vous avait laissé à la gare ce jour-là.

— Je ne m'en souviens pas, répondit Filonov.

Nekovar était déçu.

— Ils auraient très bien pu me mettre dedans, frère, déclara-t-il à Mutz. Alors, j'aurais pu me voir de l'extérieur et me réparer.

— Vous réparer ?

— Oui, frère. L'homme qui ne satisfait pas ces dames est une machine qui sait qu'elle est cassée mais ne peut être réparée, faute de pouvoir s'examiner de l'extérieur. Je peux réparer n'importe quoi, frère, n'importe quelle machine, tous les appareils que vous voudrez, mais j'ai besoin de les regarder du dehors, de les faire tourner dans mes mains, de les examiner pour comprendre comment ils fonctionnent. Ça, je ne peux pas le faire avec moi-même. J'ai essayé d'examiner des dames, comme Broucek vous l'a dit, tenté de comprendre comment elles fonctionnaient, mais j'en suis arrivé à me dire que ce n'étaient peut-être pas les dames qui étaient cassées, mais bien moi. Je suis persuadé d'être capable de me réparer moi-même, il n'y a d'ailleurs que moi qui puisse le faire. Pourtant, la seule chose que je ne peux pas réparer, c'est moi. (Mutz sentit monter en lui, une nouvelle fois, cette colère impétueuse, obscure.) Oui, frère. Et c'est bien dommage, ajouta Nekovar. J'aimerais tant me voir sur l'écran.

— J'ai l'impression que dans cinq heures vous serez cassé pour de bon, sans qu'aucune réparation ne puisse plus rien y faire, répliqua Mutz, et en disant ces mots à haute voix, il eut le pressentiment d'avoir scellé leur sort encore davantage. Cela redevint pénible, après le soulagement qui s'était emparé de lui au moment d'être exécuté, tout à l'heure. Ses pensées prirent le devant, sans se perdre cette fois dans l'anticipation sans limites de la mort. Elles se précipitèrent contre un mur infranchissable, noir, doux au toucher mais d'une inflexible rigidité, comme une falaise de granit tapissée de velours. En même temps, d'autres pensées bondissaient sans encombre au-dessus de l'obstacle, elles parvenaient jusqu'à Anna dans les jours qui viendraient, jusqu'à Alyosha, Broucek et même Dezort, qui survivraient peut-être à l'assaut des rouges, mais ces pensées-là étaient d'étranges pensées pâles, comme aperçues à travers une vitre, car elles concernaient ce qu'il y aurait après sa mort. Ceux qu'il avait touchés continueraient leur route sans lui, aussi incroyable que cela pût sembler. Était-ce donc cela, les fantômes ? La pensée des vivants dans le futur, la pensée des vivants qui côtoyaient les morts lorsque ces derniers étaient encore en vie ?

Un cinquantenaire bedonnant à la barbe argentée, avec des poils hérissant de touffes éparses ses oreilles et son crâne, portant par-dessus son costume noir un manteau blanc froissé, maculé de taches de sang violacées, entra dans le wagon, muni d'une bouteille de vodka et de trois verres. Son visage avait l'apparence bouffie, engourdie, repliée, boudeuse de celui d'un nouveau-né, comme si toute l'indulgence du monde était impuissante à compenser la souffrance que lui avait infligée sa venue au monde. Il s'assit dans le siège de Bondarenko, remplit les verres puis demanda :

— Vous êtes les Tchèques ?

— Nous sommes les Tchèques, confirma Mutz.

— Je pensais qu'ils vous auraient déjà fusillés. Docteur Samsonov, pour vous servir.

Il leur tendit chacun un verre, puis leva le sien.

— J'aurais bien besoin de mes cent grammes d'alcool, moi aussi, protesta Filonov.

— Un soldat ne boit pas pendant le service, on ne vous l'a jamais dit ? répliqua le docteur. Bon. Messieurs les Tchèques. Buvons à notre rencontre. J'éprouve une réelle sympathie à votre égard, puisque je suis assuré d'être proche de vous jusqu'à la fin de vos vies, qui, je le crains, ne saurait tarder. À l'amitié pour la vie !

Ils levèrent leurs verres et les vidèrent d'un coup.

— Vous aussi, vous êtes en service, remarqua Filonov.

— Ce traitement m'a été prescrit, répliqua Samsonov en remplissant les verres.

— Moi aussi, j'en ai besoin, insista Filonov. J'ai mal partout. J'ai de la fièvre.

— Lâchez un vent, ça ira mieux, rétorqua Samsonov. Il leva de nouveau son verre, posant sur Mutz un regard plein d'attente.

— Celui-là est pour le réseau télégraphique russe, déclara Mutz.

— Je suis désolé qu'il n'y ait rien à manger, regretta Samsonov. Est-ce la faim qui a causé la révolution, ou la révolution qui a causé la faim ? Je n'ai jamais pu me l'expliquer.

— C'est parce que les sangsues de votre espèce refusent de partager ce qu'elles ont que les gens meurent de faim, râla Filonov.

Samsonov poussa un long soupir.

— Je suis un libéral, vous savez. J'ai passé toute ma vie à parler de liberté à mes amis, du jour où le tsar ne serait plus là, où les aristocrates auraient disparu, les prêtres aussi. J'attendais ce jour avec impatience. Et maintenant que c'est arrivé, cela ne me plaît pas.

Il remplit de nouveau les verres et les tendit à ses compagnons. Nekovar se leva doucement pour offrir son verre à Filonov, qui l'accepta.

— Voyez-vous ça ! s'exclama le docteur. Le condamné qui exauce le dernier souhait du bourreau. Ça, je ne l'avais encore jamais vu.

— À LA VICTOIRE DE LA RÉVOLUTION MONDIALE ! hurla Filonov avant de vider son verre.

Le docteur eut un moment d'hésitation, puis engloutit le sien. Mutz l'imita. Les lèvres du docteur s'étirèrent, semblables à une bouche de grenouille et il plissa le nez.

— Celui-là passe moins bien que les autres, conclut-il.

La porte de la salle du télégraphe s'ouvrit sur Bondarenko, qui vint les rejoindre sans se presser. Passant devant Filonov, il jeta un regard au docteur, qui se leva de son siège. Les gestes du docteur avaient quelque chose de délibérément coupable, comme s'il s'efforçait d'imiter une domestique surprise par son maître dans la bibliothèque.

— Asseyez-vous, lui dit Bondarenko. Vous aussi, vous travaillez ici.

Le docteur se rassit, Bondarenko s'allongea par terre en face de Nekovar et Mutz, la tête appuyée contre la paroi du wagon. Il ferma les yeux.

— L'avez-vous envoyé ? demanda Mutz. Camarade Bondarenko ?

Le docteur, toujours plongé dans sa caricature de servante un peu gourde, vida dans un verre le reste de la bouteille puis s'approcha de Bondarenko en marchant sur la pointe des pieds, de manière outrée, comme un échassier. Bondarenko ouvrit les yeux, les leva, secoua la tête puis referma les yeux.

Mutz fit une nouvelle tentative.

— Camarade…

— Oui, je l'ai envoyé. Dormez, les Tchèques. Ne feraient-ils pas mieux de dormir, docteur ?

— Oui, approuva le docteur tout en essayant de faire tomber dans son verre la dernière goutte d'alcool. S'ils dorment d'un sommeil profond, ils connaîtront bientôt leur sort. S'ils rêvent, les minutes rêvées seront comme des années, ils auront ainsi l'impression d'avoir vécu des vies entières au cours des heures qui nous séparent de l'aube. C'est ma vision des choses, en tout cas.

Mutz se tourna vers Nekovar.

— Frère, commença-t-il, puis il fronça les sourcils et sourit. Je sais à présent ce que "frère" signifie. Je vous en prie, ne me regardez pas comme ça.

— Comme quoi, frère ?

— Comme si vous vous inquiétiez davantage pour moi que pour vous. Quel est votre prénom ?

— Je préfère ne pas vous le rappeler, frère. Quand nous rentrerons auprès des autres, il vous faudra m'appeler de nouveau par mon nom de famille et vous serez mal à l'aise.

— Ne vous faites pas d'idées, nous ne sortirons pas d'ici vivants.

— Moi, je suis persuadé du contraire. J'ai foi en cette étincelle qui voyage le long du fil. La ligne est fine et longue, frère, mais cette étincelle-là se déplace vite, aussi vite que la lumière. Quel merveilleux messager. Elle ne sent ni le froid, ni la fatigue, ni la faim. Elle est ici et là-bas, à des dizaines de kilomètres, en l'espace d'un instant. Ne vous en faites pas, frère. Le message est déjà arrivé à destination.

— À condition que les télégraphistes le transmettent.

— Je ne saurais répondre d'eux, frère. Mais ils ne sont là que pour servir l'étincelle, le messager. Qui sont-ils, pour s'aviser d'interrompre sa course ?

L'alcool et la faim rendaient Mutz nauséeux, le sang lui battait aux tempes, il avait mal aux yeux et ses membres le faisaient souffrir. Il tombait de fatigue. Il aurait pu s'efforcer de rester éveillé, profiter de ses dernières heures. Mais de quoi aurait-il pu profiter dans l'atmosphère étouffante, nauséabonde du wagon ? Au bruit que faisait la respiration de Bondarenko, il comprit que le président s'était déjà abandonné au sommeil. Le docteur était affalé sur le bureau, la tête blottie au creux de ses bras. Filonov était toujours éveillé, mais il était désormais appuyé contre la paroi, la crosse de son fusil posée par terre. Il était 22h15 à Moscou, 2h15 ici. Anna dormait sûrement d'un profond sommeil.

— Nekovar, souffla Mutz. (Il vit l'étincelle lancer des éclairs entre deux collines, fonçant d'un horizon à l'autre dans les ténèbres sibériennes.) Je sais comment les femmes fonctionnent. Je peux vous l'expliquer. Vous m'écoutez ? Elles ont besoin de sentir que vous leur envoyez un message. Peu importe qu'il soit crypté dans un code qu'elles ne peuvent comprendre. Elles ont besoin de croire que ce message est important, que vous comptez sur elles pour le faire passer. Vous comprenez, Nekovar.

Nekovar, perdu au loin sur la banquise, ne répondit pas.

Mutz se réveilla. Le télégraphe claquait comme des dents apeurées. L'horloge indiquait une heure : cinq heures du matin à Jazyk. Tout le monde dormait, hormis les gardes, qui somnolaient. Mutz bondit sur ses pieds.

— Camarade Bondarenko ! s'écria-t-il. Le télégraphe ! Une réponse !

L'agitation gagna le wagon. Filonov brandit son fusil, qu'il pointa sur Mutz. Bondarenko bâilla, se leva et le dévisagea avant de se diriger vers la salle du télégraphe. Nekovar se leva. Mutz eut l'étrange impression de sentir l'aube qui approchait, le vent du sud caressant les aiguilles des mélèzes.

— L'étincelle ! s'exclama Nekovar.

Quand Bondarenko revint, des vrilles de papier jaillissaient en cascade de ses poings serrés.

— Des rapports en provenance de la région, expliqua-t-il. Des messages de Verkhny Luk acheminés par le réseau local. Filonov, votre femme vient d'avoir un garçon.

Filonov rougit et ses lèvres dessinèrent un large sourire.

— Gloire à... commença-t-il avant de s'interrompre, baissant les yeux vers le sol. Pas de noms d'église, reprit-il. Celui-là rendra hommage à Marx, Engels, Lénine, à la révolution d'Octobre et à Trotski. Melort !

— Melort, répéta Bondarenko. Il fit un signe de tête approbateur. Un excellent nom, qui reflète à merveille notre réalité socialiste. Gloire à lui, vraiment

— Si vous avez un petit-fils un jour, remarqua le docteur en se levant, la gorge encombrée, il pourra s'appeler Melort Melortovich.

Filonov marcha vers le docteur et lui asséna un grand coup sur l'oreille du revers de la main. Le docteur poussa un cri, chancela, mais ne tomba pas. Bondarenko leva les yeux de ses rubans.

— Je vous l'avais bien dit, docteur, dit-il froidement. Ne vous moquez pas des travailleurs. Se moquer, voilà bien la seule chose que votre classe ait jamais su faire, se moquer de ceux d'en haut, de ceux d'en bas, et même les uns des autres. Votre temps est révolu. Moquez-vous des hommes d'action modernes et ils vous frapperont, parce que vous leur barrez le chemin. Camarade Filonov, Rosa serait sans doute un nom plus approprié.

Tous les regards se braquèrent sur lui.

— J'avais mal lu la bande. C'est une fille.

Mutz ne parvenait pas à se rendormir. Le télégraphe cliquetait sans interruption. L'horloge n'avait plus qu'une aiguille, celle qui égrenait les minutes, l'une après l'autre, dans un immense gâchis. Il avait de la peine à la quitter des yeux. Bondarenko était assis par terre et parcourait les bandes doucement, de son regard ensommeillé. Les yeux de Mutz allaient et venaient de l'horloge à Bondarenko. Il aurait dû supplier Bondarenko d'aller plutôt s'asseoir devant le télégraphe, mais la résignation avait pris le dessus en lui. Comme si quelqu'un d'autre allait être fusillé et que lui, Mutz, était déjà mort, que ce wagon était son au-delà. La lumière n'était-elle pas en train de changer, l'obscurité de bleuir ? Le ruban du télégramme bruissait entre les mains de Bondarenko, le docteur ronflait, le télégraphe cliquetait, tout le miracle du monde, toute la vie du monde était comprimée dans le bond muet et millimétrique d'une aiguille, sous le globe de verre de l'horloge. Il restait une heure et quarante-cinq minutes. Sans effort conscient de sa part, Mutz sentit un changement en lui, une prise de conscience, une vigilance nouvelles. Il n'éprouvait plus aucune fatigue. La nausée avait disparu, tous ses sens étaient en éveil. Il voyait, sentait, touchait et entendait plus de détails dans l'instant qu'il n'avait l'habitude de le faire en une journée entière. Les traces de doigts sur la bouteille de vodka, l'éclat du cuivre enveloppant les cartouches de Filonov, le grattement délicat du tranchant des rubans télégraphiques frottés l'un contre l'autre, les brèches minuscules qui séparaient les lattes du plancher sous la moquette sur laquelle il était assis, l'odeur du cuir des bottes en train de sécher, la manière dont les mâchoires de Nekovar faisaient saillie lorsqu'il dormait. Il se souvint de la description que Samarin avait donnée du Mohican, le contrôle de soi dont ce dernier faisait preuve, son aptitude à embrasser dans un vaste et unique tableau la vie passée, la vie présente et la vie à venir, ses actes qui étaient comme autant de touches apposées sur une toile que personne d'autre que lui ne pourrait comprendre jusqu'à ce qu'elle soit achevée.

— Docteur, dit-il. Docteur, réveillez-vous. Docteur. Réveillez-vous, docteur. Je vous en prie. Docteur. Écoutez-moi. C'est important. Pensez-vous qu'un homme puisse faire preuve d'un tel contrôle de soi, de ses passions, qu'il soit capable de prendre place en secret à l'intérieur de lui-même, tel le pilote s'installant à la barre d'un navire, et de se diriger à sa guise, si bien qu'il donnera l'impression aux autres d'être tel homme, ou tel autre, selon l'apparence qu'il aura décidé de prendre ?

— Mon Dieu, répondit le docteur. Tous ces morts, ma tête qui me fait souffrir le martyre, et voilà le genre de sujet que vous abordez.

— Imaginez, reprit Mutz. Imaginez un homme qui apparaîtrait tantôt comme un cannibale fort, impitoyable et meurtrier, tantôt comme un jeune étudiant intelligent, sympathique et séduisant. Cela voudrait-il dire qu'il est fou ou bien, tout au contraire, qu'il exerce un contrôle absolu sur son apparence extérieure ?

— Quand j'étais étudiant, j'avais toujours faim, répliqua le docteur avec difficulté. J'aurais volontiers dévoré le doyen d'anatomie jusqu'au dernier morceau. Il était bien en chair.

— Je ne vous parle pas de cela.

Sans quitter des yeux ses bandes, Bondarenko intervint d'une voix tranquille, optimiste :

— Mais tout de même, pourquoi un étudiant ne pourrait-il pas être cannibale, ou un cannibale étudier ?

— C'est un excellent moyen d'apprendre l'anatomie, ajouta le docteur.

Bondarenko dévisagea Mutz.

— Votre manière de voir les choses est dépassée, déclara-t-il. De tels hommes existent bel et bien, et le jour viendra où tous les hommes seront comme eux, mais pas de la manière dont vous le concevez. Les secrets sont bons pour les capitalistes et les parasites bourgeois. L'homme communiste sera maître de ses passions, il n'aura aucune raison de garder cela secret. Il en sera fier. Il naviguera à travers la vie du monde comme bon lui semblera, comme la volonté du peuple l'exigera ; le cap qu'il aura choisi et le cap du peuple se rapprocheront toujours plus l'un de l'autre jusqu'à ce qu'il devienne impossible de les différencier.

– Mais pourquoi devraient-ils s'entre-dévorer ? demanda Mutz.

– Personne n'a dit qu'ils le feraient, rétorqua Bondarenko.

– Si la vie de la multitude importe davantage que la vie d'un individu, reprit Mutz, pourquoi ne le feraient-ils pas ? Pourquoi un homme n'en sacrifierait-il pas un autre, afin de le manger, si c'est pour le bien du peuple ?

Bondarenko réfléchit quelques instants.

– Il faudrait qu'il ait une très bonne raison de le faire, conclut-il.

– Une raison sucrée ! s'exclama le docteur.

– Validée, bien sûr, par une assemblée plénière du soviet concerné, et un vote.

– Raison, justice et cannibalisme, dit le docteur. Utopie !

– Ces histoires ne sont que le fruit de votre imagination oisive, ajouta Bondarenko, souriant tour à tour à Mutz puis au docteur. Elles ne font que souligner pourquoi votre classe vit ses derniers jours. Après la révolution, toutes les richesses seront équitablement partagées, personne n'aura plus jamais faim. Vous êtes comme des enfants. Vous n'avez jamais vu l'égalité, alors vous ne croyez pas en elle. Or, il va de soi que l'égalité n'est possible que dès lors qu'on y croit.

– Comme Dieu, répliqua Mutz. Ou les fées.

– C'est lui qui l'a dit ! s'écria le docteur à l'intention de Bondarenko, pointant le doigt sur Mutz. Pas moi !

Bondarenko ne se laissa pas décontenancer.

– Un homme ne trouvera jamais Dieu ou le diable à l'extérieur de son propre crâne, où qu'il porte son regard, reprit-il. Mais partout il trouvera l'injustice des autres hommes. Ai-je tort, camarade Filonov ?

— Avant, j'priais tout l'temps, répondit Filonov. Du matin jusqu'au soir. Embrasser l'icône, observer les jours saints, jeûner comme les saints ; mon père, mon grand-père, pareil. Et le p'tit prêtre, un voleur, un coureur de gueuse, un poivrot, j'lui donnais la moitié de ma paie en cierges, en prières pour la famille. Ma femme a eu un gosse. Un gars. Une beauté, blond et costaud, un vrai ourson doré. Un bon vieux nom d'église qu'on a trouvé, Mefody. L'prêtre voulait un rouble pour l'baptiser. J'avais pas. L'hiver, besoin d'vêtements pour la famille. Pas assez à manger. L'prêtre a dit : pas de rouble, pas de baptême. Pas possible, un gars pas baptisé. J'devais déjà à mes amis un an d'salaire, j'ai demandé une avance au patron de l'atelier, payé l'prêtre, baptisé mon garçon. Le p'tit est tombé malade. Besoin de sous pour le docteur. Mes amis, fauchés. L'patron a dit, ton salaire, tu nous le dois déjà. Essayé l'prêtre. Pleine d'or, son église. Lui, l'visage rond comme une horloge de gare, mange comme cinq, paie son propre cuisinier, lumière électrique dans toute la maison. Des années qu'il m'prenait l'sang de ma vie. "Mon père, j'ai dit, prêtez-nous un rouble pour le docteur." "Peux pas", il a répondu. "Pourquoi pas, j'ai dit, après tout c'que j'vous ai donné." "Cet argent n'est pas l'mien, il a répondu, c'est celui de Dieu." Mon garçon est mort. Les gars de l'atelier ont fabriqué en vitesse un p'tit cercueil en acier avec des plaques rouillées. Le prêtre, dans l'cimetière de l'église, devant la tombe : "Vous en faites pas pour l'argent de l'enterrement, il m'dit. Paierez plus tard."

Le docteur ouvrit la bouche pour parler. Il vit Filonov lever la main et ne dit rien.

D'un bond convulsif, l'aiguille de l'horloge passa à la minute suivante. Mutz se demanda s'il était possible qu'on l'abatte dans son sommeil et si cela ne serait pas mieux pour lui. Il se souciait peu d'avoir l'air courageux. Combien de temps encore avait-il besoin de vivre ? Il n'avait pas besoin d'un an. Pas même d'un mois. Une semaine conviendrait. Que de choses il pourrait faire en l'espace d'une semaine. Il pourrait aider des gens, révéler des secrets, sachant qu'il allait mourir dans sept jours. Alors, les autres se souviendraient de lui après sa mort, penseraient du bien de lui. Mais, la dernière heure venue, il réaliserait qu'il avait besoin d'une autre semaine. Personne n'était jamais prêt à mourir dans l'heure.

— Président Bondarenko, demanda-t-il, vous serait-il possible d'envoyer un autre télégramme, un seul ? Pas besoin de code. Une simple question. Vous pourriez l'adresser à tous les services de police de Russie. Ainsi, après ma mort, vos enquêteurs seront peut-être à même de tirer profit de cette réponse pour retracer la véritable histoire du merveilleux révolutionnaire de Jazyk, Samarin. Il y a, ou il y avait, un bandit, un voleur dont le *klička* est le Mohican. Pourriez-vous envoyer un télégramme pour demander aux policiers russes, blancs ou rouges, peu importe, ce qu'ils savent de lui. Quelqu'un répondra peut-être.

— Nous n'avons aucune police, répliqua Bondarenko. Les communistes ne se volent pas entre eux.

— Allez-vous envoyer ce télégramme ?

— Non.

Mutz hocha la tête d'un geste lent, pliant les bras sur sa poitrine. Il baissa les yeux pour regarder Nekovar, qui s'était rendormi et paraissait sourire. Le docteur avait retrouvé son calme, tête posée sur la table. Mutz eut l'impression que ce qui importait, à cet instant précis, était de se souvenir, même si la seule chose à laquelle il était capable de penser était de savoir qui se souviendrait de lui. Depuis six mois, il n'avait reçu aucune lettre de son oncle, à Prague. Sa famille s'était volatilisée. Nekovar mourrait avec lui. Anna se demanderait ce qu'il était advenu de lui, mais pas très longtemps. Il désirait par-dessus tout qu'Alyosha se souvienne de lui. Devenir le souvenir d'enfance d'un autre avait quelque chose de beau, de profondément honorable. Jamais il ne deviendrait père, à présent, mais les hommes qui sont incapables de devenir père peuvent cependant l'être parfois, l'espace d'une heure, d'une minute. D'un seul coup, pour la première fois, il ressentit ce qu'il n'avait appréhendé jusqu'alors qu'avec son intellect, ses préjugés : la douleur d'Anna et de Balashov, le mari et la femme, le père et la mère, qui vivaient à quelques centaines de mètres l'un de l'autre mais qu'un univers séparerait à tout jamais, par la vertu d'un simple coup de couteau. Il ressentit cette douleur, détachée de toute condamnation de l'acte commis par Balashov, de tout emportement jaloux à l'égard d'Anna. La guerre, la culpabilité, la religion et le dégoût de soi, ces démons d'ici-bas avaient fait naître en lui le mépris qu'il vouait à Balashov. Exactement les mêmes, en somme, que ceux qui avaient mené l'officier de cavalerie sous le couteau de castration. Si lui, Mutz, venait à survivre, sa tâche la plus essentielle serait de rapprocher l'un de l'autre ceux qu'il avait tenté de séparer. Bien sûr, il n'allait pas survivre. Il se surprit à contempler son propre cadavre dans la neige, stupéfait par son immobilité, par l'idée que cette prodigieuse machine pût être stoppée avec tant de facilité. Il s'endormit.

Un son étrange le réveilla, celui d'une feuille de papier voletant près de son oreille. Il perçut la lumière du jour avant même d'ouvrir les yeux et son âme se réfugia au plus profond de lui. Il ouvrit les yeux. C'était le matin. Bondarenko se dressait au-dessus de lui, agitant un télégramme.

— Levez-vous, mon beau, dit-il. Vous avez à faire.

Mutz ne comprenait rien, mais un monde nouveau semblait s'ouvrir à lui. Nekovar remua près de lui. Ils se levèrent.

— Le camarade Trotski s'est prononcé en votre faveur, annonça Bondarenko. Jamais il ne dort. C'est arrivé il y a dix minutes. Vous avez jusqu'à demain, même heure, pour nous livrer Matula, mort ou vif. Vous feriez mieux de vous mettre en route. Vous devrez rentrer à pied. Deux camarades vous escorteront jusqu'à nos postes avancés.

Mutz était incapable de parler. La joie qui le submergeait portait en elle le poison de la froide trahison. Être en vie était bon et mauvais à la fois, comme cela l'avait toujours été, mais cette fois, la pente avait été abrupte entre les moments de haut et les moments de bas. Nekovar et lui se dirigèrent vers la porte.

— Attendez, ajouta Bondarenko. Il marcha jusqu'à son bureau, ramassa une pile de journaux ficelés avec soin. Des journaux de propagande de chez vous, je crois. Ils vous aideront peut-être.

— Oui, répondit Mutz, glissant le paquet sous son bras. Nekovar ne quittaient pas des yeux les journaux. On pouvait lire le haut de la première page.

— Vous avez vu ce qui est écrit, frère ? s'exclama Nekovar. De bonnes nouvelles de Prague.

— Oui, répondit Mutz, de bonnes nouvelles de Prague.

— Ils se souviennent de nous, ajouta Nekovar.

Bondarenko glissa la main dans sa poche pour en sortir un autre télégramme, plié en quatre. Il le tendit à Mutz. Mutz regarda le télégramme, puis Bondarenko, qui resplendissait d'optimisme.

— J'ai exaucé votre second souhait, dit-il. Pour vous aider. Maintenant, vous êtes des nôtres. Car vous finirez par croire que notre vérité est la seule vérité.

Mutz déplia le télégramme.

```
+++ EXP. PANOV IRKOUTSK + ATTN MUTZ YAZYK
+ REF MOHICAN + CRIMIN POLIT PARTIC DANG
ACTIVISTE +

MOHICAN EST MBRE D'ORG RÉVOLUT "RNS"
+ DÉVALISE BANQUES ODESSA 1911 ORENBURG
1911 ALASKA 1912
```

+ BOMBES PÉTERSBOURG 1911 KIEV 1912
+ MEURTRE FAMILLE GAL BODROV 1913 + 10
AUTRES MEURTRES PRÉSUMÉS

CONDAMNÉ MORT 1913 + ÉVADÉ + AUX DERN
NVELLES ORGANISAIT CELL RÉVOLUT FRONT
PRUSSE 1914 + NÉ 10 AOÛT 1889 RÉG DE LA
VOLGA +

VRAI NOM +

SAMARIN, KYRILL IVANOVICH +

TERMINÉ +++

Alyosha, le souffle court, suivait à grand-peine Samarin, qui marchait d'un pas long et nerveux. Samarin lui tenait la main, sur laquelle il avait refermé sa paume chaude et rugueuse. La neige parcheminée déposée sur la route craquait sous les pieds de l'homme et les pas du garçon crépitaient à ses côtés sur un rythme rapide et léger, deux enjambées pour chacune des siennes. Ils remontaient la route qui menait de la maison à la gare. Samarin surplombait Alyosha telle une montagne d'os frénétiques enveloppés de laine. L'homme regardait droit devant lui. La lumière autour d'eux était d'un bleu pur. Le raclement caverneux des corbeaux résonnait dans les ténèbres, à l'orée de la forêt, un chat rendait ses derniers hommages au soleil dans le jardin du charpentier, plissant les yeux.

— Maman va bientôt se lever, dit Alyosha.

— Quoi ? Tu ne veux donc pas voir la locomotive ? répliqua Samarin.

Il dévisagea l'enfant, sans interrompre sa marche.

— Mais si.

— Le petit-déjeuner, on peut le prendre n'importe quand. Mais il n'y a que très tôt le matin qu'ils mettent en route la chaudière du train.

— Pourquoi font-ils ça ?

— Pour vérifier qu'elle marche, évidemment.

Alyosha ne sut quoi répondre. Apprendre qu'il était possible de prendre le petit-déjeuner à n'importe quelle heure était pour lui une grande révélation. Il était sûr de s'être bien réveillé ce matin. En rêve, on ne ressentait pas ce froid qui lui brûlait les joues. Malgré tout, il avait arpenté Jazyk en tous sens au fil des années, centimètre par centimètre, et personne ne l'avait jamais emmené sur la route qu'il empruntait à présent. Il avait couru, marché, on l'avait porté maintes fois le long de ces maisons-là, mais aux côtés de Samarin c'était une route nouvelle, qui avait commencé dès son réveil, lorsqu'il avait aperçu ce dernier debout au-dessus de lui, qui le regardait dormir. Quand Alyosha avait ouvert les yeux, Samarin lui avait souri, avait posé le doigt sur ses lèvres, s'était penché vers l'enfant et l'avait pris dans ses bras pour le sortir de sous la couette. Alyosha s'était senti comme un pain chaud, à peine sorti du four. En lui chuchotant à l'oreille : "On va faire quelque chose qui n'est pas pour les filles, c'est ce que font les garçons pendant que les filles dorment", Samarin l'avait porté jusqu'à la cuisine, où l'attendaient ses habits. Dans l'escalier, les marches n'avaient pas craqué comme lorsque Mutz quittait la maison aux aurores. Mutz était plus maladroit, cachottier, il ne voulait jamais parler ni jouer avec lui. Quand Alyosha s'était réveillé pour de bon, la première chose qu'il avait vue était une expression nouvelle sur le visage de Samarin, sans le sourire. C'était comme se voir dans un miroir. Surprendre son image dans la glace quand on se concentre sur quelque chose d'important.

— Kyrill Ivanovich, demanda Alyosha. Est-ce qu'on peut réveiller quelqu'un rien qu'en le regardant ?

— Pourquoi pas ? répondit Samarin.

— Pourtant, tu n'as pas réveillé maman.

— Non.

— Tu as dormi où, cette nuit ?

— En lieu sûr.

— Avec maman ?

— Oh oh... tu seras procureur, toi, pas officier de cavalerie ni ingénieur.

— Je veux devenir bagnard, répliqua Alyosha.

— Pourquoi ?

— Pour pouvoir m'évader.

Ils arrivèrent devant la gare. La locomotive haletait comme un vieux chien à l'autre bout des bâtiments jaunes. Trois Tchèques, les mains dans les poches, interrompirent leur conversation pour se tourner vers eux, attrapant par le canon leurs fusils posés contre le mur.

— Attends-moi ici, dit Samarin en relâchant la main d'Alyosha. Les Tchèques étaient méfiants. Ils suivirent des yeux la main de Samarin quand il désigna le garçon, puis lui posèrent une série de questions. Alyosha savait que Samarin avait passé la nuit dans la chambre de sa mère. Il avait espéré que l'homme lèverait un coin du voile sur cette danse étrange et effrayante à laquelle se livraient maman et les hommes, dans cette chambre, la nuit. Parfois, elle donnait l'impression d'être douloureuse, mais le lendemain maman était plus gentille, plus heureuse. Samarin lui parlerait peut-être de cela plus tard.

Samarin lui fit signe de le rejoindre. Les Tchèques baissèrent les yeux vers l'enfant, deux lui sourirent, le troisième toujours suspicieux. Dans leur mauvais russe, ils lui demandèrent s'il voulait voir la locomotive. Étaient-ils stupides ? C'était ce que Samarin venait justement de leur expliquer ! Les adultes aimaient vraiment la répétition. Il fit un signe de tête approbateur. Posant la main au creux du dos d'Alyosha, l'un des Tchèques voulut le pousser en direction du train.

— Je veux y aller avec oncle Kyrill, protesta Alyosha, comme Samarin le lui avait demandé. Samarin, lui aussi, voulait voir la locomotive. Cela l'intéressait. Il connaissait bien la vapeur. Après quelques minutes de délibération, ils entrèrent tous les trois dans la gare, Samarin tenant Alyosha par la main et le soldat marchant à côté d'eux, son fusil en bandoulière. La locomotive était une bête vert sombre qui poussait un sifflement riche de promesses et exhalait une odeur d'huile et de fumée. Les hommes étaient-ils capables de produire une si prodigieuse machine ? Elle semblait tout droit sortie des entrailles de la terre, prête à replonger dans le trou béant des enfers, entraînant dans sa chute la gare, le village tout entier, ses maisons, ses hommes et ses routes. Mais rien n'était accroché à cet engin, hormis un tender rempli jusqu'à la gueule de bûches fraîchement débitées et une plateforme vide. Deux hommes avaient pris place dans la motrice, d'autres Tchèques, tout aussi suspicieux que leurs camarades, mais eux se méfiaient chaque fois que quelqu'un pénétrait dans leur royaume de vapeur ; le fait qu'il s'agisse cette fois du prisonnier russe et du fils de la veuve leur importait peu. Samarin déposa le garçon sur la plateforme de la locomotive, puis grimpa derrière lui. Le soldat tchèque les observait depuis le quai, quelques mètres plus loin.

Le mécanicien hocha du chef à l'intention de Samarin et baissa les yeux sur Alyosha sans changer d'expression, avant de retourner à ses cadrans et à ses leviers. Le chauffeur jeta un bref coup d'œil dans leur direction, puis se remit à ramasser des bûches dans le tender pour les jeter dans la chaudière. Ses avant-bras dénudés rougeoyèrent à la lueur du feu. La chaleur faisait pression contre la peau d'Alyosha.

– Le feu est ici, déclara Samarin. Et le bois est là-bas.

Alyosha attrapa une bûche et la tendit au chauffeur quand il se retourna. Le chauffeur montra du doigt la porte ouverte du foyer et Alyosha y jeta la bûche. Il eut l'impression que la chaleur lui écorchait les mains.

Samarin entreprit de lui expliquer comment fonctionnait la locomotive, l'importance que revêtait la température de la chaudière, lui montra la jauge indiquant la pression, le régulateur qui relâchait la vapeur pour qu'elle actionne les roues, le frein et le petit tube de verre qui permettait de voir combien il restait d'eau sous le grand museau de la machine, lequel ne devait jamais être vide. Tandis qu'il parlait, détaillant à Alyosha les divers types d'engins qui existaient en Amérique, en Afrique et en Angleterre, le mécanicien poussait des grognements monosyllabiques approbateurs. Au bout d'un moment, il se joignit aux explications.

Samarin déclara qu'il était surpris que l'équipage ne soit pas armé.

— Ils ont un pistolet ! s'exclama Alyosha avant que le mécanicien ait eu le temps de répondre, pointant du doigt un Mauser, dans un étui ouvert suspendu à un crochet.

— Merci, Alyosha, reprit Samarin. Je ne l'avais pas vu. Je me demande à présent où se trouve le sifflet.

— Ici, répondit le mécanicien. Il se baissa pour prendre Alyosha dans ses bras et le souleva pour qu'il puisse atteindre une chaîne qui pendait du toit de la cabine, ternie par des couches d'huile séchée.

— Je peux tirer dessus ? demanda Alyosha.

— Tire-la, répondit le mécanicien. Alyosha referma sa main sur la chaîne et tira. Rien ne se passa, alors il tira plus fort, jusqu'à ce qu'il sente dans les entrailles de la machine une valve qui s'ouvrait, et toute la puissance de l'engin fit trembler la chaîne dans sa main. La locomotive poussa son long hurlement enroué. Alyosha se sentit fort, comme si l'engin avait fait résonner son propre cri de solitude et de désir dans l'immensité de la taïga.

Couvert par le sifflet surgit un autre bruit, un son aigu, clairement distinct du hurlement de la vapeur. Davantage qu'un bruit, un coup porté à ses tympans, un claquement sec, une explosion. Alyosha distingua aussi une main qui dégainait le pistolet. Ce devait être la main de Samarin, le bruit de la détonation avait dû retentir ensuite. Le soldat tchèque s'était certainement écroulé sur le quai, comme une valise s'ouvrant brusquement sous le choc, à la suite du coup de feu, et cela ne pouvait s'être déroulé qu'avant qu'Alyosha n'aperçoive le pistolet, dans la main de Samarin, braqué sur le mécanicien. Pourtant, tous ces événements semblaient s'être produits simultanément, ils dansaient ensemble telles des silhouettes monstrueuses sur la scène intime de son imagination, le canon brandi, le cadavre du soldat tchèque, le coup de feu qui l'avait abattu, la vitesse avec laquelle la main de Samarin s'était emparée de l'arme, le sifflet. Pendant quelques instants, le temps se liquéfia et Alyosha ne put quitter des yeux la monstrueuse sarabande de ces chocs qui virevoltaient sous son crâne, même s'il était conscient de ce qui s'ensuivit, de Samarin ordonnant au mécanicien de lâcher le garçon, du mécanicien qui le posait sur le sol de la cabine, de Samarin disant au chauffeur d'alimenter le foyer comme si sa vie en dépendait, demandant au mécanicien de faire monter la pression. Samarin ne criait pas. Ses yeux allaient et venaient d'un membre de l'équipage à l'autre, puis parcouraient le dépôt alentour avant de revenir, avec les mouvements vifs et anguleux d'un insecte à la surface d'un lac. Il dit à Alyosha de sauter de la locomotive. Alyosha se plaqua contre la paroi du tender, enroulant son bras autour d'un étai métallique.

— Saute ! cria Samarin. Ne me désobéis pas. Cette fois, je ne ferai pas demi-tour.

Alyosha secoua la tête. Il avait peur, il savait que Samarin était le centre de ces événements terrifiants, mais il comprit qu'il avait envie d'être ici, au centre, au plus près des événements, plutôt que de les observer du dehors, de les voir arriver sur lui ou s'éloigner.

— Le diable, s'exclama Samarin. Alimente le feu ! (Il donna un coup de pied au chauffeur. Le foyer grondait.) La pression est bonne ! se félicita Samarin. *Poshli !*

Le chauffeur et le mécanicien étaient pâles, apeurés. La terreur se lisait dans leur silence et leurs gestes précautionneux. Le mécanicien débloqua le frein et actionna le levier du régulateur. La vapeur partit s'écraser contre le métal, la locomotive se mit en branle.

— Saute ! répéta Samarin. Il tendit le bras derrière lui, à l'aveugle, pour empoigner Alyosha. Le garçon se contorsionna pour échapper à l'emprise de sa main. Le chauffeur utilisait à présent une large pelle pour jeter les bûches dans le foyer, qui étincelait d'une lumière blanche et brûlante, comme un soleil d'été. Un bruit semblable au rugissement d'un torrent se faisait entendre, les vieilles pièces bien graissées de cet énorme engin se dilataient, culbutaient et frottaient, et les pistons aspiraient la vapeur en mugissant.

— Où allons-nous ? cria le mécanicien.

— Nulle part, répondit Samarin qui, de deux puissants mouvements de jambes, le premier remontant le ressort, l'autre le relâchant, éjecta le mécanicien de la plateforme. Le Tchèque disparut et la main de Samarin prit possession du régulateur. L'instinct d'Alyosha le poussait à se précipiter dans la cabine pour voir ce qu'il était advenu du mécanicien. Mais il se contenta d'agripper l'étai, car il savait que Samarin le pousserait hors du train, lui aussi, à la première occasion. Tant qu'il restait recroquevillé dans son coin, il ne risquait rien. Samarin contrôlait les cadrans, son pistolet braqué sur le chauffeur, tournant sans cesse la tête pour regarder par la fenêtre. De là où il se trouvait, Alyosha distinguait des bouleaux et des mélèzes fugaces dans la lumière pointilleuse de l'automne. Ils avaient déjà dépassé les limites de Jazyk. Cela faisait près d'un an qu'il n'avait plus voyagé en train et jamais il n'avait voyagé ainsi. Une boule d'inquiétude grossissait au creux de son estomac à la pensée qu'il était allé trop loin, hors de portée de sa mère, mais le vent qui s'engouffrait dans la cabine, le fracas de la vapeur et le dos imposant de l'homme qui se tenait devant lui semblaient promettre un lieu sûr, en une fuite vers une destination lointaine qu'on ne pouvait voir ni connaître, mais accueillante, et qui existait. Alyosha n'avait jamais connu qu'un seul et unique centre, autour duquel gravitait tout le reste : sa maison, son toit, sa mère. Il découvrait à présent celui de la vitesse, du voyage et du guide.

Samarin lança un bref regard à Alyosha, par-dessus son épaule.

— Tu es encore là ? s'exclama-t-il. Petit diable ! Je t'avais dit de sauter. Si tu ne le fais pas, je te jetterai par-dessus le premier pont.

— Tu as tué le soldat tchèque, rétorqua Alyosha d'une voix remplie d'étonnement.

— Je n'ai vraiment pas besoin d'un gamin pour compter les morts. Alimente le feu, vermine ! ajouta-t-il à l'intention du chauffeur.

— Mais qui es-tu ? demanda Alyosha.

— La destruction.

— La destruction de quoi ?

— De tout ce qui se dresse en travers du chemin menant au bonheur de ceux qui viendront au monde après ma mort.

— Et maman dans tout ça ?

— Elle n'est rien pour moi, Alyosha, toi non plus d'ailleurs. Le monde tout entier tombe en ruine à présent, il est trop tard pour réparer.

L'effroi s'empara d'Alyosha.

— Tu as fait du mal à maman ?

Samarin fit volte-face, plantant ses yeux dans ceux d'Alyosha. Dans leur fureur, ils étaient plus redoutables que tous les châtiments.

— Non, répondit-il.

Un bruit étrange se fit entendre dans la cabine, comme si une fine tige de métal s'était brisée en deux. De semblables éclats résonnèrent le long des flancs de l'engin. Le chauffeur s'affaissa en avant sans raison apparente au moment où il lançait une pelletée de bois dans le foyer, engouffrant le manche à l'intérieur, jusqu'aux mains. Ses gants commencèrent à noircir en dégageant une fumée noire. Alyosha vit le flanc de l'homme, juste sous les côtes, se recouvrir d'un liquide foncé qui suintait du tissu déchiré de son manteau. Une partie déchiquetée du chauffeur lui-même semblait s'être détachée de son corps et sa vie s'échappait dans le sang qui s'écoulait de la sombre gueule ouverte sous ce lambeau de vêtement et de chair.

Samarin écarta le chauffeur du foyer et le déposa à même le sol au fond de la cabine, à l'opposé d'Alyosha.

– Des mitrailleuses, annonça Samarin en reprenant place au poste de pilotage. Baisse-toi.

Alyosha s'accroupit au ras du sol. Il observa le chauffeur, de la tête aux pieds. Sa chair semblait prendre déjà une teinte grisâtre, ses yeux étaient fermés. La facilité avec laquelle la vie lui avait été ôtée était stupéfiante. Alyosha entendit le bruit des mitrailleuses. Les détonations semblaient venir de très loin, totalement étrangères à ces petits chocs du métal contre le métal, quand les balles frappaient les parois de la locomotive. On avait de la peine à croire que ces petites claques métalliques puissent interrompre si brutalement des dizaines d'années de vie, tant de mouvements, de paroles.

Samarin, le regard rivé à la voie ferrée, droit devant lui, hurla quelque chose qu'Alyosha ne put entendre, puis il actionna le sifflet deux ou trois fois. La locomotive percuta un obstacle en travers de la voie. Elle vibra de toutes ses plaques, de tous ses boulons, avant de poursuivre sur sa lancée. Le bruit des détonations se fit plus fort. Il y eut une explosion tout près, dont le souffle parut traverser de part en part la tête d'Alyosha, ne laissant derrière lui que de la légèreté, un grand vide, les oreilles qui sifflent. La locomotive reprit sa course dans un grondement de tonnerre. Samarin se mit à ramasser des bûches pour alimenter la chaudière. Les fusils n'arrêtaient pas de tirer.

Une balle frappa l'intérieur de la cabine, Alyosha sentit un choc à l'épaule. Une douleur atroce, démesurée, se déploya en lui et il fut saisi par la peur. Il comprit qu'une partie de lui avait été transpercée par un éclat de métal et se demanda s'il n'allait pas devenir aussi immobile et gris que le chauffeur et ce qu'il adviendrait de ce qui en lui n'était pas immobile. L'espace qui séparait sa poitrine de sa chemise se remplit d'une chaleur mouillée. Ce devait être son sang.

– Kyrill Ivanovich, appela-t-il d'une voix qui le surprit lui-même tant elle était faible. Samarin ne l'entendrait pas.

Quand il prononça ces mots, la douleur rayonna à travers tout son corps. Mais il était en colère, il avait peur, alors il cria :

— Kyrill Ivanovich !

Il avait parlé fort, il était en pleurs. Malgré sa peur et sa douleur, il eut un peu honte de se comporter comme un bébé lorsqu'il vit Samarin se retourner et poser les yeux sur lui. Samarin était en colère contre lui, cela se voyait. Il se couvrit les yeux d'une main, puis donna un grand coup de poing dans les instruments avant de se jeter à genoux, penchant tellement la tête qu'elle toucha le sol. Alors, il se redressa, tendit la main vers Alyosha, le toucha, prononça son prénom. Alyosha voulut répondre mais ses lèvres remuèrent sans émettre aucun son. Il avait toute la peine du monde à garder les yeux ouverts. Samarin répétait son nom encore et encore, la fusillade continuait de plus belle, d'autres explosions retentirent. Alyosha entendit le vacarme des freins qui se refermaient sur les roues, sentit la loco-motive perdre de la vitesse puis s'arrêter. Au bout d'un moment qui lui parut interminable, sous les balles qui martelaient l'engin de part en part, ils repartirent en direction de Jazyk. Alyosha avait froid. Des vagues successives s'abattirent sur lui, le poussant vers le fond, jusqu'à ce qu'il ne bouge plus.

Anna se réveilla avec la délicieuse sensation qu'éprouvent les mauvais dormeurs quand ils savent qu'ils ont passé une bonne nuit, comme s'ils avaient dérobé quelque chose sans se faire prendre. Dans de telles occasions, le souvenir de ce qui leur a permis de dormir si profondément se dérobe pendant quelques secondes, sans doute le seul moment au cours duquel le monde puisse donner l'impression de faire preuve de miséricorde. Elle entendit au loin le sifflement du train, se demanda si c'était cela qui l'avait réveillée. Elle se rappela alors qu'un événement extraordinaire, dangereux et fort agréable avait eu lieu. Elle se souvint qu'un bourgeon large et raidi était entré en elle, l'avait comblée. Un homme avait posé sur ses lèvres un baiser vibrant de désir, elle avait empoigné son sexe pour l'enfoncer plus vite en elle. Une si longue faim, satisfaite d'un seul coup ! Elle s'étira, fit battre ses jambes sous la couette, curieuse de savoir où il était parti et quelle heure il était. Il faisait jour dehors, un jour lumineux. Il était surprenant qu'Alyosha ne soit pas encore venu la voir. Avait-il déjà entraîné Samarin dans le jardin pour jouer aux soldats ? Elle sourit, c'était certainement cela. La sensation d'appartenir à un trio s'immisça en elle. Elle savait combien c'était périlleux, car ça ne durerait pas, même s'il leur restait encore des heures à passer ensemble. Elle se leva, s'aspergea d'eau le visage. Le bruit de ses mains dans l'eau de la bassine rencontra un silence nouveau, un silence qui semblait froid, qui ne palpitait pas. La bouche d'Anna devint aussitôt sèche, elle se précipita en chemise de nuit dans le couloir, vit qu'Alyosha n'était pas dans sa chambre. Elle entendit une fusillade dans le lointain. Elle dit et répéta à voix haute le nom de ce Dieu en lequel elle ne croyait pas, encore et encore, tout en dévalant l'escalier. Elle appela Alyosha dans la cuisine, dans le jardin, traversa en courant le sol gelé, franchit le portail jusqu'à ce qu'une larme s'écrasant sur son pied lui fasse réaliser qu'elle ne portait ni chaussures ni bas. Elle avala une si grande bouffée d'air que ses poumons lui firent mal, puis la relâcha dans un cri qui déchira la chair de sa gorge : "ALYOSHA !"

Sanglotant, s'essuyant le nez du revers de la main, tremblante, le souffle court, elle enfila ses habits et laça ses bottes, étourdie par la roue pesante et écœurante qui s'était mise à tourner sous son crâne et faisait défiler en boucle la même séquence de pensées. Elle avait tué son fils pour s'abandonner à la luxure. Elle, Anna Petrovna, avait sacrifié son propre fils à la luxure. Elle avait ouvert ses draps au tueur en personne. Elle avait sacrifié Alyosha parce qu'elle ne pouvait réprimer l'envie d'être caressée, désirée, pénétrée. À cause de cette impérieuse maladie, elle avait perdu son amour, sa joie, sa quintessence de garçonnet tout chaud qui se tortillait, riait pour un rien, boudait, se pavanait, son prince chéri et dorloté, qu'elle avait porté en elle, dont elle avait pris un soin si exigeant, depuis si longtemps. Aucune prière ne le lui ramènerait, elle était damnée à tout jamais. Son mari avait vu la salope en elle, s'était écarté d'elle de la plus radicale des façons. Alyosha était peut-être encore en vie. Non, elle était avide. Elle était maudite. Elle n'était qu'une idiote. Elle avait tué son fils pour s'abandonner à la luxure.

Anna courut jusqu'à la gare. Le castrat charpentier, Grachov, lui dit qu'il avait vu passer Alyosha, main dans la main avec le bagnard. Il voulut savoir ce qui était arrivé, elle ne répondit pas. La roue grinçait à l'intérieur d'Anna. Elle avait tué son fils pour s'abandonner à la luxure. Était-il encore vivant ? Elle n'était qu'une idiote. Elle entendit au loin d'autres détonations, le bruit sourd des armes lourdes. Des soldats tchèques la dépassèrent en courant. Des ondes de chaos rayonnaient autour de la gare. Un soldat trébucha et s'écroula, se remit debout et courut de plus belle. Le bleu étincelant du ciel, la glace resplendissante qui recouvrait les flaques paraient ce jour du Jugement dernier de l'éclat tape-à-l'œil d'une boîte de sucreries. Les soldats s'interpellaient en tchèque. Ils couraient en tenant leurs fusils des deux mains, regardant autour d'eux, légèrement courbés en avant, comme s'ils étaient convaincus que l'ennemi pouvait surgir des deux côtés.

Devant la gare, un cadavre gisait près de la voie, à moitié recouvert d'une toile goudronnée, les bottes pendant à angle droit. Anna eut l'impression qu'une main s'était engouffrée en elle et l'avait attrapée par le cœur pour secouer son corps tout entier. Elle était trop dévastée pour pousser un cri, referma les poings sur ses cheveux. Les soldats grouillaient autour d'elle comme une foule immense. Elle ne parlait pas bien leur langue, mais assez pour comprendre qu'un train, le seul dont ils disposaient, avait été volé. Elle se précipita au centre de la cohue, vers un homme en lequel elle reconnut le mécanicien du train tchèque, assis par terre, frissonnant, enveloppé dans une couverture. Un soldat appuyait sur la jambe du mécanicien, la pliait dans un sens puis dans l'autre. Le mécanicien se tordait de douleur.

— Quelqu'un a vu mon fils ? demanda Anna. La roue grinçait. Le fils qu'elle avait tué.

— Sale pute, répliqua en russe le mécanicien qui la dévisagea avant de détourner les yeux, proférant d'autres injures en tchèque. Les autres soldats observaient Anna.

— Traitez-moi de tous les noms, si ça vous chante, répliqua Anna. Mais mon fils, où est-il ?

— Le bagnard l'a pris avec lui. Pour lui, nous sommes tous des enfants. Oh, le petit gars veut voir ce que fait le conducteur de train ! Bon, eh bien grimpe à bord, avec ton oncle !

Le mécanicien cracha par terre, les soldats murmuraient entre eux. Le mécanicien poursuivit :

— Votre morveux savait très bien de quoi il retournait, et vous aussi. Ne vous en faites pas pour le gamin. Vous servirez tous les deux de pâture aux corbeaux, quand Matula mettra la main sur vous.

Plus loin sur la voie, un homme poussait des hurlements en agitant les bras, un pistolet à la main. C'était Dezort, qui criait aux Tchèques de partir. Ils se mirent à courir le long du rail, et Anna avec eux, le visage rougi par les larmes et le sang qui battait. Elle distinguait à peine les traverses et les rails, la haine qu'elle s'inspirait la faisait frissonner. Bientôt, ils rejoignirent le reste des Tchèques, qui avaient traversé la ville depuis la place. Smutný et Buchar avaient installé la mitrailleuse Maxim, le canon braqué sur la voie ferrée. Hanak marchait en rond, les épaules rentrées, maigre, les mains dans les poches, jetant de brefs coups d'œil aux autres, à la dérobée. Debout les jambes écartées, les pouces glissés sous sa ceinture, enjambant les rails comme s'il s'agissait d'une barricade, le dos tourné à Anna, fixant du regard la locomotive arrêtée sur la voie, au loin, se tenait Matula. Anna courut jusqu'à lui afin de pouvoir le regarder. Comment ses yeux pouvaient-ils à la fois témoigner de la présence d'un esprit vivant derrière eux et être à ce point dénués de vie ? La roue grinçait sous le crâne d'Anna. Elle eut l'impression que Matula participait du châtiment qu'elle avait mérité en trahissant son propre fils, en entraînant dans son lit un bagnard. L'opacité des yeux de Matula, qui n'offrait pas même le réconfort d'une méchanceté, d'une rancune ou d'une haine propre à montrer qu'il était bien humain, lui semblait à présent tout à fait naturelle. L'absence totale de sentiment qui caractérisait ses yeux n'était pas, comme elle l'avait cru jusqu'alors, d'un autre monde. C'était elle qui n'avait pas encore commis le péché qui l'amènerait à comprendre à quel point cette inhumanité appartenait à ce monde-ci, celui des hommes.

— Où est mon fils ? murmura-t-elle.

— Tiens, la putain du village veut savoir où est son fils, répondit à voix haute Matula.

Les autres Tchèques se turent, figés, à l'écoute.

— Ils vous ont tous quittée ! Votre juif de Mutz s'est sauvé, votre ami bagnard a emmené votre fils. Il ne vous reste plus rien, maintenant, pas vrai ? À moins que le lieutenant Hanak ne veuille bien de vous.

— Pourquoi ne les poursuivez-vous pas ? chuchota Anna.

— Ils me reviendront tous et je m'occuperai d'eux. En attendant, il vous faudra payer la clause libératoire du prisonnier. Nous nous étions mis d'accord, vous paierez de votre vie.

— J'ai été stupide, répondit Anna. (Elle éclata en sanglots.) J'ai commis une énorme erreur. Je vous en prie, sauvez mon fils. (Elle se mit à genoux devant lui.) Sauvez mon fils.

Les Tchèques s'approchèrent d'un pas traînant, sans mot dire.

— Baisez ma botte, ordonna Matula.

L'espace d'un instant, Anna se sentit soulagée. Pas de temps à perdre. Son châtiment venait de commencer : il se poursuivrait peut-être, mais rien ne serait pire que cela. La fusillade avait cessé, un silence absolu s'abattit sur eux. Le corps tendu en avant, Anna baissa les lèvres jusqu'au cuir poli des bottes de Matula. Il sentait la guerre, l'hiver, la merde et la boue nettoyées au grattoir. Elle pressa la bouche contre le bout des bottes. C'était dur, mais elle voulait qu'il sente son baiser. Le pis serait le mieux. Elle se redressa, s'essuya la bouche du revers de la main, se releva, regarda Matula droit dans les yeux. Sa bouche puérile se contracta comme s'il allait sourire. Le regarder dans les yeux, c'était s'égratigner les doigts sur du granit brut.

— Hanak, emmenez-la, ordonna le capitaine.

Mais au moment où Hanak fit un pas en avant, tous aperçurent, là où la voie ferrée disparaissait au milieu des arbres, à quatre cents mètres d'eux, une silhouette ventrue qui venait dans leur direction. Anna était sur le point de courir vers la forme, mais Hanak l'empoigna par le bras. Elle se débattit, essaya de le mordre, Hanak lui tordit violemment les deux bras dans le dos et referma sur eux sa poigne pour qu'elle ne puisse pas s'échapper. Il était maigre, frêle, mais puissant. Anna hurla le nom d'Alyosha.

— Dois-je envoyer des hommes là-bas ? demanda Dezort.

— Non, répondit Matula.

Samarin venait à leur rencontre d'un pas rapide, surtout pour un homme qui portait un fardeau, dans ses bras tendus, enveloppé dans une chemise blanche ensanglantée. Anna hurla de nouveau le nom d'Alyosha, encore et encore. Le fardeau ne remua pas. Personne ne dit rien. Les hommes observaient la scène. Bientôt, ils distinguèrent les traits de Samarin et virent combien il était concentré sur sa tâche. Rien d'autre n'existait. Même s'il marchait vite, il se déplaçait avec précaution, ce qui redonna de l'espoir à Anna. L'espoir la brûlait de l'intérieur comme de l'acide. Comme c'était douloureux, et quand elle cria de nouveau le nom d'Alyosha, sa voix se fit plus faible. Ils entendaient le bruit des pas de Samarin sur les graviers, son souffle. Quand il fut à vingt mètres d'eux, Anna sentit qu'Hanak ne pourrait pas la retenir et elle lui échappa si brutalement qu'elle faillit tomber, puis elle arracha son fils des bras de Samarin. Elle sentit la chaleur de l'enfant. Oh, elle avait donc été en partie pardonnée ! Il était vivant, elle serait donc la seule à subir le châtiment, pas lui ? Mais la roue tournait encore et toujours. Tout ce qui l'entourait devint muet, invisible. Elle posa les yeux sur le visage d'Alyosha. Il était blanc et figé, ses yeux étaient fermés, mais il n'avait pas l'aspect souillé, abandonné, d'un mort.

— Alyosha, murmura-t-elle. Mon bon, mon préféré, mon amour, mon pauvre petit.

Elle approcha la joue de sa bouche entrouverte, puis son oreille. Une légère brise soufflait de ses poumons plus petits que la main d'Anna. Il respirait. À l'autre bout du monde de sa conscience, si loin qu'elle n'en distinguait qu'une rumeur, la colère grondait. L'un de ses amants brisés lui revenait, rapportant le fils brisé à la mère traîtresse et brisée. Où étaient tous les autres ?

— Il est blessé à l'épaule, expliqua Samarin. Il a beaucoup saigné mais l'éclat n'a touché aucun organe vital, aucun os.

Anna posa les yeux sur Samarin, puis sur Matula. Elle savait qu'elle devait s'enfuir avec Alyosha mais ignorait comment.

— Pourquoi l'avez-vous pris avec vous ? demanda-t-elle.

Elle ne cherchait pas à blesser Samarin, cela importait peu désormais, mais elle se rendit compte que la douceur de sa voix le frappait de plein fouet : jamais, jusqu'alors, elle ne l'avait vu montrer une once de doute.

— Parce que le plus important pour le monde à venir est que je parvienne à m'échapper d'ici, maintenant, pas qu'Alyosha survive.

— Alors, pourquoi l'avez-vous ramené ?

— Parce que je suis faible.

Alyosha bougea dans les bras d'Anna, fronça les sourcils et laissa échapper un petit bruit. Elle colla son visage au sien, lui caressa la joue du bout de son nez puis chuchota dans son oreille qu'il était le garçon le plus courageux, le meilleur, le plus beau du monde. Alyosha gémit de nouveau mais garda les yeux clos. Anna leva les yeux.

— Il lui faut un docteur, dit-elle.

Ces mots brisèrent l'envoûtement de silence et d'observation qui s'était emparé des Tchèques. Le mécanicien s'approcha d'elle en boitillant pour demander des nouvelles de son chauffeur. Samarin le regarda sans dire un mot. Matula tendit le bras pour retenir le mécanicien. Il dégaina son pistolet et l'arma.

— Où est mon train ? demanda-t-il.

— La chaudière est tombée en panne sèche quand j'ai fait demi-tour devant les rouges, répondit Samarin.

Matula brandit son pistolet, qu'il pointa en direction d'Anna et Alyosha.

— Allez, madame, vous et votre bâtard mettez-vous devant le prisonnier. Je vais voir si je peux vous descendre tous les trois d'une seule balle. Dommage que le juif ne soit pas là, j'aurais pu exterminer toute la famille d'un coup.

— Monsieur, intervint Dezort.

— Quoi ? rétorqua Matula en se tournant vers lui, surpris.

Tout en se retournant, il avala une bouffée d'air et le pistolet lui échappa, au moment exact où résonnait le bruit d'une balle frappant un objet métallique. La détonation éclata une seconde plus tard. Les Tchèques se jetèrent à plat ventre sur les graviers et les mauvaises herbes de part et d'autre de la voie ferrée. Anna s'agenouilla lentement. Le souci de ne pas bousculer Alyosha arrimait sa panique à un ferme pilier. La roue sous son crâne refusait d'interrompre sa ronde grinçante. Le message avait changé, il répétait sans fin le mot "Non", comme une prière adressée à l'espace, au temps. Elle ferma les yeux, enfouit son visage dans le creux sombre et chaud entre la mâchoire d'Alyosha et son épaule, cherchant son pouls du bout des lèvres, pour s'y tenir comme à une règle. Elle ne pouvait s'empêcher d'écouter Matula pousser de joyeux grognements, sa langue de champs de bataille. Il baignait dans le bonheur.

— Dénichez-moi ce tireur ! ordonna-t-il. Dix mille hectares de forêt au nord d'ici, et à perpétuité, pour celui qui le descendra, et le titre de prince au sein de mon royaume, et la veuve ici présente pour engendrer sa descendance. Elle en fera une douzaine d'autres à condition d'être matée. Dezort, prenez trois hommes avec vous pour aller défendre la locomotive. Par tous les dieux, j'aime cet endroit comme jamais. Le sang de chaque homme que nous perdrons ici sanctifiera cette terre encore un peu plus.

Une voix lointaine ondula dans les airs, déformée, amplifiée, métallique, comme si la personne hurlait dans une corne. Anna reconnut la voix. C'était Mutz, qui parlait en tchèque. Elle entendit le nom de Broucek. Les paroles de Mutz, qu'elle ne comprenait pas, provoquèrent un tremblement dans les rangs tchèques, un raidissement, une douleur. Matula se mit à hurler.

— Je vous écorcherai vif ! cria-t-il. Saleté de mouchard de youpin ! Je vous embrocherai vif, je vous couperai les sens un par un, les yeux, les oreilles, le nez, la langue, la peau ! Et je ferai la même chose au premier salopard qui écoutera un seul mot de ce que raconte ce juif parjure, qui poignarde ses frères dans le dos par amour des rouges.

Anna se leva et ouvrit les yeux. Elle jeta un coup d'œil circulaire. Tous les Tchèques avaient les yeux rivés sur elle. Ceux d'entre eux, les plus rares, qui exprimaient de la haine à son égard en rajoutaient. Les autres tentaient de dissimuler leur honte en imitant les yeux de pierre de Matula, mais ils étaient inimitables. Anna s'éloigna d'eux. Alyosha remuait dans ses bras. Le merveilleux enfant avait encore de la force. Anna se mit à courir. Samarin n'était plus là : il s'était échappé.

Alyosha délirait dans son lit, divaguant à propos des hussards et du chocolat. Anna nettoya sa plaie avant de lui faire un pansement. L'éclat de métal s'était glissé sous son épaule frêle et blanche, laissant une incision aux bords irréguliers à l'endroit où il était entré, une mauvaise entaille là où il était ressorti. Le sang avait cessé de couler. Le garçon se cambra quand elle posa le linge humide et chaud sur la profonde écorchure. Anna concentra tout son être sur la déchirure, pour l'assainir du mieux possible, murmurant à l'enfant des paroles de réconfort, s'efforçant de l'immobiliser sans trop serrer son épaule intacte. Le Toungouze albinos l'observait, assis dans un coin de la pièce. Anna l'avait rencontré dans le jardin devant la maison, où il contemplait une figure qu'il avait dessinée sur la neige avec des brins de paille. Il avait posé sur elle ses yeux rouges avant de se lever, lui avait fait comprendre qu'il était l'apprenti du shaman et se proposait de lui apporter son aide, dans la mesure du possible. Elle lui dit que son fils avait été blessé dans une bataille, lui demanda s'il connaissait un remède adéquat. L'albinos haussa les épaules, mais la suivit à l'intérieur, puis dans l'escalier. Elle lui demanda de lui apporter de l'eau chaude, il descendit s'en occuper. Puis il revint s'asseoir sur la chaise en osier d'Alyosha, qu'il faisait craquer au rythme de sa respiration. Sa manière de regarder Alyosha, attentive et indifférente, rassurait Anna.

Elle demanda à l'albinos de bien vouloir l'aider à maintenir les compresses ouatées sur la plaie pendant qu'elle nouait un bandage ferme autour de l'épaule d'Alyosha. Les doigts pelés de l'albinos étaient à peine plus sombres que la peau d'Alyosha. Il sentait la fumée, les feuilles mortes et le cuir de renne élimé.

— Il est votre seul fils ? demanda-t-il.

— Oui.

— Et le père ?

— Mort.

— Comment il meurt ?

— À la guerre.

— Votre famille n'a pas de chance, conclut-il.

— L'idée qu'il s'agissait de malchance m'était d'un grand réconfort, avant. Plus maintenant. Tout cela est de ma faute.

— Vous êtes sorcière ?

Anna trouva en elle un rire, un rire plus vieux, plus trouble que celui de la nuit passée.

— Si j'étais sorcière, n'aurais-je pas fait en sorte que tout se passe mieux ?

Une nouvelle vague de haine de soi se brisa sur elle. Elle voulut se pencher pour embrasser Alyosha sur les yeux, mais sa tête roulait violemment d'un côté puis de l'autre et elle préféra poser la main sur son front brûlant.

— Vous avez certainement vu votre shaman soigner des blessés, dit Anna.

— Oui. Il m'envoie ramasser ce dont il a besoin. Mousse, plantain, miel… Ce n'est pas le meilleur moment de l'année.

Anna le dévisagea, puis répliqua abruptement :

— Pourquoi restez-vous assis là, sans rien faire ? Allez donc chercher les plantes que vous pourrez trouver.

— Non, répondit l'albinos. Vous n'avez pas besoin de nos plantes. Vous avez besoin d'un de vos docteurs.

— Il n'y a pas de docteur, ici. Si je ne mets rien sur sa blessure, n'importe quoi, ce sera comme lui lâcher la main et le laisser tomber du haut d'une falaise. Ah, tout serait plus facile si je croyais en ces forces terrifiantes tapies par-delà l'horizon, tout comme vous, comme Mutz, Samarin et ce formidable M. Balashov, comme vous tous qui êtes incapables de m'aider quand j'en ai le plus besoin ! Je sais bien qu'Alyosha ne compte pas, pas plus que moi d'ailleurs, parce que nous sommes si petits que c'en est une honte. Comme j'aimerais que mon fils soit plus important qu'il ne l'est, aux yeux de ce monde-là ! Je vous en prie, allez donc voir ce que vous pouvez trouver, voulez-vous ? Comment vous appelez-vous ?

– Igor.

– Votre vrai nom, dans votre langue.

– Develchen.

Elle renouvela sa requête.

– Je ne suis pas shaman, déclara Develchen. Je ne suis pas capable, comme Notre-Homme, de voir le monde d'en bas et le monde d'en haut, de voir si une place attend déjà, là-bas, celui qui est souffrant.

– Je m'en fiche, de tout ça ! hurla Anna. Je m'en fiche, vous comprenez ? Peu m'importe les paradis, les enfers, les démons, les tsars, les empires, les communistes et le peuple-ci, le peuple-ça. Ne perdez pas votre temps à me parler de cela. Tout ce que je veux, ce sont des soins pour la plaie de mon fils, peu importe de quelle sorte de sorcellerie des forêts ils relèvent, vous m'entendez ?

Develchen quitta la chambre. Anna se tourna vers Alyosha et murmura :

– Est-ce donc ce qui arrive quand une femme stupide, incroyante et avide se retrouve sans rien sur quoi s'appuyer ? Parce qu'on ne croit en rien, est-on condamné un beau jour à croire en n'importe quoi ? Oh, je t'en prie, guéris, mon fils adoré.

Alyosha secoua brusquement la tête.

Develchen sortit de la maison et partit vers l'est, au-delà du village, de la gare et des pâturages, pour s'enfoncer dans la forêt. Avant de s'élancer, il leva les yeux vers le toit de la grange imposante qui se dressait devant la maison d'Anna, surplombant un carrefour d'où l'on apercevait distinctement le pont, à l'ouest, et la route de la gare, au nord. Il aperçut Mutz, Nekovar et Broucek, perchés sur la grange en compagnie d'autres hommes en armes qu'il n'avait jamais vus. Il pressa le pas.

Mutz était allongé sur une couverture posée sur le toit pentu de la grange, en équilibre, tout comme ses compagnons, sur une épaisse corde que Nekovar avait tendue en travers de la toiture. Les pieds posés sur la corde, ils pouvaient observer les abords du carrefour, tout en gardant à couvert la plus grande partie de leur corps. Les castrats restaient cloîtrés chez eux. Le soleil caressait les épaisses volutes de fumée qui se déployaient au-dessus des rues du village. Mutz se demandait s'il aurait l'occasion de revoir Anna avant que n'éclatent les combats qui les voueraient à une mort certaine, tous autant qu'ils étaient. Rien ne pouvait plus empêcher les rouges de prendre d'assaut Jazyk. Ils avaient dû prendre la tentative d'évasion de Samarin, avec le train, pour une supercherie mûrie de longue date, même si Samarin avait percuté le wagonnet à bord duquel Mutz et les deux autres tentaient de rallier la ville, et dont ils avaient juste eu le temps de sauter.

Le bon sens voulait que Matula rassemble toutes les forces dont il disposait pour défendre Jazyk contre l'assaut des rouges, mais Matula était totalement étranger au bon sens, si bien que Mutz l'avait d'ores et déjà déchargé de toute obligation de lui sauver la vie. Il était plus probable que Matula diviserait en deux les restes de son armée, chargerait la moitié de ses hommes de protéger la voie ferrée et enverrait les autres attaquer la maison d'Anna Petrovna, mû par la certitude que Mutz s'y trouvait. Les rouges réduiraient alors la ville à néant, dans le seul but d'écraser Matula. Rien que de plus normal.

Ils n'étaient plus que trois pour s'opposer au massacre annoncé. Mutz, Nekovar et Broucek, auxquels s'ajouteraient peut-être l'albinos, peut-être deux ou trois autres. Dezort était allongé sur le toit, à côté de Mutz. Le drapeau blanc qu'il avait brandi pour se joindre à eux était désormais noué en foulard autour de son cou. Il avait amené deux soldats avec lui. Il était plongé dans la lecture d'un des journaux tchèques que Bondarenko avaient donnés à Mutz.

— Terminé ? demanda Mutz.

Dezort acquiesça du chef.

— Vous pensez comme moi que ce journal est authentique ?

Dezort approuva de nouveau. La une du journal était consacrée au décret promulgué à Prague par le nouveau gouvernement tchécoslovaque, cinq semaines plus tôt, qui ordonnait à la Légion tchèque de Sibérie au grand complet d'abandonner la lutte et de gagner Vladivostok au plus vite, afin d'y être évacuée.

— Matula est forcément au courant depuis au moins un mois, dit Dezort. Le télégraphe relié à Irkoutsk et Omsk fonctionnait encore il y a une semaine. Il ne laisse jamais personne lire les messages, à part Hanak et lui. Nous aurions pu nous échapper. Maintenant, nous sommes pris au piège.

— Alors vous êtes des nôtres, frère ? l'interpella Nekovar à l'autre bout du toit.

Il plongea la main dans sa poche pour en ressortir une grenade, qu'il tendit à Dezort en hochant la tête, tout sourire, comme un homme qui offrirait une friandise à un chat pour le faire sortir de sous le lit.

— C'est sans espoir, j'en ai bien peur, soupira Dezort. Matula dispose de quatre-vingt-dix hommes et les rouges sont sur le point d'attaquer.

— Vous, vous êtes bien venu, pas vrai ? répliqua Mutz. Les gars ont entendu ce que je leur disais dans le cornet porte-voix de Nekovar, à propos de l'évacuation. Comment peuvent-ils lui rester fidèles à présent ? Tout le monde aura compris qu'il a perdu la tête.

— Ils le craignent toujours, lui et ses acolytes. C'est un cinglé, pas de doute, mais un cinglé plein de ruse, fourbe, vous le savez bien. Et il y a autre chose, Mutzie.

Mutz voulut savoir de quoi il s'agissait, même s'il le savait déjà.

— Matula a réussi à faire croire à tout le monde que vous étiez une sorte d'espion, que vous prépariez un rapport sur ce qui s'est passé à Staraya Krepost, la tuerie, voyez-vous. Que, de ce point de vue-là, vous n'étiez pas vraiment des nôtres, que vous n'alliez pas défendre nos intérêts. Il s'est arrangé pour vous rendre responsable du fait que nous restions ici. Je crois que personne n'y a cru mais j'imagine que... nous... qu'ils penseront que vous avez signé un pacte avec les rouges : vous témoignez contre nous et, en échange, ils vous laissent la vie sauve.

— Vous dites que des conneries, frère, rétorqua Broucek, sans même quitter des yeux la mire de son fusil, braquée sur la route de la gare.

— Je suis tout aussi coupable qu'un autre, pour Staraya Krepost, répondit Mutz.

— Josef, intervint Dezort, baissant la voix et rapprochant son visage de celui de Mutz, au ras des planches du toit. Vous n'avez fait que regarder. Vous êtes resté à l'écart. Moi, j'ai abattu un homme d'une balle dans la tête, alors qu'il avait les mains liées dans le dos.

— Ai-je tenté de vous arrêter ?

— Oui, vous trois, Mutz, Broucek, Nekovar. Vous avez cela en commun. Vous êtes tous restés à l'écart pendant que nous nous chargions de cette tuerie.

Dezort jeta un coup d'œil à Nekovar, qui le regardait fixement, la bouche entrouverte, sur le point de sourire mais ne souriant plus, jonglant délicatement avec la grenade, d'une main, comme pour jouer à pile ou face.

— Je n'aime pas vous voir jouer ainsi avec cette grenade, sergent, dit Dezort. Ses lèvres s'écartèrent pour laisser apparaître ses dents arides, puis il les remit en place d'un coup de langue.

Mutz posa la main sur l'épaule de Dezort.

— Ai-je jamais trahi qui que ce soit dans cette compagnie ?

— Pas encore.

— N'ai-je pas tout fait pour que nous n'abandonnions personne derrière nous, en traversant la Sibérie, Matula compris ?

— Jusqu'à présent, si.

— Je veux partir d'ici, et je compte bien traîner cette centaine de trous du cul jusqu'à Vladivostok sans qu'aucun d'eux ne meure ou ne disparaisse en route. Je veux que nous embarquions tous à bord d'un bateau pour l'Europe, que nous prenions le train qui nous emmènera jusqu'au nouveau pays, que nous ouvrions grand les portes de nos vieilles maisons pour retrouver ces senteurs de café, de verni et de bon tabac, que des bras chaleureux nous accueillent. Ah, pouvoir enfin enlever cet uniforme crasseux… Nous tous, sauf un. Ils n'ont pas besoin de nous tous, les rouges. Ils n'ont besoin que d'un seul. Un sacrifice. Ils sont une vaste organisation, une vaste idée, les rouges. Les rouges sont un peu comme un dieu, Dezort, voyez-vous. Les gens en parlent comme s'ils étaient un organisme, grand et bien réel, avec ses intentions, ses actions, ses besoins, un organisme à jamais invisible, dont on ne distinguerait que de petits signes de son pouvoir, dans les choses et les hommes qu'il crée et qu'il détruit. Mais quand il est devant vous, on ne le voit jamais en entier. Comme un dieu. Et comme les dieux, il exige un sacrifice, de temps à autre.

— Qui donc ?

Mutz fronça les sourcils en voyant Dezort si borné d'esprit. Il semblait en proie à un trouble sincère.

— Matula. Rien que Matula. Les autres seront libres de partir.

— Oh ! (Dezort grimaça et laissa échapper un petit rire dissimulateur.) Je vois. Parce que lui aussi avait le même genre d'idée. Il m'a envoyé ici pour que j'essaie de vous convaincre de revenir. Ensuite, il vous aurait livré aux rouges en vous présentant comme le véritable cerveau du massacre de Staraya Krepost.

— Mais vous n'auriez pas laissé Matula mener à bien son plan.

— Bien sûr que non !

Le petit rire dissimulateur retentit de nouveau.

— Parce que les rouges ont vu le film que les leurs ont tiré de ces événements. Ça leur a tenu lieu d'enquête. Le film. Et ils sont persuadés que Matula est l'assassin en chef.

— Ce film, je suis dedans ?

— Je ne sais pas. Vous êtes avec nous ?

— Comment allez-vous vous y prendre pour capturer Matula ?

Mutz regarda Broucek, qui tourna brièvement la tête pour croiser les yeux de Dezort, avant de se reconcentrer sur la mire de son arme.

— Oh, reprit Dezort. Je vois. De cette façon-là. Le problème… Je sais que Broucek est fin tireur, mais Matula ne risque pas de se montrer de sitôt.

— Je l'aurais descendu il y a une heure, si vous n'aviez pas détourné son attention, grommela Broucek.

Mutz ôta ses pieds de la corde pour se laisser glisser vers la gouttière, contre laquelle une échelle était appuyée.

— Lieutenant Dezort, sergent Nekovar, soldat Broucek, je vous demande de tenir le carrefour en mon absence. N'ouvrez le feu sur nos amis qu'en cas d'absolue nécessité.

Mutz descendit l'échelle. Il marcha jusqu'au coin de la grange, réalisant avec tristesse qu'à l'âge de trente ans, il était déjà un vieux soldat. Comme l'habitant d'une cité venteuse, qui sait d'instinct qu'au coin de telle rue, exposé aux vents dominants, il sera certainement frappé par de fortes rafales, Mutz n'eut pas besoin de réfléchir pour savoir qu'en traversant la route large et plate qui menait à la gare, il allait probablement s'aventurer dans la ligne de tir des troupes de Matula. Un étrange calme lui parut s'être emparé des lieux. Son front luisait de peur, son cœur battait la chamade. Ses entrailles bouillonnaient. Il se prit à recenser toutes les blessures qu'une balle était susceptible de lui infliger. Il leva les yeux pour voir si Dezort l'observait. Ce fut comme contempler le reflet de son propre visage. La même pâleur, la même appréhension des lignes de tir, car ils ne savaient pas comment sortir d'ici vivants, ils étaient loin de chez eux et tout le monde s'en fichait.

Traversant la rue en courant, Mutz fit irruption dans la maison d'Anna. Il marqua une courte pause, pris de vertiges. Il entendit sa voix, à l'étage, demander qui était là.

Mutz tremblait. La peur des balles avait laissé place à la crainte de ce qui allait se passer avec Anna. Il se rua dans l'escalier, faillit trébucher, tomba sur elle devant la chambre d'Alyosha. Elle le prit dans ses bras et l'étreignit avec chaleur. Il sentit les larmes de la femme ruisseler dans son cou.

— J'ai été si stupide, Josef, gémit-elle. La présence de Mutz, sa familiarité, son silence lui semblaient les prémices d'un pardon inespéré. Une chance unique de se confesser, de s'offrir. J'ai pris le bagnard sous mon toit. J'ai couché avec lui. J'aurais dû vous écouter. Il a emporté mon fils pour l'aider à voler le train, Alyosha a été blessé et je redoute qu'il ne meure. Je mériterais d'être pendue. J'ai fait tout cela uniquement parce que j'avais envie de cet homme. Vous m'entendez ? J'avais tellement envie de Kyrill Ivanovich que j'ai omis de protéger mon propre fils. Alors que vous aviez été si bon avec moi. Que vous aviez fait de votre mieux pour m'offrir ce que je désirais le plus. Je suis pire encore qu'une putain, Josef.

— Ne dites pas de telles sottises.

— Une putain fait cela pour de l'argent. Moi, je n'en ai pas demandé. J'ai laissé cette bête me prendre, puis je l'ai laissée me voler mon fils.

— Comment va-t-il ?

— Il dort. Ou bien il agonise, je ne sais pas. Je ne devrais pas dire cela, n'est-ce pas ? Je ne sais plus quoi faire. L'albinos est parti dans la forêt cueillir des plantes médicinales. Voyez à quoi j'en suis réduite, Josef. Peut-on tomber plus bas ? Et voilà Anna Petrovna, la salope, qui fait venir le sorcier-guérisseur. (Elle parlait vite. Elle se tut, fit un pas en arrière, regarda Mutz et s'essuya les yeux et le nez avec un mouchoir informe tiré de sous sa manche. Il l'observait de son éternel air dubitatif ; elle devrait d'abord le convaincre.) Vous allez me dire d'arrêter de me lamenter sur mon sort. Josef, j'ignore ce qui m'a empêchée d'avoir confiance en vous. Comme une fièvre perpétuelle. Dès le début, vous vous êtes méfié du prisonnier. Si j'avais été une bonne mère, je vous aurais écouté. J'ai honte.

Mutz se trouva plus dépourvu de mots devant la haine de soi exprimée par Anna qu'il ne l'avait été lorsqu'elle s'était montrée orgueilleuse ou quand elle s'était détournée de lui. Il se surprit lui-même à lui demander des nouvelles de Balashov.

— Il n'est pas venu, répondit Anna. Peut-être ne sait-il pas. À moins qu'il ne se terre quelque part, affolé par le bruit des canons. S'il venait, je le laisserais entrer. Mais je ne pense pas qu'il viendra. Quelle importance, à présent ?

— Alyosha est toujours son fils.

— Nous devrions retourner dans la chambre, je veux veiller sur Alyosha. Venez avec moi. Je sais, il vous faut partir, Matula est en chemin, je sais bien, allez, rien qu'un instant, entrez dans la chambre d'Alyosha, restez, parlez-moi, s'il vous plaît.

Elle prit Mutz par la main, le regardant avec une tendresse, une humilité qu'il ne lui connaissait pas. Il se laissa guider dans la chambre, où ils s'assirent ensemble au chevet d'Alyosha. Anna caressa le front du garçon et lui prit le poignet pour vérifier son pouls. Elle tourna les yeux vers Mutz, puis les posa de nouveau sur son fils. Mutz eut l'impression qu'Anna l'invitait à caresser Alyosha, mais son trouble était si grand qu'il ne put la quitter des yeux.

— Posez la main sur lui, dit Anna. Parlez-lui. Cela lui fera peut-être du bien.

Elle s'étonnait elle-même d'avoir pu trouver si exaspérante la gêne dont Mutz avait toujours fait preuve à l'égard de son fils. À présent, cet embarras la touchait, ce respect qu'il conservait envers son fils et elle, malgré tout ce qu'elle avait fait. Elle aimerait Mutz, s'il le voulait ; dorénavant, elle l'écouterait.

Mutz savait qu'il devait parler à Alyosha mais n'y parvenait pas. Il ne pouvait que regarder Anna. Il était entré dans cette maison avec un trésor de révélations concernant Samarin, capable de faire changer d'un coup les sentiments d'Anna envers le prisonnier. Or, il ne savait plus qu'en faire. Tout était bien plus simple qu'il ne l'avait imaginé. Samarin lui facilitait la tâche : aux yeux d'Anna, l'acte qu'il avait commis était le pire de tous. Elle serait tout à lui, Mutz, si seulement ils venaient à survivre. Elle l'avait dit. Pourtant, tout ce qu'il ressentait, c'était le chagrin qui le rongeait. Elle était sincère. Au moment où elle avait posé sur lui ce regard humble et tendre, elle avait vraiment voulu croire qu'elle pourrait l'aimer, que ce qu'elle désirait par-dessus tout désormais, c'était son bon sens à lui, son esprit rationnel. Vraiment, elle en était certaine. Mais il savait qu'elle n'en serait plus si sûre le lendemain. Aujourd'hui, croire qu'il lui fallait à tout prix aimer Mutz appartenait à la pénitence qu'Anna s'imposait à cause du crime qu'elle pensait avoir commis. Même au moment où elle s'était offerte à lui, il savait avec certitude qu'elle ne serait jamais sienne. Ne sachant pas quoi dire, conscient qu'il ne fallait surtout pas prononcer le nom de Samarin, il ne put s'empêcher de tirer de son sac la nouvelle qu'il était venu lui apporter.

— Les rouges nous ont fait prisonniers cette nuit. J'ai du nouveau sur Samarin.

— J'aurais tant aimé que vous puissiez me prévenir à temps. Il m'a littéralement charmée hier soir, à sa manière, distante. Nous avons bu du cognac. Je me sentais comme une écolière. Je n'arrive pas à comprendre comment j'ai pu ne pas me rendre compte qu'il n'était qu'un vulgaire criminel, comme les voleurs du Jardin blanc, comme ce Mohican qui bat la campagne en massacrant les gens. Cela doit bien se voir, non ? Suis-je donc si bête que cela ?

— Bien sûr que non. C'est là tout son génie, il se connaît si parfaitement qu'il est capable de dissimuler ou de montrer à sa guise les diverses facettes de son être, afin que les autres le voient exactement tel qu'il veut leur apparaître. Il ne se dévoile jamais tout entier. Ça, être l'homme intégral, cela dépasserait ses forces, qui sont pourtant si grandes. Il ne fait jamais semblant d'être ce qu'il n'est pas, mais on ne voit jamais que les facettes qu'il nous donne à voir ; seule son intelligence diabolique appréhende l'ensemble, son moi étudiant et son moi criminel, les différents degrés de son impitoyable cruauté, son passé, son présent et son avenir ; l'éclat lointain, étincelant de l'utopie vers laquelle il est persuadé de se frayer un chemin. Anna, prenons ce que vous venez de dire ! Les voleurs du Jardin blanc, qui vous a parlé de cet endroit ? Samarin. Le Mohican, qui vous a parlé de lui ? Samarin. Si Samarin est capable de décrire le Mohican avec autant de discernement que s'il s'agissait de sa propre personne, c'est parce qu'il les connaît tous les deux à la perfection. Tout simplement parce qu'ils sont tous les deux lui.

Anna porta les deux mains à sa bouche. Elles étouffèrent le cri qui jaillit, bref et suraigu, du tréfonds de son être. Mutz continuait de lui parler, mais elle avait l'impression qu'il s'exprimait bien trop vite, s'embrouillant dans ses phrases, de toute façon elle ne parvenait pas à discerner le sens du propos, couvert par le sifflement infernal qui résonnait à ses oreilles. Elle comprit soudain que c'était le battement de son pouls se répercutant sous son crâne. Elle voulut prier Mutz de ralentir, mais elle était incapable d'articuler le moindre mot. Elle essaya de reconstituer le sens de ce qu'il avait dit, la vérité n'était pas que le Mohican, le meurtrier, le bandit, le destructeur impitoyable se faisait passer pour Samarin l'anarchiste révolutionnaire ou pour Samarin le charmant étudiant, non, il s'agissait en fait des diverses facettes d'un seul et unique homme, Kyrill Samarin le Mohican. C'était lui qui avait assassiné le shaman en lui donnant de l'alcool, pour la simple raison que le shaman était le seul homme du village à connaître son identité. C'était lui, encore, qui avait persuadé Racansky, en le subjuguant par ses puissants discours capables d'exacerber son inimitié à l'égard de Kliment, de tuer l'officier, de tailler la lettre M au milieu de son front, afin de faire croire aux Tchèques que le Mohican courait toujours au moment même où Samarin était sous les verrous.

— Attendez, murmura Anna. Son visage semblait s'être vidé de son sang. Parlez moins vite, Josef. L'idée de l'avoir embrassé, de l'avoir laissé me faire l'amour m'est insupportable. J'avais envie de lui !

— Je pourrais m'arrêter là, répondit Mutz. Je ferais mieux de ne pas vous en dire davantage.

C'était vrai. S'il avait pensé un instant qu'éteindre les derniers feux de sa jalousie envers Samarin lui procurerait le moindre plaisir, il s'était trompé. Maintenant que Samarin était parti, la connaissance que Mutz avait acquise à son sujet, le simple fait de la posséder, sans même parler de l'infliger à Anna, lui donnait le sentiment d'être impur, d'être un tortionnaire, doublé du pire colporteur de ragots qui fût jamais.

— Parce qu'il y en a davantage ? reprit Anna au bout d'un moment, d'une voix un peu plus forte.

— Oui.

— Est-ce... y a-t-il du meilleur ?

— Peut-être. Mais avant, il y a pire.

— J'ai du mal à saisir ce que vous me dites, Josef, soupira Anna sans pouvoir réprimer un frisson. Si Samarin est le Mohican, cela veut-il dire que Samarin s'est évadé seul du Jardin blanc ? Que personne n'a tenté de... que personne n'a emmené un compagnon avec lui pour lui servir de nourriture au cours du long périple, comme l'a prétendu Samarin ?

— Non, dit Mutz. Non à tout cela. Samarin n'était pas seul. Il ne s'est pas évadé du Jardin blanc. Et une telle nourriture a bien été consommée…

— Oh, Alyosha, gémit Anna en laissant reposer sa joue sur l'oreiller afin de contempler le visage du garçon endormi. Qu'ai-je donc fait ?

— Samarin ne s'évadait pas, poursuivit Mutz. Il voyageait au contraire en direction du Jardin blanc. Il n'a jamais été détenu là-bas. La description qu'il en a faite – plus vraie que nature, n'est-ce pas ? – n'était que fiction. S'il l'a rendue si vraie, c'est parce qu'il y croyait lui-même, il ne croyait pas que tout cela s'était réellement passé, mais que cela pourrait arriver à des gens comme lui, dans le futur. Car tel est l'horizon de temps et de possibles dans lequel se déploie son esprit. Il a vraiment été en prison, par le passé. Il s'est réellement évadé. Mais rien de tout cela ne s'est passé là-bas, dans l'Arctique, ni à l'époque dont il parlait. Le tsar et la vieille Russie sont les ennemis de Samarin et le traitent comme tel. Ainsi, tout ce qu'il imagine que son ennemi lui fait subir se transforme aussitôt en ce que les hommes comme lui feraient subir à l'ennemi s'ils en avaient le pouvoir. Samarin, lui, ne survivra pas aux rouges. Sa puissance de destruction est bien trop pure. La manière dont il a décrit le Jardin blanc n'était certes pas une histoire vraie, mais c'était une prédiction. La prémonition du juste châtiment qui frappera un jour les ennemis du tsar.

— Je ne comprends pas. Si le Jardin blanc n'a jamais existé, où se rendait-il donc ?

— Le Jardin existait bien. C'était le camp de base de l'expédition dirigée par un aristocrate, le prince Apraksin-Aprakov, un géologue amateur persuadé que les premiers contreforts des monts Poutorana, près des sources de la

Iénisseï, recelaient des gisements de métaux précieux. Pour une raison que j'ignore, Samarin a entrepris un long voyage qui l'a mené là-bas, s'il y est jamais arrivé. S'il est parti d'un port fluvial du sud de la Sibérie au printemps dernier, cela lui a laissé juste le temps qu'il faut pour aller là-haut puis redescendre jusqu'ici. Vous imaginez bien à quel point l'aller a pu être éprouvant, à travers la taïga, la toundra, avec la débâcle des rivières et des marécages, les nuées de moustiques, tout cela à pied et seul. Il savait certainement qu'il n'y arriverait jamais à moins d'emmener un compagnon pour le manger en route. Et c'est exactement ce qu'il a fait, il a emmené cet homme avec lui puis il l'a dévoré jusqu'au dernier morceau, jusqu'à ce qu'il ne reste plus qu'une pauvre main, dont il s'est débarrassé avant-hier, près de la rivière qu'il avait remontée jusqu'au pont de la voie ferrée.

Anna ferma les yeux. Au bout d'un moment, elle dit :

— Continuez. Vous avez dit qu'il y aurait peut-être du meilleur.

Mutz se sentit aussi intimidé que la première fois qu'il avait frappé à la porte d'Anna. L'intimité qu'ils avaient partagée n'était guère plus qu'un souvenir, aujourd'hui. Chaque mot qu'il prononçait, il en avait conscience, les séparait encore un peu plus l'un de l'autre. Comme s'il avait voulu détruire pour de bon ce qu'il se savait incapable de raccommoder.

— Vous m'avez fait souffrir le jour où vous m'avez chassé et vous m'avez infligé de nouvelles souffrances en tombant amoureuse de Samarin avant même de l'avoir rencontré.

Anna se leva brusquement, le prit par la main pour l'emmener à l'écart du lit, et ils se retrouvèrent face à face devant la fenêtre de la chambre. Elle plongea ses yeux dans les siens. C'était si intense qu'il détourna le regard. Si intense, et pourtant ce n'était plus cette faim dévorante qu'il avait connue.

— Josef, vous qui êtes si intelligent, comment pouvez-vous parler de la sorte ? On dirait un petit garçon. Comment pouvez-vous dire que je suis tombée amoureuse ? Vous savez bien qu'il ne s'agissait pas de cela. Vous savez bien qu'il ne s'est jamais agi de cela, avec Samarin. Quel âge avez-vous donc, pour si mal connaître ce qu'une femme ressent, ce dont elle a besoin ? Pensez-vous vraiment que seuls les hommes se laissent guider par le désir ? Je sais que je vous ai repoussé, Josef, mais j'étais folle, j'étais idiote, impatiente, avide. J'en ai payé le prix, vous ne croyez pas ? Vous pouvez me pardonner, n'est-ce pas ? Nous pouvons être ensemble, désormais, non ?

— Voulez-vous que je termine ce que j'ai à vous dire sur Samarin ?

Anna fit un signe de tête affirmatif, caressant du bout des doigts la paume de Mutz. Il retira sa main, la plongea sous sa tunique pour en ressortir un journal, l'exemplaire du *Drapeau rouge* que Bondarenko lui avait donné.

— Voici le compte rendu de ce qu'une expédition aérienne dans l'Arctique a trouvé au Jardin blanc, il y a peu. L'article évoque une terroriste, Yekaterina Orlova, dont le prince du Jardin blanc avait fait une sorte d'esclave. C'était sa punition pour avoir convoyé une bombe. Son exil. Quand nous avons arrêté Samarin, il y a deux jours, il portait sur lui un morceau d'écorce sur lequel un message était gravé. Le message disait : "JE ME MEURS ICI. K." Je suis certain que le K signifiait Katya, le diminutif de Yekaterina. Je crois que Samarin, le Mohican, a marché jusqu'au Jardin blanc pour venir à son secours. J'ignore pourquoi. Agissait-il selon une stratégie bien précise élaborée avec d'autres terroristes ? Ses motifs étaient-ils d'un autre ordre ?

— De quel ordre pourrait-il s'agir ? l'interrogea Anna.

— Je ne sais pas. Mais il a ramené votre fils. Je ne vois vraiment pas comment cela pourrait participer d'une quelconque vision de son intelligence destructrice.

Alyosha et vous devriez n'être rien pour lui. Voilà. C'est tout ce que je sais. Je dois m'en aller. Je suis désolé pour Alyosha. Cessez de vous tourmenter. Les rouges ont un docteur. Si nous parvenons à forcer Matula à se rendre, votre garçon sera tiré d'affaire.

— Merci, répondit Anna. Me pardonnerez-vous ?

— Si tant est que j'aie quoi que ce soit à vous pardonner, je vous pardonne volontiers. Mais le fait que je vous pardonne ne vous changera pas.

— Emmenez-moi à Prague avec vous, quand nous partirons d'ici.

Oh, oui, voilà ce qu'elle désirait, ce dont Alyosha avait besoin, un homme intelligent, attentionné, courageux, dans un petit pays ordonné, animé, à l'autre bout du monde, en Occident. Ce ne serait pas le châtiment de sa bêtise, non, non, un regard suffisait pour deviner la tendresse, la calme réflexion au fond des yeux noirs de Mutz, rien de cette folie sanguinaire qui corrompait l'esprit de ses autres amants. Elle aimerait avec sagesse, désormais.

— Je vous emmènerai si nous survivons, déclara Mutz. Voulez-vous venir avec moi ?

— Oui !

Mutz ne put s'empêcher de sourire, même s'il n'y croyait toujours pas. Déjà les yeux d'Anna redevenaient ces yeux ardents, inquisiteurs, qui vous mettaient au défi en affirmant clairement que, quel que soit le nouveau jeu périlleux que vous alliez lui proposer, elle avait les moyens d'y briller.

— Je vous reposerai cette question demain, à la même heure, annonça-t-il.

En bas, quelqu'un frappait à la porte.

Balashov dormait dans sa sombre cabane, jouxtant l'écurie. La botte d'un étranger fit exploser d'un coup le loquet de la porte, qui s'ouvrit brusquement. Les rayons du soleil pénétrèrent à l'intérieur. Balashov ouvrit les yeux. À en juger par la lumière que laissait passer la silhouette qui se dressait sur le seuil, il était tard, au moins neuf heures du matin. Il se redressa, s'assit sur le rebord du lit, les jambes dans le vide. Samarin entra et vint s'asseoir à ses côtés. Il passa le bras autour des épaules de Balashov.

— Bonjour, Gleb Alexeyevich, dit Samarin, chaleureux, plein d'entrain.

— Bonjour, Kyrill Ivanovich, répondit Balashov. Que me voulez-vous ?

— Vous n'êtes pas très accueillant, pour un homme de Dieu ! s'exclama Samarin. On peut toujours compter sur vous pour manger un morceau, très cher ? C'est l'heure du petit-déjeuner.

Balashov désigna l'un des deux coffres. Samarin se leva et alla ouvrir l'autre. Il était fermé à clé.

— Des secrets, des secrets, encore des secrets, déclarat-il en soulevant le couvercle du coffre qu'avait désigné Balashov. Il fouilla à l'intérieur, puis en tira un morceau de poisson séché, une miche de pain, une brique de thé, quelques tasses et une casserole. Vous permettez ?

— Faites comme chez vous, répondit Balashov en se levant. Laissez-moi vous apporter de l'eau.

— Non, répliqua Samarin. Non, restez ici. Je me chargerai de faire marcher le poêle pour préparer un thé. Vous n'avez pas dormi de la nuit, j'imagine, vous devez être épuisé. Toute cette fusillade au nord du village et vous n'avez rien entendu, pas vrai ? Bon, ce n'était pas grand-chose, à peine quelques blessés.

— Qui est blessé ?

— Soyez patient, Gleb Alexeyevich. Chaque chose en son temps.

— J'ai à faire. Je n'ai aucune envie de vous avoir ici.

— C'est parce que je ne vous ai pas encore dit pourquoi j'étais venu ! J'ai une petite faveur à vous demander, après je m'en irai.

Samarin prépara le repas en silence, fredonnant de temps à autre les paroles d'une chanson. "Au cœur des mondes", chantait-il. En attendant que l'eau soit bouillante, il resta un long moment à la contempler, le dos tourné à Balashov, puis il fit volte-face.

— J'en ai une bonne, déclara-t-il. Qu'est-ce qu'un végétarien avec six jambes et une seule grosse bite ? Votre langue au chat ? Un castrat sur un cheval ! (Il éclata de rire. Pas Balashov.) Vous avez fait un sacré défilé à cheval, la nuit dernière. Des tours de l'enclos, encore et encore, l'homme et l'animal marchant côte à côte. On devine encore les empreintes de pas et de sabots, là-bas, dans la neige. Au bout d'un moment, vous avez cessé de le mener au licol, n'est-ce pas ? Plus de traces de pas, rien que celles des sabots ! J'aimerais pouvoir affirmer que les sabots s'enfonçaient plus lourdement dans la neige, avec vous sur son dos, mais je ne suis pas un grand traqueur. Comme il doit être agréable, quand on n'a plus ni bite ni couilles de galoper sur un étalon, sous la lune, dans la neige. À cru, peut-être ? Ah, si seulement il restait dans le coin des juments sauvages pour pouvoir les monter. On doit se sentir comme un centaure. Moitié homme, moitié cheval. Enfin, moitié d'homme, cheval entier. Et nous voici à présent réunis dans votre cabane si douillette. Un homme et demi. Le cheval est superbe, Gleb Alexeyevich. Il s'appelle comment ?

— Omar.

403

— Omar. Je suis entré dans l'écurie pour le voir, ce matin. Il est d'une grande délicatesse. Ne me regardez pas comme ça ! Je ne l'ai pas touché. Mais il est fort délicat. Ce serait tellement merveilleux pour moi si je pouvais avoir ce cheval. Cela faisait bien longtemps que je n'avais vu une monture aussi splendide.

Il marqua une pause, battant du pied.

— Non, Gleb Alexeyevich, vous étiez censé répondre : "Mais prenez-le, je vous en prie." La générosité chrétienne. Allez. "Prenez-le, je vous en prie." Dites-le.

— C'est cela, la petite faveur.

— Non !

Samarin éclata de rire. Il tendit à Balashov une tasse de thé. Des tiges et des pétales détachés de la brique tournoyaient à la surface du liquide marron. Balashov fit non de la tête. Samarin posa la tasse par terre, aux pieds de Balashov.

— Maintenant, le pain. (Il ramassa le quignon de pain de seigle tout sec.) Coup de chance. J'ai déjà un bon couteau bien aiguisé. Pas mon vieux couteau. J'ai pris celui-ci dans la cuisine d'Anna Petrovna, voyez-vous. C'est une amie à vous, n'est-ce pas ? On vous imagine mal ensemble.

— Que faisiez-vous chez Anna Petrovna ?

— Je vous ai déjà dit de ne pas me regarder comme ça, Gleb Alexeyevich, on dirait vraiment que vous vous souciez davantage d'Anna Petrovna que d'Omar. Je sais que vous êtes amis, mais ce n'est pas pareil que si votre relation allait plus loin. Vous ne pouvez pas la remettre, maintenant qu'elle est coupée.

— Je ne comprends pas, murmura Balashov.

— Pardon ? Qu'est-ce que vous ne comprenez pas ?

— Je ne vois pas ce qu'être cruel à ce point peut apporter.

— Ça n'apporte rien. Je n'apporte rien. Vous le savez bien. Je ne suis qu'une manifestation. Une manifestation de la colère présente et de l'amour futur. Voilà qui est joliment dit, Gleb Alexeyevich, mais je n'ai pas répondu à votre question : "Qu'est-ce que je faisais chez Anna Petrovna ?" Eh bien, primo, je la baisais. Oh là ! Tout calme. Vous pourriez vous empaler sur ce couteau et c'en serait fini de vous, avant même d'avoir mangé votre poisson. Puisque je vois que ça vous embête, sachez que je ne l'ai pas forcée. Elle en avait très envie. Son mari est mort depuis fort longtemps, voyez-vous. C'était très agréable, la baise, et avant la baise. Vous ignorez probablement comme il peut être plaisant de caresser du bout des doigts ce petit endroit humide et doux, juste sous les lèvres, et de la voir sourire, fermer les yeux et se tortiller, émettre des sons qui sont tout à la fois une nouvelle manière de nommer le plaisir, un souffle et le battement d'un cœur. Vous l'ignorez, n'est-ce pas ? Évidemment. Vous ne l'aviez sans doute jamais enfoncée dans une femme avant de la perdre. Eh bien, Gleb Alexeyevich, laissez-moi vous dire que si seulement vous saviez ce que vous manquez, vous sauriez tout de suite ce qui vous manque. Bref, c'était fort plaisant... vous allez bien, Gleb Alexeyevich ? Vous êtes livide. Buvez un peu de thé.

Samarin mordit dans le pain, déchira un morceau de poisson puis mâcha les deux avec difficulté tout en parlant.

— Oui, c'était agréable, mais ce n'est pas pour ça que je l'ai fait. En fait, il fallait que je m'en aille d'ici, il me fallait un train. Pour cela, il fallait que je puisse m'en approcher. Pour pouvoir m'en approcher, il fallait que j'emprunte le fils de la veuve. Quoi de plus naturel que la curiosité d'un petit garçon au sujet des locomotives, une curiosité qui l'amènerait à traîner son oncle jusqu'à la gare de bon matin, pendant que maman dort, pour jeter un œil au train des Tchèques ? Tout a marché comme prévu. J'ai volé le train. L'ennui, c'est que le garçon a refusé de sauter, préférant rester à bord. L'ennui, c'est que le chauffeur a été abattu quand nous sommes tombés sur des soldats, plus loin sur la voie. Des rouges, je crois. L'ennui, c'est que le garçon aussi a reçu une balle. Restez assis ou je vous tue.

Samarin arrêta son couteau à un centimètre à peine de la gorge de Balashov. De sa main libre, il l'avait empoigné par les cheveux.

— Qu'est-il advenu d'Alyosha ? demanda Balashov. Sa voix se brisa. Je vous en prie, laissez-moi partir.

Il se rassit, Samarin recula.

— Vous avez l'air bouleversé, reprit Samarin. Aviez-vous à l'œil le fils de la veuve, comme candidat potentiel à la planche à découper ? Un héritier, peut-être ? J'imagine que vous en êtes réduit à demander à d'autres de faire vos enfants à votre place.

— Est-il gravement blessé ? Est-il vivant ?

- Il est vivant. Je suis déconcerté de vous voir si soucieux. Moi qui croyais que les eunuques tordus dans votre genre ne se souciaient que d'eux-mêmes.

— Vous êtes pareil au lieutenant juif. Vous pensez que l'amour, l'amitié, que le lien unissant deux êtres se rompt de lui-même dès que les clés de l'enfer sont jetées au feu. C'est faux.

— De toutes les religions, la vôtre est de loin la plus drôle, Gleb Alexeyevich. Quand toutes les lumières s'éteindront pour la dernière fois, à la fin du monde, quelqu'un se réveillera de son dernier sommeil pour rire de tous ces hommes et toutes ces femmes qui auront mutilé leurs parties génitales en croyant que cela ferait d'eux des anges. Restez où vous êtes ! Écoutez-moi. Allez-vous m'écouter ? En êtes-vous capable ? Il s'est passé des choses qui ne… que je ne laisserai pas se reproduire. Jamais. Votre secte est ridicule, mais elle comporte un élément qu'il me faut obtenir de vous, dès aujourd'hui. Une méthode ridicule quand on l'emploie comme vous le faites, avec les croyances auxquelles vous la rattachez. Pourtant, j'en ai besoin. Des choses se sont passées que je ne laisserai plus jamais se reproduire. (Samarin avait le souffle lourd. Sa voix était irrégulière.) Votre philosophie, quelle est-elle ? Que pour entrer au paradis, il faut détruire jusqu'aux moyens susceptibles de mener au péché ? Pourquoi ne vous arrachez-vous pas les yeux ? Pourquoi ne pas vous couper la langue ? Tout ce qui vous vient à l'esprit, c'est le fruit défendu, la connaissance de la chair, et ça signifie… fffffuit ! le couteau. Tout ça, c'est de la merde, mon ami. Il n'y a d'autre monde que celui-ci, pas d'autre vie. Nous n'avons d'autre choix que de construire notre propre paradis si nous en voulons un, mais cela prendra du temps et nombreux sont ceux qui devront mourir. Savez-vous qui je suis ? Je suis Samarin. Je suis le Mohican. Je suis Samarin-Mohican. Je suis un bandit, un poseur de bombes, un terroriste, un anarchiste, je suis le destructeur. Je suis ici sur terre pour détruire tout ce qui ne ressemble pas au paradis. Des hommes comme moi, il y en a d'autres. Comprenez bien. Chaque administration, chaque rang de la société, chaque service, le moindre banquier, commerçant, général, prêtre, propriétaire, noble ou bureaucrate. Nous avons marqué de notre empreinte ces dix dernières années. Ce ne fut pas facile. Des choses se sont passées que je ne laisserai plus jamais se reproduire. Il y eut des moments où la mission s'est avérée pénible, Gleb Alexeyevich. Pénible. Bien trop… pénible. Des moments où ceux dont le destructeur doit se servir, ceux qu'il doit détruire si cela est nécessaire pour pouvoir avancer, ou qu'il doit abandonner, ce sont… (Samarin cligna nerveusement des yeux, comme s'il cherchait un mot)… *imprimés* en lui. Voyez-vous, il y a six mois, je m'étais tracé une ligne droite parfaite de là jusque-là. (Samarin traça dans les airs, avec application, une ligne horizontale.) Je n'ai jamais été emprisonné au Jardin blanc. Ce mensonge était nécessaire. J'étais en liberté, j'avais devant moi un voyage sans obstacles et les moyens, de Moscou jusqu'en Géorgie, de changer le cours de ce qu'ils appellent ici une révolution. Voilà ce que j'avais à faire. Je m'étais mis d'accord avec mes compagnons, même si aucun accord préalable n'était nécessaire. Les lignes de la vie, de l'action et de la nécessité coïncident tellement bien. Pourtant, je ne suis pas allé en Géorgie. J'ai voyagé à pied jusqu'à l'Arctique, six mois durant, sans autre but précis que de voir si je pouvais sauver une femme que j'avais connue quand j'étais étudiant et qui était emprisonnée là-bas. Katya. Pourquoi j'ai fait tout ce voyage ? Savez-vous seulement à quel point je désirais la retrouver ? Savez-vous combien elle comptait pour moi ? J'ai pris un compagnon avec moi, un jeune socialiste révolutionnaire, sympathique et bien portant, c'était malin de ma part, comme ça je pourrais le tuer et le manger quand nous serions à court de vivres. Et c'est exactement ce que j'ai fait, Gleb Alexeyevich.

— Dieu ait pitié de votre âme.

— Dieu ait pitié, Dieu ait pitié… que Dieu aille se faire foutre. Vous m'entendez ? Prévoir d'égorger un homme pour le manger, tout ça parce qu'on veut venir en aide à une seule et unique femme qui, de toute façon, est sans doute déjà morte ? Pas au nom d'une cause, non, mais rien que pour soi ? Que pensez-vous de cela ?

— Je pense que vous avez aimé cette Katya de tout votre cœur.

— Imbécile ! Que croyez-vous que l'amour soit ? Est-il capable de pousser un homme à traverser la toundra sur des milliers de kilomètres, à faire de lui un cannibale ?

— L'avez-vous retrouvée ?

— Oui. Elle était morte. Ils étaient tous morts. Elle était gelée. Des fragments de glace s'étaient déposés sur le duvet soyeux, au-dessus de sa bouche.

— Kyrill Ivanovich…

— Écoutez, bon Dieu ! Ne savez-vous pas écouter ?

Samarin donna un coup de pied dans la tasse, qui glissa sous le lit avant de s'écraser contre le mur, imprégnant le plancher brut d'une tache en expansion.

— Et voilà que ça m'a repris ! Aujourd'hui même. Un garçon reçoit un malheureux éclat de balle à l'épaule. Il saigne. Il s'écroule. Aucune cause ne me pousse à faire demi-tour. Je pourrais très bien le laisser là, allongé, sauter du train, m'engouffrer dans la forêt et me glisser entre les lignes des rouges pour gagner l'ouest. C'est là-bas que je devrais être. Là-bas que le destructeur doit se mettre à l'ouvrage. Et de nouveau, une autre de ces putains a de l'emprise sur moi, elle me force à faire marche arrière pour lui rapporter son enfant. Il fallait que je continue, mais j'ai fait demi-tour pour l'amour de cette femme. Je n'ai passé qu'une nuit avec elle, nous avons chanté, j'ai embrassé la petite cicatrice qu'elle a sur le sein, et elle m'a eu. Vous comprenez ce que je veux dire, Gleb Alexeycvich. Cela ne doit plus jamais se produire. Vous avez atteint, vous aussi, le moment du "cela ne doit plus jamais se produire", pour l'amour d'un monde meilleur que ce monde misérable. Maintenant, c'est moi qui l'ai atteint. Prenez le couteau. Prenez-le. Castrez-moi.

Balashov, qui contemplait ses pieds, les mains jointes, le dos voûté, leva les yeux et demanda à Samarin ce qu'il voulait dire.

– À votre avis ? Prenez le couteau. Faites ce que vous avez à faire. Castrez-moi.

Balashov prit le couteau et le jeta sur la table en secouant la tête. Samarin s'en saisit, ouvrit de force les doigts de Balashov et lui posa le manche du couteau dans la main. Il ôta son manteau, défit son pantalon, qu'il fit glisser sur ses chevilles.

– Ce n'est pas là qu'il se trouve, déclara Balashov en secouant la tête. Là n'est pas l'endroit où se trouve l'amour, sinon quel genre de monde essayeriez-vous de construire ?

– Châtrez-moi, répliqua Samarin. Je ne peux plus être comme ça. Ce n'est pas de l'amour, c'est une maladie, un pouvoir qui s'exerce sur moi et que je ne peux tolérer.

Il se jeta à genoux devant Balashov, souleva sa chemise, empoignant son scrotum. Ses lèvres se déformèrent, parcourues de frissons. Deux larmes tracèrent de larges chemins sur la suie de ses joues.

— Castrez-moi, Gleb, implora-t-il dans un sanglot. Sinon, je n'apporterai rien de bon au futur.

Balashov laissa tomber le couteau sur le lit, se leva, serra contre son ventre la tête de Samarin et lui caressa les cheveux. Il se pencha pour lui embrasser le front avant de sortir, abandonnant Samarin à ses pleurs. Il partit en direction de Jazyk.

En bas, on frappait à la porte. Mutz descendit voir qui était là... Anna l'entendit armer le chien de son pistolet dans l'escalier. La mort industrielle adressait un avertissement aux semelles de bottes qui martelaient le bois. Elle entendit la porte s'ouvrir. Au lieu d'une conversation, il y eut un silence, puis ce qui pouvait être un mot prononcé. La porte se referma et elle distingua des bruits de pas dans l'escalier. Ce n'était pas Mutz.

— Bonjour, Gleb, dit Anna à Balashov. Il avait l'air changé. Sa belle sérénité semblait brisée. On devinait qu'il n'avait pas fait de voyage heureux jusqu'au paradis depuis un bon moment.

— J'ai appris pour Alyosha, annonça Balashov. Je suis désolé d'être là, mais je tenais à le voir.

— C'est bien que vous soyez venu. C'est votre fils, malgré tout.

— Mutz est parti, reprit Balashov. Il m'a regardé puis m'a serré la main. Il a juste dit "Matula", m'a serré la main, et il est parti.

— Alyosha dort. Il est blessé à l'épaule. La balle l'a traversée. Les dégâts ne sont pas très importants, l'os n'a pas été touché, mais il aura mal en se réveillant, le pauvre, et je crains que ça ne s'infecte. Il a eu de la fièvre.

Balashov s'approcha du lit et s'agenouilla au chevet d'Alyosha. Il fit le geste de caresser le front du garçon mais se figea soudain, se releva pour aller se laver les mains dans la bassine, sur le buffet. Anna l'observait. Il lui semblait faire preuve d'une plus grande insouciance dans sa manière de bouger. Il donnait l'impression d'être ce qu'Anna ne l'avait pas vu être depuis qu'elle était arrivée à Jazyk : seul.

Enfin, elle avait pleuré toutes les larmes de son corps, elle était vide à présent. Balashov reprit son poste au pied du lit. L'une des mains d'Alyosha reposait sur les couvertures, Balashov la prit dans les siennes. Anna se demanda si, au cas où Alyosha se réveillerait maintenant, il serait effrayé, ou si, dans un recoin mystérieux de lui-même, il reconnaîtrait son père comme sa chair et son sang.

— Cela ne vous gêne pas ? demanda Balashov.

— Non. Mais s'il se réveille, ne lui dites pas que vous êtes son père.

— Non. Me permettez-vous de prier ? En silence.

— Non.

Les minutes s'écoulèrent dans un silence complet. Balashov se leva et s'approcha d'Anna.

— Vous avez changé, constata Anna.

— Ce que nous faisons... nos corps se transforment, répondit Balashov en rougissant. La peau est plus douce, nous prenons du poids.

— Non. Depuis hier.

— Voyez-vous un changement ?

— Y a-t-il des problèmes au sein de votre confrérie ?

— Je ne peux plus être leur guide, désormais. Je me suis mis à leur mentir au sujet de mes visions. Je vous ai menti, également, moi qui voulais tant vous dire la vérité et tenir mes promesses, après toutes celles que j'ai brisées par le passé. Je vous avais promis de ne plus jamais aider qui que ce soit à se purifier. J'ai rompu cette promesse il y a quelques jours.

— Vous avez porté le couteau sur un homme ?

— Oui. Il avait dix-neuf ans.

— Oh, Gleb.

— J'ai rencontré le bagnard en revenant de Verkhny Luk. Il a deviné ce que j'avais fait. Il m'a affirmé qu'il ne dirait rien si je ne parlais à personne du litre d'alcool qu'il m'avait dérobé. Je savais que Samarin avait tué le shaman, Anna. J'aurais pu tous vous avertir. Tout est de ma faute.

C'est l'orgueil qui m'a empêché de vous le dire. J'étais trop orgueilleux pour vous dire que j'avais rompu une autre des promesses que je vous avais faites. Ce qui faisait de moi un menteur. Un menteur ne peut pas être un ange dans la maison de Dieu. Ce que tout cela signifie, c'est que je me soucie davantage de ce que vous pensez que de ce que Dieu pense.

— Cela me fait plaisir.

— Mais pas à Dieu.

— Gleb, j'ai invité Samarin à passer la nuit avec moi. Nous avons couché ensemble. Fait l'amour.

— Je le sais.

— Comme une idiote, l'envie de cet homme me démangeait, je ne pouvais plus me passer de lui, je lui ai fait confiance. Je l'ai laissé emporter notre fils.

— Notre fils ! sourit Balashov. Comme c'est étrange d'entendre cela.

— Quel que soit ce que vous vous infligerez à vous-même, vous ne pourrez jamais empêcher qu'il soit votre fils.

— Pourquoi êtes-vous venue à Jazyk ? Je n'avais pas imaginé une seule seconde que vous viendriez. Quand je vous ai vus à la gare, vous et Alyosha, il y a quatre-cinq ans, l'espace d'un instant j'ai été heureux. Puis ce fut comme un nouveau coup de couteau. Je vous ai haïe. Je me suis même demandé si le diable en personne n'avait pas revêtu votre forme pour mieux me tourmenter. Rien de plus facile. J'ai prié, j'ai jeûné, j'ai tournoyé. Ensuite, quand j'ai réalisé qu'il s'agissait bien de vous, c'est devenu plus dur. D'abord, j'ai continué de vous haïr. Je me suis senti comme un enfant qui joue à des jeux délicieux par une longue soirée d'été et qui découvre soudain qu'un plus grand que lui est là, à l'observer. Le petit enfant a beau toujours croire à son jeu, il ne peut s'empêcher de sentir sur lui le regard du plus grand, pour qui son château n'est guère qu'un tas de brindilles et sa tunique de magicien quelques malheureux draps empruntés dans la grande maison. Puis j'ai cessé de vous haïr. J'ai essayé de vous aider. Vous vous en souvenez, ce furent les moments les plus pénibles. J'avais quitté le monde, embarqué dans la nef des castrats, brûlé les clés du diable. Pourtant, vous exerciez toujours sur moi une emprise, qui n'avait rien à voir avec la passion. Comme si vous et moi avions jadis partagé un secret, que je l'avais oublié tout en sachant que vous le possédiez toujours et que j'étais incapable de revenir vers vous pour en découvrir la nature.

Anna comprit qu'elle n'avait jamais pensé, ne fût-ce qu'une seconde, que son mari avait perdu la raison. Ah, tout aurait été plus facile si elle avait été capable de penser cela. Elle eut l'impression qu'il lui demandait de rester. Elle comprit alors que s'ils survivaient, il leur faudrait partir.

Alyosha appela sa mère, elle le rejoignit, s'assit au bord du lit, aux petits soins pour lui. Il avait ouvert les yeux et retrouvé un semblant de lucidité. Il avait une forte fièvre, son épaule le faisait souffrir. Il demanda des nouvelles de Samarin. Anna lui répondit que M. Samarin était sain et sauf, et que lui, Alyosha, était un garçon courageux. Anna jeta un regard vers la porte de la chambre, où Balashov patientait.

— Gleb, appela-t-elle. Il marcha vers eux et reprit sa place par terre, le visage à la même hauteur que celui d'Alyosha.

— Gleb Alexeyevich, notre bon ami qui vit au village, annonça Anna. Il est venu voir combien nous étions courageux… je veux dire, il est venu voir comment tu allais.

— Bonjour Alyosha, dit Balashov.

— Bonjour, répondit Alyosha.

— Tu vas avoir une belle cicatrice. Tes copains seront jaloux.

— Moi, je serai hussard, comme mon père. Il avait un tas de cicatrices.

— Oui, acquiesça Balashov. J'ai entendu parler de ses cicatrices.

— Il est mort à la guerre.

— Vraiment ? Tu sais, je suis persuadé que, de là où il est, il te voit quand même quand tu as des ennuis, qu'il intercède en ta faveur.

Alyosha grimaça de douleur, puis respira péniblement.

— Ça fera toujours aussi mal quand je serai grand, à l'armée ?

— La douleur disparaît, à moins que quelque chose ne te remette en mémoire la blessure. Mais cela n'arrive que rarement.

Dehors, ils entendirent des cris, du verre brisé, puis des coups de feu. Une explosion isolée, à quelques centaines de mètres de là, fit trembler la vitre. Anna tressaillit et vit son mari se baisser brusquement en se couvrant la tête de ses bras, un court instant.

— N'aie pas peur, dit Alyosha à Balashov. Les hussards vont arriver.

Balashov laissa retomber ses bras.

— Au revoir, Alyosha. Je vais prier pour toi. Guéris, deviens grand et sage, aime ta mère.

Il baisa le front de son fils avant de se lever.

— Que faut-il faire ? demanda Anna. Le descendre au salon ? Sera-t-il plus en sécurité en bas ?

La fusillade gagnait en intensité.

— Éloignez-vous de la fenêtre, dit Balashov. Il marcha vers la porte. Anna voulut savoir où il allait.

— Si un ange chute pour sauver un mortel, cela plaira à Dieu, même si cela ne suffira jamais pour que Dieu sauve cet ange, déclara Balashov.

— Attendez, répliqua Anna. Où allez-vous ? Embrassons-nous une dernière fois, au moins.

Balashov était déjà en bas, qui hurlait des mots déments qu'elle ne comprenait qu'à moitié, des mots d'adieu, des mots tendres peut-être, elle n'en était pas sûre. Develchen entra dans la chambre, apportant une poignée de mousse et de feuilles noircies par le gel.

— Ils tirent, annonça-t-il. L'homme qui descend l'escalier dit qu'il est en chemin pour l'enfer. Je lui dis Notre-Homme sait ce qu'il faut faire dans le monde d'en bas. Prendre une corde, il dit, et la lester de poids. Facile de faire chuter les grands démons, quand ils courent vers vous.

LE CADEAU EMPOISONNÉ[*]

En milieu de matinée, Mutz et ses compagnons perchés sur le toit de la grange aperçurent enfin les rouges. Ils attaquaient la ville par le nord-ouest. Des panaches d'une fumée grise et sale éclataient tels des djinns au-dessus des maisons, précédant de quelques secondes le craquement de l'explosion. Deux maisons étaient en feu. Les mitrailleuses des deux camps martelaient l'air à coups de bec. Vers midi, des coups de feu isolés prirent pour cible la position tenue par Mutz et ses hommes. Des éclats de bois déchiquetés se dressaient brusquement, frappés par d'invisibles coups. Ils virent des Tchèques courir d'un coin de maison à l'autre en direction du pont, vers l'ouest, et le long de la route qui descendait de la gare, au nord. Dezort et ses deux compa-gnons quittèrent le toit pour aller couvrir le pont depuis le sol. Nekovar donna à Broucek ses dernières munitions. Broucek déchargea quelques cartouches en visant le coin des maisons pour ne blesser personne, tout en leur faisant comprendre qu'il les tenait en respect. Matula ne s'était toujours pas montré.

— Je croyais que nous allions rentrer chez nous sans avoir à nous battre de nouveau, soupira Broucek. Je me sens comme un fermier frappé par la sécheresse pour la cinquième année d'affilée.

---

[*] Traduction de *The Gift Horse,* allusion à un proverbe anglais qui existe aussi en français : "À cheval donné, on ne regarde pas dans la bouche", signifiant qu'il faut accepter un cadeau sans chercher à le juger… *(NdT)*

Les assaillants amenèrent un petit mortier pour pilonner la grange. Un obus tomba tout près, qui fit voler en éclat les vitres de la maison d'Anna.

— Je le vois, déclara Nekovar. Derrière ce grand aulne.

Il se saisit d'une planche taillée à la hâte en forme de raquette de tennis, dégoupilla une grenade et la lança en l'air avant de la propulser d'un coup sec de sa batte improvisée. La grenade atterrit dans le fossé, devant la maison du voisin d'Anna, sans exploser.

— Ne refaites plus jamais ça, ordonna Mutz.

— C'était juste histoire de leur faire un peu peur, frère, répliqua Nekovar. Ce n'est pas mon sport. Je préfère le football, vous le savez bien. Mais je regardais jouer les aristos et les patrons dans le temps, quand j'étais gardien à l'Association de tennis sur herbe de Bohême. C'est comme ça qu'ils frappaient la balle en général, mais les meilleurs joueurs la frappaient parfois de haut en bas, très fort. C'était plus précis. Regardez.

Il se leva d'un bond, en équilibre instable sur la corde, empoigna une seconde grenade, fit sauter la goupille, jeta l'engin au-dessus de sa tête, puis tendit le bras en arrière avant de le rabattre violemment vers l'avant. La grenade retomba tout près de l'aulne, où elle explosa aussitôt, jonchant la neige de feuilles jaunies et de brindilles. Les hommes chargés du mortier s'enfuirent à toutes jambes.

— Quinze-zéro, déclara Nekovar.

Il se fendit d'un beau sourire, perdit pied, glissa le long du toit et alla s'écraser au pied de la grange. Ils le retrouvèrent en sang, avec une profonde entaille à l'arrière du crâne. Il respirait à peine. Ils traversèrent la rue ventre à terre pour le transporter chez Anna. Anna et Develchen avaient descendu Alyosha dans le salon, sur le divan. Ils allongèrent Nekovar sur la table de la cuisine. Mutz eut toutes les peines du monde à convaincre Broucek qu'ils devaient regagner le toit. Ils abandonnèrent Nekovar aux bons soins d'Anna et Develchen. Il n'y avait plus rien à faire pour lui. Anna restait debout à côté du blessé, à le contempler, sans savoir par où commencer pour lui bander la tête, quand Nekovar ouvrit les yeux. Il regarda Anna, longuement. Il semblait enchanté à la vue de cette femme. Puis il parla, d'une voix faible mais claire.

– *Páne*, sœur, dites-moi je vous prie. Vous n'avez plus rien à me cacher, à présent. Dites-moi juste quel est votre secret. Quel est le secret du mécanisme qui excite les femmes ?

– Mmm, répondit Anna. Seulement si vous promettez de ne le répéter à personne.

– Je vous le promets.

Anna se pencha à l'oreille de Nekovar et lui murmura :

– À l'intérieur de leur vagin, les femmes ont un tout petit, tout petit os, cinq centimètres à l'intérieur, sur la gauche. Il est dur à trouver, vraiment très dur, mais si vous y parvenez et si vous le pincez tout doucement, tout en caressant le lobe de l'oreille droite, comme si vous caressiez l'oreille d'un bébé souris, cela déclenchera chez cette femme un amour éternel. Voilà comment nous fonctionnons.

– Ah ! s'écria Nekovar. Je savais bien que Broucek me cachait quelque chose. Merci.

Il soupira, eut un sourire de grande béatitude, puis ses yeux se fermèrent. Midi sonna. Le soleil de cette fin d'automne relâcha au zénith ses dernières bribes de chaleur. Elle jaillit des mares de neige fondue aux quatre coins de Jazyk. Mutz et Broucek la sentirent dans leur dos. D'autres maisons brûlaient. Une odeur de fumée avait envahi le village. La fusillade s'était calmée, mais elle se poursuivait. Les autres ne savaient pas que Nekovar était mort. Ils virent leurs anciens camarades remettre leur mortier en position. Dezort poussa un hurlement depuis le pont. Il secoua la tête dans leur direction, les deux pouces tendus vers le bas.

– Quelqu'un chante ? s'étonna Broucek.

– Je n'entends rien, répliqua Mutz. Je devrais peut-être me rendre à Matula.

— Je m'y opposerai, frère. Et puis, cela nous sauverait-il ?

— Nous pourrions tenter de gagner la forêt.

— J'entends quelqu'un chanter.

Mutz aussi. Un chœur de voix inexpérimentées mais puissantes, entonnant des mots russes sur une musique qui évoquait les hymnes des missionnaires anglais ou américains. Broucek montra du doigt la procession. Elle venait de quitter la place en direction du pont. Balashov marchait en tête, brandissant une étoffe blanche au bout d'une perche, menant un cheval noir en bride. Des dizaines de villageois lui emboîtaient le pas, vêtus de blanc, de gris pâle et de crème sous des manteaux, de grandes capes d'un noir profond. Tous chantaient et d'autres villageois sortaient de leurs maisons pour se joindre au cortège, des hommes essentiellement mais aussi quelques femmes. Ils traversèrent le pont, s'engagèrent sur la route de la gare, passant au pied de la maison d'Anna, sous les yeux de Mutz et Broucek.

— Que dois-je faire ? demanda Broucek.

— Je ne sais pas, répondit Mutz. Couvrez Balashov aussi longtemps que vous le verrez.

La procession était riche de quelque quatre-vingts âmes, désormais, qui chantaient à l'unisson, étouffant les détonations d'armes légères qui résonnaient encore au nord-ouest du village. Balashov chantait plus fort encore.

> *Père vénéré, notre Rédempteur*
> *Dans le jardin vert, rossignol chanteur*
> *Tandis que le Saint-Esprit, en véritable entrepreneur,*
> *Fait sonner la cloche des tsars,*
> *Il appelle à lui les brebis blanches :*
> *"Vous, mes brebis, mes brebis blanches,*
> *Vous irez au paradis des bienheureux,*
> *Vous serez toutes, dans vos cœurs, heureuses,*
> *Ainsi ne serez-vous pas éternellement nues,*

Dans le jardin, vous serez des oiseaux précieux,
Je vous protégerai de tous les malheurs,
J'envoie la grâce dans vos cœurs ;
Qui veut obtenir la grâce,
Celui-là doit souffrir pour Dieu.
Les affaires de Dieu, il faut les percevoir,
Le sceau d'or, il faut le recevoir,
Pour que l'âme n'ait pas à répondre de péchés,
Pour que les cœurs soient toujours pleins de pureté."
Notre Père, notre Rédempteur,
Est toujours assis à sa table d'or ;
Un gaillard sans peur vint le voir
Un gaillard audacieux, hardi,
De la montagne de Sion lui fit présent,
Et apporta un cheval blanc :
"Sur le cheval, mon ami, monte rapidement,
Et réjouis-toi en ton cœur,
Aux rênes d'or, tiens-toi bien fort
Pars loin d'ici,
Parcours les routes de ton pays
Et tue le terrible dragon.
Partout des jardins verts nous planterons."

Deux cents mètres après le carrefour du pont, une sentinelle tchèque sortit de derrière une maison et donna l'ordre à la procession de s'arrêter. Balashov lui annonça qu'il apportait un bon cheval au capitaine Matula.

— Qui sont les autres ? l'interrogea le soldat.

— Mes amis.

— Ils feraient mieux d'arrêter de chanter.

Balashov se tourna vers eux et d'un hochement de tête fit cesser leur chant. Matula sortit de sa cachette en compagnie d'Hanak, qui l'enjoignait de ne pas s'exposer ainsi aux balles du tireur isolé.

— Pas au milieu de tous ces gens, murmura Matula, sans quitter des yeux le cheval. Ses yeux demeuraient sans vie, mais la peau tout autour frissonnait à la seule pensée d'une monture.

— Combien en demandez-vous ? dit-il à Balashov.

— C'est un cadeau, capitaine.

— Eh, je connais mes classiques ! Vous avez dissimulé vingt soldats rouges et juifs à l'intérieur de sa panse, pas vrai ? (Matula caressa le chanfrein du cheval. La bête piaffa. Elle était sellée.) Dans votre chanson, le cheval était blanc, remarqua Matula.

— Nous connaissons des chevaux de toutes les couleurs.

— Je n'ai jamais vu aucun de vos harceleurs de Dieu monter à cheval, surtout pas un cheval comme celui-ci. Où l'avez-vous volé ? Qu'attendez-vous de moi ?

— Nous espérons que vous parviendrez à éviter la destruction de la ville, répondit Balashov. Aimeriez-vous le monter ?

Matula parcourut des yeux la route déserte.

— Pourquoi ne le monteriez-vous pas vous-même, l'autochtone ? Montrez-moi ce que la bête a dans le ventre. S'il vous jette par terre comme un vieux sac de farine tombant à l'arrière d'une charrette, je saurai qu'il est digne d'être monté par un officier. Ouste, montez là-dessus. Allons, mon vieux, pas besoin d'aller embrasser vos amis ni de les prendre dans vos bras, il s'agit juste de vous pendre aux rênes d'un cheval, pas au bout d'une corde.

Balashov essaya de se mettre en selle, mais il enfonça le pied droit dans l'étrier. Les Tchèques partirent d'un grand éclat de rire. Balashov fit une nouvelle tentative, retomba lourdement sur la selle et tira maladroitement sur les rênes pour entamer un demi-tour. Le cheval refusa de bouger.

— C'est le cheval qui devrait vous monter ! rugit Matula en se frappant les cuisses. Ses yeux se couvrirent d'une mince pellicule d'eau, comme des rochers après la pluie.

Balashov trouva enfin le moyen de faire tourner le cheval, qui repartit d'un pas tranquille, au milieu de la procession, dont les membres firent un pas en arrière de chaque côté de la route pour les laisser passer. Tandis qu'il regardait Balashov descendre la rue au petit trot, Matula prenait soin de toujours laisser les villageois entre Broucek et lui.

— Eh bien, il est resté en selle, mauvais point pour le cheval, déclara Matula. Quel superbe animal, ajouta-t-il entre ses dents.

Balashov s'arrêta devant la maison d'Anna, puis il fit demi-tour. Il aperçut Anna, qui le regardait.

— Que faites-vous donc ? demanda-t-elle.

— Je m'en vais.

— Où allez-vous ?

— Là où je dois aller. Rentrez chez vous, vous n'êtes pas en sécurité dehors. Comment va Alyosha ?

— Toujours pareil. Gleb, j'ignore ce que vous voulez faire, mais je vous en prie, ne le faites pas.

Le cheval baissa la tête puis la releva brusquement, ses sabots battaient la neige fondue de la route à demi gelée.

— Vous savez, reprit Balashov, quand on n'est plus un homme ni même un ange, la vie s'avère parfois pénible.

Anna marcha vers lui.

— Il y a longtemps que je ne vous avais vu si semblable à un homme.

— Et, bien que vous ayez été si gentille avec moi aujourd'hui, je ne suis plus un père.

— Je vous l'ai dit, vous l'êtes toujours. J'ai brûlé tous mes portraits de vous.

Elle lui montra son appareil.

— Me permettez-vous ?

— Je dois y aller, répondit Balashov.

Anna poussa un soupir avant de déclencher son appareil.

— Voilà, c'est fait.

— Au revoir, dit Balashov. Nous nous sommes aimés, n'est-ce pas ?

Il se pencha en avant, murmura à l'oreille d'Omar, avant de s'éloigner.

— Oui, répondit Anna quand il fut trop loin pour l'entendre. Nous nous sommes aimés.

Plus loin, Matula fronça les sourcils en voyant Balashov revenir vers lui au grand galop.

— Il n'arrivera jamais à le maîtriser à une telle allure. Il va se briser le cou. Ce serait dommage qu'il rompe celui du cheval avec. (Cheval et cavalier se rapprochaient à bride abattue.) Un vrai miracle qu'il ne soit pas tombé. Il a dû enduire de colle la tige de ses bottes. Encore que… (Matula se caressa la commissure des lèvres, un geste qu'il avait fait pour la dernière fois au beau milieu des glaces flottantes du lac Baïkal, au plus fort de la bataille.) Je me demande si l'autochtone ne nous aurait pas caché des choses quant à son expérience équestre, Hanak. Comment s'appelle ce type ?

Une seconde avant d'arriver à la hauteur de Matula, si vite que ce dernier fut le seul à comprendre ce qui se passait, Balashov lâcha les rênes de sa main droite, la plongea sous son long manteau pour empoigner un sabre de cavalerie qu'il dressa au-dessus de sa tête, le ramena vers son épaule gauche, s'arc-bouta sur ses étriers et s'inclina sur la gauche de sa selle. Au moment où il frôla Matula, toute la puissance de son bras détendu et tout l'élan du cheval au galop s'accumulèrent dans le prompt mouvement du sabre lourd et aiguisé, qui s'engouffra dans la brèche séparant le menton de Matula de son col.

— Excellent coup ! s'écria Matula. Sa voix s'amenuisa en un murmure crachotant, tandis que la partie supérieure de sa gorge et la bouche d'où elle émergeait décrivaient avec sa tête un arc de cercle dans les airs, avant de retomber sur des touffes de patiences, de l'autre côté de la route. Un flot de sang ridicule jaillit de l'homme décapité, debout, et alla fouetter la surface de la neige pendant que les villageois se dispersaient. Hanak sortit son pistolet et tira deux coups de feu sur Balashov, le tuant d'une balle dans le dos au moment où il tirait sur ses rênes pour arrêter Omar, avant qu'Hanak lui-même ne soit abattu par Broucek, du premier coup.

Anna entendit les coups de feu, puis les cris des villageois. Elle aurait pu courir voir sur place. Elle n'en ferait rien. Elle n'abandonnerait pas Alyosha. Elle savait déjà que jamais plus elle ne reverrait son mari vivant. Elle aperçut son reflet dans l'une des rares vitres encore intactes de sa maison. Son propre visage l'effraya. Il ressemblait à ces visages de quai de gare du temps de la grande famine, ou à ceux des femmes juives au temps des pogroms, les visages de tous ceux qui ne vivent plus, mais endurent.

Alyosha était éveillé. Il avait entendu le cheval.

— Les hussards sont venus ?

— Non. C'était M. Balashov.

— Il a dit qu'il s'appelait Gleb, comme papa.

Anna prit l'enfant dans ses bras.

— Ce n'est qu'un prénom, répondit-elle. Même si, mon petit, M. Balashov a d'autres points communs avec ton père. Certains hommes se soucient peu de ce qui est le plus proche d'eux. Ce qu'ils recherchent, c'est ce qui est inaccessible. Ah, ne fais pas attention à ce que je dis. Nous allons partir de Jazyk. Il nous faut trouver une ville où nous pourrons vivre. Que penses-tu du lieutenant Mutz ? Tu l'aimes bien ?

Anna et Mutz se virent à peine, ils n'échangèrent pas un mot jusqu'au lendemain. Après la mort de Matula, les Tchèques acceptèrent de reconnaître l'autorité de Mutz et de Dezort, qui leur promirent que tous quitteraient bientôt Jazyk. Ils chargèrent le cadavre de Matula sur un brancard, tête et corps ensemble, puis partirent à la rencontre des rouges, sous un drapeau blanc. Deux soldats rouges avaient été blessés pendant les combats. Au cours d'une réunion, deux motions avaient été proposées puis votées, décrétant que tous les Tchèques devaient mourir. Bondarenko argumenta en faveur de la clémence, ne serait-ce que pour des raisons de salubrité publique. Quand les débats semblèrent sur le point de décider contre lui, il tira la tête de Matula de sous la couverture qui la recouvrait pour l'agiter sous les yeux de l'assemblée des cheminots, tempérant ainsi leur soif de vengeance. Mutz s'aperçut que les yeux de Matula étaient grands ouverts. Ils avaient revêtu dans la mort une expression, enfin. Celle d'un vague étonnement, à peine, même si Mutz en vint à se demander s'il ne fallait pas y voir une admiration fugitive pour le coup de sabre qui devait le décapiter et, pour un bref instant, la reconnaissance de sa défaite la plus cinglante, du fait que le Toungouze et lui n'étaient pas les seuls à pouvoir prétendre exercer leur pouvoir sur l'immensité de la taïga.

Le train rouge entra en gare dans un panache de fumée, poussant devant lui la locomotive détruite des Tchèques. Les deux camps soignaient leurs blessés, tandis que les castrats éteignaient les incendies et commençaient déjà à remettre en état leurs maisons. Aucun des villageois n'avait été touché dans la bataille, mais la plupart des maisons disposées le long de la voie ferrée étaient endommagées ou détruites. Des échauffourées éclatèrent quand les castrats traitèrent les Tchèques et les nouveaux venus de pillards. Des drapeaux rouges furent hissés au-dessus de la gare et du bâtiment administratif. Bondarenko parcourait les rues de la ville en tête d'une petite escouade, pointant les biens du doigt en déclarant qu'ils étaient désormais propriété du peuple. Mutz passa des heures entières à essayer de convaincre : convaincre le médecin des rouges, débordé de travail et avec la gueule de bois, d'aller voir Alyosha ; convaincre Bondarenko qu'il devait autoriser les Tchèques à conserver leurs armes et leur train jusqu'à ce qu'ils aient atteint le Pacifique ; convaincre les Tchèques les plus méfiants que les rouges étaient dignes de confiance, et les Tchèques socialistes qu'ils ne l'étaient pas. D'abord, personne ne fraternisa. Puis, dans la soirée, au sortir d'interminables et vaines heures de négociation sur les conditions du départ des Tchèques, Mutz, Dezort et Bondarenko découvrirent que les deux chefs cuisiniers tchèque et communiste étaient tombés d'accord sur la meilleure manière de préparer une génisse tuée par un tir de mortier (la faire bouillir).

Le lendemain matin, un détachement de la cavalerie rouge entra dans la ville, les chevaux couverts de boue jusqu'aux genoux, les cavaliers sales et l'air hagard, la silhouette alourdie par des gilets en peau d'agneau enfilés sur leurs pardessus. Leur chef, un Avar du nom de Magomedov, vêtu d'un chapeau d'astrakan et d'une cape de cosaque, était jaloux de Bondarenko, à cause du télégramme de félicitations que lui avait adressé Trotski en personne pour la prise de Jazyk. Mutz devint bien malgré lui l'allié de Bondarenko lorsque Magomedov et ce dernier se disputèrent pour savoir quelles parties de la propriété du peuple devaient être affectées aux troupes respectives des deux chefs. Gorbunin, officier politique attaché à Magomedov, les pria de l'excuser, puis partit explorer à pied les rues de la bourgade. Il rencontra Anna, qui se tenait debout sur le seuil de sa maison, dans un pardessus noir aux coudes reprisés. Elle tenait dans ses mains un appareil photographique.

— Bonjour, lui dit-il.

— Bonjour.

— Vos fenêtres sont brisées.

— J'attends le charpentier.

— Gorbunin, Nikolaï Yeminovich.

Il la salua du chef.

— Lutova, Anna Petrovna.

— Paysanne.

— Non.

— Ouvrière ?

— À votre avis ?

— Parasite bourgeoise ?

— Mère veuve.

— L'appareil ?

— C'est le mien.

— Vous prenez de bonnes photographies ?

— Je sais faire.

— Que dites-vous de cela ?

Gorbunin sortit de sa poche un journal, quatre pages imprimées sur un unique feuillet plié, en papier pelure. Il était intitulé *Les Sabots des Soviets*.

Anna l'examina attentivement. Ses joues étaient rosies par le gel et, depuis que le docteur était venu et l'avait rassurée sur l'état d'Alyosha, l'éclat de curiosité et d'avidité avaient repris possession de ses yeux.

— Il ne comporte aucune image, constata-t-elle.

— C'est mon journal, répliqua Gorbunin.

— Félicitations.

— Vous vous plaisez ici ?

— Non.

— Vous partez ?

— Oui.

— Où ?

— Prague.

– Quand ?

– Bientôt.

– Je vous plais ?

– Difficile à dire.

– Vous me plaisez.

– Que voulez-vous ?

– Vous montez à cheval ?

– Oui.

– Des enfants ?

– Un garçon. Il est blessé, mais se remettra vite.

– Monte-t-il à cheval ?

– Il pourrait apprendre.

– Le journal a besoin d'images.

– Oui.

– Voulez-vous quitter la Russie ?

– Non.

– Vous cherchez du travail ?

– Ça dépend.

– Venez travailler pour moi.

– Je ferais quoi ?

– Photographe.

– Il y aurait à manger ?

– Bien sûr.

– Des vêtements ?

– Le peuple vous en fournira.

– Et ma maison ?

– Confisquée.

– Pourquoi ?

– Bourgeoise.

– Et si je décide de rester ?

Gorbunin réfléchit un moment.

– Confisquée, définitivement.

Anna fronça les sourcils et hocha doucement la tête.

– Photographe.

– Oui.

– Et l'école, pour mon fils ?

– Nous avons trois professeurs dans mon unité. Moi y compris.

– Qu'enseignez-vous ?

– La philosophie, le français et des rudiments d'art équestre.

Anna détailla l'homme. Bien bâti, pas très grand, quarante ans à peine, avec des rides autour de la bouche et des yeux qui laissaient deviner une impatience bienveillante, une vie entière passée à méditer des leçons ardues et une propension certaine au rire. Il avait des yeux noirs vertigineux.

– Quel genre de photographe ? demanda Anna.

– La photographe, c'est vous.

– Qu'avez-vous vu ces derniers jours ?

Gorbunin entra à l'intérieur pour lui raconter ce qu'il avait vu, en prenant le thé dans la cuisine. Anna aperçut des portraits entre les mots de son récit : une très vieille femme en pleurs, à cause d'une histoire de pain chaud. Trois corbeaux perchés sur un cadavre. Un cavalier clouant un portrait de Lénine sur la porte d'une église, sans descendre de selle. L'ombre des cavaliers sur la neige fraîche, étincelante. Le visage de Gorbunin se reflétant sur une eau pleine de rouille. Des traces dans la boue autour d'une statue jetée à bas. Deux paysans autour d'un feu de camp, effrayés par l'œil de verre d'un Tartare. Une jeune fille épuisée. Un bébé sale. Un père pris de folie. Des dents en or dans la paume d'une vieille main. L'entrée dans des villes frappées de stupeur. Des drapeaux rouges flottant dans la brise, des bouches grandes ouvertes pour entonner un chant.

Elle demanda à Gorbunin :

– Quand cela commencerait-il ?

– Bientôt. Partirez-vous avec moi ?

Anna fit oui de la tête.

– Évidemment, répondit-elle dans un grand éclat de rire.

Ce matin-là, les Tchèques enterrèrent Matula, Nekovar, Hanak et Horak, le pompier. Ils creusèrent leurs tombes sur un petit terrain, près de la gare. Plus tard dans la journée, un cinquième homme, Smutný, succomba à ses blessures. Les castrats ne voulurent rien savoir du corps de Balashov, sans parler de l'inhumer dans leur propre cimetière. Il était en enfer, dirent-ils, pour avoir commis un péché mortel, le meurtre de Matula. Sa dépouille serait pour eux une souillure. Mutz fit remarquer à Skripach, leur nouveau chef, qu'en tuant Matula, Balashov avait sauvé la ville. Skripach hocha la tête, reconnaissant que c'était la vérité.

— Pensez-vous qu'il croyait vraiment qu'il irait en enfer ? demanda Mutz.

— Oui, répondit Skripach.

Drozdova, debout à ses côtés, pleurait à chaudes larmes.

— Alors il s'est sacrifié pour vous et pour nous, il a sacrifié bien plus que sa propre vie, reprit Mutz. N'avez-vous donc pas honte ?

— Non, répondit Skripach. Il aurait dû rester pur, comme un ange, se soumettre à la volonté de Dieu.

— Mais Dieu n'aime-t-il pas le sacrifice de soi ?

— Il aime l'humilité bien davantage.

— Tout cela n'a aucun sens, déclara Mutz.

— Vous avez le sens, nous avons la foi, répliqua Skripach. Il ne s'agit pas de penser, il faut croire.

Samarin avait disparu.

Mutz se rendit chez Anna. Ils s'embrassèrent sur les joues. Anna lui annonça qu'Alyosha allait beaucoup mieux.

— Vous semblez heureuse, déclara Mutz. Elle avait un teint superbe et était souriante.

— Malgré la mort de mon mari, vous voulez dire ? demanda-t-elle. Je suis en deuil depuis cinq ans, ne l'oubliez pas.

Mutz lui parla de la réaction des castrats, de leur refus d'accepter le corps de Balashov.

— Eh bien, alors, nous l'enterrerons nous-mêmes, à l'orée de la forêt. Je connais un endroit. Le vent y dépose en automne des vagues entières de feuilles, une marée de feuilles. Vous, moi et Broucek. Vous prendrez le temps qu'il faudra, n'est-ce pas ?

— Bien sûr.

— Je prononcerai quelques mots. Que dois-je dire ? Oh, je connais ce regard ! Vous pensez que je devrais montrer une plus grande tristesse, respecter davantage son sacrifice. Je dirai ceci : "Jadis, j'avais un mari, un amant, Alyosha avait un père, mais cet homme est mort. Gleb Balashov ne pouvait remplacer cet homme, il n'a d'ailleurs même pas essayé de le faire. Parfois, il me rappelait mon mari et peut-être, parfois, lui ai-je rappelé une femme qu'il avait aimée, à la même époque d'un passé révolu. Mais nous étions condamnés à garder nos distances, ce qui me tuait à petit feu. Je regrette que Gleb Balashov soit mort, mais je suis heureuse qu'au dernier jour de sa vie, il ait essayé de ressembler davantage à mon homme, celui que j'ai aimé en 1914. Je n'ai pas l'intention de porter le deuil cinq années de plus, tout cela parce qu'un homme a laissé de côté sa religion perverse par amour pour moi, au cours des ultimes heures de sa vie. Gleb, vous n'êtes ni en enfer ni au paradis, vous reposez en paix à présent, endormi. Nous ne vous oublierons pas."

Mutz hocha la tête. Il tenait dans ses mains un télégramme, le tapotait, le roulait, le lissait du doigt. Il regardait par la fenêtre. Il ne voulait pas regarder Anna. Ses yeux ne croisaient plus les siens, aujourd'hui.

— M'accompagnerez-vous à Prague, Alyosha et vous ? demanda-t-il.

— Je ne peux pas, Josef. Je suis tellement désolée. Je vais travailler comme photographe, avec les communistes.

Elle posa sur lui un regard coupable. Même s'il savait qu'il en serait ainsi, elle vit à quel point il était bouleversé. Elle était vraiment si résolue la veille à partir avec lui. Comment un état d'esprit si sincère pouvait-il n'être qu'un manteau qu'on ne porte qu'une seule journée avant d'en changer ?

Quelle était donc la vraie nature de cette femme, elle qui était incapable, au contraire de Samarin, d'embrasser du regard l'ensemble de ses moi pour en choisir un à sa guise ?

— Je savais dès hier que vous changeriez d'avis, même si vous avez cru vous-même en ce que vous affirmiez, dit Mutz. Mais je suis surpris que cela fasse si mal.

— Josef, répondit Anna, capable à présent de soutenir son regard. Il n'est pas très séduisant de vous protéger derrière vos doutes. Si vous n'aviez pas douté de moi hier, peut-être n'aurais-je pas douté aujourd'hui.

Ils restèrent assis, en silence, pendant un long moment. Mutz ressentit ce qu'il reconnut comme un amour brillant de ses derniers feux avant de laisser place à de l'amitié. S'ils vivaient assez longtemps dans la même ville, se demandat-il, le souvenir de ce sentiment nouveau, plus docile, ne recouvrirait-il pas un jour l'ancien, si bien qu'ils finiraient par être convaincus de n'avoir jamais été autre chose que des amis ?

Ils parlèrent longuement de ce qu'ils avaient fait ensemble, du visage d'Anna imprimé sur l'argent de Matula, de ce à quoi pourrait ressembler une Russie communiste. Mutz demanda s'il pouvait dormir sur le divan d'Anna. Il dormit quatre heures d'affilée, puis partit s'occuper de la tombe de Balashov. En fin d'après-midi, Mutz et Broucek transportèrent la dépouille de Balashov jusqu'à sa tombe, enveloppée dans un drap. Anna leur emboîtait le pas et tous trois enterrèrent le mort. Ils posèrent sur son cœur le portrait d'Anna que Samarin lui avait volé. Mutz avait espéré qu'Anna lui offrirait cette photographie, mais l'idée ne lui effleura même pas l'esprit et Mutz renonça à la lui demander. Anna prononça l'oraison funèbre qu'elle avait répétée le matin même, plus calmement. Au dernier moment, elle entrouvrit le linceul pour regarder le visage de son mari avant qu'il ne soit recouvert de terre.

À Jazyk, les jours qui suivirent, Bondarenko et Gorbunin s'efforcèrent, chacun à leur manière, d'expliquer aux castrats la nature de leurs nouvelles libertés et comment sous le régime communiste tout appartenait à tout le monde, dans une parfaite égalité. En retour, les castrats leur expliquèrent qu'ils vivaient depuis longtemps sous le régime de la communauté, comme le démontrait la vitesse avec laquelle ils s'étaient entraidés pour reconstruire les maisons endommagées par les combats. Les villageois continuèrent de cacher leur troupeau de vaches. Le chef de canton et sa femme furent érigés en exemple, en tant qu'uniques représentants disponibles de la classe des oppresseurs. Leur maison fut saisie, on les jeta dehors. On confia à leur domestique, Pelageya Fedotovna, un brassard rouge et la tâche de transformer l'édifice en une Maison de la culture.

Un jour, quand l'hiver se fut installé pour de bon et qu'un bref blizzard avait fait remonter la température au-dessus des moins dix degrés, Mutz dirigea l'ultime parade des Tchèques devant la gare, non loin de leur locomotive réparée, dont on avait fait chauffer la chaudière et à laquelle était accroché un wagon aux vitres brisées qu'ils avaient emprunté aux rouges. Le chef de canton et sa femme, rejetés par les rouges comme des gens de l'ancien régime, avaient déjà pris place à bord. Ils espéraient pouvoir émigrer. Mutz lut à haute voix aux survivants de la compagnie de Matula le télégramme qui le nommait capitaine jusqu'à leur retour en Tchécoslovaquie. Quand il prononça le mot "Tchécoslovaquie", l'un des Tchèques éclata en sanglots. Mutz ne leur lut pas la dernière phrase du télégramme, l'avisant que dès son arrivée à Prague, il retrouverait le rang qui était le sien, celui de caporal-chef, et devrait rendre compte des agissements de l'unité à Staraya Krepost.

— Allons-y, mes frères, conclut-il. Il est temps de partir.

Il s'était demandé si quelqu'un déclencherait un tonnerre de hourras et des applaudissements. Personne n'en fit rien. Il prit position sur les marches du wagon pour compter les hommes au fur et à mesure qu'ils embarquaient. Il n'était plus question d'oublier qui que ce fût. À sa grande surprise et à son embarras, le premier homme à s'approcher du marchepied, traversant d'un pas traînant une neige poudreuse qui étouffait les sons, s'arrêta devant Mutz, le prit dans ses bras et lui serra la main en disant : "Merci, frère", avant de franchir la porte. Tous les autres firent de même, une longue et puissante étreinte, un mot de gratitude, tantôt une poignée de main, tantôt un baiser, un simple salut de la part de deux ou trois soldats de la vieille école. Le dernier à passer fut Broucek.

— C'est vous qui avez organisé cela ? demanda Mutz.

— Ils n'auraient jamais fait ça pour me faire plaisir, répondit Broucek. Ils vous aiment bien, frère, ils vous sont reconnaissants.

Mutz embarqua après tous les autres. Il parcourut du regard la route de la gare pour s'assurer que personne n'arrivait en courant pour le supplier de rester ou de le laisser monter à bord. Mais il lui avait déjà fait ses adieux, elle ne viendrait pas. Il grimpa les marches, referma derrière lui la porte du compartiment. Quand le train se mit en marche, les Tchèques poussèrent enfin des acclamations, hurlant de joie et martelant le sol de leurs pieds, de la crosse de leurs fusils, éclatant de rire et racontant des blagues comme s'ils s'efforçaient déjà de s'acclimater de nouveau à leur terre natale.

Mutz resta debout dans le couloir, pour voir disparaître Jazyk. Le train avançait lentement, à grand renfort de sursauts et de crissements. Ils passèrent devant le wagonnet pulvérisé. On n'avait jamais retrouvé Samarin. Il semblait peu probable qu'il revienne un jour semer le trouble à Jazyk. Pourquoi le ferait-il ? Sa tentative désespérée de s'échapper de la ville pour regagner l'ouest laissait à penser que lui et tous les gens de sa trempe avaient déjà décidé d'œuvrer à la destruction du nouvel ordre rouge. À moins que ce même esprit destructeur n'ait décidé qu'il s'exercerait d'autant mieux aux côtés des rouges, et pas contre eux. À quoi bon assassiner une poignée de bureaucrates, après tout, quand on pouvait les terroriser puis les exterminer en tant que classe, par centaines de milliers ? De telles horreurs contenaient en elles un mystère plus profond. Le subversif lui-même se retrouvait subverti, l'esprit de destruction était rongé de l'intérieur, la même atroce intelligence capable d'inventer avec tant de détails un camp de travail perdu au fin fond de l'Arctique voyageait vers un Jardin blanc bien réel, avec la même impitoyable détermination, mais pour une raison d'une tout autre nature, une raison concernant une femme qu'il avait connue autrefois, et qu'il ferait tout pour revoir.

— Nekovar me manque, soupira Broucek, debout à côté de Mutz

— Il fait froid, répondit Mutz sans réfléchir.

— Pas seulement parce qu'il aurait réparé le chauffage du wagon. Être avec une femme ne sera plus jamais aussi bon, en sachant qu'il ne sera plus là pour me poser ensuite à longueur de journée toute une foule de questions sur la manière dont elles fonctionnent.

Broucek eut un moment d'hésitation.

— Ne pensez plus à la veuve, frère. Je connais un endroit à Irkoutsk qui vous aidera à l'oublier.

Broucek entreprit de dresser la liste de tous les bordels et autres salles de bal qui se trouvaient sur leur route et où ils feraient peut-être escale au cours de leur lent périple vers l'est, le long de la voie du Transsibérien. Ils traverseraient l'immense débâcle blanche, Krasnoïarsk, longeraient le lac Baïkal jusqu'à Irkoutsk, franchiraient les monts Iablonovy, juste au nord de la Mongolie, frôleraient la frontière chinoise sur les rives de l'Amour, avant de déboucher sur la mer du Japon. Plusieurs mois s'écouleraient peut-être avant qu'ils n'atteignent Vladivostok. Ils n'en seraient alors qu'à la moitié du chemin.

— Je n'aime pas l'idée de traverser l'Amérique en train, déclara Broucek. Et s'il nous fallait une nouvelle fois nous frayer un chemin par la force des armes, comme ici ?

— Je ne crois pas que ce sera nécessaire.

— Vraiment ? J'ai pas mal lu à ce sujet. J'ai vu des films. Des plaines immenses et des forêts, pas de Toungouzes mais des Indiens, de la neige et de grandes chaleurs, les Rocheuses à la place de l'Oural, des cow-boys en guise de cosaques. Il n'y a pas de rouges en Amérique, frère ?

— Si. Mais ils n'errent pas dans le Colorado à bord de trains blindés.

Ils aperçurent Develchen, l'albinos. Il s'éloignait des rails en direction du nord, tenant par la bride Omar, qui s'enfonçait jusqu'au boulet dans la neige. La dépouille du shaman était ficelée en travers du cheval. De toutes les entreprises de persuasion qu'avait menées Mutz, convaincre les rouges de laisser l'albinos emporter l'étalon avait été la plus ardue. Le cheval ne survivrait pas longtemps. Cela importait peu. Mutz ne savait pas avec certitude ce que l'albinos projetait de faire, mais les funérailles du shaman consisteraient à le suspendre à la cime d'un grand mélèze dans une chrysalide en écorce de bouleau, pour le laisser se balancer dans la brise. Omar se retrouverait-il lui aussi emballé dans un cocon d'écorce, à osciller aux côtés du shaman ? Deviendrait-il ainsi la monture du shaman, le coursier de ses rêves, sur le dos duquel il s'envolerait pour le monde d'en haut, laissant derrière lui tous les rennes du monde et son ivrognerie ? Ses talismans chanteraient dans le vent astral, ses trois yeux luiraient comme des forges, son tambour dans une main, une bouteille d'alcool de contrebande dans l'autre, les gencives enduites de l'écume du champignon broyé, et l'esprit du cheval de Balashov emporterait le shaman là où il l'avait décidé, selon sa propre volonté et contre celle de tous les autres, dans le monde d'en haut, où il lancerait un grand éclat de rire à la face des dieux.

NOTES ET REMERCIEMENTS

La connaissance que j'ai acquise de la secte de castrats connue en Russie sous le nom de *skoptsky,* je la dois en grande partie à deux remarquables ouvrages. Le premier est *La Secte russe des castrats*, traduction française d'une étude de Nikolaï Volkov écrite en 1929, dotée d'une excellente introduction de Claudio Sergio Ingerflom, *Communistes contre castrats*. Le second est *Khlyst*, d'Alexandre Etkind. L'hymne des castrats cité vers la fin du roman est tiré du premier ouvrage. Malgré la répression qu'elle subit de la part des autorités soviétiques, la secte semble avoir survécu pendant toute la première moitié du XXe siècle. Ingerflom cite un ouvrage russe publié en 1974, *Iz Mira Religioznovo Sektantsva (Le Monde des sectes religieuses),* dont l'auteur, A.I. Klebanov, rencontra des castrats en 1971, à Tambov en Crimée et dans le Caucase du Nord. Un exemplaire du journal universitaire soviétique *Nauka I Religiya (Science et Religion),* publié en 1962, comporte un article intitulé *Fragments d'une nef échouée*, où sont rapportés plusieurs cas de castration de nature religieuse ayant eu lieu après la Seconde Guerre mondiale.

À en juger d'après les récentes conversations que j'ai pu avoir à ce sujet avec des Tchèques, l'histoire de la Légion tchécoslovaque est fort méconnue en République tchèque, en dehors du milieu universitaire, tout du moins chez la jeune génération. La plupart des historiens de la guerre civile russe la mentionnent au passage, mais la seule étude détaillée en langue anglaise à lui être consacrée est une monographie de John Bradley publiée en 1991, *The Legion in Russia, 1914-1920*. Il y rapporte qu'un convoi de navires japonais, transportant les 67 739 derniers membres

439

de la Légion, quitta le port de Vladivostok le 2 septembre 1920, mettant ainsi un terme à leur odyssée sibérienne. Les lecteurs familiers du *Brave Soldat Chvéïk* de Jaroslav Hasek savent sans doute que cet écrivain fit partie des nombreux Tchèques qui combattirent en Russie au moment de la guerre civile, mais du côté des rouges, pas dans la Légion. Ses exploits russes ont nourri plusieurs de ses nouvelles.

Des documents attestent de l'existence de la pratique consistant, chez les évadés des bagnes russes puis soviétiques, à emmener avec eux un compagnon naïf en guise de nourriture. L'un des articles du *Manuel du Goulag* de Jacques Rossi, intitulé "Vache" (*"Korova"*) débute par ces mots : "Personne choisie pour être mangée ; ne se doutant de rien, tout criminel inexpérimenté, invité par ses aînés à s'évader avec eux, est prêt à remplir cette fonction... Si, au cours de leur fuite, les évadés se retrouvent à court de vivres et sans aucun moyen de ravitaillement, la 'vache' sera égorgée..." Rossi souligne que cette pratique a précédé l'avènement du goulag soviétique, puisqu'une revue médicale russe l'évoque dès l'année 1895. Ruben Sergueiev fut le premier à m'en parler, dans les bureaux moscovites du *Guardian*.

Je tiens à remercier la présidente de l'organisation Arun, à Toura, dans la région autonome d'Evenk ("Evenks" est le nom des populations indigènes de Sibérie que les Russes appelaient autrefois "Toungouzes"), de m'avoir offert un exemplaire des *Épopées héroïques evenk*. Un cadeau qu'à l'époque, j'avais d'abord accepté de mauvaise grâce, pensant que je ne le lirais jamais. J'avais tort. Je suis reconnaissant à l'égard des habitants de Toura, Krasnoïarsk, Iénisseïsk, Norilsk, Novosibirsk et des régions du Kuzbass et de la Chuchotka, pour l'hospitalité et la patience dont ils firent preuve à mon égard au cours de mes visites. Toute ma reconnaissance au *Guardian* et à l'*Observer* pour avoir rendu possibles ces voyages.

Les lecteurs russes reconnaîtront peut-être dans la chanson de Samarin un essai de traduction d'un poème de 1901 d'Innokenty Annensky. Je l'ai d'abord découvert sous la version bien plus récente mise en musique par Alexandre Soukhanov. Par la suite, j'ai appris que Soukhanov avait opéré quelques modifications par rapport au texte original, mais c'est sa version que j'ai traduite. La chanson d'Anna est, bien sûr, le *Vashe Blagorodiye* de Boulat Okoudjava, composée bien après les événements décrits dans le roman. Ce qui est, je l'espère, son seul anachronisme flagrant.

J'aimerais exprimer toute ma gratitude à l'égard de ceux qui m'ont offert des lieux où écrire à l'écart des grandes villes, à savoir Tanya et Slava Ilyushenko, mais également John Byrne et Tilda Swinton ; Leslie Plommer, pour son port d'attache à Berlin ; Duncan McLean, Eva Youren, Lenka Buss, Marion Sinclair, Michel Faber, Natasha Fairweather, Susan et Russell Meek et Victoria Clark, pour avoir lu mon manuscrit, pour m'avoir offert leur soutien, et leurs précieux conseils ; Jamie Byng et Francis Bickmore de Canongate ; et ma chère Yulia, pour avoir corrigé mon russe, toléré mes absences et m'avoir fourni tant de blagues russes.

James Meek, Londres 2004

TABLE

Impression réalisée
par CPI Firmin Didot
à Mesnil-sur-l'Estrée
en mai 2013

Cet ouvrage a été composé par
Atlant'Communication
aux Sables-d'Olonne (Vendée)

N° d'édition : 24179001 – N° d'impression : 117720
Dépôt légal : août 2013

Imprimé en France